ABSOLUTIE

Patrick Flanery

Absolutie

Vertaald door Auke Leistra

2012

DE BEZIGE BIJ

AMSTERDAM

Voor
G.L.F. en A.E.V.

De vertaler ontving voor deze vertaling een werkbeurs
van het Nederlands Letterenfonds

Oorspronkelijke titel *Absolution*
Oorspronkelijke uitgever Atlantic Books
Omslagontwerp b'IJ Barbara
Omslagillustratie Westend61/SuperStock
Foto auteur Andrew van der Vlies
Vormgeving binnenwerk Adriaan de Jonge, Amsterdam
Druk Koninklijke Wöhrmann, Zutphen
ISBN 978 90 234 6788 5
NUR 302

www.debezigebij.nl

1

Sam

'Ik heb me laten vertellen dat wij elkaar in Londen hebben ont-moet, meneer Leroux, maar ik kan mij u niet herinneren,' zegt ze, terwijl ze probeert overeind te gaan zitten, en haar lijf recht te trekken waar het weigert recht te zijn.

'Dat klopt. We hebben elkaar inderdaad ontmoet. Maar vluch-tig.' Eigenlijk was dat in Amsterdam, niet in Londen. Zij herin-nert zich een prijsuitreiking in Londen waar ik niet bij was. Ik herinner mij de conferentie in Amsterdam waar ik gesproken heb, en waar ik was uitgenodigd als veelbelovende jonge kenner van haar werk. Daar had ze mijn hand op charmante wijze in de hare genomen. Ze had erbij gelachen, en was meisjesachtig en een beetje dronken geweest. Deze keer bespeur ik geen greintje beneveling. Ik heb haar nooit in Londen ontmoet.

Er was natuurlijk ook nog die andere keer.

'Noemt u mij maar Sam,' zeg ik.

'Mijn redacteur zegt aardige dingen over je. Maar je uiterlijk staat me niet aan. Je lijkt me nogal modegevoelig.' Bij dat laatste woord trekt ze haar lippen terug, tanden iets van elkaar. In een flits is er een grijze tong te zien.

'Dat zou ik niet durven zeggen,' zeg ik, onwillekeurig blozend.

'Bén je modegevoelig?' Ze spreidt haar lippen weer, haar tan-den blikkeren. Misschien moet het een glimlach voorstellen, maar zo ziet het er niet uit.

'Volgens mij niet.'

'Ik kan me je gezicht niet herinneren. En je stem ook niet. Die stem zou ik me zeker moeten herinneren. Dat accent. Volgens mij kunnen wij elkaar onmogelijk eerder ontmoet hebben. Niet in dit leven, zoals dat heet.'

'Het was ook maar heel even.' Ik herinner haar er bijna aan dat ze toen dronken was. Ze doet alsof onze huidige ontmoeting voor haar van geen belang is, maar er steekt te veel energie in haar verveeldheid.

'Je moet weten dat ik niet uit vrije wil met dit project heb ingestemd. Ik ben een heel oude vrouw, maar dat wil nog niet zeggen dat ik van plan ben binnenkort dood te gaan. Jij zou bijvoorbeeld best eerder dan ik dood kunnen gaan, maar met jouw biografie maakt niemand haast. Je zou vanmiddag kunnen verongelukken. Worden aangereden door een auto. Of doodgeschoten door autodieven.'

'Ik ben niet belangrijk.'

'Zo is het.' Aan één kant van haar mond is even iets van een zelfgenoegzaam grijnslachje te zien. 'Ik heb je artikelen gelezen en krijg niet de indruk dat je imbeciel bent. Niettemin ben ik weinig optimistisch.' Ze staart me hoofdschuddend aan. Haar handen rusten op haar heupen en ze oogt een beetje onhandig, in elk geval onhandiger dan ik mij herinner. 'Anders zou ik wel mijn eigen biograaf hebben gekozen, maar ik ken niemand die een dergelijke taak op zich zou willen nemen. Ik ben een plaag.' Er is een vleugje van het meisjesachtige dat ik ook in Amsterdam heb gezien, iets wat grenst aan koketterie maar het niet helemaal is, alsof ze hoopt dat een man haar aantrekkelijk zal vinden, alleen omdat hij een man is. Ik moet inderdaad toegeven dat ze nog steeds een zekere schoonheid heeft.

'Ik weet zeker dat een heleboel mensen de kans met beide handen zouden aangrijpen,' zeg ik en ze kijkt verrast. Ze denkt dat ik terugflirt en glimlacht op een manier die bijna oprecht lijkt.

'Geen mensen die ik zelf zou uitkiezen.' Ze kijkt me hoofdschuddend en een beetje uit de hoogte aan; een standje van de juf. Ik mag dan lang zijn, zij is nog langer, een reuzin. 'Anders zou ik mijn autobiografie wel schrijven, maar dat zou in mijn ogen tijdverspilling zijn. Ik heb nooit over mijn eigen leven geschreven. Ik koester geen onwankelbaar geloof in de waarde van levensbeschrijvingen. Wie maakt het uit van welke mannen ik ge-houden heb? Wie maakt zich druk om mijn seksleven? Waarom wil iedereen weten wat een schrijver in bed doet? Ik neem aan dat je ervan uitgaat dat we gaan zitten.'

'Wat u wilt. Ik kan ook staan.'

'Je kunt niet de hele tijd blijven staan.'

'Wel als het u beter uit zou komen,' zeg ik, met een glimlach, maar de stemming is er niet meer naar om te flirten. Ze tuit haar lippen, wijst naar een rechte stoel en wacht tot ik zit, waarna ze zelf een stoel kiest aan de andere kant van de kamer, zodat we zo ongeveer moeten schreeuwen. Een kat springt bij haar op schoot. Ze pakt hem met twee handen beet en zet hem weer op de grond.

'Dat is niet mijn kat. Die is van mijn assistente. Ga niet in het boek zetten dat ik een kattenwijf ben. Dat ben ik niet. Ik wil niet dat de mensen denken dat ik een gek oud kattenwijf ben.' Achter op haar eerste boeken staat een foto, een publiciteitsfoto die ze de eerste tien jaar van haar carrière gebruikten, waarop ze een piepjong jachtluipaardje vasthoudt, met de bek open en de tong naar buiten, net als haar tong op dit moment. Die tong doet den-ken aan een jong dat nog bij de moeder drinkt, of aan iemand die een beroerte heeft gehad. 'Mijn Britse uitgever wilde per se dat stomme luipaard,' zal ze me later vertellen, 'want dat was toch wat een Afrikaanse schrijfster geacht werd te hebben, het wild met de klauwen in haar boezem, een heel continent aan de borst – al die afgekloven imperialistische fantasieën.'

'Welke vorm verwacht je dat dit gaat aannemen?' wil ze nu we-ten. 'Haal je alsjeblieft niet in je hoofd dat ik je wel mijn brieven en dagboeken zal laten lezen. Ik wil best met je praten maar ik ga niet op zolder naar documenten of fotoalbums zoeken.'

'Ik dacht om te beginnen aan een reeks interviews.'

'Om het ijs te breken?' vraagt ze. Ik knik en haal een klein digi-taal recordertje tevoorschijn. Ze snuift minachtend. 'Ik hoop niet dat je denkt dat we na verloop van tijd wel vrienden zullen worden. Ik ga niet met je in de tuin wandelen of musea bezoeken. Ik ga hier geen borrels schenken. Ik ga je niet laten delen in de wijsheid van de ouderdom. Ik ga je niet leren hoe je een beter leven kunt leiden. Het betreft hier een zakelijke overeenkomst, geen romance. Ik heb het druk genoeg, er komt volgend jaar een nieuw boek van me uit, *Absolutie*. Ik neem aan dat ik je dat te zijner tijd zal moeten laten lezen.'

'Ik voeg me naar u.'

'Ik heb je artikelen gelezen, zoals ik al zei. Je slaat de plank niet helemaal mis.'

'Misschien dat u bepaalde fouten kunt corrigeren.'

Clare deed niet zelf open toen ik voor de deur stond. Marie, de assistente met haar uitpuilende ogen, heeft me hier naartoe gebracht, een ontvangstkamer die uitkijkt op de voortuin en de lange oprijlaan, de hoge, beige muur met prikkeldraad erop dat zo is beschilderd en gedraaid dat het net klimop lijkt, en het elektronische hek. Beveiligingscamera's waken over huis en tuin. Clare heeft voor ons eerste interview een koud vertrek uitgekozen. Misschien is het de enige ontvangstkamer. Nee... een huis als dit moet er verscheidene hebben. Er moet nog een andere zijn, een mooiere, met uitzicht op de tuinen achter het huis, en de berg die boven de stad uit rijst. Daar zal ze me de volgende keer wel mee naartoe nemen. Anders zal ik die op een of andere manier wel op eigen houtje weten te vinden.

Haar gezicht is smaller dan haar foto's suggereren. Vijf jaar geleden in Amsterdam had ze misschien vollere wangen, maar dat gezonde is er nu af: haar gezicht is verweerd als de bodem van een drooggevallen meer. Het doet in niets aan welke foto van haar dan ook denken. Haar weerspannige blonde haarbos is nu zilverwit, maar hoewel de haren dun en broos zijn, hebben ze toch iets van hun oude glans behouden. Haar taille is uitgedijd. Ze is bijna een héél oude vrouw, maar haar leeftijd is niet aan haar af te zien – ze lijkt eerder zestig dan hoe oud ze ook maar is. Haar huid is gebronsd, haar kaaklijn heeft een kunstmatige strakheid. Ondanks haar licht gekromde rug probeert ze kaars-recht te blijven. Even flakkert boosheid op om haar ijdelheid. Maar het is niet aan mij om daar een oordeel over te vellen. Ze is wie ze is. Ik ben hier voor iets anders.

'Ik hoop dat je zelf eten en drinken hebt meegenomen. Ik was niet van plan je de kost te geven terwijl je al de kost aan mij ver-dient. Je mag gebruikmaken van de voorzieningen aan het eind van de gang links. Doe wel de bril weer naar beneden als je klaar bent. Dat zal mijn welwillendheid goed doen.' Ze knijpt haar ogen tot spleetjes en lijkt weer te gniffelen, maar ik zou niet kun-nen zeggen of ze een grapje maakt of niet. 'Ga je onze gesprek-ken opnemen?'

'Ja.'

'En ook aantekeningen maken?'

'Ja.'

'Staat hij aan?'

'Ja. Hij is al aan het opnemen.'

'En nu?'

'Ik ben heel voorspelbaar,' zeg ik. 'Ik zou graag bij het begin be-ginnen.'

'In mijn kindertijd zul je anders geen sporen van mijn werk aantreffen.'

'Daar gaat het ook niet om, als ik zo vrij mag zijn. De mensen willen zulke dingen weten.' Eigenlijk is er vrijwel niets bekend over haar leven afgezien van wat kale feiten, en het beetje dat ze zo goed is geweest in eerdere interviews prijs te geven. Haar agent in Londen heeft vijf jaar geleden, toen de stroom verzoe-ken om dergelijke informatie bleef aanzwellen, een officiële bio-grafie van één pagina vrijgegeven. 'Uw grootouders van beide kanten waren boeren.'

'Nee. Mijn opa van vaderskant had een struisvogelkwekerij. En de andere was slager.'

'En uw ouders?'

'Mijn vader was advocaat. En de eerste in zijn familie die ging studeren. Mijn moeder was taalkundige, ook academisch geschoold. Ik zag ze niet veel. Er waren allerlei vrouwen – meisjes – om op mij te passen. Een hele reeks. Mijn vader heeft geloof ik aardig wat pro Deo gewerkt.'

'Heeft dat uw politieke stellingname beïnvloed?'

Ze zucht en kijkt teleurgesteld, alsof ik een grap gemist heb.

'Ik heb geen politieke stellingname. Politiek interesseert me niet. Mijn ouders waren vooruitstrevend. Het lag in de lijn der verwachting dat ik ook vooruitstrevend zou worden, maar ik denk dat mijn ouders vooruitstrevend waren op de aarzelende manier van zovelen van hun generatie. We zouden beter kunnen spreken van links en rechts, of progressief en regressief, of zelfs óppressief. Ik ben geen absolutist. Politieke gerichtheid is een ellips, geen continuüm. Als je ver genoeg een bepaalde kant op gaat, kom je min of meer daar uit waar je nou net dacht afstand van te nemen. Maar nu hebben we het over politiek. En dat is toch niet ons onderwerp, of wel?'

'Niet per se. Maar vindt u het ook moeilijk om kritiek te hebben op de regering, als auteur?'

Ze kucht en schraapt haar keel. 'Nee, zeker niet.'

'Wat ik bedoel is: maakt het auteurschap het moeilijker kritiek uit te oefenen op de regering?'

'Moeilijker dan wat?'

'Dan als privépersoon, bijvoorbeeld.'

'Maar ik bén privépersoon, zoals jij dat noemt. Mijn ervaring is dat regeringen meestal heel weinig notie nemen van wat privépersonen te zeggen hebben, tenzij ze het in koor zeggen.'

'Ik denk dat wat ik eigenlijk probeer te vragen...'

'Vraag het dan.'

'Wat ik eigenlijk probeer te vragen is of u het moeilijker vindt kritiek uit te oefenen op de huidige regering.'

'Zeker niet. Dat zij democratisch gekozen is, maakt haar nog niet immuun voor kritiek.'

'Vindt u fictie van essentieel belang voor oppositievoering?' Ik betreur de vraag zodra ik hem gesteld heb, maar nu ik tegenover haar zit, lijken alle vragen met hun doorwrochte formulering, waar maanden voorbereiding in is gaan zitten, opeens onmogelijk te stellen.

Ze lacht en haar lach gaat over in een hernieuwde hoestaanval, weer gevolgd door een schrapen van de keel. 'Je hebt wel een heel vreemde opvatting van wat van fictie verwacht mag worden.'

Om tijd te rekken bestudeer ik mijn doolhof van aantekeningen. Ik voel dat ze naar me kijkt. Ik had verwacht dat het allemaal zo soepel zou gaan. Ik besluit naar haar zuster te vragen; de politieke kant daarvan kan moeilijk ontkend worden. Terwijl ik voor mezelf de vraag onder woorden probeer te brengen, schraapt zij haar keel weer, alsof ze zeggen wil: kom op, je moet wel met iets beters voor de dag komen – waarop ik me op een andere vraag stort die ik niet voornemens was te stellen.

'Had u ook broers of zussen?'

'Dat weet je best, jongeman. Dat was de climax van een turbulente periode. Dat is allemaal bekend. Ik ga absoluut niets over mijn zuster zeggen.'

'Zelfs niet de kale feiten?'

'De kale feiten zijn te vinden in de verslagen van de rechtbank en in talloze krantenknipsels. Die heb je ongetwijfeld gelezen. Die heeft iedereen gelezen. Een man die alleen had gehandeld, zei hij. De rechter oordeelde dat hij niet alleen had gehandeld, hoewel er niemand anders gearresteerd werd. Als zoveel anderen overleed hij in hechtenis. Anders dan zoveel anderen had hij daadwerkelijk een misdaad begaan. Hij heeft nooit ontkend dat hij het gedaan had. Ik heb daar niets aan toe te voegen afgezien van de ervaring van de familie die er het slachtoffer van was, en dat is geen nieuw materiaal. We weten allemaal hoe mensen lijden onder de onverwachte, gewelddadige dood van een familielid. Dat leed is voor de familie van iemand die onschuldig is vermoord niet fundamenteel anders dan voor de familie van een

geëxecuteerde crimineel. Het is vivisectie. Verlies van een lede-
maat. Geen prothese kan die vervangen. De familie is verminkt.
Meer wens ik er niet over te zeggen.'

Hoewel het pas onze tweede ontmoeting zou zijn, kan of wil
Clare me vandaag niet ontvangen. In plaats daarvan ga ik naar
het Archief van de Westkaap, parkeer in Roeland Street, en knik
naar de bewaker die de schaduw van een vrachtauto heeft opge-
zocht. Hij schenkt me een onderdanige glimlach en maakt een
instemmend geluid. Ik betrap mezelf erop dat ik voortdurend
gespannen ben en het ergste verwacht. Op het vliegveld was ik
een vreemde, maar een week later, gister op de markt, was ik alweer een autochtoon. Bij een uitstalling van kroppen sla sprak
een vrouw me aan, en ze verwachtte ook een antwoord. Lang geleden zou ik misschien wel op de juiste woorden zijn gekomen.
Nu moest ik echter het hoofd schudden. Ik glimlachte en veront-
schuldigde me, en legde uit dat ik de taal niet sprak, haar niet ver-
stond. *Ek is jammer. Ek praat nie Afrikaans nie. Ek verstaan jou nie.*
Ik ben te veel van mijn Afrikaans vergeten om antwoord te kunnen geven. Ik wist niet wat ik zeggen moest over de sla of de vis.
Ze keek verbaasd, haalde haar schouders op en liep weg, vinnig
in zichzelf pratend, er misschien wel van uitgaand dat ik haar
taal wel kende, maar weigerde te spreken.

 Het Archief is al bijna twintig jaar ondergebracht in een voormalige gevangenis. De bewaker op de parkeerplaats kijkt me na
als ik de trap op loop, door de negentiende-eeuwse poort. Het
groene traliehek is open. Op de binnenplaats staan sjofele picknicktafels, wat armzalige aanplant, en het onderkomen van het
archief: een gebouw in een gebouw. Ik teken het register, zet
mijn tas in een kluisje en ga met mijn spullen naar de leeszaal.
De vrouw achter het bureau, ene mevrouw Stewart, weet eerst
niet goed wat ik precies wil. Ze kijkt een beetje geschrokken als
ze het begrijpt, maar knikt en vraagt me even te gaan zitten terwijl zij iemand naar de gevraagde dossiers laat zoeken. Al haar

zinnen gaan aan het eind omhoog, naar een toonhoogte die overal een vraagteken bij zet zonder echt vragen te stellen. Een paar jaar geleden zou het personeel me misschien wel zelf in het magazijn op onderzoek hebben laten uitgaan – vrienden van me hebben dat geluk gehad, en dingen gevonden die ze niet geacht werden onder ogen te krijgen. Nu is alles beter georganiseerd, professioneler, maar ook minder hoopgevend.

De andere mensen in de zaal schijnen allemaal amateurgenealogen te zijn, die aan hun familiegeschiedenis werken. Als de stapel bruine dossiermappen met forse, rode stempels voor me op tafel wordt gelegd, voel ik de blikken van de anderen, die zich natuurlijk afvragen wat voor dossiers ik dan wel ga inzien: niet meer vertrouwelijk maar nog wel met dat stempel. Ik pak mijn camera en statief en fotografeer de hele morgen pagina na pagina.

Bij de lunch komen twee vrouwen uit de leeszaal op me af.

'Werkt u aan een familiegeschiedenis?' vraagt een van hen, waarbij haar stem net zo omhooggaat als die van mevrouw Stewart.

'Nee. Het is voor een boek. Ik bekijk dossiers van de *Publications Control Board*. De censuur.'

'Oh,' zegt de andere vrouw, knikkend. 'Wat ontzèèèttend interessant.'

We praten enkele ogenblikken. Ik informeer naar hun onderzoek. Het zijn zusters die onderzoek doen naar hun voorouders, ze proberen de juiste Hermanus Stephanus of Gertruida Magdalena op te sporen, in eeuwen waarin iedereen zo leek te heten.

'Succes met uw research,' zegt de eerste als we op de trap afscheid van elkaar nemen. 'Ik hoop dat u vindt wat u zoekt.'

Ik geef de bewaker van de parkeerplaats wat volgens mij een gepaste vergoeding is. Het lijkt altijd te veel of te weinig te zijn. Later vraag ik aan Greg hoe hij daarover denkt. Ik vertrouw zijn kijk op de zaak omdat ik hem al ken sinds we samen studeerden in New York en hij de meest moreel en sociaal betrokken vriend

is die ik in Zuid-Afrika heb. Toen ik Greg vertelde dat ik terugkwam, en dat mijn vrouw zich later dat jaar bij me zou voegen
voor haar werk in Johannesburg, stond Greg erop dat ik bij hem
zou logeren zolang ik in Kaapstad moest zijn.

'Het kan nooit te veel zijn, want zij hebben het meer nodig dan
jij,' zegt hij, zijn zoontje op zijn knie balancerend. 'Als je huurauto gestolen wordt, of iemand jat de radio of de wieldoppen – dan
moet je jezelf voorhouden dat degene die dat gedaan heeft ze
meer nodig had dan jij. Dat is de enige manier om met jezelf
door één deur te kunnen.'

'Ik wil niet dat het op liefdadigheid gaat lijken.'

'Denk aan al die klootzakken die maar vijftig cent geven en
nergens mee zitten. Geld is geen belediging. Niet alles hoeft betaling voor verleende diensten te zijn, hoe informeel ook. En als
je toerist bent, ben je zelfs nog iets meer verschuldigd.'

'Ik zie mezelf anders niet als toerist. Ik ben weer terug.'

'Je bent al een hele tijd geen *local* meer, Sam, wat voor shirt je
ook aantrekt, of wat voor muziek je ook draait. En wie zegt dat je
op de lange duur inderdaad zult blijven? Die klus van Sarah
duurt hoelang? Anderhalf jaar?'

'Drie jaar, als ze wil.'

'Maar daarna gaan jullie ergens anders heen. Dat betekent dat
je toerist bent. Daar hoef je je niet voor te schamen. Als je het
maar niet vergeet.'

'Hoeveel geef jij dan?'

'Nee, luister, het punt is, ik geef minder dan ik van jou verwacht omdat ik elke dag geef, en dat al jaren. Ik heb een nanny
die zes dagen in de week komt, een tuinman voor twee keer in de
week, een hulp drie keer in de week, ik geef pakjes soep aan de
oude man die hier elke vrijdag bij het hek staat. Ik geef de hulp
en de nanny allebei geld om de school van hun kinderen te betalen. Ik koop hun schooluniformen. Ik betaal hun medische hulp.
Als ik in de stad parkeer, geef ik de bewakers niet zoveel als ik van
jou verwacht omdat ik al zoveel geef, maar zelfs dat is niet ge-

noeg, weet je. Ik geef ook geen eten meer aan mensen die aan de deur komen behalve aan die oude man, omdat die nooit dronken is. Ik ben dus zelf een van die klootzakken waar ik de pest aan heb. Maar jullie toeristen, jullie moeten meer geven.' Hij praat vlug, zijn zoontje speelt met de kralen om zijn nek. 'Dylan, niet aan papa's kralen trekken.' Hij kijkt me aan en glimlacht. 'Ik zat te denken, laten we vanmiddag naar de Waterfront gaan. Er is een nieuwe juicebar en ik heb zin om te shoppen. Laten we Dylan bij Nonyameko, kunnen we na afloop een filmpje pakken.'

Een andere dag. Clare neemt me mee naar dezelfde kamer waar we ook het eerste interview hadden. Deze keer kwam zij aan de intercom toen ik voor het hek stond, en heeft ze zelf de voordeur opengedaan. De assistente heeft zeker een vrije dag. We zitten weer op dezelfde stoelen. De kat komt weer binnen, maar deze keer springt hij bij mij op schoot, in plaats van bij haar. Luid spinnend kwijlt hij op mijn broek en klauwt zijn nagels in mijn benen.

'Katten houden van onnozele mensen,' zegt ze met een stalen gezicht.

'Kunnen we het nog weer even over uw zuster hebben?'

'Ik wist wel dat je Nora niet dood zou laten blijven.' Ze ziet er moe uit, nog afgetobder dan de eerste keer. Ik weet dat het verhaal van haar zuster een omweg is. Het is niet het verhaal dat ik wil horen, maar het zou een manier kunnen zijn om uiteindelijk toch daar te komen waar ik wezen wil.

'Was uw zuster altijd al politiek geëngageerd?'

'Volgens mij beschouwde ze zichzelf als ápolitiek, net als ik. Maar dat is niet helemaal eerlijk. Ik ben niet apolitiek. Ik ben als privépersoon politiek geïnteresseerd. Maar als je een leven in de openbaarheid kiest – ofwel door je werk of door connecties of door je huwelijk – is het een andere zaak. Zij koos een leven in de openbaarheid door met een publieke figuur te trouwen.'

'Het leven van een schrijver is geen leven in de openbaarheid?'

'Nee,' zegt ze, en ze glimlacht – neerbuigend of, vlei ik mezelf, omdat ze van mijn vraag geniet. 'Het was in díé tijd in dít land onmogelijk om je als publieke figuur verre te houden van politiek. Ze was het slachtoffer van haar eigen naïviteit. Ze had moeten weten dat ze haar eigen doodvonnis tekende. Maar ze was de eerstgeborene. Onze ouders hebben fouten gemaakt. Misschien hebben ze haar in haar wiegje laten liggen huilen in plaats van haar te troosten. Of waren ze streng waar ze wat meegaander hadden moeten zijn. Ze heeft zich er altijd vreselijk aan gestoord dat ik op mijn dertiende mijn benen al mocht scheren en lippenstift mocht gebruiken, dat ik rokken tot boven de knieën mocht dragen en als schoolmeisje mijn snorhaartjes mocht bleken. Het was duidelijk dat voor mij andere regels golden, en dat zag ze. Onze ouders hebben haar onder de duim gehouden tot ze zestien was. Ze ging niet naar de universiteit. Door haar huwelijk kon ze aan haar autoritaire ouders ontsnappen, maar ze vluchtte in een nog veel autoritairder cultuur. Ik heb meer geluk gehad.'

'U hebt in het buitenland gestudeerd.' Dat weet ik allemaal al. Ik leg alleen de fundering. Hier moet alles op rusten.

'Ja. Kostschool hier, en toen de universiteit in Engeland. En daarna een tijd in Europa.'

'En toen keerde u terug, in een tijd dat velen in de antiapartheidsbeweging – vooral schrijvers – juist vrijwillig in ballingschap gingen.'

'Dat is juist. Ik had nog niets gepubliceerd. Ik wilde terug naar Zuid-Afrika, ik wilde deel uitmaken van de oppositie, als je het tenminste zo mocht noemen.'

'Hebt u het de mensen die het land verlieten ook kwalijk genomen?'

'Nee. Sommigen hadden weinig keus. Die kregen een spreek- en publicatieverbod opgelegd, zij of hun familie werden bedreigd, sommigen werden opgesloten. Of ze vertrokken voor korte tijd, om in het buitenland te gaan studeren, en kwamen tot de ontdekking dat ze wegens hun politieke activiteiten niet meer terug konden naar Zuid-Afrika, of beseften eenvoudig dat het in veel opzichten makkelijker was om in Engeland of Amerika of Canada of Frankrijk te blijven, en zoveel te beter voor hen, neem ik aan, als dat was wat ze wilden, als dat was wat ze nodig meenden te hebben. Ik werd niet bedreigd, of nauwelijks, en dus bleef ik, of liever gezegd: keerde ik terug en bleef. Gaat dit ook nog ergens heen, deze vraagstelling? Wat zegt dit over mij?'

Toen we elkaar in Amsterdam ontmoetten, was ze dronken van alle bewieroking, en van de champagne. Als gevolg daarvan was ze toen royaal, uitbundig, of leek ze misschien alleen maar zo omdat ze ver van huis was en gelauwerd werd. Ze deed alsof ze jarig was en nam een grote fles champagne mee van het congres. In het karakterloze toeristenhotel waar ze verbleef, verzocht ze de portier in het Afrikaans om glazen uit het restaurant te halen, zodat ze met haar oude en nieuwe vrienden op haar verjaardag kon drinken. De portier probeerde niet om haar taal te lachen en haar verzoek werd ingewilligd.

Ik was er toen ook bij, als een van haar nieuwe vrienden. Gezien de champagne zou het me niet moeten verbazen dat ze onze eerste ontmoeting vergeten is, of dat ze zich voorstelt dat het in Londen was, bij een prijsuitreiking in plaats van op een congres. Ze is oud. Haar geheugen kan niet perfect zijn.

Ik heb er echter moeite mee de schrijfster die ik in druk zo hoog acht, die mij in Amsterdam zo elegant een hand gaf, terug te zien in de vrouw die nu tegenover me zit. Haar spotlust is van haar gezicht af te lezen. In een flits gaat er een herinnering door me heen die ik meteen onderdruk. Ik kan mezelf niet toestaan aan het verleden te denken, nog niet.

Absolutie

Het was niet het gebruikelijke langzame wakker worden uit een diepe slaap in het holst van de nacht. Haar blaas was niet vol, Clare had de dag tevoren geen cafeïne gehad. Haar raam stond open, maar ze had, als ze sliep, nooit last van geluiden van buiten. Ze wist instinctief dat er iets niet in orde was. Ze hyperventileerde toen ze wakker werd en haar hart bonsde zo luid dat als er iemand in de kamer was, het gebons haar zou verraden.

Jarenlang had ze geweigerd een alarminstallatie te nemen, had ze erop gestaan dat sloten voldoende waren; wie vastbesloten genoeg was om door nachtsloten en veiligheidsglas en tralies heen te breken, was de schatten die hij zich hier wenste toe te eigenen waard. Maar nu, hoe graag had ze niet een alarm gehad, en zo'n noodknopje bij het bed dat haar vrienden en haar zoon, de neven en nichten die ze had, allemaal wél hadden laten aanbrengen. Ze wist ook dat het geluid niet afkomstig was van Marie, die natuurlijk boven lag te slapen. Het geluid was ergens beneden geweest. Als Marie naar beneden was gegaan, zou Clare haar wel op de overloop hebben gehoord.

In een poging haar hart tot bedaren te brengen zei ze bij zichzelf: 'Het is stil, het waait alleen,' een oude mantra die ze als meisje had geleerd. De gordijnen speelden met de tralies voor de ramen. Het waren geen kostbaarheden die haar zorgen baarden. Iedereen die ze hebben wilde kon haar installatie krijgen, wat die ook maar waard was, of zelfs het zilver en het kristal – als inbrekers daar tegenwoordig nog iets in zagen. Het was een eventuele confrontatie waar ze bang voor was, de dreiging van vuurwapens, van mannen met vuurwapens. 'Het is stil. Het waait alleen. Een, twee, drie, vier, langzaam, zes, zeven.' Ze had zichzelf bijna zover dat ze weer rustig in slaap viel, toen ze het onmiskenbare opengaan van een deur in zijn hengsels hoorde, van metaal dat draaide in ongeolied metaal, de deur beneden in de hal die over de kokosmat schoof. Boven was beweging, daar kraakte een vloerplank. Marie had het ook gehoord.

Clare greep op de tast naar de telefoon, maar toen ze de hoorn naar haar oor bracht was er slechts holle stilte. Ze had geen mobiele telefoon maar van Marie wist ze dat niet, misschien kon ze er wel op vertrouwen dat die een oplossing wist. Hoe lang was het geleden dat de deur over de mat schoof? Enkele seconden? Een halve minuut? Twee minuten? Een geur begon naar boven door te dringen, scherp en bitter, chemisch, geen geur die in haar huis hoorde. Toen klonk weer een geluid, op de eerste trap, een losse plank, een collectief inzuigen van adem, of verbeeldde ze zich dat? Ze kon haar deur dichtgooien, maar ze was de sleutel al heel lang kwijt; ze kon niet uit het raam ontsnappen, er was geen ruimte onder haar bed waar ze zich kon verstoppen, haar kast was veel te vol, ze had geen inloopkast. Het moedigste zou zijn rechtop in bed te gaan zitten, het licht aan te doen en te wachten tot ze kwamen, of te roepen: 'Pak wat je wilt, maakt mij niet uit,' maar ze kon niets uitbrengen, en haar lichaam was als verlamd. Ze zou gegild hebben als haar keel het had toegestaan.

Nog meer seconden, een minuut stilte, of was ze te veel afgeleid om iets te horen? Er lag een brok graniet op de grond dat ze gebruikte om de deur open te houden, een klein rotsblok bijna, ze tilde het van de vloer en sjouwde het mee naar bed, maar wat dacht ze eigenlijk? Dat ze dat naar haar belagers kon gooien? Lieten mannen zich nog op de vlucht jagen met stokken en stenen, of was daar zwaarder geschut voor nodig? Er waren dingen waarvan ze opeens het idee had dat ze die zou moeten weten.

Terwijl ze het brok graniet in haar armen hield, doken vier mannen op, alle vier met een capuchon op, ze zag hen weerspiegeld in het glas van een ingelijste foto die tegenover haar bed aan de muur hing. Ze liepen achter elkaar over de overloop, ieder met een geweer met afgezaagde loop in de in handschoenen gestoken handen. Die geweren waren eigenlijk een lugubere opluchting, minder intiem: haar dood zou snel zijn. Ze wist waar vuurwapens toe in staat waren.

De achterste van de vier mannen draaide zich om, keek bij haar naar binnen en snoof de lucht op. Zijn neusgaten waren verstopt; ze hoorde het terwijl ze haar ogen dichtkneep en deed alsof ze sliep, in de hoop dat wakker zijn niet te ruiken was. Ze rook hem wel, een penetrante lucht, en ze rook ook de metalige geur van zijn wapen en van wapenolie. Haar hart ging tekeer, hoe kon hij dat nou niet horen? Hij hoorde het wel, hij keek weer naar de overloop, waar zijn vrienden waren, maar die waren al naar boven, geschuifel, een handgemeen, Marie overmeesterd. Zijn gewicht drukte haar neer, handen in handschoenen, een bivakmuts over het hoofd, gesnuif door verstopte neusgaten. Opeens, in één enkele beweging, lag het brok graniet op de grond, hij drukte op haar neer, voelde tussen haar benen, drong met één hand bij haar naar binnen, de andere, met de gladde leren handschoen, hield haar mond dicht, ze stikte bijna, haar neusgaten werden ook dichtgehouden, haar hart bonkte als een razende.

Nee, dat had ze zich ingebeeld.

Maar ze kon hem en de metalige stank van zijn wapen wel ruiken. Haar hart bonsde zo luid, hoe kon hij dat nou niet horen, daar op de drempel? Toen draaide hij zich om, voegde zich weer bij de anderen en sloop verder de overloop op.

Ze hadden het huis natuurlijk in de gaten gehouden, en wisten dat er alleen twee vrouwen woonden, twee vrouwen die naar alle waarschijnlijkheid geen vuurwapens hadden. Ze wisten natuurlijk dat er geen alarminstallatie was, geen prikkeldraad of schrikdraad, en, heel belangrijk, geen honden.

Clare voelde het brok graniet, bleek en zwaar in haar armen, rustend tegen haar zij. Het was nat van het zweet en rook naar aarde. Ze had het uit de rotstuin opgegraven, om plaats te maken voor bloembollen. Als die mannen nou maar eens tegen elkaar fluisterden, dan wist ze tenminste dat ze er nog waren. Ze dacht dat ze aan het andere eind van de overloop waren, en toen wist ze het zeker, de eerste trede van de trap naar de bovenste verdieping zuchtte onder het gewicht van een voet die daar niet hoorde. God, ze moest schreeuwen, Marie waarschuwen, maar ze stikte bijna, haar keel was opgezwollen. Er zou geen lucht komen. Haar stembanden zouden geen geluid voortbrengen. Alles aan haar was dik en hard.

En toen, oorverdovend, vier felle, explosieve schoten, een laag gegrom, een vijfde, diepere schot, een zesde, helder als de eerste, gevolgd door een stormloop van voeten langs haar deur. De muur tegenover haar bed explodeerde, het pleisterwerk vloog alle kanten op, de ingelijste foto viel op de grond, het glas in scherven. Er klonk nog een laatste schot, gekreun, een roffel van voetstappen op de trap naar beneden, deuren die dicht knalden en toen stilte.

Het was geen droom, maar toen ze eruit wakker werd stond Marie naast haar bed.

'Ze zijn weg. Ik heb ze het huis uit gejaagd.'

'Ik wist niet dat je een pistool had.'

'Jij wilde geen alarm hebben,' zei Marie.

'Nu wel.'

'Ik ga naar de buren, de politie bellen.'

'Heb je er een doodgeschoten?'

'Nee.'

'Heb je ze gemist?'

'Nee. Ik mikte op hun wapens.'

'En die heb je wel geraakt?' vroeg Clare.

'Ja. Maar een wilde niet opgeven. Daar heb ik nog een keer op geschoten. Toen kwamen de anderen op me af en heb ik ook nog op een van hen geschoten. Meer munitie had ik niet.'

'Je hebt geluk gehad.'

'Ik ben over een paar minuten terug.' Marie bleef nog even bij de deur staan, keek naar het glas op de grond, de hoopjes pleisterwerk, de balken in de muur waar het stucwerk af was. De schade zou pas bij daglicht kunnen worden opgenomen.

'Weet je zeker dat ze weg zijn?'

'Ze zijn weggereden. Ze zijn echt heel dom geweest. Ik had hun kenteken al opgeschreven voor ze boven waren. Ze hadden hun auto voor de deur neergezet.'

'Die zullen ze wel gestolen hebben.'

Toen ze Marie de deur beneden achter zich op slot had horen draaien, ging Clare rechtop in bed zitten. Haar keel was nog droog en heet. Hoe durfde Marie een vuurwapen in huis te hebben zonder het aan haar te vertellen? Hoe durfde ze daarmee te schieten, in háár huis? Waar haalde ze het lef vandaan?

Het was al jaren geleden dat Clare van zo nabij met vuurwapens geconfronteerd was geweest: dat was toen ze een vakantie op de boerderij van haar nicht Dorothy in de Oostkaap doorbracht, en de voorman bij een roofoverval werd gedood en haar nicht gewond raakte. De twee Deense doggen waren ook doodgeschoten, maar het was pas de volgende morgen, toen ze er zeker van waren dat het gevaar was geweken, dat ze zich op het erf waagden en greppels groeven voor de honden waar ze die lange, glanzende lijven in te ruste konden leggen. Deense doggen worden niet oud. Ze hadden het lichaam van de voorman in aardappelzakken gewikkeld en achter in de vrachtauto gelegd. Haar nicht zat naast het lichaam, haar been gestrekt en nog bloedend. Clare had een uur over onverharde wegen gereden en toen over de pas naar het ziekenhuis in George. Er waren toch zeker ook nog wel anderen bij geweest? Haar geheugen kwam niet verder dan de bloedende nicht, de dode voorman, de dode honden en de onzichtbare overvallers. Haar dochter moet er ook bij zijn geweest. Laura kan nergens anders geweest zijn, niet op die leeftijd.

Clare kon het niet opbrengen om te gaan kijken of er ook bloed op de overloop lag, al wist ze dat het wel zo moest zijn,

bloed dat als accuzuur in de vloerbedekking en in de vloerplanken brandde, en dat nooit meer te verwijderen zou zijn.

De politie bevestigde dat er geen deuren of nachtsloten geforceerd waren, en Marie hield vol dat ze er, zoals altijd, wel degelijk
aan gedacht had om voor ze naar bed ging te kijken of de boel op
het nachtslot zat; dat maakte net zo goed deel uit van het ritueel
als tandenpoetsen. Beveiliging had bij haar trouwens sowieso
iets dwangmatigs, dat zou ze nooit laten schieten, al was ze
doodziek. De draad van de telefoon was bij de buitenmuur door-
gesneden. Clare stond in de keuken met een witte badjas over
haar pyjama, het haar in een grimmig knotje. Ze probeerde naar
de politieman te luisteren die Marie ondervroeg, maar niemand
kwam haar ondervragen. Het was net of ze zich schaamden in
Clares nabijheid. Vrouwen hoorden geen reuzen te zijn. Boven,
op de overloop, schenen politielichten en klonk het hoge, elektronische gejank van camera's. Forensische experts waren aan
het poederen en monsters aan het nemen. Ze voelde zich laf.
   Als de inbraak zo professioneel was uitgevoerd, waren het misschien geen gewone inbrekers geweest; gewone inbrekers, zelfs
zij die het geweld niet schuwden, hadden meestal niet het soort
gereedschap waarmee je een slot kon openbreken zonder sporen van braak. Afgezien van bloed op de grond en schade aan het
pleisterwerk in haar slaapkamer was haar huis intact gebleven.
De schade was aangericht in het 'vuurgevecht', zoals ze vond dat
ze het noemen moest, op die halfironische toon die Marie in de
komende weken hoorndol zou maken. 'Bij het vuurgevecht,' zou
ze dan een zin beginnen, of 'ik wist dat een vuurgevecht misschien wel mijn laatste ervaring in dit leven zou zijn, en dat
kwam op mij over als zo'n verspilling, zo'n esthetisch fiasco.'
   Er leek maar één ding te zijn ontvreemd.
   'Er is wel iets verdwenen,' zei ze tegen de geüniformeerde
agent die het onderzoek leidde.
   'Verdwenen?'

'De pruik van mijn vader.'

'Hoe bedoelt u?'

'De trommel met de pruik van mijn vader. Hij was advocaat. Die staat altijd bij de haard. Maar daar staat hij niet meer.'

'Waarom zou iemand de pruik van uw vader willen stelen?'

'Hoe moet ik dat weten?'

'Kunt u hem omschrijven?'

'Het was een zwartgeverfde, blikken trommel met de pruik van mijn vader erin. De pruik die hij op had als hij moest pleiten in Londen. Gemaakt van paardenhaar. Ik zou niet weten wat hij waard is. Er zijn wel dingen van meer waarde die ze hadden kunnen meenemen.'

'Wat voor kleur had die pruik?'

'Wit. Grijs. Het was een doodgewone pruik, gewoon een pruik van een pleiter. Zoals je wel op televisie ziet. In oude films. Kostuumfilms.'

'Hoorde hij bij een kostuum?'

'Nee. Ja. Daar gaat het niet om,' zei Clare, terwijl ze haar ergernis probeerde te onderdrukken.

'Wilt u hem weer terug hebben?'

'Natuurlijk wil ik hem weer terug hebben. Die pruik is van mij. Hij kan voor niemand anders enige betekenis hebben.'

'Voor een kaal iemand misschien. U bent niet kaal. Misschien was degene die hem heeft meegenomen wel kaal. Een kale man zou meer aan die pruik hebben dan u.'

'Wat een bespottelijke opmerking. Moet ik geen verklaring afleggen?'

De agent keek haar geduldig aan, door bleke gelei-ogen.

'Een verklaring? Ik dacht dat u niks gezien had.'

'Zou u niet denken dat u mij eerst zou moeten vrágen of ik iets gezien heb? Ik heb wel degelijk iets gezien. Ik heb de inbrekers gezien, hun weerspiegeling.'

Clare kreeg te horen dat ze net zo goed weer naar bed kon gaan, maar dan in een van de logeerkamers. Op weg naar boven kwam ze langs kleine kapelletjes van plastic, politietentjes die de bewijzen markeerden: een kronkelend lint van bloeddruppels, tot aan de deur van haar slaapkamer. Ze kon zich niet herinneren dat ze naar beneden was gegaan, noch dat ze bloed had gezien, maar aan de tentjes te zien kon het niet anders; overal was bloed, en ze rook de geur van de inbrekers weer, synthetisch, chemisch, een of ander desinfecterend middel dat naar sinaasappels rook, een schoonmaakmiddel of misschien een deodorant. Die mannen hadden zich gereinigd voor ze tot de aanval overgingen; ze wisten waar ze mee bezig waren. Toen ze hier vertrokken waren, daar was ze van overtuigd, waren ze niet verdwenen in een van die talloze hutjes die zich in golven uitstrekten aan de voet van de berg, tot aan het vliegveld en verder; die waren naar een privékliniek gegaan waar geen vragen werden gesteld, en vandaar naar huis, naar vrouwen of vriendinnen die met een kalme discretie hun wonden verzorgden.

Het ochtendgloren brandde zichtbaar door een kier in de buitenmuur, waar hout en pleisterwerk door kogels beschadigd waren. Clare mocht de foto van de grond pakken; hoewel lijst en glas waren gebroken en versplinterd, zag ze dat de antieke afdruk als door een wonder heel was gebleven, en vrijwel onbeschadigd, afgezien van een krasje in een hoek. In zwart-wit staarde haar zuster Norah, met een strenge mond, hooghartig en door een hoornen bril, niet in de lens, maar in de verte; over haar voorhoofd lag de schaduw van een belachelijk wit hoedje, dat tientallen jaren geleden in de mode was geweest. Hoewel ze nog niet van middelbare leeftijd was toen de foto gemaakt werd, had Norah een jurk aan met witte stippen op een bleke achtergrond, waarschijnlijk roze, dacht Clare – met satijnen rozetknoopjes. Het was geen snit voor een jonge vrouw – niet zozeer zedig als wel onelegant. De stippen op de jurk pasten bij de parels in haar oren. Norah stond schouder aan schouder met een vrouw in een licht visgraatjasje met een zwarte strooien hoed met struisvogelveren op het hoofd. Beiden oogden zelfvoldaan, met de kin naar voren, die al neigde naar verdubbeling. Clare kende die andere vrouw niet; die vrouwen waren allemaal hetzelfde, op die tribunes bij die partijbijeenkomsten die ook allemaal hetzelfde waren. Dat was hoe ze zich haar zuster graag herinnerde, gepantserd tegen de geschiedenis, het beloop ervan botweg ontkennend, met een vastberaden trek om de mond en gefronste wenkbrauwen, een jaar of twee voor haar gewelddadige dood. Het had iets troostrijks om haar zo in de herinnering te bewaren, om zich haar voor te stellen als statisch, onbeweeglijk.

Marie stond weer naast haar, hijgend en geurend naar nat gras. 'Nu zul je natuurlijk wel moeten verhuizen. Ze weten dat ze je hier kunnen pakken. Het is te makkelijk.'

'Ik neem wel een alarminstallatie. Dikkere tralies voor de ramen,' wierp Clare tegen.

'Je moet muren hebben. Je kunt niet in dit land blijven zonder muren om je te beschermen. Muren en prikkeldraad, onder stroom. En waakhonden.'

Het leed geen twijfel dat Marie deze strijd ging winnen. Marie had per slot van rekening alles geriskeerd. Marie, de assistente, de werkneemster, de onmisbare, moest kunnen uitmaken hoe ze in de toekomst het beste konden wonen.

'Marie? Wat voor auto was het?'

'Ik heb de politie het kenteken gegeven.'

'Maar wat voor merk? Was het een oude of een nieuwe auto?'

'Nieuw,' zei Marie aarzelend. 'Een Mercedes.'

'Ja. Zoiets had ik al wel gedacht, ja. Jij maakt morgen wel afspraken met een paar makelaars, hè?'

Clare

Je komt tevoorschijn op het plateau, rent zo'n beetje half gebukt en vindt het gat dat je bij aankomst in het hek hebt geknipt, je holt naar beneden, naar de weg, trekt een zwart jack uit, een zwarte broek, waar je een T-shirt en een korte broek onder draagt, en opeens ben je een backpacker, een studente, een liftende jonge vrouw, een toerist, misschien wel met een nepaccent. Nog even en het wordt licht. Maar nee, ik ben bang dat dit niet klopt. Misschien was het niet daar, niet die stad – niet die op het plateau, maar die verder langs de kust, aan de voet van de bergen, en ben je over land gegaan om geen sporen achter te laten, niet door het centrum, niet waar iedereen je 's nachts zou kunnen zien, mannen die het café uit kwamen, en die zich nog dagen later die jonge vrouw zouden weten te herinneren, die zich strak en vastberaden alleen door de nacht repte. Je ging over land, bij de berg naar boven, met een boog ten noorden om de stad heen, door het oude inheemse woud. Hoeveel uur lopen? Twaalf kilometer of meer, en dat is als je in de buurt van de weg bleef. Rennen, buitelen, van de berg af glijden door het bosland, de aanplant, de rechte rijen hoog oprijzende pijnbomen, een raster van groei, naar de landbouwgrond, uitgestrekte velden, de bergen achter je en de zee voor je, verder naar beneden naar de kruising, waar anderen in het licht van de straatlantaarns staan, vrouwen en mannen, kinderen, mensen die op een taxi wachten, of op familie. Een oude vrouw met een kind op de rug klautert over de achterklep van een pick-up en wordt door andere passagiers geholpen terwijl de wagen al wegrijdt, dolend langs de kustweg op een onschuldige reis.

Maar jouw reis – de vlucht die een vlucht wordt zodra de bommen ontploffen –, wat voor reis is dat? Ik begrijp dat jij verantwoordelijk was, maar hoe kan ik dat met zekerheid weten? Hoe kan ik weten of het die ene explosie was, of een andere, of de onbekenden die later bij me kwamen jou tegen iets of iemand anders beschermden, of dat ze mij beschermden?

Ik heb eerder geprobeerd je te doorgronden, Laura, maar elke keer dat ik het probeer, klopt er iets niet. Ik schrijf het op maar begrijpen doe ik het niet. Noem het de blindheid van een moeder. Ik probeer het weer, stel het me op een andere manier voor, maar altijd ontbreekt er iets.

Deze nieuwe poging de laatste dagen voor je verdwijning te reconstrueren is natuurlijk alleen in mijn eigenbelang, want er is nooit een officiële verklaring over op papier gezet. Ik begin dit dagboek opnieuw, een nieuw laatste begin, op hetzelfde uur dat ik het proces in beweging heb gezet dat moet leiden tot het schrijven van mijn eigen leven. De biograaf komt eraan, en dringt mijn huis en mijn hoofd binnen; in tegenstelling tot anderen, op hun manier niet minder verderfelijk, kan ik hem de toegang niet weigeren.

Ik droom dat je dit misschien ooit zult lezen en dat je mij dan zult zeggen waar ik de fout in ben gegaan, zodat we zouden kunnen genieten van de ironie van fantasie en werkelijkheid die knarsend langs elkaar schuren. Bij gebrek aan jouw eigen versie weet ik dat er een andere moet zijn, een concurrerende versie, die ik misschien nog zal besluiten op te roepen. Ik heb het, uiteraard, over de jongen. Ik weet dat het niet aan mij is om zijn verhaal te vertellen. Er vallen gaten in mijn kennis van jouw laatste dagen, maar in het geval van de jongen heb ik geen bron waar ik mij op verlaten kan dan jouw eigen, eenzijdige verhaal. De jongen zal misschien zijn eigen verhaal vertellen, op een manier die mij niet mogelijk is.

Er zijn dagen dat ik denk dat ik had moeten indienen wat het maar was wat je indertijd geacht werd in te dienen – een verklaring, een 'Slachtofferverklaring', een 'Verklaring van schending van mensenrechten', wat de Waarheids- en Verzoeningscommissie maar verlangde – maar ik kon me er niet toe zetten mezelf als 'Slachtoffer' te zien zoals anderen dat waren. Jij was slachtoffer, maar ik wist dat je geen 'Slachtoffer' was. Ik houd trouwens ook niet van dat woord, slachtoffer, met alle connotaties die erbij horen. Wij brachten geen offers, en wat ons overkwam had ook in de verste verte niets met dat soort oude magie te maken. Wat zou ik bereikt hebben met mijn verklaring, behalve dan dat ik even de hoop had kunnen koesteren dat een of andere schimmige en voorspelbare figuur van het oude regime misschien zou toegeven wat er met je gebeurd was? Dat beetje geld dat de regering mij bij wijze van officiële schadevergoeding zou hebben toegekend had ik toen niet nodig en heb ik nog steeds niet nodig. Laat ze dat uitgeven aan degenen die het echt nodig hebben, en die nog zoveel meer nodig hebben. Ik had er geen behoefte aan jouw of mijn naam op de lijst met Officiële Slachtoffers te zien staan. Je broer drong er niet op aan – en je vader ook niet –, dus waar zou het goed voor zijn geweest? Wat is sowieso trouwens goed voor ons? Ik moet iets goeds vinden. Ik moet me op zijn minst voorstellen wat er misschien gebeurd is, op zijn minst beginnen mij een weg te zoeken door het kleine beetje dat ik weet.

Dus ik breng je terug naar die kruising, waar de reis begonnen moet zijn, en waar meer dan een handjevol mensen in mistige vrijplaatsen van flikkerend oranje licht om je heen stonden, onrustig nu jij daar was opgedoken. Misschien knikte je naar de vrouw die het dichtst bij je stond, en glimlachte ze even terug maar wendde ze zich vervolgens af, vol gêne of angst voor wat je misschien vertegenwoordigde – de bedreiging die je misschien zou vormen, eenvoudigweg door daar bij hen te staan, alleen in het donker. Een blanke vrouw als jij zou niet op die kruising aan de oude bosweg staan wachten, niet midden in de nacht, hartje zomer, op schoenen met rubberen zolen op het zwetende asfalt, twee kleverige chemische substanties die met elkaar versmelten als je maar lang genoeg stil blijft staan. Zelfs de kinderen wisten intuïtief dat ze op hun hoede moesten zijn. Vrouwen als jij gingen na het donker niet te voet ergens heen, niet in die tijd, vandaag de dag zelfs niet – voorál vandaag de dag niet. Hoe raar moet dat wel niet zijn overgekomen, dat je zo met je rugzak als vermomming de berg af kwam rollen. (Had ik moeten proberen je tegen te houden? Als jij gezegd had: moeder, ik zal het niet doen om jou, zou ik dan gezegd hebben: doe het niet, lieve schat, of zou ik gezegd hebben: nee, je móét het doen, in het belang van ons allen? Kan ik over het grotere goed spreken terwijl ik in één adem door de aard van wat je gedaan hebt voor ogen haal?)

Je zou mondvoorraad bij je hebben gehad omdat je altijd goed was voorbereid: water in een thermoskan, en Safari-dadels, die je als kind het lekkerst vond. Ik zie je nippen en kauwen, afwisselend water en fruit, tussendoor rustig ademhalend, om jezelf te kalmeren zoals ik mezelf kalmeer, door de hartslagen te tellen en met wilskracht tot een minder gejaagd tempo te dwingen. Dat waren oude remedies, die jij van mij had geleerd, die ik van mijn moeder had geleerd en die zij weer van haar moeder had geleerd. En als er alleen maar mannen bij het kruispunt hadden gestaan, zou je niet zijn blijven staan. Je zou blijven doorlopen uit veiligheidsoverwegingen, niet in paniek maar uit voorzichtigheid: jij was altijd alert op wat er zou kunnen gebeuren.

Het zal midden in de nacht zijn geweest, na tweeën, maar je plan zal helder zijn geweest, de auto zou komen, jij zou hem herkennen, en aan het rijzen en dalen van de koplampen zien dat hij voor jou bestemd was. Het plan zal geweest zijn om je weg te toveren, ergens heen waar ze je niet konden vinden, waar je je schuil kon houden tot ze niet meer zo intensief naar je zochten, om dan de grens over te glippen, naar Botswana of Lesotho, en vandaar verder in ballingschap. Maar misschien was er te weinig verkeer, of is er iets gebeurd. Je handlanger, de chauffeur, werd aangehouden – een van de velen die werden opgepakt en vastgehouden tot ze niet meer bestonden.

Het afgesproken tijdstip verstreek zonder dat er iemand kwam. Je keek op je horloge, was slim genoeg om niet te wachten tot het eerste daglicht je verried, en begon om te zien naar een goed alternatief. Automobilisten kenden de verhalen wel over gijzelingen en hinderlagen. Alleen mensen zonder geld reisden ook zonder angst. Als je niets had, kon je niets verliezen behalve je leven.

Na tien minuten kwam er een vrachtwagen aanrijden, en je ging zo dicht mogelijk langs de weg staan, duim in de lucht, je haar een heldere vlek in het donker. De vrachtwagen dimde zijn lichten, en remde af tot hij met stationair draaiende motor en een rammelende koppeling naast je bleef staan. De chauffeur was een man, en naast hem zaten een hond en een jonge jongen.

Die man, die stel ik me altijd etend voor – zo'n bruut wiens eetlust getuigt van zijn enorme trek in consumptie in het algemeen, in het consumeren van alles wat hij mogelijkerwijs in zijn mond zou kunnen stoppen, een vraatzucht die alle perken te buiten gaat en die matiging niet slechts als een wezensvreemd concept beschouwt, maar als een vijandig concept: matigen is hetzelfde als grenzen stellen aan zijn ervaring van de wereld. Dus als die vrachtwagen bij jou blijft staan, Laura, stel ik me die man altijd voor als besmeurd met de restanten van een maaltijd, met etensvlekken in zijn kleren, terwijl de jongen omkomt van de honger.

Ik zie je bij de vrachtwagen staan, je probeert de rol van hoer te spelen om een lift te krijgen, wetend dat je tot alles in staat was om te komen waar je wezen wilde. Het was een spelletje dat je ook wel met je broer speelde, het kokette meisje uithangen, het vroegrijpe kind, dan plaagde je hem en stak in het zwembad de gek met zijn puberale pikkie – jouw premature ontwikkeling had iets intimiderends. Je was overal je tijd mee vooruit. 'Niet zo onbehouwen dwars, Laura,' blafte ik dan tegen je, als ik zag hoe je tot het laatst wachtte met douchen en je tas pakken voor school en chagrijnig deed als ik zei dat je moest opschieten. (Hoe kan ik jou koppig noemen, jou, die ik meer mis dan wie ook?) Ik zie je daar voor me, in de nacht, tussen al die mensen, je tilt je rok iets op – nee, geen rok –, doet het bovenste knoopje van je shirt los, of knoopt het dicht om je middel zodat je buik bloot is, een ivoorkleurige sjerp in het donker, en praat je die vrachtwagen in.

'Waar moet je heen?' vroeg de man, die het raampje had opengedraaid en naar buiten leunde. Hij had een verweerde kop en springerig haar; het vel van zijn bovenarmen, die uit een mouwloos shirt staken, hing slap, en door het armsgat was zijn bleke borst te zien.

Misschien schudde je je hoofd, of verzon je een geloofwaardig verhaal. Of misschien vertelde je domweg de waarheid.

'Ladybrand.'

'Ik ga naar Port Elizabeth. Tot zover kun je mee. Stap in.'

Toen je in de cabine klom, deinsde je even achteruit voor de stank van hond en urine. De jongen schoof dichter naar de hond en de chauffeur toe om plaats voor je te maken.

'Ik ben Bernard,' zei de man, 'en dit is Sam.'

In je laatste brief aan mij, en in het laatste van de aantekenboekjes die je aan me hebt nagelaten, vertel je uitvoerig over je tijd met Bernard en de jongen, de jongen die Sam heette. Heb je gezegd hoe je heette? Ik denk het niet. Je zult wel een naam hebben gegeven die je op dat moment geschikt leek, een naam om onder te reizen, om aandacht te trekken of niet – om de aandacht af te leiden wellicht van waar het in wezen om ging.

'Ik ben Lamia,' zei je.

'Aparte naam voor een meisje,' zei Bernard. 'Dit is Tiger.'

'Aparte naam voor een hond.'

'Hij bijt als een tijger.' Bernard schakelde en trok op over de kruising. 'Ik rij de hele nacht door. Morgenochtend stop ik op een parkeerplaats, ga de hele dag slapen en rij dan weer verder. Is dat oké?'

'Misschien dat ik dan wel verder lift.'

'Je kunt nu slapen als je wilt.'

'Bedankt dat je gestopt bent.'

'Graag gedaan. Toen ik jou daar zo alleen zag staan, zei ik tegen Sam: "Jezus, dat meisje kan zo te zien wel een lift gebruiken."'

Je was geen meisje, toen niet meer, maar dat is wat een man als hij gezien zal hebben, een meisje alleen dat geen kant op kon, een meisje zelfs dat de hoer uithing.

'Lekkere plek om te liften. Er loopt nogal wat gespuis rond om deze tijd,' zei hij.

Er loopt nogal wat gespuis rond, ja, en soms zitten ze ook achter het stuur. Jij was geen type om een lift aan te nemen van mannen, maar misschien heeft dat kind, die jongen, je wel gerustgesteld, omdat het een kind was. 'Mannen met kinderen zullen minder gauw iets doen wat ze in de ogen van een kind beschaamd zou kunnen doen staan.' Dat heb ik een keer zo geschreven, in mijn naïviteit. Maar nee, die zorg zal van ondergeschikt belang zijn geweest; je was overal op voorbereid, klaar elke dreiging het hoofd te bieden, te vechten als het moest.

1989

De jongen werd die ochtend gewekt door de telefoon voor Bernard wakker was, op zich niks nieuws, want hij was altijd wakker voor Bernard, die nog op apegapen lag van de vorige avond, bij de spoelbak. Soms sliep Bernard daar bij de spoelbak en soms sliep hij op de grond bij de bank en hield hij de jongen wakker, want hij praatte in zijn slaap. Eén keer vond de jongen hem met zijn hoofd op de wc-bril, en lag er overal braaksel. Hij had de avond tevoren kip gegeten, en doperwtjes, en nog een of ander toetje. De jongen had de doperwtjes kunnen tellen: zevenendertig hele, en stukjes van nog meer.

Hij nam de telefoon op. Het was de man met de rare stem weer.

'Luister jongen, is Bernard daar?'

'Die slaapt.'

'Jezus, maak hem wakker man.'

De jongen porde Bernard met een blote voet tussen de ribben. 'Bernard. Bernard. Er is telefoon.' Maar de man verroerde zich niet.

'Hij wil niet wakker worden.'

'God, gooi dan wat water over hem heen man, dit is belangrijk.'

'Dan slaat ie me.'

'En hij draait je de nek om als hij hoort dat hij dit telefoontje gemist heeft.'

De jongen schonk wat water in een glas en gooide dat Bernard in zijn roodgrijze gezicht. Het eerste glas haalde niks uit, het moest nog een keer, maar ook het tweede glas water haalde niks uit, dus haalde hij een blikje bier uit de koelkast, trok het open en schonk het over zijn dichte ogen en toen schoot de man overeind en greep de jongen met een van zijn harde handen bij de keel en met de andere bij de hand waarin hij het blikje hield en hij keek hem aan of hij zo zijn kop eraf zou rukken en ter plekke opvreten. Maar de jongen stak zijn andere hand uit, met de telefoon erin, en zei: 'Ik moest je van hem wekken.' Bernard hield de jongen bij zijn keel vast en zijn borst ging op en neer maar hij nam met zijn andere hand de telefoon aan waarop de jongen het blikje bier op de grond liet vallen en ze elkaar een hele tijd aankeken.

'Nee man. Maak er een halfuur van. Ik ben nog niet in een staat waarin ik me publiekelijk kan vertonen. Zo dringend is het toch niet? Ze zijn toch al dood?'

Bernard hing op en schudde zijn hoofd en staarde de jongen weer een hele tijd aan met een akelige uitdrukking in zijn ogen. 'Doe dat nooit meer of ik snij je open van je mond tot je reet.'

Hij sprong op van de vloer alsof hij de hele morgen wakker was geweest, tilde de jongen op met zijn magere armen en schudde hem door elkaar. 'Doe dat nooit meer.' Toen zette hij de jongen weer neer en gaf hem een stomp op zijn neus zodat het bloed over het linoleum spoot en zich vermengde met het bier en het water. Bernard schudde zijn hoofd. 'Maak dat schoon, we hebben geen tijd voor die flauwekul van jou vanmorgen.'

De jongen maakte de vloer schoon met een handdoek uit de keuken maar het duurde een hele tijd want er kwam steeds weer nieuw bloed uit zijn neus.

En toen ging Bernard douchen. En toen zei hij dat de jongen moest gaan douchen en de jongen ging douchen en trok daarna zijn kaki broek aan omdat hij die het fijnste vond en zijn blauw geruite shirt omdat hij dat op zijn laatste verjaardag van zijn vader had gekregen en dus vond hij dat shirt ook het fijnst en de rode schoenen omdat hij geen andere schoenen had.

De jongen had honger maar ze aten niet. 'Ik kan geen eten verdragen vanmorgen, zet maar liever een pot sterke koffie, en snel.' Dus de jongen zette koffie en ze dronken allebei een kop maar het smaakte naar sigaretten, Bernard spuugde het op de grond en zei dat hij het moest opruimen dus de jongen pakte de handdoek weer maar toen hij zich bukte begon het bloed ook weer uit zijn neus te stromen.

Hij at een oude banaan die al een week in de keuken had gelegen. Hij woonde nog niet zo lang bij zijn oom, de halfbroer van zijn moeder, een paar maanden pas, vanaf de winter. Er was nooit genoeg te eten voor meer dan één.

Ze reden in de pick-up van Bernard naar een politiebureau in de stad en Bernard stopte bij het hek en zei iets tegen de bewaker, en de man deed het hek open. Binnen rook het naar wc's, en er lag een berg met zwart plastic eroverheen. Bernard stapte uit en keek naar de berg en schudde zijn hoofd en tilde een hoek van het zwarte plastic op, en toen zag de jongen wat eronder lag, hij wendde zijn blik niet eens af want hij had dat eerder gezien en elke keer vergat hij het, maar kijken deed hem niet zoveel meer. Bernard en de man van de telefoon trokken het plastic er helemaal af en keken en lachten alsof ze nog nooit zoiets komisch hadden gezien.

Ze reden weer naar huis, waar ze de pick-up lieten staan en de vrachtwagen namen, weer helemaal terug door de stad naar het bureau. Hij moest de vrachtwagen achteruit naar binnen rijden, het dak schraapte langs de onderkant van de poort. De jongen dacht dat Bernard hem misschien wel gewoon zou laten blijven zitten terwijl hij inlaadde maar hij zei: 'Kom op jongen, je moet je kostje verdienen,' en hij sleepte de jongen zo van de voorbank naar buiten. De man van de telefoon met de rare stem zei: 'Is die jongen daar niet te jong voor?' waarop Bernard zei: 'Weet je wel wat ik op zijn leeftijd uitspookte?' en hij lachte en trok zijn neefje mee aan zijn shirt. Ze hesen zich in plastic overalls, trokken rubberen handschoenen aan en zetten maskers op; er waren al twee agenten die dezelfde outfit aan hadden, en samen begonnen ze de lichamen achter in de vrachtwagen te laden, maar de man van de telefoon hielp niet want die was te belangrijk, die ging naar zijn kantoortje, dat uitkeek over de binnenplaats, en keek toe door het raam. Eén keer kwam hij met thee aanzetten en namen ze even een pauze, maar de jongen wilde zijn handen niet naar zijn gezicht brengen en Bernard zei: 'Je moet het zelf weten man, je moet pakken wat je pakken kan.'

De jongen pakte steeds de armen en zijn oom de voeten en samen jonasten ze de lichamen de vrachtwagen in. Toen hij voorin te vol werd, klom Bernard erin en sleepte wat lichamen verder naar achteren om ruimte te maken, de jongen moest intussen de lichamen die nog op de binnenplaats lagen met hun rug tegen de vrachtwagen aan zetten, waarna Bernard ze met een van de agenten bij de handen pakte en naar binnen hees. De jongen kreeg niet de kans zijn vader en moeder dood te zien. De politie zei dat er niets van hen over was.

Bernard en de twee agenten moesten lachen omdat ze bijna moesten overgeven van de stank maar toen waren ze klaar en Bernard moest nog steeds lachen toen hij de deuren van de vrachtwagen dichtdeed en vergrendelde, de politiemannen vouwden het teerkleed op en begonnen de binnenplaats schoon te spuiten, alles wat er nog lag verdween in de afvoerputjes. De jongen had niet zo'n moeite met de stank omdat hij die eerder had geroken, het rook net zo en zag er net zo uit als andere dingen die hij geprobeerd had te vergeten. Bernard ging naar de wc en bleef daar een hele tijd en toen hij terugkwam zag hij grijzer dan gewoonlijk en zijn tanden waren geler en hij sloeg de jongen niet eens, hij prevelde alleen iets en zei dat hij moest instappen want het was tijd om te gaan en ze hadden een lange reis voor de boeg.

Ze reden de stad uit, over de vlakte en langs het vliegveld, verder naar het oosten, over de pas en langs de kwekerijen waar de lichten aan de schuren oranje gloeiden in het donker en insecten opvlamden in kleine explosies van vuur als ze tegen het schrikdraad aan vlogen. Bernard was vergeten iets te eten mee te nemen en toen de jongen zei dat hij honger had, zei Bernard alleen: 'We stoppen in de ochtend.'

Maar zelfs Bernard, die maar één keer per dag at, kreeg uiteindelijk honger en om een uur of tien reed hij de weg af naar een benzinepomp, waar ze wat broodjes kochten. Bernard at er twee en de jongen één hoewel hij honger genoeg had voor twee. Hij had geleerd niet meer te vragen dan wat Bernard hem gaf want zijn moeder had hem voorgelezen en hij wist wat er gebeurde met weeskinderen die om meer vroegen.

Sam

Omdat Clare een hekel heeft aan de pers en aan interviews in het algemeen, kom ik naar deze sessies met niet meer dan een zeer elementaire kennis van haar leven. Familieleden die benaderd werden weigerden alle medewerking, evenals haar vrienden en oud-collega's. Een paar mensen – academici met wie ze meningsverschillen heeft gehad en andere schrijvers wier werk ze in recensies of essays heeft aangevallen – hebben me op hoge toon van roddels voorzien: ze heeft de benoeming van een gerespecteerde historica en renaissancekenner tegengehouden omdat de betreffende vrouw zowel rechts als lesbisch was. Lesbische liefde en conservatieve politiek waren, aldus Clare, onverenigbaar. Ze heeft een keer een collega ten overstaan van een collegezaal vol studenten voor schut gezet omdat hem in de tekst waar ze over discussieerden een in haar ogen duidelijke toespeling op Petrarca was ontgaan.

Zoals altijd bij succesvolle of machtige vrouwen zijn er geruchten over haar seksleven. De meeste daarvan heb ik meteen van tafel geveegd: in haar studietijd ging ze met jan en alleman naar bed; ze heeft verscheidene abortussen ondergaan; in haar wilde jaren in het buitenland ging ze in Parijs geregeld naar seksclubs; ze had een jaar als maîtresse van een of andere hotemetoot in West-Berlijn gewoond; ze had in Londen een verhouding gehad met een Russische dubbelspion, hem verraden aan de Russen of de Britten of de Amerikanen of aan zijn vrouw of ze had hem niet verraden maar was door hem en zijn vrouw gerekruteerd en had van eind jaren vijftig tot 1989 voor de KGB gespioneerd. Van dat laatste verhaal bestaan veel tegenstrijdige versies. Ook al zijn zulke verhalen waar, ze interesseren me niet, al was het maar omdat ze zo weinig over haar werk zeggen. Ze zeggen mij niets over wat ik het liefst wil weten.

'U hebt één kind.'

'Twee,' zegt ze meteen op bitse toon.

'Maar uw dochter, Laura...'

'Als je erop gaat zitten wachten tot ik het verhaal wat meer vlees op de botten geef, dat was ik niet van plan. Net als in het geval van mijn zuster geldt ook in dit geval: de kranten geven de feiten zoals ze gemeld zijn.'

'Verscheidene jaren nadat ze zou zijn overleden, kwam u met *Changed to Trees*, een historische roman over een dominee in het achttiende-eeuwse Engeland wiens dochtertje tijdens een picknick met de familie verdrinkt.'

'Laat me één ding zeggen – er is mij nog nooit onweerlegbaar bewijs geleverd dat mijn dochter zou zijn overleden.' Haar stem klinkt gesmoord. Niet van verdriet, denk ik, maar eerder van iets als woede. Ik weet niet waar ik moet kijken of wat ik moet zeggen.

'Dus u gelooft dat ze nog leeft?'

'Geloven dat ze nog leeft is iets heel anders dan niet zeker weten of ze dood is.'

'Zou u daar iets meer over kunnen zeggen?'

'Nee,' schreeuwt ze bijna. Ik hoor ergens in huis een deur opengaan, de assistente die komt dan wel gaat. Ik blader mijn aantekeningen door om tijd te winnen en Clare de kans te geven weer te kalmeren.

'Om even terug te komen op het boek dan, *Changed to Trees*. Dat werd door veel internationale critici – met name in Amerika en Engeland, waar ze zich mogelijkerwijs niet bewust waren van de context waarin het geschreven werd – als een voor u merkwaardige koerswijziging gezien, een subjectiever, persoonlijker verhaal, na een reeks alom gewaardeerde, allegorische en vastberaden seculiere romans.'

'Je bedoelt dat het gezien werd als een artistieke mislukking of een falen van de verbeelding?'

'Ik heb de indruk dat het door sommigen abusievelijk werd ingeschat als aanwijzing dat u op een of andere manier in creatieve zin de weg kwijt was.'

'Het was ook niet echt bevorderlijk dat het uitkwam in hetzelfde jaar dat het oude regime viel en de eerste democratische verkiezingen werden gehouden. Mijn critici dachten: "Aha! Ze is haar natuurlijke vijand kwijt, ze heeft niks meer om kritiek op te spuien, dus heeft ze zich maar op het verleden gericht, en op een ander land, en nu is ze de weg kwijt." Ze wilden allemaal dat ik de tekortkomingen van de nieuwe democratie aanviel of voorspelde, of anders wilden ze er wel allerlei lofzangen op lezen, hoopvolle propaganda of zoiets, een lofrede op de Regenboognatie. Maar ik werk niet programmatisch. Ik schrijf wat ik móét schrijven – en daarmee doel ik natuurlijk op een innerlijke noodzaak,' zegt ze, weer op dreef, alsof ik nooit ook maar op haar dochter gezinspeeld heb. Ik weet niet hoe ik het gesprek weer die kant op moet loodsen, noch welke kant het op zou moeten als we het er eenmaal weer over zouden hebben. 'Een van de vele onderdelen waar mijn persoonlijkheid uit bestaat, laten we haar de gouverneur van mijn interne natie noemen, zegt tegen de klerken in haar regering: "Dit gaan jullie vandaag schrijven," en dat gebeurt. Het meeste schrijfwerk is secretariële slavenarbeid, hard werken om het juiste woord te zoeken. Je hebt gelijk, ik geloof niet dat de internationale kritiek op dat moment op de hoogte was van de verdwijning van Laura, die in het buitenland ook niet werd opgemerkt (het haalde hier al nauwelijks de krant); ze dachten dat ik het over een andere boeg gooide of op een breder publiek mikte. Het lijkt me goed hier de kanttekening bij te maken dat ik me nooit bekommerd heb om geld. Als ik me daar druk om had gemaakt, zou ik wel in de voetsporen van mijn vader zijn getreden en advocaat zijn geworden. Critici die dachten dat ik in financiële nood zat, hadden alleen maar even hoeven langs te komen om te weten dat daar geen sprake van was.'

'U bent gescheiden.'

'Ja.'

'Uw man was advocaat. Net als uw vader.'

'Ja. Ga je hem ook interviewen?'

'Ik kon hem niet te pakken krijgen.'

'Wat betekent dat hij je niet heeft teruggebeld. Dat zal hij ook niet doen. Hij is nog meer op zijn privacy gesteld dan ik.'

'En uw zoon?'

'Mijn zoon kan voor zichzelf spreken.'

'Hij is ook niet ingegaan op mijn verzoek om een interview.'

'Dat verbaast me niets. Hij leidt een heel normaal, fatsoenlijk leven.'

'En zijn politieke voorkeur?'

'Hij is wat je misschien een heel klein beetje links van het midden zou kunnen noemen.'

'En uw dochter, Laura?'

'Ja, mijn dochter. Radicaal. Revolutionair.'

'Wat heeft ze gedaan?'

'Ik dacht dat we het al over haar gehad hadden. Ze was in de eerste plaats journalist, tot ze bij de gewapende strijd betrokken raakte. Maar daar zeg ik niets over.'

Ik besluit even van Laura af te stappen, in de hoop, denk ik, om Clare in onzekerheid te laten over welke kant het op zal gaan.

'U schreef uw eerste roman niet lang na de geboorte van uw zoon.'

'Ja. Die was niet goed.'

'U hebt hem eens omschreven als een "deconstructie van de feministische protestroman".'

'Hij gedijt onder zijn eigen vlag, maar ik heb nooit toestemming gegeven voor een herdruk. Het was ten zeerste een debuutroman, al was het de derde die ik geschreven had. De echte eerste twee liggen weg te kwijnen in mijn kluis, die zullen ongetwijfeld ooit naar Texas gaan, of na mijn dood gepubliceerd worden, en elke bestorming die ik ooit op de canon gewaagd heb grondig ondermijnen. Maar het eerste boek dat gepubliceerd werd, *Landing*, ging over de cultuur van mijn jeugd. Ik probeerde uit alle macht wijs te worden uit mijn eigen verleden, en uit het land waar ik heel bewust voor gekozen had om naar terug te keren.'

'U hebt eerder gezegd dat uw boeken nooit verboden zijn, en in tegenstelling tot sommige van uw collega's, die gedwongen werden in ballingschap te gaan, liet het oude regime u betrekkelijk ongemoeid.'

'Betrekkelijk ongemoeid. Wat een behoedzame omschrijving.'

'Vindt u het ook een correcte omschrijving?'

Ze zwijgt even en kijkt langs me heen, dan staat ze zonder iets te zeggen op en loopt de kamer uit. Het is mij niet duidelijk of dat betekent dat het interview is afgelopen, of dat ze alleen maar iets gaat halen, of misschien naar de wc moet. Ik heb trek en dorst, en ben vandaag vergeten iets te eten of te drinken mee te nemen. Na tien minuten komt ze terug met een schrijfblok en gaat ze ook weer zonder iets te zeggen zitten.

'Vindt u...' begin ik. Ze steekt een hand op om me het zwijgen op te leggen, werpt een blik op haar schrijfblok en begint te spreken.

'Vergeleken met vijf of zes anderen die me zo te binnen schieten, die zijn verbannen, wier werk is verboden, die hun manuscripten niet eens het land uit konden smokkelen zonder enorme hoeveelheden smeergeld te betalen die ze zich nauwelijks konden veroorloven, die gedwongen werden te vluchten en vele jaren in het buitenland te wonen, hebben ze mij, zoals jij het formuleert, betrekkelijk ongemoeid gelaten. Maar voor een schrijver die probeert te werken onder de repressieve omstandigheden die onder het oude regime in dit land bestonden, met de censuur die daarbij hoorde, borg elk moment, of je nou werkte of rustte, een vorm in zich van intellectuele en artistieke aanranding. Het is als de vrouw die door haar man wordt mishandeld maar die toch verkiest bij hem te blijven, of denkt dat ze niet kan ontsnappen zonder haar leven te riskeren, of de levens van haar kinderen. Die zal zich klein maken en smeken, elk woord, elke daad plannen, omdat ze haar beul maar al te goed kent en precies weet wat voor effect haar woorden en haar daden hebben, een wetenschap waar ze gebruik van maakt ook, om een bepaald effect te bereiken, of juist niet. Zij weet beter (en eerder) dan haar belager hoe hij zal reageren.'

Ze is bleker, feller. Haar woorden klinken in een staccato ritme, half voorgelezen half geïmproviseerd aan de hand van de aantekeningen in haar schrijfblok. Ik kijk naar haar lange enkels, knoestige takken die uit de pijpen van haar linnen broek steken. Ze slaat een blad van haar schrijfblok om en vervolgt:

'Een dergelijk inzicht heeft een achtergrond van misstappen, kneuzingen, botbreuken zelfs. Sommigen kunnen zich niet zo snel aanpassen, of weigeren dat, en als de mishandelingen te ernstig worden' – ze valt even stil, verandert iets met haar pen en gaat dan weer verder – 'als die vrouwen (of in het geval van die schrijvers, hun werken) met de dood bedreigd worden, moeten ze vluchten, een schuilplaats zoeken, onderduiken, een andere identiteit aannemen, reizen onder valse papieren. Ik heb me aangepast. Ik heb mijn beul net zo goed leren kennen als mijn man – misschien nog wel beter. Ik koos ervoor om me aan te passen, om mijn kinderen en mijzelf in leven te houden. Dat was althans de rationalisering waar ik mijn carrière in dit land en in dat tijdsgewricht heel specifiek op gebaseerd heb.'

'Vlak voor het oude regime omver werd geworpen, publiceerde u *Black Tongue*, een essay over censuur.'

'Ik denk dat ik te moe ben om vandaag nog verder te gaan. Je komt morgen weer om dezelfde tijd?' Ze kijkt op van haar schrijfblok, haar blik is afwezig.

'Ja, als u wilt.'

'Ik wil het niet. Maar ik ben bang dat nu dit eenmaal in gang is gezet, ik je niet kan tegenhouden.'

Marie komt binnen vanuit een ander vertrek. Ze heeft staan luisteren en gaat mij voor naar de voordeur. Ze doet het hek aan het eind van de oprijlaan open, wacht tot ik achteruit de straat op ben gereden en doet het dan weer dicht.

Als ik terugkom bij Greg, heb ik een e-mail gekregen:

Beste dr. Leroux,
Met referte aan uw vorige bericht: ik begrijp volledig dat mijn moeder, heel onverstandig, erin heeft toegestemd dat u haar officiële biografie schrijft. Ik weet niet of dat haar idee was of het uwe of dat van haar uitgever, maar dat is irrelevant. Dat uitgerekend u bent gecontracteerd om dat ongelukkige project uit te voeren is waar ik mij echt zorgen om maak. Misschien ben ik beter op de hoogte van uw neiging tot overdrijven, zo niet karaktermoord, dan mijn moeder en haar agent dat zijn.
Zolang zij meewerkt, kan ik niets doen om u ervan te weerhouden het verhaal van haar leven te vertellen, maar ik raad u in de krachtigst mogelijke bewoordingen aan het niet te wagen beschrijvingen op te nemen van mijn vader, mijn zuster of mij. Ik spreek officieel namens mijn vader, professor William Wald, en kan slechts aannemen dat ik eveneens verwoord wat mijn zuster Laura zou willen zeggen. Mijn moeder is een onbetrouwbare vrouw die altijd haar eigenbelang voor ogen heeft, en die altijd datgene zegt waarvan zij denkt dat het haar in het gunstigste licht zal stellen. Ze is ijdel als mens, en ze is helemaal ijdel waar het om haar reputatie gaat. Haar verklaringen over haar kinderen – en over mij in het bijzonder – moeten niet voetstoots worden aangenomen. Ik hoop dat ik duidelijk ben.
Ik weiger u categorisch toestemming deze brief in welke vorm dan ook te publiceren of aan een derde door te sturen.

Met vriendelijke groet,
Mark Wald

De volgende dag. Elke keer dat ik tot nu toe bij het huis van Clare aankwam, heeft Marie niks tegen me gezegd. Vandaag maakt ze echter een geluid, een gegrom van ergernis, en gaat ze me voor langs de ontvangstkamer waar we de eerste interviews hebben gehouden naar een deur achter in het huis. De kamers waar we langs komen hebben niks opmerkelijks. Ze doen in niets denken aan een schrijvershol. Alles is overdreven schoon. Het ziet er te geordend uit om als uitvalsbasis te kunnen dienen voor zo'n gecompliceerde geest als die van Clare. Ik had grillige verzamelingen boeken en kunstvoorwerpen verwacht, stapels kranten en andere eendagsvliegen, zoals in de volgepropte appartementen van geleerde bohémiens die ik gekend heb in New York. In plaats daarvan ziet het er overal uit als foto's in een glossy over design.

Marie klopt twee keer aan. Ze kijkt op haar horloge. Dertig seconden gaan voorbij, dan doet ze de deur open en betreden we een lichte kamer. Twee van de wanden zijn van glas. Ze komen bij elkaar in de hoek tegenover de deur en bieden uitzicht op de tuin, en de hoge, rotsachtige hellingen die meteen achter het huis steil omhooggaan. De andere wanden hangen vol boekenplanken, met alle boeken keurig in het gelid. Marie gebaart naar een bank waar ik op ga zitten terwijl zij weer weggaat. Ze doet de deur achter zich dicht. De verleiding om te kijken wat voor boeken er allemaal staan is groot, maar ik vermoed dat hier – alleen in wat duidelijk de studeerkamer van Clare is – mijn betrouwbaarheid op de proef wordt gesteld. Een ogenblik later draait één stel boekenplanken naar binnen en komt Clare tevoorschijn uit een aangrenzend vertrek.

Ze oogt ontspannener vandaag, gekleed in een lang wit jak en een blauwe broek, het haar los rond haar gezicht, de voeten bloot. Ze gaat achter haar bureau zitten. Vertrouwelijkheid, maar niet al te direct. Zonder mij aan te kijken bladert ze in haar bureauagenda. Na een ogenblik zegt ze: 'Ja? Goed.' Ik zet het recordertje aan, draai de dop van mijn pen en sla mijn aantekenboekje open.

'Gister wilde ik u net naar *Black Tongue* vragen.'

'Ja.' Ze heeft haar ogen nog steeds neergeslagen en bladert in haar agenda.

'U schrijft ontroerend over de effecten van censuur op schrijvers. Ik vroeg me af of u meer op het persoonlijke vlak zou kunnen vertellen over de wijze waarop de dreiging van eventuele censuur uw werk heeft beïnvloed.'

Haar lippen gaan van elkaar en ze blaast een stroom lucht uit. Ze legt de agenda precies recht op het bureau en slaat nog steeds bladzijden om, maar ik zie haar vanuit haar ooghoeken naar de tuin kijken. Een tuinman is bezig met het terugsnoeien van een al compact uitziende struik waarvan ik niet weet hoe hij heet, hoewel ik hem wel als inheems herken. Bij zulke planten zou ik me thuis moeten voelen, maar hun muskusachtige wildedierengeur overrompelt me altijd weer, als een roofoverval.

'Ik zou gedacht hebben dat *Black Tongue* zowel een persoonlijke als een onpersoonlijke lezing toeliet – relevant, ofwel voor alle schrijvers die moeten werken onder dreiging van censuur, ofwel voor slechts één schrijver in het bijzonder,' zegt ze, de zin met een afwezig kuchje onderbrekend dat ik begin te herkennen als een van haar conversationele tics – het kuchje, de snuif, het onwillekeurig schrapen van de keel.

'Vraagt u mij om het zo te lezen?' Ik stel dit soort vragen met enige aarzeling, omdat ik weet dat ze er een hekel aan heeft haar eigen woorden te moeten interpreteren. Een collega van me vroeg Clare eens in een brief wat ze bedoelde met een bepaalde passage in een van haar romans die zijdelings naar Sophocles verwees. Ze antwoordde beleefd maar resoluut: 'In de zin staat...', waarop ze de rest zonder verdere uitleg woord voor woord citeerde. De tekst drukte de betekenis uit, daar kon of wilde ze verder geen uitleg bij geven.

'Het zou belachelijk zijn het niet zo te lezen, gegeven wat ik net zei.'

'U voert aan dat geïnstitutionaliseerde censuur de neiging heeft individuen met een "weinig subtiele geest" de macht te geven en dat de ideale censor, als er dan tóch censuur moet worden gepleegd, iemand als uzelf zou zijn – bedachtzaam, academisch, belezen, een rationalist, iemand met een objectieve geest.' Haar ogen kijken vluchtig even naar me op, alsof ze wil zeggen: je hoeft het niet eens te proberen, vleien is zinloos. Ze legt de agenda weg en begint te rommelen in de papieren op haar bureau, die ze van de ene naar de andere stapel overhevelt. Het is een spel om mij te laten merken dat ik onbelangrijk ben, dat er meer nodig is om haar bezig te houden dan mijn oppervlakkige vragen.

'Ik geloof niet dat dat helemaal mijn woorden zijn, maar in grote lijnen was dat inderdaad wat ik bedoelde,' zegt ze uiteindelijk, opnieuw met een vluchtige blik in mijn richting alvorens weer neer te kijken, in beslag genomen door een stapel enveloppen van kringlooppapier.

'Het probleem, zegt u, is dat mensen als u er nooit voor zouden kiezen om censor te worden, omdat er geen pijnlijker werk denkbaar is dan gedwongen worden werken te lezen – boeken, tijdschriften, artikelen, gedichten – die u niet zelf hebt uitgekozen. En je zou toch ook denken dat het voor een schrijver – en zeker voor een schrijver als u – een gruwel zou zijn aanstootgevende werken te moeten uitvlooien en hun publicatie te moeten tegenhouden.'

'Als we het al eens zouden kunnen worden over een maatstaf voor aanstootgevendheid.' Weer een kuchje, een schrapen van de keel, en een verrassend, meisjesachtig schudden met het haar, dan een steelse blik op de tuinman en een tuiten van haar lippen. Ze doet het raam open en roept iets naar de man in woorden die ik niet kan verstaan. Ze zijn een en al beleefdheid, en een glimlach die oprecht oogt verspreidt zich over haar gezicht terwijl ze het hoofd buigt. De tuinman antwoordt, glimlacht (niet zo oprecht, dunkt mij), buigt ook het hoofd en laat de struik met rust.

'Daar is het niet het seizoen voor. Als je hem in het voorjaar snoeit, bloeit hij niet,' prevelt ze bij zichzelf, waarna ze terugkomt op mijn vraag. 'Dat was het argument van Milton – over het lezen van niet zelf uitgekozen werken. "Hij die gemaakt is om te oordelen... over de geboorte of dood van boeken... moest een man zijn die boven de gangbare maat uitsteekt, bedachtzaam, geleerd en verstandig." Maar voor zo'n man – of vrouw, zouden we er toch aan moeten toevoegen – "kan er geen vervelender, geen akeliger slavenarbeid bestaan... dan de eeuwige lezer te worden gemaakt van niet zelfgekozen boeken", of woorden van die strekking. Dat is, in mijn ogen althans, altijd een logische en ook eerzame redenering geweest. Volgens mij heb ik hem ook genoemd.'

(Later vergelijk ik de uitgeschreven tekst van het interview met de woorden van Milton en ben ik onder de indruk van haar geheugen voor citaten.)

'Milton voert ook aan dat het uiteraard typerend is voor censoren om "onkundig" en "hooghartig" te zijn. Zou u zeggen dat dat ook gold voor degenen die hier onder het oude bewind als censor werkten?' Het is een weinig subtiele vraag en ik wou dat ik hem niet had gesteld, of er andere woorden voor had gevonden. Ze valt stil, haar handen blijven nu ook rusten, ze slaat haar ogen op en kijkt mij heel even aan, waarna ze weer naar buiten kijkt. Er is een communicatiestoornis opgetreden. De tuinman staat weer bij de al compacte struik en is hem weer aan het snoeien. Clare doet het raam open en roept naar hem met een uitweiding vooraf en verscheidene buigingen van het hoofd, waarop een reactie volgt die ik voor een wedervraag houd, en die blijk geeft van onzekerheid over haar eerdere aanwijzingen dan wel over de wijsheid daarvan. Haar antwoord is vlot en krachtig, waarop de snoeischaar in het gras belandt en de tuinman over het gazon weg sjokt naar een van hieraf onzichtbaar deel van de tuin. Ik kijk in mijn aantekeningen en hoor haar het raam dichtdoen; als ik opkijk, is haar blik strak op mij gericht met een treurigheid die me verrast.

'Het is geen enkel geheim wie er voor de censuur gewerkt hebben, voor de *Publications Control Board*, zoals het genoemd werd. Er zijn, zoals je ongetwijfeld weet, zelfs gevallen geweest van schrijvers, onbeduidende dichters en romanciers weliswaar, die als adviseur voor de censuur hebben gewerkt, en ook nogal wat academici. Er zijn echter ook periodes waar vrijwel geen verslagen van bewaard zijn gebleven, dus we zullen misschien wel nooit precies weten wie er allemaal voor de censuur gewerkt hebben, wie er allemaal medeplichtig waren. Voor zover ik weet hebben de schrijvers die als censor werkten, zoals je misschien op perverse wijze geneigd zou zijn te hopen, dat niet onder dwang gedaan, zijn ze op geen enkele manier gedwongen de rol van censor op zich te nemen, maar geloofden ze veeleer in de juistheid van wat er gebeurde, en anders geloofden ze wel dat ze het proces misschien iets minder barbaars konden maken, en koesterden ze de hoop het van binnenuit te ondermijnen. Hun rapporten vormen deprimerende lectuur. Als omschrijving van het gewone, het meest voorkomende type censuurambtenaar – en laten we maar uitgaan van de hypothese dat dit ook geldt voor die mensen wier medeplichtigheid misschien wel geheim is gebleven – ben ik geneigd het met Milton eens te zijn.'

Ik ben gebiologeerd door haar stem, de bewegingen van haar mond, de scherpe vlakken van haar gezicht en de fijne geometrie rond haar ogen. Op het congres in Amsterdam had ik haar bijna niet ontmoet, omdat ik het idee had dat dat voor ons beter zou zijn. Ik hield mezelf voor dat ik bang was dat de persoon nooit zou kunnen tippen aan de woorden op de bladzij, dat ik bang was dat ze me teleur zou stellen, dat ik nooit de intimiteit zou bereiken waar ik naar verlangde – of geen intimiteit maar een verstandhouding, een vriendschappelijkheid die alleen mogelijk is tussen gelijken. Afgezien van haar afstandelijkheid is ze, ben ik steeds meer geneigd te denken, exact de persoon die door haar werk wordt gesuggereerd. In dat opzicht kan van teleurstelling geen sprake zijn.

Er was en is een grotere angst, natuurlijk. Die heb ik ingepakt met oude tape, vastgebonden met rafelig touw. Dat is niet erg gedegen gedaan. Ik voel dat hij probeert uit te breken.

De tuinman komt terug voor de snoeischaar maar laat de struik voorlopig met rust. Ik zie Clare naar hem kijken, ze doet alsof een hadada ibis haar aandacht heeft getrokken. Het is duidelijk dat ze dat doet voor mij dan wel voor de tuinman. Ze is niet geïnteresseerd in die hadada of in welke vogel dan ook, afgezien misschien van een vogel die ze in haar verbeelding zou kunnen oproepen. Ze grijpt die vogel alleen maar aan om te doen alsof ze daar belangstelling voor heeft, opdat het mij zal ontgaan dat haar belangstelling – of noem het ergernis – eigenlijk uitgaat naar de tuinman.

Het voelt vreemd om aan Clare te denken als 'Clare', om haar in gedachten niet bij haar achternaam te noemen, Wald, de naam die ik altijd gebruikte als ik het met Sarah, of met collega's of studenten over haar had. Tot ik deze interviews met haar hield, duidde ik haar voor mezelf altijd met haar achternaam aan, een naam die ze gekregen had door een huwelijk dat inmiddels is beëindigd. *Wald* betekent 'bos', 'woud' of zelfs 'hout'. Door die achternaam ben ik ook zo over haar en haar werk gaan denken – een bos van opgaand hout dat voor praktische doeleinden zou kunnen worden aangewend. Uit dat bos komt de persoon tevoorschijn die ik in mijn hoofd heb geschapen: half wilde, half moeder, ontzeggend en gevend, een slechte borst en een goede borst, omlijst door hout of boomstammen. Ik probeer weer mijn plek te vinden in de lijst met vragen die ik heb voorbereid, vragen die mij nu, qua kennelijk uitgangspunt, grof, kleinerend, te dwingend, te simplistisch en hardvochtig voorkomen.

'In de jaren na de eerste democratische verkiezingen,' begin ik, 'maakte amnestieverlening bewust deel uit van het beleid. Veel aanvragen werden ingediend, en veel mensen werd amnestie verleend voor ernstige geweldsmisdrijven die zogenaamd "legaal" waren geweest onder het oude bewind, omdat ze immers werden uitgevoerd door, of in opdracht van, de regering, terwijl ze toch onmiskenbaar tot de mensenrechtenschendingen moesten worden gerekend, en volgens de normen van de nieuwe grondwet ook apert illegaal waren. Ik heb echter geen aanwijzingen kunnen vinden dat er aanvragen voor amnestie zouden zijn ingediend door mensen die als censor, of voor de censuur, hadden gewerkt.'

'Nee?' vraagt Clare, met een uitdrukkingsloos gezicht. 'Ik neem aan dat die mensen hun werk ook niet als gewelddadig hebben beschouwd. Geweld is de sleutel, iemand fysiek geweld aandoen. Een groot deel van de getuigenissen, weet je, draait om persoonlijke ervaringen met geweld. Een boek niet kunnen publiceren, dat is toch beduidend minder ernstig dan wat zoveel anderen is aangedaan.' Haar ogen zijn vermoeid, en kijken niet naar mij, maar weer naar de tuinman, die is teruggekomen en nu een protea naast de eerder betwiste struik met geweld te lijf gaat. Ze doet geen moeite meer om voor te wenden dat ze door iets anders wordt beziggehouden.

'Ook al had het verbieden van een publicatie, het monddood maken van een schrijver, mogelijk ernstige – je zou zelfs kunnen zeggen dodelijke – consequenties voor het levensonderhoud en dus voor het leven van de schrijver en diens familie en vrienden?' vraag ik.

'Ja. Het is vreemd, zoals je zegt. Ik heb er geen antwoord op.'

'Misschien zijn er geen censors naar voren gekomen omdat ze erop vertrouwden dat hun identiteit wel geheim zou blijven.'

'Nee, nee. Het was wel min of meer algemeen bekend wie het waren, zoals ik al zei, en zoals jij ook zou moeten weten. Het was althans in bepaalde kringen bekend. Het lijkt mij waarschijnlijker dat ze dachten dat niemand zich er druk om zou maken, als je ziet wat voor wreedheden zoveel mensen hebben moeten ondergaan,' zegt ze, me voor het eerst vandaag iets langer dan een ogenblik recht aankijkend. 'Ik geloof niet dat er mensen waren die het verbieden van een publicatie als een grove mensenrechtenschending zouden willen aanmerken. Wat niet wil zeggen dat je censuur niet als zodanig, en als zo ernstig, hoort te beschouwen. Maar nu hebben we het over gradaties van schending...'

'Zijn uw eigen boeken ooit met censuur bedreigd?'

'Bedreigd in welk opzicht? Als je wilt weten of er ooit censuurambtenaren bij me op de stoep hebben gestaan met de mededeling: "Wij verbieden publicatie van dit boek tenzij je x, y of z schrapt," dan is het antwoord nee. Zoiets is mij nooit gebeurd. Zo werkte het ook niet helemaal, hoewel ik weet dat censors verscheidene van mijn boeken hebben beoordeeld en in één geval is er sprake geweest van een importverbod tot ze de tekst waar het om ging konden lezen en konden concluderen dat er niets in stond wat het land zou kunnen destabiliseren. Ik heb de rapporten gezien. Ze zijn op hun eigen wijze best vermakelijk – vermakelijk en deprimerend en op een vreemde, perverse manier ook vleiend. Wee de schrijver die zich gevleid voelt door de lof van een censuurambtenaar. Maar daar gaat het eigenlijk niet om,' zegt ze, en ze recht haar rug weer, 'want zoals ik stel in *Black Tongue*, iedere schrijver die onder de dreiging van staatscensuur werkt, hoe algemeen, hoe diffuus ook, wordt in wezen altijd bedreigd. Dat is weer het syndroom van de mishandelde echtgenote. Erger zelfs, omdat ik als schrijver onder het oude regime – en met mij ongetwijfeld vele andere schrijvers in dezelfde of soortgelijke omstandigheden – merkte dat de censuur mijn geest binnendrong, als een worm. De censuur leefde in mijn hersens en vrat onder mijn schedeldak om zich heen, leefde zij aan zij met mij, in mij, in een en dezelfde mentale ruimte. Ik was mij altijd bewust van die worm omdat hij een soort psychische druk uitoefende die ik fysiologisch ervoer, hier in de sinusholtes, tussen en achter mijn ogen, en in de voorhoofdskwab, een druk op mijn voorhoofd van binnenuit. Het was toxisch, hij scheidde hallucinatoire stoffen af die mijn gedachten verdraaiden. Ik werd er helemaal door geobsedeerd: mijn hart bonkte, mijn hersens barstten, alles in een poging om van die worm af te komen; voor mijn gevoel was het vaak een soort brainstorm – niet in de betekenis van een vloed van inspiratie, maar een soort onweer dat woedde onder mijn schedeldak, en dat de worm met zijn bliksem probeerde te treffen. Als ik naar buiten ging, onder de mensen, geneerde ik me, dan was ik met afschuw vervuld, doodsbang dat iemand door zou hebben dat de worm me geïnfecteerd had – alsof zo'n infectie te zien zou zijn op mijn gezicht, en zou verraden dat ik de verschrikkingen van de censuur in mij meedroeg. Die doodsangst wijst – althans dat vreest de gekwelde schrijver – op een slecht geweten, wat weer duidt op daden die het daglicht niet kunnen verdragen, en dat maakt de infectie des te erger. Je gaat elk woord, elke zin analyseren, in een poging betekenissen op te sporen die zelfs verborgen zijn gebleven voor de schrijver, en dat is de bron van de ware waanzin. Een vriend van me, een collega-schrijver, beschreef zijn mentale relatie met de censor als die van een boom (hij, de schrijver) die werd overwoekerd door een klimplant. Dat doet denken aan de *cassytha filiformis*, een bladloos kluwen dat een hele boom met zijn wilde haren kan smoren zonder hem te doden. Maar voor mij is zo'n woekerplant een te externe metafoor. In mijn geval was de censor een indringer, letterlijk, lichamelijk, altijd ín mij, een interne bloedzuiger. Ik wist waar de censor naar zou zoeken in mijn woorden, en wat voor geest zich met dat zoeken zou bezighouden; hij zou suggestie zien waar misschien alleen maar een stuk documentatie stond, hoewel mijn werk er nooit van beschuldigd kon worden documentair te zijn, misschien omdat ik wist hoe de censuur tegen de documentairevorm, tegen in wezen journalistiek werk, zou aankijken. Dat ik de sociale documentaire ontweek is op zich een symptoom van de ziekte die de relatie met de censuur in feite is. Als je kijkt naar de schrijvers die een publicatieverbod kregen en de boeken die als "ongewenst" werden beschouwd, dan behoren die grotendeels tot de sociaal-realistische school, en beschrijven ze in tamelijk rechtstreekse bewoordingen de noodtoestand waar het land in die tijd in verkeerde. Ik heb tientallen jaren zo geschreven dat mijn boeken in elk geval niet verboden werden. Ik schreef boeken die de censuurambtenaren niet konden begrijpen, omdat het ze aan de intelligentie ontbrak om onder de oppervlakte te lezen, en de oppervlakte zelf was voor hen al bijna ondoorgrondelijk, duisternis geëtst in duisternis. Is dat de bekentenis die je me hoopte af te dwingen? Dat ik bewust ontwijkend schreef, om in druk te blijven? Dat heb ik inderdaad gedaan. Ik beschouw het niet als misdadig. Ik beschouw het als een manier om te overleven, een overlevingsmechanisme in populair-wetenschappelijke termen, dat ik uitstekend schijn te beheersen.'

'Als je de rapporten van de censuur over uw boeken leest, blijkt dat ze allemaal als te "literair" werden beschouwd om het risico met zich mee te brengen dat ze wel eens onrust zouden kunnen stoken onder "gemiddelde" lezers.'

'En daar bedoelen ze de meerderheid mee. Ik ken die rapporten. Er was in kringen die je zou kunnen omschrijven als de "culturele elite" een ondergrondse, waar verboden boeken en zelfs een aantal samizdatuitgaven circuleerden. Maar ik heb geen idee of er onder de meerderheid ook op enige schaal sprake was van een samizdatcultuur. Ik hoop van wel, maar ik vermoed eigenlijk van niet. Boeken en pamfletten in eenvoudige, polemische taal, boeken die in onverbloemde taal de werkelijkheid van dit land onder het oude regime weergaven – dat waren de boeken die door de censuur werden verboden, niet de mijne. Ze hadden mijn boeken kunnen veroordelen, ze "ongewenst" kunnen vinden in hun eigen perverse taalgebruik, op allerlei gronden: onfatsoenlijkheid, obsceniteit, aanstootgevendheid, blasfemie, bespotting van bepaalde raciale of religieuze groepen, schadelijkheid voor de betrekkingen tussen de rassen, een gevaar voor de nationale veiligheid. In plaats daarvan werden ze "niet ongewenst" bevonden, wat niet wil zeggen dat ze op wat voor manier dan ook als "wenselijk" werden beschouwd, alleen dat ze niet kwetsend genoeg waren om daadwerkelijk onwenselijk te zijn. Ze werden beproefd en domweg passief bevonden, ze bleven hangen in de ruimte tussen verlangen en afkeer, behoefte en af-wijzing. Het is een merkwaardige kijk op literatuur, vooral voor mensen – de censors, bedoel ik – die zichzelf heel naïef zagen als een soort culturele, literaire scheidsrechters. Maar dat wil alle-maal niet zeggen dat ik immuun was voor de effecten van de cen-suur.'

Gisteren ben ik, op aanraden van Greg, naar Robbeneiland ge-weest om de voormalige gevangenis te bekijken. Hij dacht dat het me zou kunnen helpen weer een 'band' te krijgen met het land. Het was bewolkt, het uitzicht op de stad verdween voort-durend achter een sluier van mist en wolken. Ik kon buiten de boot weinig zien, en het zicht op het eiland was nog minder. Toen we van boord gingen, werden we in een tourbus geladen en begon een jongeman, lang en mager met dreadlocks, zijn in-leidende praatje af te steken. Hij liet ons de huizen zien, de zwaarbeveiligde gevangenis, de oude leprakolonie, het huis waar Robert Sobukwe in isolatie had gezeten, de groeve waar de gevangenen dwangarbeid verrichtten en waar we veel te lang bleven hangen omdat een Amerikaanse senator een privérond-leiding kreeg en wij telkens moesten wachten.

Toen er nog maar twintig minuten over waren van de tijd die voor ons op het eiland was uitgetrokken, mochten we met een voormalige politieke gevangene als gids de cellen bekijken. Greg zei dat dat het ontroerendste onderdeel van het bezoek zou zijn, maar onze gids was niet bepaald mededeelzaam. Als mensen hem op de man af maar wel beleefd naar de antiapartheidsbewe-ging vroegen, ging hij in de verdediging en praatte hij na wat de partij vond. Het was een kwestie van: wat de leiders zeiden, was goed. Ik werd er misselijk van.

De beroemdste cel ontroerde me slechts in zoverre dat het de plek was waar zo'n groot deel van één uitzonderlijk leven was doorgebracht, al was het moeilijk er iets van die aanwezigheid te voelen. De cel is somber, klein en kil. Er is niets voelbaar van een eigen leven of geest.

Ik bleef even staan om een foto te maken van het kantoor waar de censor van de gevangenis alle inkomende en uitgaande correspondentie van de gevangenen las. Ik probeerde me voor te stellen hoe het zou zijn een brief te krijgen die misschien wel begon met de normale aanhef, in het handschrift van de geliefde, maar die een paar regels verder al onleesbaar was gemaakt door de censor, om tot de ontdekking te komen dat de woorden die bedoeld waren om steun te bieden in een tijd van gedwongen isolatie, als een te groot risico werden beschouwd – of om te weten dat alles wat je aan degenen buiten de muren schreef ten prooi kon vallen aan de censuur, dat je pogingen om gerust te stellen, troost te bieden, te beantwoorden wat niet beantwoord kon worden vanwege de strenge hand van de censuur sowieso zou worden uitgewist.

We werden ijlings teruggebracht naar de boot. Ik hoopte dat de mist nog zou optrekken, maar alles was grijs en alle passagiers bleven chagrijnig binnen zitten.

'Het was teleurstellend,' zei ik die avond tegen Greg. 'Ik had gehoopt dat het ontroerend zou zijn.'

'Loutering is niet voor geld te koop,' zei hij, Dylan intussen yoghurt voerend. 'Alleen al het idee dat dat zou kunnen is pervers. De tourgids, de buschauffeur, de ex-gevangene, die lui zijn daar elke dag. Ze moeten een eindeloze stroom mensen zoals jij opvangen die de verhalen willen horen, die verwachten dat ze ontroerd zullen worden, het gevoel te krijgen dat ze meer of minder verantwoordelijk zijn, afhankelijk van wie je bent en waar je vandaan komt.' Hij ving wat yoghurt op voor het van Dylans kin op zijn shirt kon druppen. 'Jij beklaagt je dat je niet ontroerd wordt. Stel je eens voor hoe dat voor hen is. Misschien hadden ze hun dag wel niet. Misschien hadden ze gisteren al hun energie verbruikt om een eerdere buslading te ontroeren en hadden ze niets meer te geven behalve hun standaardpraatje. Misschien hadden ze al hun energie wel in die ene Amerikaanse hotemetoot gestoken. Denk je eens in hoe het geweest moet zijn voor bezoekers van hier,' zei hij, hoofdschuddend. Dylan kronkelde in zijn kinderstoel en stak zijn handjes uit naar zijn beker met sap. 'Voor hen is het eiland niet zomaar een toeristische bezienswaardigheid, maar een pelgrimsoord, en hun enige bezoek, misschien het enige dat ze ooit aan Robbeneiland zullen brengen, werd verpest door een Amerikaan. Ik kan me daar echt kwaad om maken. Voor buitenlanders is het gewoon ramptoerisme. Maar we kunnen geen samenleving opbouwen op ramptoerisme. Ik weet niet, misschien had ik het niet aan je moeten voorstellen. Ik voel me schuldig dat jij niet die band met Zuid-Afrika hebt die ik heb, maar ook jaloers, dat je er zo lang los van bent geweest.' Dylan dronk zijn sap en at nog een lepel yoghurt. Zijn ogen begonnen dicht te vallen. Greg tilde hem uit zijn stoel en gaf hem aan Nonyameko, die hem naar bed bracht. 'Begrijp me goed,' zei hij, 'ik vind het fantastisch dat je eindelijk weer thuis bent. Ik betreur het alleen dat Sarah en jij in Johannesburg gaan wonen.'

We zaten een poosje bij het vuur en dronken een goedkope fles pinotage die in New York vier of vijf keer zoveel zou hebben gekost. Zolang als ik Greg ken, is hij min of meer single geweest. Vóór Dylan is er nooit iemand permanent in zijn leven geweest. Ik weet dat hij de biologische vader is maar de details ken ik verder niet. De moeder is ofwel een draagmoeder geweest die hij voor haar diensten betaald heeft, of het was een vriendin die ik niet ken.

Mijn gedachten gingen naar de eerste keer dat we elkaar ontmoetten, op een deprimerende borrel voor nieuwe studenten aan New York University. Greg sprong eruit in een roze sweater met zijn getatoeëerde handen en zwarte haar dat zo'n donkere tint blauw was geverfd dat de kleur alleen te zien was wanneer het licht op hem viel, waardoor hij eruitzag als een excentrieke superheld. We ontdekten dat we meer gemeen hadden dan alleen dat we buitenlanders waren, en hebben de hele avond in een hoek met elkaar staan praten. Niet veel later waren we goede vrienden. Een jaar later ging hij terug naar Kaapstad terwijl ik in New York bleef, promoveerde, met Sarah trouwde en parttime lesgaf aan drie verschillende kleine universiteiten, op en neer hollend door Manhattan tot ik er bijna dood bij neerviel. Toen ik de opdracht kreeg om de biografie van Clare Wald te schrijven, wist ik dat dit mijn kans was om iets anders te gaan doen en, belangrijker, ook een kans om te proberen terug te keren naar Zuid-Afrika.

Absolutie

Ze bekeken maar één huis, en dat was zo duidelijk perfect dat Marie al keek alsof ze besloten had dat Clare het zou kopen, nog voor ze zelfs maar naar binnen gingen. Clare was er minder zeker van. De makelaar, een gebronsde man met een overhangende buik en een stem als geschifte room, ontmoette hen bij de ingang naar de oprit, maakte het hek open met een afstandsbediening en gebaarde dat ze hem moesten volgen. Op de muur om het perceel, die een halve meter dik was, zat prikkeldraad dat zo gesmeed en geverfd was dat het net klimop leek, met daarboven nog een schrikdraad waar de klimop zich hier en daar omheen slingerde. Het was beveiliging voor mensen die zich geneerden voor het idee dat ze dat nodig hadden.

'U beschikt hier over alle denkbare beveiliging,' zei de makelaar al terwijl hij uit zijn auto stapte. 'Camera's waken over de buitenkant van het huis, de hele buitenmuur, het hek, vierentwintig uur per dag. Die lui zijn de beste, *primo*. Als je inbrekers kon ruiken, zouden ze dat ook nog doen, neem dat maar van mij aan.'

Ze stonden in de voortuin, op een betegeld terras vanwaar je uitkeek over het gazon dat steil afdaalde naar het elektrische hek aan de straat, dat alweer dicht zat, en hun drieën met hun twee glimmende auto's insloot. Een heel peloton tuiniers, armen slap van vermoeidheid, kwam net aan de overkant uit een vrachtauto; ze sjokten allemaal weg naar de tuinen die ze her en der moesten onderhouden, en ieder meldde zich netjes bij een intercom naast het betreffende hek, waarna ze wachtten tot het hek openging en ze naar binnen konden. Het was het soort buurt waarvan Clare gezworen had dat ze er nooit zou gaan wonen, een verzameling beroemdheden, buitenlandse hotemetoten en wapenhandelaars. Misschien was het wel heel toepasselijk dat Marie en zij, die op hun manier nauwelijks minder vreemd waren, zij het mogelijk wat waardiger, zich tussen dat soort mensen moesten terugtrekken.

'Dus ik betaal voor het voorrecht om onder toezicht te worden gehouden.'

'Wat? Ja, nou ja, ze hebben ook honden, ze reageren standaard met semiautomatische wapens, en er zijn in elke kamer van het huis alarmknopjes, zelfs op de toiletten en in de kasten, voor het geval er écht iets loos is, maar die vallen niet op, zodat eventuele overvallers ze over het hoofd zien, en het zijn sowieso geen storende dingen, niet rood, zoals in sommige huizen.'

'Maar hoe moeten wij ze dan vinden als we in paniek zijn?'

'Ja, nou ja, daar hoeft u zich absoluut geen zorgen over te maken. Zolang de wet tenminste het laatste woord heeft. Al mag God weten hoe lang dat nog zal duren.'

Wat hij bedoelde met écht iets loos, was dat je bijvoorbeeld in blinde paniek een kast in dook en daar opgesloten zat, een prooi wachtend op zijn jager. Maar wie kwam er nou over die muur heen? Het huis zelf was vanbinnen prachtig, zonder meer, Clare kon zich voorstellen dat ze er gelukkig zou zijn. Er was ruimte genoeg voor Marie om er een heus administratief domein op na te houden, zodat Clare zich helemaal zou kunnen afsluiten voor alle externe zorgen, mocht ze daar behoefte aan hebben. Er was ook een uitgestrekte tuin, en er waren geen achterburen, alleen de hellingen van de berg waar af en toe een wandelaar over een van de paden liep, en die, dat leek wel zeker, zouden nooit een poging wagen over haar dodelijke klimop te klauteren. De bomen waren hoog genoeg en de muur zelf was zo hoog dat ze niet bang hoefde te zijn voor inkijk, zelfs niet in het zwembad, behalve misschien van de buren aan de westkant. Toch vond ze het een akelig idee dat ze voor haar eigen gevangenis moest betalen, dat ze moest betalen om in de gaten te worden gehouden door een beveiligingsbedrijf dat de surveillance naar alle waarschijn- lijkheid zou overdragen op een overheidsinstelling, of mis- schien nog erger, op een bedrijf dat gedetailleerde gegevens zou verzamelen over haar dagelijkse gewoontes, haar voorkeuren op etensgebied, haar alcoholconsumptie, haar slapen en waken, en dat al die data zou verkopen aan bedrijven die hun producten aan haar wilden slijten, producten die gemaakt werden door de vrouwen, dochters en zusters van de kruimeldieven voor wie zij dat beveiligingsbedrijf in de arm had genomen om zich tegen hun inbraken te beschermen. Van bescherming tegen de golfbe- wegingen van de geschiedenis kon geen sprake zijn.

Marie was opgetogen. De ramen waren uitgerust met metalen luiken met afstandsbediening, gemaakt door een bedrijf dat 'Tri- bulation' heette: beproeving; die luiken konden 's avonds dicht worden gedaan, zodat ze begraven werden in gewapend staal. Er was een speciaal ventilatiesysteem met een reservegenerator. Wat zou er gebeuren als er brand uitbrak, of een elektrische sto- ring? Zouden ze dan ooit weten te ontkomen? Het alarm kon zo worden ingesteld dat hun slaapkamers en badkamers er 's nachts buiten vielen, terwijl sensoren in de rest van het huis zouden re- ageren op minieme bewegingen als een kussen op de bank dat langzaam weer uitdijde of een spin die over een muur kroop.

'Als het alarm eenmaal is ingeschakeld,' zei de man, 'moet er niks omvallen of op de grond vallen, moet niks zich verroeren, anders staan in een mum van tijd die mannen hier. De gegaran- deerde respons is vijf minuten maximaal, maar ze zitten hier zo ongeveer om de hoek, dus in jullie geval is het waarschijnlijk twee minuten. En er kan weinig gebeuren in twee minuten. Jul- lie kunnen 's nachts rustig gaan slapen.'

Clare vroeg zich af of die makelaar, blond en dik als hij was, wel wist wat er in twee minuten allemaal kon gebeuren. Alles was mogelijk in twee minuten, maar misschien, met een alarmknop, konden die twee minuten ook nog wel overleefd worden, de res- pons was immers al in werking gezet, en de honden waren gek op accubloed en schoonmaakmiddelhuid. Ze vermoedde dat de makelaar, laat ze hem Hannes noemen, een vrouw en dochter had, en dat hij onlangs bij een gruwelijke gebeurtenis reden had gehad over hen beiden in de rats te zitten, en dat hij ook reden had om te vrezen wat inbrekers met een wil maar zonder geweten, zonder systeem van morele principes, zouden kunnen uitspoken.

Toen ze het hoorde, was de prijs verbijsterend, hoewel ze hem makkelijk zou kunnen opbrengen. Haar kennis had geen gelijke tred gehouden met de huizenmarkt, zij dacht nog in prijzen van bijna vijftig jaar geleden, toen zij en haar man dat kwetsbare huis aan Canigou Avenue hadden gekocht, haar huis met een gapende wond in de muur van de slaapkamer. Ze vroeg zich af of de makelaar haar naam herkende. Het leek haar waarschijnlijker dat hij geen lezer was en dat het hem ook niet zou aanstaan wat hij las als hij een van haar boeken opensloeg.

'Jullie zitten hier volkomen veilig, dames. En het is ook zo'n buurt, als jullie begrijpen wat ik bedoel, waar mensen zich niet bekreunen om wat twee dames eventueel uitspoken.'

Marie keek naar Clare. Er was geen reden waarom ze zijn misverstand zouden rechtzetten. Clare had zichzelf nooit anders gezien dan als vrouwelijk, zij het vrouwelijk op anderhalf keer levensgrootte. Maar door haar lengte speculeerden mannen – en voor zover zij wist andere vrouwen ook – altijd over de gerichtheid van haar affecties.

'Nee. De rijken maken zich inderdaad niet druk om wat twee dames eventueel uitspoken. Dat hebt u goed gezien,' zei Clare, met een glimlach op hem neerkijkend. Zijn gezicht verstrakte. Ze begreep dat ze niet aardig was geweest: hij probeerde alleen kosmopolitisch te doen, als een man van de wereld.

Clare verwachtte dat de inbraak en haar daaropvolgende verhuizing het nieuws wel zouden halen, en verscheidene weken af en toe zouden opduiken in kranten en op tv. Het aantal nationale beroemdheden was niet groot en zij beschouwde zichzelf graag als een van hen. De media zouden zich er wel over verkneukelen dat zij, de grote voorstander van een open samenleving, zich had teruggetrokken in een goed beveiligde veste. Verslaggevers zouden saaie reportages uitzenden vanaf de straat voor haar nieuwe huis. In redactionele commentaren zou de vraag worden opgeworpen of ze misschien zelf een vuurwapen had, omdat je toch je eigen have en goed moest beschermen; vuurwapens waren antiprogressief. Misschien had Marie wel een van de inbrekers doodgeschoten, maar daar konden ze niet achter komen. Voor zover Clare wist, had zich niemand in een van de ziekenhuizen gemeld met schotwonden die qua kaliber overeenkwamen met het elegante pistooltje van Marie – maar daar stond tegenover dat de politie haar sowieso niks gemeld had in die richting.

Toen het zover was, bleef de verhuizing van Clare echter onopgemerkt. Maar als de pers ooit aan de deur kwam, wist ze wat ze zou zeggen:

'Zelfs de president is jaloers op mijn vesting; hij vindt ons maar bofkonten. Hij zinspeelt erop dat ik hier wel zal sterven. Wat denkt u, is dat een verkapt dreigement of een bekentenis? Een schuldbekentenis? Hoe dan ook, in mijn vesting ben ik veilig. Ik heb geen vuurwapen, al kan ik daar wel mee omgaan. Dat is de erfenis van een jeugd in de rimboe, dan weet je wel hoe je een geweer moet onderhouden en afvuren, en dan weet je ook waar een geweer toe in staat is. Hebt u ooit met een vuurwapen geschoten? Nee? Ooit een vastgehouden? Nee. O, er is een keer iemand met een vuurwapen bij u in huis geweest, maar dat was een gast, een politieman, en die had de kogels eruit gehaald en het pistool op de koelkast gelegd, om jullie op je gemak te stellen terwijl jullie zaten te eten, alsof dat iemand op zijn gemak zou stellen. Nee, dat is niet hetzelfde als een geweer kunnen hanteren, en dat kan ik heel goed. Het onze lag onder de vloer. Mijn vader had als jongen al met een geweer leren schieten. Zijn vader, mijn opa, was boer en die leek het wel verstandig als zijn zoons zichzelf in de bush konden verdedigen. Hij leerde mijn vader en zijn broertje schieten, en toen zij zelf kinderen kregen, leerden ze mijn zuster en mij en mijn nichtjes schieten, frêle Engelse meisjes die geweren aan de schouder zetten die bijna net zo lang waren als zij en die eerst alleen maar op onschuldige doelen schoten, de gebruikelijke doelen (blikjes, flessen, bomen), maar die vervolgens werden aangemoedigd om op gruwelijker doelen te richten. Het eerste wat ik doodschoot met een geweer was het paard van mijn nicht, omdat zij geen dier kon doden waar ze van gehouden had. Voor de mannen was het maar het paard van mijn nicht, en hij was gewond – ik kan me niet meer herinneren wat er precies aan mankeerde – en er was toch niks meer aan te doen, dus dat leek mijn onverantwoordelijke opa en oom en vader wel een geschikte initiatie. Er waren vijf kogels voor nodig, zo beroerd richtte ik in het begin. De eerste twee kogels raakten hem wel, maar kwamen niet eens in de buurt van zijn hoofd, ik schoot mijn vader nog bijna in zijn voet. Het arme paard moest weer tot bedaren worden gebracht, en toen duurde het nog drie kogels voor hij dood was. Ze hadden me eerst een hond moeten laten doodschieten, want een hond is maar een hond, die verlaagt zich voortdurend, maar een paard staat hoger dan een mens. Het was meer alsof ik een god doodschoot dan een dier, en ik deed het nog niet goed ook. Wat doet dat met een kind? Tegenwoordig zouden ze mijn vader in de gevangenis hebben gegooid wegens kindermishandeling of zoiets, maar in die tijd had hij het idee dat hij mij de mores van ons land bijbracht. Hij was een man van de wet, niet van het platteland. Hoe moest hij nou weten wat voor schade hij aanrichtte? Uiteraard had hij het moeten weten.'

'Of mijn zuster ook iets gedood heeft? Dat kan ik me niet herinneren. Zij was niet tot schieten geneigd. Het is sowieso beter de herinnering aan mijn zuster niet met wapens te bezoedelen. Toen ze getuige was geweest van de vreselijke executie van het paard van mijn nicht (waar was mijn nicht al die tijd? dat heb ik ook verdrongen), heeft ze de wapens voorgoed afgezworen en, zou je misschien zeggen, haar tijd afgewacht, afgewacht tot het vuurwapen zou terugkomen, haar zou opsporen en haar houding zou afstraffen.'

Clare

Het wringt tussen wat ik weet – wat officieel naar buiten werd gebracht, wat mij gemeld werd in je laatste brief, de aantekenboekjes waar je van alles in opschreef voor je van de aardbodem verdween, Laura – en wat ik mij voorstel. Ik tast het gebied af waar de grens moet liggen tussen dat wat bekend is geworden en dat wat ik mij voorstel. Maar hoe weet ik waar en wanneer ik zelf die grens de ene of de andere kant op duw, en gerapporteerde feiten als mogelijke inbeelding in twijfel trek, en fantasie de betrouwbaarheid van feiten toeschrijf? Kun je je voorstellen hoe sterk mijn verlangen is om de waarheid te vernemen van jou, die het niet meer vertellen kan, of die dat weigert?

Geen bedenkingen meer, geen wachten of uitstel of aarzeling ten aanzien van de vraag wat ik mogelijk zou kunnen weten. Dit moet en kan alleen mijn versie zijn van jouw laatste dagen, samengesteld uit wat jij besloten hebt mij te vertellen en wat ik uit de officieel bekende feiten kan opmaken. Er zullen noodzakelijkerwijs ook nog andere versies komen, misschien wel completer, op hun eigen wijze minder subjectief – versies die minder ver verwijderd zullen zijn van wat er gebeurd is als dit fragmentarische verhaal van smart en verlangen dat het enige is wat ik ervan kan maken.

Het was stil eerst, een radio vulde de gaten die in het gesprek vielen, een vrouw jankte een countryballade. Bernard checkte de route op zijn kaart en Sam viel in slaap tegen je arm, zijn adem zwaar en warm. Je wrong je in bochten bij de hitte van dat kinderlijf, dat hard en vol vertrouwen was, en zwavelachtig rook, ongewassen. Een insect kroop door zijn haar.

69

Je keek op je horloge. Het was na drieën in de ochtend, en je wist hoelang het geleden was sinds je uit dat bos tevoorschijn was gekomen, door het hek was gekropen en de helling af was gegleden naar de weg. Je kon niet slapen.

Toen je een maand eerder vanuit het oude huis was vertrokken, denk ik dat we geen van beiden het idee hadden dat het de laatste keer zou zijn, de laatste ontmoeting, het eerste en enige laatste vaarwel. Laatste fiasco, zou ik nog bijna schrijven, want het zou niet het eerste afscheid zijn dat op een fiasco uitliep, we grossierden in dergelijke tekortkomingen die, op een of andere abstracte manier, ook stappen waren waarmee we ons van elkaar verwijderden, steeds verder, zodat we ergens weliswaar altijd bezig waren afscheid van elkaar te nemen, maar er, op allerlei manieren die ons geen van beiden recht deden, niet in slaagden wérkelijk afscheid te nemen. Het is voor mij niet te tellen hoe vaak ik jegens jou tekort ben geschoten, en nog steeds tekortschiet. Misschien kan alleen jij die stand bijhouden.

Het was pas in de laatste paar dagen daarvoor, door een vreemde speling van het lot, zoals ik het ooit omschreef, dat je je had overgegeven aan wat je beseft moet hebben dat de onontkoombaarheid van een ballingschap was. Bij onze laatste ontmoeting, in mijn tuin, de sjofele tuin achter het nog net niet bouwvallige huis aan Canigou Avenue (de tuin waar ik van hield, veel meer dan van de tuin die me hier intimideert met zijn pietepeuterige schoonheid), mijn zelfverbouwde rode bieten met zure room en paprika bloedend op een bordje, had ik een zelfgenoegzame grijns op mijn gezicht omdat jij er weer zo onverzorgd bij zat. Daar mag je me om haten, om mijn zelfvoldaanheid, om zoveel andere dingen. Weet in elk geval dat ik jou nooit gehaat heb. Jij zei: 'Dit is nog maar de eerste in een nieuwe cyclus van ontmoetingen, en we zullen doorgaan elkaar zo te ontmoeten, vele jaren, tot een van ons er niet meer is.' Geen geweldig begin voor een hereniging. Het was jouw besluit om elkaar weer te ontmoeten. Ik neem aan dat je eindelijk in staat was me te aanvaarden, zelfs op mijn vreselijke voorwaarden, om mijn zelfgenoegzaamheid te verdragen, mijn oordeel, en ook mijn onvermogen tot oordelen.

In die laatste brief aan mij schreef je: Ter wille van jou hoop ik dat alles goed met je is. Is dat zo? Zou je je echt druk hebben gemaakt om mijn gevoelens, mijn welzijn, in die verschrikkelijke laatste dagen? Afgezien van jezelf, gaf je niet het minst om mij, van alles en iedereen?

Nee, dat is niet eerlijk.

Ik weet dat je mijn beslissingen nooit hebt goedgekeurd, schreef je, en het soort leven waar mijn activiteiten om vroegen evenmin. Maar ik heb er geen spijt van. Wat ik gedaan heb, is wat ik vond dat gedaan moest worden.

Dat wist ik allemaal al. Dat hoefde je mij niet te vertellen.

Terwijl Bernard reed, meeneuriënd met de radio, vergat je een ogenblik wat jou tot dit punt had gebracht. Je staarde naar jezelf in de achteruitkijkspiegel en nam in gedachten verschillende denkbeeldige confrontaties met hem door. Je sloeg hem dood toen hij zich aan je probeerde op te dringen, en toen vluchtte je met het kind de wildernis in, waar je leefde op wat je in de bush bij elkaar wist te schrapen en waar je de slaapwandelende samenleving verruilde voor het volle bewustzijn van het kluizenaarsbestaan. Je zou de jongen, Sam – Samuel, zoals jij hem zou noemen, om hem nieuw te maken –, alleen in een grot grootbrengen, hem wegwijs maken in de wereld, de namen en het nut van planten, hoe hij eieren moest stelen en vogels vangen, de beste manieren om helemaal in het landschap op te gaan. Of misschien zou het je niet lukken Bernard te overmeesteren, en zou hij je gevangennemen in zijn eigen afgelegen bastion, en je een ander vocabulaire van macht leren, tot je ontsnapte, een profetes die 's nachts als een slang de mond van de slapende man in glipte en hem vanbinnen opvrat, te beginnen bij zijn hart.

De geluidsschok was zo sterk dat de vrachtauto van de weg raakte en een eind over de onverharde berm hobbelde. Bernard draaide aan het stuur en zwenkte weer de weg op terwijl de schokgolf nog door de vrachtauto heen denderde en de raampjes deed trillen. Tiger begon te janken en Sam werd wakker en sloeg zijn armen om je middel heen. Je voelde de haartjes op je lijf sidderend overeind staan. De handen van Sam waren vreselijk warm en je probeerde ze weg te duwen, maar hij klampte zich aan je vast, sprakeloos van angst.

Bernard probeerde weer op adem te komen terwijl een man door de speakers jengelde: *pure love, it's pure love, it's our love, baby, my love*. 'Jezus. Zeker de energiecentrale. Of de gasfabriek. Moet je die lucht zien.'

Achter je stond de horizon in lichterlaaie. De vlammen zetten losse bomen op de berghellingen en het gekartelde silhouet van het dichte bos langs de weg in een oranje licht.

Tiger drukte zich tegen Sam aan, die zelf ineengekrompen van angst lag te jammeren, en je nu nog strakker vasthield. 'De hele kust zal wel in het donker zitten. Voor het licht is kunnen we niet veilig stoppen.'

Bij de volgende kruising was de straatverlichting uitgegaan en een in de steek gelaten auto stond in brand, slierten van vuur sprongen omhoog en staken de bomen ook in brand. Tien minuten later kwam een karavaan van ambulances en brandweerwagens voorbij, sirenes jankten en zwaailichten streken over de bomen aan weerszijden van de weg. Bernard remde af en ging even in de berm staan om het konvooi te laten passeren.

Er waren wel meer van zulke ontploffingen geweest, andere soorten sabotage – Bernard en jij wisten allebei wat deze explosie betekende, hoewel jouw kennis verder ging dan die van hem.

'Misschien gewoon een ongeluk,' zei jij.

'Daar zou ik niet om wedden. We zullen het morgen wel in de krant lezen.'

'Ik zou niet te veel op de kranten vertrouwen.'

'Je bent toch niet een van die sympathisanten of wel?'

'Nee. Geen sympathisant,' zei jij. Je wist dat je wakker moest blijven terwijl hij reed, en naar de radio luisteren, wachten op een nieuwsbericht dat niet zou komen. Intussen kwamen nog meer konvooien ambulances en brandweerwagens voorbij, uit de dichtstbijzijnde stad en andere stadjes in de buurt. Bernard klakte met zijn tong. 'Als zij het zijn, nou, dan kun je er wel van uitgaan dat er ook nog andere aanslagen komen. Gelukkig maar dat ik een volle tank heb. We hebben genoeg tot het licht wordt. Kun jij wakker blijven om op de weg te letten? Soms zie ik niet zo goed in het donker.'

'Waarom rij je dan 's nachts?'

'Dan is er minder verkeer. Wel meer risico's natuurlijk. Overvallen. En wat gebeurt er als ik een klapband krijg? Dan zit ik pas echt in de stront. Het is nog nooit gebeurd, maar ik zou in Gods handen zijn als het wel gebeurde, begrijp je wel? Daarom heb ik Tiger altijd bij me.'

'En je jongen?' Sam was weer in slaap aan het vallen, zijn armen strak om je middel, zijn hoofd van onder tegen je borsten aan.

'Ach, die is er inmiddels wel aan gewend, denk ik.'

'Zal niet meevallen.'

'Jawel. Hij vindt het leuk,' zei hij, als een man die blijft volhouden dat een vrouw het leuk vindt de hele tijd klappen te krijgen. 'Heb jij kinderen?'

'Nee.'

'Een man?'

'Ik ga naar mijn moeder. Ze woont vlak bij Ladybrand. Je kunt vanuit haar achterdeur de toppen van de Maloti's zien.' Ik weet dat je dat zei, een feit waar ik op kan vertrouwen, mij als excuus, als je bestemming. Alleen woonde ik niet bij Ladybrand. Is het hardvochtig van mij om te denken dat ik altijd een handig excuus voor je was?

'Ik kan je meenemen naar Port Elizabeth, maar van daaraf zul je verder je eigen weg moeten vinden.' Bernard begon met een ander nummer mee te zingen, een vrouw die treurde om het verlies van drie echtgenoten. Hij kende het nummer uit zijn hoofd, anticipeerde op elke noot en kon de verleiding niet weerstaan de woorden eerst mee te murmelen en uiteindelijk gewoon mee te zingen. 'Weet je moeder dat je komt?'

'Ik bel haar wel als we ergens stoppen.'

'Als de telefoons het doen.'

Mijn biograaf doet alsof hij nu een Amerikaan is maar er is iets onafgemaakts aan hem dat ik ken als mijn eigen adem. Natuurlijk herinnerde ik mij Sam meteen. Of liever gezegd, in Amsterdam herkende ik hem half, en in de weken daarna leerde ik vertrouwen op mijn geheugen. Hoe zou ik hem ook kunnen vergeten? Maar ik geef geen teken van herkenning als hij ongemakkelijk voor me zit, wriemelend op de bank in mijn studeerkamer, met zweterige handen hoewel ik de kamer koel houd. Het zou een leugen zijn om te zeggen dat ik tegenover hem zwijg omdat ik hem wil kwellen. Ik heb geen wensen in die richting. De waarheid is dat ik doodsbang ben voor wat er misschien nog boven water komt.

Dus mijn lieve dochter, mijn Laura, noem het een soort schadeloosstelling dat ik Sam binnenlaat, eindelijk, veel later dan had gemoeten. Ik ben nalatig geweest in zoveel opzichten, en doodsbang voor zoveel andere dingen. Misschien zal ik, door hem binnen te laten, gaan begrijpen waarom jij gedaan hebt wat je hebt gedaan.

Maar terwijl de dagen verstrijken en zijn vragen steeds directer worden, begin ik een vaag idee te krijgen van de omvang en het gewicht van wat ik gedaan heb door Sam toe te staan hier te komen, en rechter over mij te spelen, als mijn toehoorder, gesprekspartner en treurdichter. Ik heb mijn eigen rechter ontboden, misschien zelfs wel mijn eigen beul – de beul die mijn karakter komt vermoorden, mijn wilskracht, mijn zekerheid, zo niet mijzelf. Ik heb het gevoel dat het gevaarlijk is om mij nader te verklaren, maar dat is de afspraak die ik gemaakt heb – de fout die ik gemaakt heb door nieuwsgierig naar hem te zijn, door ie-

mand te herkennen die ik mezelf had moeten dwingen te vergeten, voor mijn eigen bestwil, te negeren wat zijn behoeftes maar
mochten zijn, wat mijn schuld aan hem, echt of denkbeeldig,
ook maar mocht blijken te zijn, en hoe die ook maar vereffend
mocht worden. Wat wil hij eigenlijk? Ik heb het gevoel dat het
meer dan één ding is. Ik wil zeggen: 'Hoe durf je?' maar ik weet
dat ik dat niet kan, want al dit omspitten van mijn oude grond,
in de hoop dat er een klaproos tevoorschijn komt, was mijn idee.
Ik wilde het, ik heb met hem ingestemd, wat betekent dat hij
niet slechts door mij is opgeroepen, maar ook gemachtigd. Ik wil
niet zo iemand zijn die iemand uitnodigt en vervolgens weigert
de consequenties van die gastvrijheid te aanvaarden. Hij is mijn
gast, ik zijn gijzelaar. Ik heb hem in mijn leven genodigd omdat
ik nieuwsgierig was, omdat ik zo onnozel was om te denken dat
'op mijn voorwaarden' betekende dat ik het voor het zeggen had.
Maar hij komt altijd van meerdere kanten tegelijk. Hij weet zelf
niet wat hij van me vindt. Ik neem aan dat dat mij een zekere
macht geeft, maar ik ben te uitgeput om macht uit te oefenen.

Was hij altijd zo weifelachtig? Hoe gedroeg hij zich als kind? Is
jouw beschrijving van hem correct, of was die alleen maar bedoeld om mij te paaien? Wat zou je nu van hem maken, Laura? In
je aantekenboekje duikt hij de hele tijd in elkaar, krimpt hij ineen, klampt hij zich bevend aan je vast. Daar zie ik nu ook wel
iets van, maar hij heeft ook iets onheilspellends. Hij is net een
beest dat kwetsbaarheid voorwendt om zijn prooi op zijn gemak
te stellen.

Een wolk giftige rook dreef met de wind mee langs de kust. Je
kon de zwarte massa al achter je zien aankomen, aan de westelij-
ke horizon. Bernard stopte bij een tankstation waar ze een eigen
generator hadden; overal langs de kust was de stroom verder uitgevallen, zoals hij al voorspeld had. Sam lag te slapen in de cabine, en Tiger waakte over hem met zijn broeierige adem. Je wist
dat het het makkelijkst geweest zou zijn om gewoon bij ze weg te

gaan, maar je deed alsof je mij belde, je mimede een gesprek en lachte zoals je met mij nog nooit hebt gelachen. Ik zei tegen je dat ik niet kon wachten tot je bij me was, zoals je mij nog nooit hebt horen zeggen. Je had een verhaal klaar, je zou tegen ze zeggen dat de plannen gewijzigd waren, dat ik op het punt stond naar ons strandhuis te gaan – een huis dat uiteraard niet bestaat –, en dat ik wat vergeetachtig aan het worden was, dat ik onze plannen niet goed op een rijtje had gehad. Maar toen je terugkwam bij de vrachtwagen, was Sam wakker en hij staarde je aan, zijn lichaam hoekig in het vinyl. Hij vroeg of je met hen meeging en voor je aan je verzonnen verhaal had gedacht, had je al ja gezegd, want hij keek bang.

Je kocht een krant, perziken, nog een zakje Safari-dadels en een paar flessen water, die je in je rode rugzak stopte, boven op je kleren die je keurig opgevouwen op je aantekenboekjes had gelegd, die je helemaal onderin had gestopt.

In de cabine hing een geur van menselijk zweet en hondenadem, vinyl en benzine, de rotte eierenlucht van de huid van het kind. Bernard reed weer, en Sam zat voor zich uit te staren naar de weg. Om de paar minuten keek het kind naar je op, met een pruilmondje, vuil in de mondhoeken, de lippen soms geopend zodat zijn tandjes te zien waren. Hij had zoute klodders in zijn ooghoeken. Niemand had hem geleerd voor zichzelf te zorgen, om zelfs maar de slaap uit zijn ogen te halen. Je glimlachte naar hem alsof je zeggen wilde: 'Ja? Vraag maar wat je wilt, vertel me iets, wat is er aan de hand, waarom ben je bang?' maar Sam staarde je alleen maar aan, met een grimmige uitdrukking om zijn mond, zijn ogen wezenloos gapend in zijn schedel. Het was geen normale uitdrukking voor een kind.

Tegen het ochtendgloren begon Sams neus te bloeden en je hielp hem met een tissue, waar je het bloeden mee stelpte. Je veegde zijn gezicht af, waarop hij zich van je afwendde en zijn gezicht in de stoel drukte. Je was aan de geur van bloed gewend, maar in de hitte van de dichte cabine werd het een bedwelmende cocktail. Je draaide je raampje open, maar Bernard zei dat je het dicht moest laten. 'Er vliegt wel eens grind naar binnen. Ik kan beter de ventilator aanzetten. We gaan gauw stoppen. Hij krijgt altijd een bloedneus. Je zou denken dat het een meisje was. Wat een meisje, hè, Sam, wat een klein meisje ben je toch.'

Na nog een uur reed Bernard een parkeerplaats op. Hij parkeerde de vrachtauto in de schaduw van een eucalyptusbosje pal langs de weg. De scherpgerande bladeren schudden en ritselden. Het had langs elke willekeurige weg in de Kaap kunnen zijn. Er was niets waarin deze parkeerplaats zich onderscheidde – hetzelfde bosje, dezelfde betonnen bankjes en picknicktafels, misschien ook nog wel een kraan aan een plankje dat rechtop in de grond stond. Er waren geen toiletten, zelfs geen barbecuekuil of telefooncel.

'Ik ga slapen,' zei Bernard. 'Je mag blijven wachten, je mag ook verdergaan. Doe wat je wilt. Ik heb geen last van je, maar als je moeder je verwacht, wil ik je ook niet ophouden.'

'En de jongen dan?'

'Voor Sam maakt het niet uit.'

Je liep wat rond over de picknickplaats, op zoek naar een plek waar je de dag kon uitzitten terwijl Bernard languit in de cabine lag. Tiger lag tussen zijn benen, zijn staart sloeg op zijn buik. Sam glipte achter je aan naar buiten en ging tegen een boom aan zitten. Hij porde met een stokje in de aarde, boorde in het stof tussen zijn voeten, zijn rode gympen, trok het stokje eruit, boorde nog eens, dieper, trok weer terug – een chimpansee die een stok gebruikte om mieren uit een nest te oogsten. Over zijn donkere haar lag een rood stoflaagje en zijn verbrande huid was aan het vervellen.

Je wist dat het verstandiger zou zijn geweest om door te liften, maar het kind bleef maar naar je staren; af en toe deed hij zijn mond open alsof hij iets wilde zeggen, dan richtte hij zich weer op het stokje en de aarde, en schuurde en groef hij in de grond, op en neer, het ene gat na het andere.

Er reden telkens auto's voorbij. Als je je rol naar behoren wilde spelen, zou je je reis vervolgd hebben. In plaats daarvan at je een perzik en las je de krant, maar daar stond niets in wat je niet al wist, niets wat de autoriteiten onder de pet wilden houden. Terroristen zouden de schuld krijgen. Op dat moment deed de politie invallen in verscheidene huizen en twee afgelegen boerderijen waarvan ze dachten dat het trainingskampen waren. Stelde je je de klop op mijn eigen deur die ochtend voor, de mannen, de herinnering die hun kloppen wekte aan een andere keer dat er op de deur was geklopt, de ochtend na een soortgelijke, gruwelijke nacht? De consequenties voor de rest van je familie had je van tafel geveegd – je moest wel, om te overleven. Dat begrijp ik in elk geval nog.

En ik? En ik dan? Wat had ik moeten zeggen toen de mannen me ondervroegen, toen ze schreeuwden? Wat wist ik? Ik houd mezelf voor dat ik niets wist wat toen nog iets had kunnen veranderen. Maar eerder – als ze een dag eerder waren gekomen, of twee dagen eerder, en als ze me dan gevraagd hadden op te biechten wat ik wist van de plannen van mijn dochter en van haar handlangers, dan kan ik nu niet meer zeggen wat ik dan misschien zou hebben losgelaten. En waarom, vraag ik me nu af, elke dag die voorbijgaat, heb ik het er niet zelf op gewaagd? Om jou te redden, om anderen te redden, had ik je misschien kunnen verraden. Zou een nederlaag op die dag iets veranderd hebben aan hoe het gelopen is, zou de balans van verloren levens en geredde levens dan anders zijn uitgevallen?

Er was geen nieuws voor jou, die alles wist wat er die dag toe deed. Je klauwde in het zand in een poging tot een besluit te komen – wreed, een struisvogel in de wildernis.

1989

De jongen begreep dat zijn oom Bernard vroeger soldaat was geweest en zich nog altijd een strijder noemde. Dat was een reden om allerlei dingen te doen dan wel te laten. Een strijder luisterde niet naar muziek behalve als hij ten strijde trok en een strijder trainde zijn lichaam om met minder te doen, om maar één keer per dag te eten, twee keer op zijn hoogst. Een strijder kende de psychologie van de vijand. Een strijder moest voor zijn overleven op de natuur vertrouwen en daarom moest een strijder – hoe zei hij dat? – intiem zijn met 'die teef'.

Dat betekende dat als ze weer zo'n rit maakten, er geen muziek werd geluisterd.

'Trekken we ten strijde?' blafte Bernard als de jongen vroeg of hij de radio aan mocht zetten.

'Nee,' zei de jongen, al wist hij niet of dat het antwoord was dat Bernard horen wilde.

'Dan ook geen muziek, hè? Geen strijd, geen muziek. Je moet het koppie d'r bij houden. Muziek en eten, dat leidt alleen maar af.'

'Was mijn vader ook een strijder?'

Bernard lachte, draaide het raampje naar beneden en spuugde naar buiten, tegen de wind in.

De jongen herinnerde zich autoreisjes met zijn ouders naar zijn tante Ellen in Beaufort West, en een keer naar vrienden in Grahamstown. De radio stond altijd aan, de hele tijd, zelfs al klaagden zijn ouders soms dat de muziek niet om aan te horen was. Het was iets om ander lawaai te overstemmen, het geluid van het wegdek en de warme wind die door de raampjes naar binnen wervelde als het een droge maand was, of de regen die op het dak roffelde tot je er doof van werd als het nat was. Muziek verdreef de tijd, de uren die in de auto zoveel langer leken werden erdoor versneld. De jongen viel in slaap bij muziek, vooral als het de ouderwetse muziek was waar zijn ouders van hielden, en werd wakker na het donker, als ze aankwamen in de straat waar zijn tante woonde, en dan voelde hij dat hij door zijn vader of moeder naar binnen werd gedragen en ingestopt tussen lakens die strak gespannen waren over de bank in de woonkamer van zijn tante, een bank die rook als een feestje van zijn ouders als dat in een snoepwinkel of bakkerij werd gehouden.

Die nacht op weg met Bernard bedacht de jongen zich dat hij zijn tante al minstens een jaar niet gezien had. Hij vroeg zich af of hij haar weer zou zien. Hij wist zeker dat hij haar telefoonnummer en adres ergens had. Als zij wist hoe de zaken ervoor stonden, kon hij zich niet voorstellen dat ze hem bij Bernard zou laten blijven. Hij had Bernard gevraagd of ze geen kat of hond konden nemen, zodat ze wat gezelschap hadden op die lange reizen. 'Ik hou godverdomme geen dierentuin,' had Bernard gezegd, 'ik hou niet van dieren.'

De jongen probeerde wakker te blijven, om Bernard met zijn ene oog in de gaten te houden en de weg met zijn andere, maar de beelden bleven in elkaar overlopen zodat het gezicht van de man zwart werd en de weg wit. Toen hij in slaap viel, stelde de jongen zich voor dat hij zo sterk was dat hij Bernard voor op de vrachtauto kon vastbinden, met zijn hoofd als ploeg of als baanschuiver, en dat hij zelf achter het stuur zat en keihard reed, zodat het gezicht van Bernard zwart werd als de weg en de weg wit als zijn gezicht.

Sam

Een zaterdagavond. Het kostte nogal wat, maar Greg heeft Nonyameko voor de avond laten komen, zodat wij uit eten kunnen gaan. We rijden naar de City Bowl, parkeren aan Kloof Street en drinken wat met een van de kunstenaars die Greg met zijn galerie vertegenwoordigt. Het is een warme avond, dus we besluiten de heuvel af te lopen naar Saigon voor sushi. Bij de Hoërskool Jan van Riebeeck komt een jonge vrouw uit het donker op ons af.

'Het spijt me heren, ik wil niet onbeleefd zijn,' zegt ze. Daartoe aangezet door een of ander grootstedelijk instinct wend ik me af. Haar volgende woorden hoor ik niet. Vanuit mijn ooghoeken kijk ik naar haar gezicht en haar kleren, en vraag ik me af waar haar klembord is. Ze houdt een enquête voor de stad, denk ik, of ze verkoopt tijdschriftabonnementen, of ze is leden aan het werven voor een of andere liefdadigheidsorganisatie.

Maar dan komt het verhaal en ik luister onwillekeurig. Ze doet klusjes voor mensen maar heeft die dag geen werk kunnen vinden. Ze denkt niet dat de negentig rand die een nacht in de opvang kost zomaar uit de lucht komen vallen. Ze heeft een dochter. Ze zijn hun huis kwijtgeraakt. Ze begint te beven. Ik blijf van haar afgewend staan. New York heeft mij tegen dit soort smeekbedes gehard. Maar Greg luistert, vraagt aan mij of ik geld heb, munten, hij heeft geen kleingeld. Ik trek mijn portemonnee en haal de grootste zilveren munten die ik heb eruit. De honderden rand aan briefjes laat ik zitten. De vrouw heeft een beschaafd accent; ze is niet dronken en lijkt mij ook niet stoned. Terwijl ik overweeg of ik vijftien rand zal geven of twintig, heeft zij haar handen voor haar gezicht geslagen en is ze begonnen te huilen.

Misschien, bedenk ik, studeert ze wel aan de toneelschool. Ik heb in New York toneelstudenten gekend die de straat op werden gestuurd om te bedelen; wat ze daar wisten op te halen, bepaalde hun cijfer. De magerste deed het altijd het beste.

'Hier,' zeg ik, en ik leg de munten in de kom van haar hand. 'Ik schaam me zo,' mompelt ze, 'ik schaam me zo.' Ik weet dat het te weinig is wat ik geef. Ik zeg dat ze zich niet hoeft te schamen, kijk haar aan en zeg het nog eens. Ze heeft een halvemaan van donkere sproeten rond haar ogen en wenkbrauwen. Haar kleren zijn heel maar vuil.

'Vragen is geen schande,' zeg ik, en we lopen weer verder. Vijftien of twintig rand is niks voor mij – minder dan vijf dollar, nog geen vier zelfs. Terwijl we verder de heuvel af lopen zegt Greg: 'Ik kon haar niet zo voorbijlopen in de wetenschap dat wij enkele honderden rand gingen spenderen aan rauwe vis en bier. Volgens mij was het waar wat ze zei. Het zouden drugs of iets anders geweest kunnen zijn, maar ik heb de indruk dat het waar was.'

'Het maakt niet echt iets uit,' zei ik.

Gister vroeg ik Clare na afloop van ons interview waarom ze zelf niet over haar verleden schreef.

'Je bedoelt waarom ik er niet voor gekozen heb mijn eigen memoires te schrijven?'

'Ja. Of een autobiografie.'

Ze had me al bij de deur en probeerde me over te dragen aan Marie, zodat ik het huis uit kon worden geleid. 'Ik kan mijn leven niet als een geheel zien, of als een doorlopend verhaal. Ik zou niet weten hoe ik zo mijn eigen levensverhaal zou moeten schrijven.'

'Maar fragmentarisch dan?'

'Ja, fragmentarisch, ik neem aan dat ik fragmenten zou kunnen schrijven – ik heb wel over momenten geschreven. Overgangsperiodes. Verhalen van persoonlijk trauma, specifieke trauma's. Ik kan wel over periodes in mijn leven schrijven maar niet over mijn hele leven. Ik zou niet weten wat ik erin moest zetten en wat eruit laten. Of nee, ik denk eigenlijk dat ik bedoel dat ik er zoveel uit zou willen laten dat er maar heel weinig over zou blijven. Daarom heb ik jou nodig.'

Ik zocht er niet naar. Het beeld komt als ik het niet wil, midden in de nacht, opgeblazen van vis en bier.

Ik sta voor de hordeur, niet alleen. Iemand anders tilt zijn hand op, balt een vuist en klopt drie keer aan. Het is een beleefd aankloppen, niet opdringerig. We horen voetstappen en dan gaat de binnendeur open en zien we haar gezicht achter het gaas. Ze vraagt wie we zijn en wat we willen. 'Waar komt u voor?' vraagt ze, en ik kan wel horen dat ze beleefd probeert te zijn maar dat onze aanblik haar aan het schrikken heeft gemaakt. Wij zijn vreemden en we moeten er ook vreemd uitzien, mager en haveloos. Ik kan mezelf van toen bijna ruiken. Een van de anderen zegt wie we zijn en houdt een tas op. Ze neemt ons mee door het huis, de schemerige gang door en naar buiten, de tuin in. We krijgen thee en koekjes. Ze ziet dat we nog honger hebben en gaat weer naar binnen om broodjes te smeren.

Of stel ik mij die gastvrijheid voor? Hield ze ons op de veranda voor het huis, met gaas tussen ons in, een hand die discreet de deur op slot draaide, een slot dat vast niet moeilijk geweest zal zijn om open te breken, niet voor ons, we hadden zo'n honger en zo'n dorst dat we nachtsloten hadden kunnen forceren, we hadden dagen gereisd op bijna niets. Of is dat ook een valse herinnering?

Het is haar gezicht achter het scherm dat voor me opdoemt. Dat is het enige wat ik nog enigszins duidelijk kan zien. De rest weet ik niet.

Het is mogelijk dat ons gesprek aan het eind van de dag, vrijdag, een en ander tussen ons veranderd heeft. Deze maandagmorgen voel ik dat Clare en ik een nieuwe verstandhouding hebben, met meer wederzijds begrip – of althans, dat ze me begint te vertrouwen. Ze spreekt vrijer uit, dus ik kom terug op mijn vragen over de censuur, aangezien die tot dusverre de meeste reactie hebben uitgelokt.

'U hebt verteld over het mentale effect van een leven onder dreiging van censuur, maar hoe heeft dat iets specifieker uw eigen werk beïnvloed?'

'Dat zorgde heel eenvoudig voortdurend voor afleiding. Onder zulke omstandigheden kun je 's morgens je pen niet eens pakken zonder de implicaties van elke letter die je op papier wilt zetten in overweging te nemen, want de censurerende geest, analytisch en formalistisch, zoekt zelfs naar betekenis in spelling en interpunctie. En dan weet je al dat de censuur gewonnen heeft, want waar de censuur naar streeft, is niet zozeer algehele controle over alle informatie, als wel dat elke schrijver zijn eigen censuur pleegt.'

'En deed u dat?'

Ze richt zich op maar haar rug geeft haar altijd iets voorovergebogens, als een gier. Wat moet ze lang geweest zijn voor haar lichaam zich tegen haar begon te keren. Ik herinner me die lengte uit het verleden, hoe intimiderend dat was.

'Ja en nee. Ik heb nooit het soort boeken willen schrijven dat zij de neiging hadden te censureren. Dat weet je. Protest is niet moeilijk, en journalistiek ook niet, zelfs voor goede journalistiek is vandaag de dag niet meer vereist dan een aantekenboekje, een recordertje – kijk maar naar jou – en het vermogen koppig vragen te blijven stellen aan iemand die geen antwoord wil geven, of anders gewoon de wereld te observeren en haar te beschrijven met inzicht of vanuit een bepaalde visie. Er zullen altijd mensen zijn die protestromans en reportages en pornografische werken schrijven. Je zou kunnen zeggen dat de tirannie van de censuur me heeft aangevuurd maar tegelijkertijd de grenzen van mijn werk heeft aangegeven. Mijn werk is op zijn minst ten dele een product van de plaats die de censuur in mijn verbeelding innam.'

'Had de censuur in uw verbeelding ook een gezicht?'

'Waarom?' Ze kijkt geschrokken, schijnbaar overrompeld door mijn vraag.

'Ik vroeg me af of u de censuur als een persoon voor u zag, de censor, in plaats van dat de censuur een abstractie in uw ogen bleef, of niet meer dan een worm was, zoals u vorige week zei.'

'Ja, eigenlijk wel, ja,' zegt ze – nu zonder aarzeling.

'Zou u kunnen zeggen hoe hij, of zij, er dan uitzag?'

'Waarom?'

'Daar ben ik nieuwsgierig naar.'

'De censor leek op mij. Ze was een inwendige wederhelft, die vlak achter me bleef hangen met een rood potlood in de aanslag. Ik had vaak het idee dat als ik me heel stilhield, terwijl ik aan mijn bureau zat te schrijven, en me opeens omdraaide, dat ik haar dan zou zien, vlak achter me. Je zult wel denken dat ik gek ben,' zegt ze, en ze klinkt alsof ze haar eigen bekentenis wel vermakelijk vindt. 'Het is een goede vraag, weet je. Dat heeft nog nooit iemand aan mij gevraagd. Ik noemde haar Clara – de censurerende helft van mijn geest. Nou, niet de helft – een kwart misschien, of een zestiende, het kleine beetje dat ik haar toestond, het stukje dat zij claimde.'

'Clara?'

'Dat klonk mij bekrompen in de oren. Een zelfgenoegzaam huisvrouwtje dat meende te weten wat literatuur was. De angst die ik altijd gehad heb...' Ze stopt en steekt haar handen op. 'Zet je recorder uit.' Ik schakel hem uit en leg mijn potlood neer. 'De angst... dat ik niet meer dan een zelfgenoegzaam huisvrouwtje ben dat meent te weten wat literatuur is. In tegenstelling tot jou ben ik niet gepromoveerd. Ik behoor tot een generatie academici die een carrière konden opbouwen met alleen een eerste graad, en een generatie schrijvers die niet naar school zijn geweest om te leren hoe je een verhaal moet vertellen. Vaak vraag ik me af hoeveel ik Clara heb laten overnemen. Meer dan een zestiende? Meer dan de helft?' Ze blijft me aankijken en schudt het hoofd. 'Ik weet het niet, dat is het punt.'

De tuinman, die er elke dag lijkt te zijn, trekt haar aandacht bij me weg. 'Wat moet je nou met zo'n man? Ik zou het in elk geval niet weten. Ik wil niet voor grof worden gehouden, zelfs niet door hem. Vooral niet door hem, bedoel ik – door iemand als hij. Ik wil niet zijn zoals mijn moeder was. Ik wíl niet de gebiedende blanke madam zijn die het niet kan helpen dat ze als een despoot over haar bedienden heerst. En zelfs dat, ik weet wat ik verraad door "bedienden" te zeggen, in plaats van "personeel". Denk niet dat ik dat niet weet. Maar wat moet je? Zo is het leven in de feodale wijken. Ik zou tegen hem willen zeggen dat hij weg moet gaan en niet meer terug moet komen. Ik zou hem willen ontslaan. *Fire him*, zoals de Amerikanen dat noemen – een gewelddadige manier om een eind te maken aan een werkverband, afbranden die handel, de fik erin, op de brandstapel. Maar ik weet niet hoe ik dat moet aanpakken. Mijn moeder heeft me nooit geleerd hoe ik een eind moet maken aan een relatie, wat voor relatie dan ook. Hoe doe je dat? Als ik hem ontsloeg, hoeveel levens zou ik dan in gevaar brengen?'

Ik schud mijn hoofd en trek mijn schouders op. 'Ik heb geen ervaring met personeel. Ik zou echt niet weten hoe je zo'n relatie moet beëindigen. Ik heb nooit vanuit een gezagsverhouding autoriteit over iemand gehad.'

'Ik weet niet of ik dat wel geloof,' zegt ze, en ze kijkt me aan. 'Maar goed, laten we verdergaan. Je mag je recorder wel weer aanzetten, schat.' Beeld ik mij dat 'schat' in? Nee, ik heb het duidelijk gehoord. Het is het woord waar ik op gewacht heb zonder te weten dat ik het horen wilde. Mijn borst is een warme vloed. 'Schat, schat.' Ik rommel wat met mijn papieren om tijd te winnen en friemel met de recorder. 'Schat.' Ik probeer me weer te vermannen.

Ik verzin een vraag.

'Denkt u dat andere schrijvers in dit land zichzelf ook als hun eigen censor hebben voorgesteld?'

'Hoe zou ik dat moeten weten? Vraag het aan hen,' zegt ze koeltjes. Het is net of het gesprekje van een paar seconden geleden nooit is voorgevallen. Dat was *off the record*. Dit is een ander verhaal. Een ander register, een andere afspraak. In het officiële gedeelte van de interviews is geen plaats voor 'schat'.

De zon valt schitterend door het raam naar binnen, weerspiegeld door de ramen van een ander huis. Ze trekt de jaloezieën dicht en gaat weer achter haar bureau zitten, waar ze opnieuw met haar papieren begint te rommelen, alsof het een code is die we overeen zijn gekomen: rommelen met papieren is tijd winnen. Het is geen poging om te doen alsof ze met iets anders bezig is, althans, zo begin ik het uit te leggen. Zonder naar me op te kijken neemt ze het woord.

'Wil je me niet vragen naar mijn kindertijd?' Drie vingers strijken aan een kant het haar uit haar gezicht.

Ik wil haar weer 'schat' tegen me horen zeggen, dat is wat ik wil. Ik wil dat ze me na afloop van elke ontmoeting omhelst, me over mijn bol aait en zegt dat ik het zo goed doe. Ze plaagt me met een foto van haar als meisje, op een paard, ergens op een boerderij in de Karoo.

'Ik dacht dat er in uw leven geen vingerwijzingen naar uw werk te vinden waren,' zeg ik, in een poging haar terug te plagen.

'Dat is waar, maar jij schrijft toch een biografie, of niet? Zouden we het dan niet over mijn leven moeten hebben in plaats van over mijn werk? Wat voor biografie wordt het eigenlijk?'

'Zoals u zelf ook al zei, een belangrijk deel van uw leven heeft zich in de openbaarheid afgespeeld.'

'Zo niet mijn eigen leven, dan wel de levens van mijn naasten.'

We praten nog eens twee uur over de thema's van haar werken, historiseren enkele teksten, onderzoeken duidelijke resonanties in haar eigen leven die zelfs zij bereid is te erkennen, waarbij we recht doen gelden aan 'het proces van mystificatie en mythologisering' dat ze gehanteerd heeft om 'het persoonlijke complexer en significanter te maken dan louter autobiografie'. Haar woorden, niet de mijne.

Om één uur klopt Marie aan. Ze wacht geen reactie van Clare af en rijdt een karretje naar binnen met twee dienbladen erop, elk afgedekt met een servet. Ze zet de bladen op de salontafel midden in de kamer en haalt de servetten eraf: sandwiches en diverse salades. Ze maakt een lichte buiging (is dat mijn verbeelding?) en rijdt de kar weer de kamer uit, waarna ze de deur achter zich dichttrekt.

We eten in een geconcentreerde stilte, benadrukt door het geluid van ons kauwen en onze ademhaling, en ons schuiven in de stoelen, op zoek naar een nóg comfortabeler houding. In de tuin schreeuwt een hadada. Een tuinman roept iets naar een ander. Een vliegtuig vliegt over. De alarminstallatie van een huis verderop zet het op een janken. We zeggen niets bij het eten, en niets erover.

In alle uren dat ik in dit huis ben geweest heb ik niet één keer een telefoon horen overgaan. Misschien is er een telefoon in de andere vleugel, met een zachte beltoon die alleen Marie hoort en beantwoordt. Er is geen telefoon in het kantoor. Clare heeft geen contact met de rest van de wereld behalve door de ramen, die ze de hele dag opendoet om de tuinmannen te instrueren in een onafgebroken stroom van taal waarvan ik weet dat hij voor mij nooit meer dan geluid zal zijn. Het is een taal die ik niet zal leren omdat ik er de tijd noch de wil voor heb.

Ze kauwt, met trage, systematische bewegingen, alsof elke hap haar volle aandacht eist. Haar grote, rechte tanden werken zich door de maaltijd heen, brood en beleg, sla en tomaten, alles eenvoudig maar met zorg bereid. Ze houdt van de goede dingen des levens, goed eten, goede kleren, goed meubilair en een goed huis. Dankzij het succes van haar boeken kan ze er een comfortabele levensstijl op nahouden – een extravagante levensstijl vergeleken met de meeste mensen in dit land, of in welk land dan ook. Als we de sandwiches ophebben, drukt ze op een knop in de muur bij haar bureau. Een minuut later komt Marie terug met koffie en een schaal biscuits en koffiekoekjes. Ze pakt de lege borden en laat ons weer met rust.

'Ik dacht dat ik geacht werd mijn eigen eten mee te nemen.'

'Ik hou niet van vreemde geuren. Alles wordt intenser als je alleen leeft. Ik hou er niet van om de deur uit te gaan. Ik haat reizen. Naar Londen gaan was me al bijna te veel. Toen ik terug was heb ik zo ongeveer een maand geslapen.' Ze wendt een glimlach voor. 'Ik ben niet altijd zo geweest. Ik ben meer dan drie weken niet de deur uit geweest, een maand bijna. Vierentwintig dagen – en elke dag duurde dagen.'

Absolutie

Na het eerste politieonderzoek naar de inbraak, of invasie, zoals Clare het ook wel noemde, was er verder geen contact meer met de autoriteiten geweest. Er waren haar geen verdachten getoond ter identificatie, er was niemand aangehouden, en voor zover zij zich kon herinneren had ook nooit iemand haar naar een signalement van de indringers gevraagd. En de politie was er ook niet in geslaagd haar vaders pruik in zijn zwarte blikken trommel boven water te krijgen. Een paar maanden na de verhuizing van haar oude stek aan Canigou Avenue naar haar nieuwe vesting in Bishopscourt werd er echter bij het hek aangebeld. Marie liet een zwarte auto binnen met een officieel kenteken. De chauffeur, een man met een mager gezicht en dito nek, deed het portier open voor een tenger vrouwtje met opgestoken haar.

Eenmaal binnen wachtte de vrouw niet op een uitnodiging om te gaan zitten, ze liet zich op de bank tegenover het bureau van Clare zakken en maakte een map open waar een dikke stapel documenten in zat.

'U was voorheen woonachtig aan Canigou Avenue,' zei de vrouw.

'Inderdaad, dat is juist.'

'Er is bij u ingebroken, als ik het wel heb,' zei de vrouw.

'Dat klopt.'

'U hebt een persoonlijke assistent in dienst, mevrouw Marie De Wet.'

'Correct.'

'Zij heeft de insluipers verjaagd,' zei de vrouw, en ze snoof.

'Dat is correct.'

'Met een pistóól.'

'Waar ze een vergunning voor had. Een wapenvergunning. Ze heeft alles gedaan wat daarvoor nodig was – een vaardigheidstest, antecedentenonderzoek, registratie. Ik was mij van dat alles niet bewust. Ik wist niet dat ze een wapen had,' wierp Clare tegen. 'Ik heb het haar weg laten doen. Volgens mij heeft ze het zelfs naar de politie gebracht, om het te laten vernietigen. Er zijn geen vuurwapens in dit huis. Ik heb zo mijn mening over vuurwapens.'

'O ja?' De vrouw krulde haar bovenlip, alsof ze wilde zeggen: wij hebben allemaal zo onze mening over vuurwapens.

'Hebt u een van de daders opgepakt?' vroeg Clare.

De vrouw, die Clare bij zichzelf mevrouw White noemde, keek geschrokken, alsof het een vreemde vraag was, en schudde zwijgend het hoofd: nee.

'Waarom wilde u eigenlijk zo lang in zo'n onveilig huis blijven wonen?' vroeg mevrouw White.

'Ik geloof niet dat ik uw vraag begrepen heb.'

'Waarom besloot u zo lang aan Canigou Avenue te blijven wonen terwijl uw huis duidelijk niet meer veilig was? U had niet eens een deugdelijk hek of prikkeldraad of schrikdraad, zoals u hier hebt. Iedereen die zich wat in zijn hoofd haalde had zó binnen kunnen komen. Waarom bleef u daar zo lang terwijl toch duidelijk was dat de buurt voor een vrouw als u niet veilig meer was?'

Niet veilig meer omdat de buurt te gemengd was, niet meer blank genoeg, en te dicht bij de criminaliteit van de Kaapse Vlakte gelegen, al zat dat misschien louter tussen de oren? Clare wist dat haar insluipers niks met die wijken, niks met armoede of materiële ontbering te maken hadden.

'Het was mijn huis. Ik heb er mijn kinderen grootgebracht, ik heb er gedurende mijn hele huwelijk gewoond,' zei Clare. 'Is dit relevant? Zou ik uw identificatie misschien mogen zien?'

De vrouw haalde een penning tevoorschijn maar Clare zou niet kunnen zeggen of die authentiek was.

'U moet geweten hebben dat het niet veilig was om daar te blijven, zonder zelfs maar een alarminstallatie, zonder welke aanpassing dan ook. U bent toch een soort beroemdheid, mevrouw, of niet? U bent rijk. Mensen weten dat u geld hebt, zelfs hier, in dit land.'

'Zelfs hier, in dit land, mevrouw White, waar het de regering niet noodzakelijkerwijs aanstaat wat ik te zeggen heb.'

'Dát heb ik niet gezegd. Ik bedoelde alleen dat niet zo heel veel mensen in dít land weten wie ú bent, maar dat het er genoeg zijn om het voor u noodzakelijk te maken op uw spullen te passen.'

'Het is mijn land. U hoeft het niet "dit land" te noemen, alsof u wilt suggereren dat ik hier op bezoek ben,' zei Clare, hopend dat ze enig gezag afdwong.

'Bent u in zekere zin niet op bezoek?' vroeg de vrouw.

'Ik ben hier geboren, evenals mijn ouders en grootouders. En dat geldt misschien niet voor hen, maar ik heb ervoor gezorgd, er heel bewust voor gezorgd, dat ik mij in elke cultuur van dit land onderdompelde, dat ik er helemaal deel van uitmaakte.'

'En toch heeft de ervaring u niet veranderd, mevrouw. U bent nog altijd een vreemde. Net als de kolonisten die uw voorouders waren. Die waren hier op bezoek – of misschien niet echt op bezóék, want zo gezellig was het ook weer niet. Ik kan me wel een ander woord indenken. Ja, in mijn ogen bent u met zulke voorouders nog altijd een vreemde.'

'Ik ben veranderd op een manier die u niet kunt zien, mevrouw White, onder de huid. We zouden bijvoorbeeld uw moedertaal kunnen spreken, als u dat wilde, in plaats van de mijne, dan zou u een nog groter voordeel op me hebben, maar ik zou me toch staande weten te houden. Ik ben geen vreemde, nergens waar ik hier kom. Ik kan met iedereen praten. Hoe kunt u mij een vreemde noemen? Ik ben altijd een Zuid-Afrikaans staatsburger geweest. Ik ben nooit iets anders dan een Zuid-Afrikaans staatsburger geweest, ongeacht de herkomst van mijn voorouders. Dit is mijn land. Ik heb een geboortebewijs. Ik heb een paspoort. Uw toon staat me niet aan.'

'En nu woont u in een voorname villa, achter hoge muren. Het is bijna een paleis. Misschien ziet u zichzelf wel als een soort koningin.'

'Integendeel. Ik ben zeer nederig.' Misschien niet nederig genoeg. Clare had de geur van de jacht geroken, ze wist dat haar niet de rechten en privileges van een onschuldig slachtoffer verleend zouden worden; ze was misschien wel slachtoffer, maar niet onschuldig.

'U hebt nog steeds dezelfde assistente, mevrouw Marie De Wet,' vervolgde de vrouw.

'Dat weet u heel goed. Zij heeft u binnengelaten. Het spijt me, mevrouw White, maar zou u mij kunnen uitleggen waar u met al die vragen heen wilt?'

'Dat maakt allemaal deel uit van het onderzoek, we willen zeker weten dat we niks gemist hebben waar het onderzoek bij gebaat zou kunnen zijn, niks wat ons zou kunnen helpen uw insluipers op te pakken.'

'Het zijn niet mijn insluipers.'

'De insluipers dan, als u dat liever hoort.' Mevrouw White kreeg het voor elkaar om langs haar neus op Clare neer te kijken, al was Clare, die ook zat, een stuk groter. 'U hebt een particulier beveiligingsbedrijf in de arm genomen?'

'Voor zover ik weet is het particulier. Misschien heeft de staat er een belang in?'

'Dat weet ik niet. Misschien weet u iets wat wij niet weten,' zei de vrouw, en ze snoof weer.

'Nee,' zei Clare. 'Moet u een tissue hebben?'

'Het komt mij voor, mevrouw Wald, dat uw particuliere beveiligingsbedrijf vast mannen met vuurwapens in dienst heeft. Zouden ze met vuurwapens aankomen als u ze alarmeerde?'

'Het is nog niet één keer nodig geweest ze te alarmeren. We zouden het nu kunnen proberen, als u wilt,' zei Clare, en ze waagde het om smalend te glimlachen. Stilte rolde tussen hen heen en weer over de grond en Clare vroeg zich af hoe alert haar beveiligers zouden zijn. 'Ik hoop dat u ze te pakken krijgt, de insluipers.'

'Wijs ze mij aan, mevrouw, dan pak ik ze op. Wijs ze maar aan,' zei mevrouw White, alsof Clare zelf een van de insluipers was.

'Uw mensen hebben me zelfs nooit gevraagd om ook maar een verklaring af te leggen.'

'Maar dat lijkt me niet waar.' Mevrouw White bladerde door de papieren in haar map en haalde er een vel uit. 'Vier mannen, tussen de vijfentwintig en veertig jaar oud. Gemiddelde lengte, gespierd. Ras onduidelijk.'

'Ik heb niets van dien aard gezegd. Ik heb geen idee hoe oud ze misschien geweest zijn. Ik zou niet eens met zekerheid kunnen zeggen dat het absoluut mannen waren.' Clare vroeg zich af of ze, in de nasleep van de inval, een verklaring had afgelegd die ze zich niet meer kon herinneren.

'U hebt de verklaring anders wel getekend,' zei mevrouw White, en ze hield het document voor haar op.

Clare wist zeker dat dat niet haar handtekening was – hij was te ruw, te grillig. 'Dat heb ik helemaal niet,' zei ze, maar toen was er een moment van twijfel. Als de paniek zo hevig was geweest als ze zich herinnerde, dan was het heel wel mogelijk dat ze met een bevende hand die handtekening had gezet. De naam op het document, dat kon ze wel zien, was daar neergezet door een hand die zich los van het brein bewoog.

'Beschuldigt u mijn mensen ergens van?'

'Nee, dat kan ik niet zomaar doen. Ik ben... er alleen niet zeker van. Het enige wat ik doe is iemand van het maken van een fout beschuldigen. Ik kan me niet herínneren dat ik een signalement heb gegeven. Ik kan me niet herinneren dat ik mijn handtekening onder die verklaring heb gezet. Maar nee, nu ik er weer over nadenk, weet ik zeker dat ik nooit een officiële verklaring heb afgelegd. Ik ben niet één keer naar het politiebureau geweest – dat staat buiten kijf. Ik ben nooit opgeroepen een verklaring of een getuigenis af te leggen. Die krabbel, die handtekening, dat kan wel van alles zijn. Ik geloof nooit dat hij van mij is. Dat zeg ik met nadruk.' Eigenlijk twijfelde Clare nog meer aan zichzelf, en die vrouw probeerde per slot van rekening alleen maar haar werk te doen.

Mevrouw White klakte met haar tong, schudde haar hoofd, keek bezorgd, snoof weer. 'Dan lijkt het erop dat hier sprake is van een zeer ernstig misverstand. Want hier heeft heel duidelijk iemand die voorgeeft u te zijn – ik kan uw naam lezen – de schuld gelegd bij vier mannen in de leeftijd van vijfentwintig tot veertig, van gemiddelde lengte, gespierd, en van onbestemd ras. Onbestemd ras. Is dat een eufemisme, mevrouw?'

'Ik heb die verklaring niet afgelegd, hoe zou ik dan moeten weten of dat als eufemisme bedoeld is? Ik geloof dat u beter kunt gaan, mevrouw White.'

'U moet voorzichtig zijn, mevrouw, want ik heb het idee dat er iemand is die zich voor u uitgeeft. En anders vergeet u zelf wie u bent en waar u geweest bent. Waarom zou dat zijn, denkt u? Waarom zou iemand voorwenden u te zijn en uit naam van u een verklaring willen afleggen? Dat lijkt mij een heel vreemde situatie. Volgens mij vergeet u iets. Volgens mij voelt u zich niet helemaal lekker. Er zijn plekken waar zieke mensen weer beter kunnen worden, als u ziek bent. Dat zou geregeld kunnen worden.'

'Ik ben niet ziek. Er mankeert mij niets. Vraagt u het mijn artsen maar.' Clare begreep waarmee gedreigd werd, gedwongen opname, verdoving, elektroshocktherapie, opsluiting voor onbepaalde tijd – een aanslag op de geest. Ze wist dat ze voorzichtig moest zijn, en moest haar uiterste best doen de reserves aan te boren die ze nodig had om zich te beheersen.

'We zullen dit tot op de bodem moeten uitzoeken, mevrouw. Maar ik kan u verzekeren: wij zijn heel goed in wat we doen, en we zullen dit ook daadwerkelijk tot op de bodem uitzoeken, hoe dan ook, hoelang het ook duurt.' Mevrouw White glimlachte bijna welwillend en stond op, waarmee aan het onderhoud een einde kwam. Ze nam geen afscheid, reikte haar ook niet de hand, en deed het elastiek weer om de map alvorens hem in haar tas te laten vallen. 'Ik kom er zelf wel uit.'

'Ik laat u uit,' zei Clare. 'Die elementaire beleefdheid zult u mij op zijn minst moeten toestaan.'

Clare

Is het oneerlijk van mij om je aantekenboekjes, of je laatste brief, als een last te beschouwen die ik dragen moet? Het doet pijn om ze te lezen, om ze te vergelijken met de officiële verklaringen, de verslagen van de waarheids- en verzoeningscommissie, de krantenknipsels en academische artikelen, de met elkaar concurrerende geschiedenissen en herzieningen van het verleden die ik verzameld heb in een immer uitdijend archief, dat een hele tijd na de gebeurtenissen die het poogt te beschrijven is samengesteld. Ik begin te aanvaarden dat afstand in de tijd slechts vervorming kan voortbrengen. Ik lees een regel in jouw handschrift, vergelijk het met de andere dingen die ik weet, de herinneringen aan je, de kaartjes voor mijn verjaardag en voor moederdag die je me in de loop der jaren gegeven hebt ook al weet ik dat het je pijn deed me wat voor teken van liefde dan ook te geven. Ik kan niet verder. Eén enkele bladzij lezen is de beklimming van een berg. De productie van een dag – een van jouw dagen, jouw verslag van één enkele dag – is de oversteek van een oceaan. 'Ik hield Sam bij de hand en hij keek zo vol vertrouwen,' lees ik, en ik leg het boekje neer voor ik mijn tranen op de inkt van je woorden laat druppen. Waarom heb ik niet meer in jouw handschrift, Laura? Het wilde handschrift uit je kinderjaren werd in de puberteit strak en geordend, net als je politieke overtuigingen, die een tijdje zo anders waren dan de onze, zo vreemd aan alles wat je vader of ik zou hebben goedgekeurd als correct of gepast of gewoon goed. De vlag die je per se uit het raam van je slaapkamer wilde hangen. De militaire groeten. Het zingen van het volkslied. Je eigenaardige militarisme. Het was een marteling voor ons – een marteling en een bron van gêne. En de rijen lettertjes, allemaal zo strak in het gelid, zo fijn geschreven, dat je docenten klaagden dat je essays bijna onleesbaar waren en dat ze er een vergrootglas bij nodig hadden. En toen, gelijk met je politieke overtuiging, de plotselinge verschuiving in je handschrift, halverwege je eerste jaar aan de universiteit, de vreemde kruising tussen cursief en drukletters, die je eigen uitvinding was, mooi maar tegendraads, waarmee je je slechts aan de meest elementaire regels hield. Radicaal en tegendraads waar je ooit zo conservatief was geweest. Je was oud genoeg om te weten wat je vond, om te beseffen wanneer je ernaast had gezeten in het verleden, om je bewust te zijn van je onwetendheid en te beseffen welke angst er in die onkunde school.

Zelfs nu, nu er zoveel is veranderd en er niets is veranderd, zijn er problemen. Er is iets in jouw geval, en in gevallen als het jouwe, dat het geweten prikkelt en je voormalige collega's in verlegenheid brengt. Niemand wil me vertellen wat of waarom. Ik geef toe dat ik slechts in beperkte mate inlichtingen heb ingewonnen, discrete vragen gesteld aan enkele mensen op officiële gelegenheden waar ze niet konden spreken zonder angst te worden afgeluisterd, en waar ik er moet hebben uitgezien als een zielige en wanhopige oude vrouw, hunkerend naar rechtvaardiging en geruststelling en iets van een verklaring waarom jouw naam niet op de lijst met helden is gekomen. Ik kan er alleen maar naar gissen. Misschien is het de koelbloedigheid van wat je gedaan hebt, de ongelooflijke vastbeslotenheid waarmee je je missie hebt uitgevoerd. Je was fanatiek tot op het bot. Je had onschuldige slachtoffers, als er al iemand is die onschuldig of slachtoffer genoemd kan worden.

Wie geloven wij? Er gapen lacunes in het archief dat ik bijeen gezameld heb, de dossierkast die bevat wat er van jou rest, er vallen gaten tussen jouw verslag aan mij (de brief die namens jou bezorgd is), je verslag aan jezelf (de tien aantekenboekjes die je aan mij hebt nagelaten) en de verslagen van het oude regime, de nieuwsverslagen, de getuigenissen van je voormalige collega's en die van je slachtoffers. Er zijn periodes waar niemand verantwoording over kan afleggen, feiten die min of meer zijn vastgesteld ontberen dwarsverbanden die iets zeggen over motivatie, hoe dingen gebeurd zijn – het vlees op de botten van het verhaal dat zonder die dwarsverbanden kant noch wal raakt en steevast onderuitgaat, dat zeker geen potentie heeft van beweging of eenheid van structuur, en dat eigenlijk domweg niet levensvatbaar is. Ik moet die dwarsverbanden met mijn eigen wilskracht in het leven roepen, moet de feiten zelf leven inblazen en dan besluiten of het resultaat een verraderlijk monster is, of een tienarmige godin.

Ik herinner mezelf eraan dat er nog die andere bron is, tot dusver niet aangeboord; als Sam de kans krijgt, zal hij misschien een heel ander verhaal vertellen.

Je keek hoe hij aan een fles met bruinig water lurkte, zijn haar glom, vuil, donker en niet bepaald aantrekkelijk. Je kon zijn tong aan zijn verhemelte horen kleven. 'Heb je ook brood?' vroeg hij. Je gaf geen antwoord, je probeerde te voorkomen dat jou enige verantwoordelijkheid werd opgedrongen. Hij vroeg het nog een keer. 'In je tas? Heb je misschien nog een perzik? Of een appel?'

'Nee. Ik heb dadels.'

'Mag ik er een paar?' vroeg hij, met zijn voet in de grond draaiend.

'Heb je helemaal geen eten?'

'Niet zulk eten als jij,' jengelend, smekend, met zijn teen een gat gravend, 'niet zoiets.'

'Nou, nee. Ik geef je niks van mijn fruit. Ik heb een lange reis voor de boeg. Ik moet nog een hele tijd met mijn eten doen.'

Je was tot eenzaamheid vervallen, een monochrome wereld, de heldere kleuren van de kindertijd waren verdwenen, rode jurkjes kwijtgeraakt en verbrand, of aan de hulp gegeven, voor haar kinderen, die ze inmiddels misschien al wel aan hun eigen kinderen hadden doorgegeven.

(Heb je ooit rode jurkjes gehad? Heb ik je ooit een jurk aange-trokken? Ik pak de albums erbij om een foto te zoeken, mijn klei-ne roodkapje, maar tref je alleen aan in groen en geel, niet in rood, geen jurk, hooguit een rok, een strenge blouse, kaki en wit, bruin en zwart, een kortstondige opwelling van blauw en oranje. Je moet toch op enig moment een rode jurk hebben gehad, elk meisje in mijn familie heeft altijd op zijn minst één rode jurk ge-had. Heb ik je daarin ook teleurgesteld?)

Je liep met grote passen bij Sam weg, daalde af in een ravijn, waar je je verstopte in het struikgewas, je broek naar beneden deed en perste tot je darmen en blaas leeg waren. Je had toiletpa-pier in je rugzak, en ook maandverband, die je had meegenomen in de wetenschap dat er misschien wel hele dagen zo voorbij zou-den gaan, dat je naar je bestemming zou reizen met de snelheid van een overpeinzing; je wilde niet zonder die paar rekwisieten komen te zitten die je nog scheidden van de dieren, die de voor-stelling sprakeloos gadesloegen door de bosjes, wier behaarde koppen je ontlasting en onbehagen opsnoven en die verbijsterd toekeken hoe je je drek in de keiharde aarde begroef.

Tegen de middag begon de wind op te steken en de wolk van zwarte rook kwam boven je hangen en kliefde de hemel door-midden.

'Het komt wel goed,' zei je tegen Sam, die omhoog keek, met waakzame ogen, 'zolang het maar blijft waaien. We maken ons zorgen als de wind gaat liggen, of als het gaat regenen. Je moet niet bang zijn.'

'Wat is het?' vroeg hij, starend naar het toenemende gewicht van de hemel, en weer naar jou, en naar de vrachtauto.

'Van alles.'

Tiger sprong uit de cabine en liet een vuile tand zien. Hij grom-de en duwde tegen Sams been aan. De jongen draaide zich om en liet de hond drinken bij de kraan aan het plankje. Waar het water viel, ontstond een rode drab, waar Tiger ook van dronk.

'Ga je ook naar school?' vroeg jij.

'Het is vakantie.'

'Dat is waar ook.' Het was januari. Hij verdraaide zijn mondje en stond met zijn handen op zijn kleine heupen naar je te staren.

'Waarom stond je aan de weg te wachten?' vroeg hij, op zo'n beschuldigende toon dat je schrok en bedacht dat hij wel eens gevaarlijk kon zijn.

'Waarom niet?'

'Omdat mensen als wij niet aan de weg staan te wachten,' zei hij, 'niet midden in de nacht. Dat zei Bernard.'

'Misschien had ik wel geen keus. Misschien kwam degene op wie ik wachtte niet opdagen en had ik geen andere keus dan te gaan liften. Heb je daar wel eens aan gedacht?'

Sam leek dat te aanvaarden en draaide de kraan dicht, die echter met een gekmakende hardnekkigheid bleef druppen. Hij stak zijn vingers in het gat en liet de druppels erlangs sijpelen, waardoor de aarde aan zijn vingers in felrode littekens veranderde.

'Doe je dit elke dag?' vroeg jij.

'Wat?'

'Op parkeerplaatsen rondhangen terwijl Bernard slaapt.'

'Een tijdje nu. Nog niet zo lang. Misschien niet zo lang meer.' En toen knikte hij, alsof dat het juiste antwoord was.

'Als hij niet je vader is, waar zijn je ouders dan?'

'Dood.' De jongen keek je aan, met een zuur gezicht, nadenkend, en nog altijd knikkend, een beweging die overging in een dwangmatig ritme. Hij had weinig controle over zijn lichaam, het deed dingen die hij niet verwachtte, misdroeg zich ook al dacht hij dat hij niks deed. 'En toen heeft Bernard mij in huis genomen.'

'Was hij een vriend van je ouders?'

'Een oom misschien. Een oom of een neef. "Ik ben je oom of misschien wel je neef." Dat zei hij.'

'Heeft hij ook een huis?'

'Ja. Daar hebben we één keer geslapen. Ik op de bank. Er was maar één slaapkamer en die was van hem. Ik sliep op de bank.

Toen zei hij dat hij werk te doen had, en de volgende dag gingen we weg. Nadat ik op de bank had geslapen. Toen gingen we weg met de vrachtauto,' zegt hij, een ingestudeerd verhaal, woorden die hij zich met moeite herinnert. Misschien wist hij dat er iets niet klopte aan volgorde of inhoud. Hij schudde zijn hoofd.

'Hoe lang is dat geleden?'

'Een poosje.' Sam staarde je aan, met niets dan wezenloze verwarring in zijn blik. Hij was afwezig, bij het achterlijke af. Hij zou niets ophelderen. Zijn aanwezigheid moest meer materiële relevantie hebben. 'Ik wil naar huis. Weet jij hoe ik daar moet komen?' vroeg hij.

'Ik weet niet waar je huis is.'

'Nee?' zei hij. Hij klonk verrast. 'Ik dacht dat je dat misschien wel wist.'

Zonder enig geluid te maken kwamen drie vrouwen uit de bosjes, aan de kant van het ravijn. Ieder droeg twee jerrycans, in verscheidene kleuren, rood, groen, blauw. De vrouwen knikten naar jou en naar Sam, en vulden hun jerrycans bij de kraan. Jij wisselde met hen wat woorden die Sam niet begreep. Tiger stond naast de jongen te grommen terwijl de vrouwen water tapten. Er werden nog wat woorden gewisseld tussen de vrouwen en jou en er werd beleefd geknikt, een taal en een conventie die je als kind had geleerd bij bezoekjes aan de boerderij, waarna de vrouwen de parkeerplaats verlieten en weer afdaalden in het ravijn. De zon was achter de zwarte wolken verdwenen, en hoewel je horloge kwart over twaalf aangaf, was het schemerdonker. Vele uren restten nog voor de abrupte zonsondergang, en het snelle donker dat zich vanaf de noordoostelijke hemel verspreidt en als een deksel over het land schuift.

'Moeten we bidden?' vroeg Sam.

'Waarom?'

'Om God te vragen die wolken weg te laten gaan.'

'Dat haalt niks uit,' zei je. Je probeerde niet ongeduldig te klinken.

'Hoe bedoel je?'

'Zoals ik het zeg.'

'Ik denk dat ik ga bidden.' De jongen liet zich naast de hond op zijn knieën zakken, vouwde zijn handen, keek omhoog naar de wolken, boog toen het hoofd, deed zijn ogen dicht en prevelde een hele tijd. Zijn gezicht bleef steeds hetzelfde, intens in zijn devotie, zijn hoofd knikte op de maat van zijn gebed.

'Daar heb je niks aan,' bitste jij. 'Of de wind blaast de wolken hier weg, of het gaat regenen. Wij kunnen daar niks aan veranderen. Bidden haalt helemaal niets uit. Het enige wat wij kunnen doen is schuilen als het gaat regenen, dus je kunt net zo goed ophouden met bidden. Dat is allemaal flauwekul. Hou daarmee op.'

Maar Sam bleef prevelen. Het werkte je op de zenuwen tot je naar hem toe liep en hem zo heftig door elkaar schudde dat hij op de grond viel. Meteen drongen de tanden van Tiger in je been, glazuur knarste op bot. Met je andere been trapte je de hond net zo lang tegen zijn kop tot zijn kaken loslieten. En je bleef trappen tot je zijn rug had gebroken, waarna Tiger met een sissend gejank op de grond bleef liggen, roerloos maar nog wel in leven. Je sleepte hem aan zijn poten naar een bosje en maakte hem af door met een grote steen op zijn schedel te slaan.

De jongen stond op, stoffige tranen stonden op zijn wangen. Het zou logisch geweest zijn de jongen en de man daar achter te laten. Weglopen zou de beste keus zijn geweest, die vrouwen achterna, de wildernis in, en via allerlei achterafweggetjes ergens in een afgelegen gebied het land uit. Door die hond af te maken had je iets gedaan wat consequenties zou hebben, het begin van een kettingreactie.

'We zouden weg kunnen gaan. Voor hij wakker wordt,' zei Sam. Hij keek eerst naar de vrachtwagen en toen naar de bosjes. Eerst dacht je dat hij het niet begreep van Tiger, maar toen werd het je duidelijk. Hij verkoos jou als zijn redder. Maar je kon niet met dit kind de wildernis in lopen. Je kon hem niet grootbrengen in een grot, als heremiet. Je had maar genoeg voor één, en Bernard zou achter je aan komen, of mensen achter je aan sturen, en dat zou het einde van alles betekenen – niet alleen van jouw leven, maar ook van het leven van vele anderen. Alvorens je te vermoorden zouden ze de namen uit je mond branden, de lettergrepen van je nagels trekken, klinkers en medeklinkers uit je neusgaten spoelen, je aan hun gezag herinneren met staal en draad, vuur en stroom.

'Heeft hij een pistool?' vroeg je.

'Nee,' met een bijna onbeheerst hoofdschudden.

'Niet in het dashboardkastje of onder zijn stoel?'

'Nee.'

Je keek om je heen, op zoek naar een steen die groot genoeg was voor wat je in gedachten had, maar niet zo zwaar dat hij onhandelbaar werd. De steen waarmee je Tiger had afgemaakt was te groot om naar de vrachtwagen te sjouwen. Je woog een aantal stenen in je handen en terwijl je dat deed, ging de wind liggen en begon de luchtdruk te veranderen. Er kwam een front dichterbij – droge lucht die langs de kust kwam botste boven jullie hoofd op de warme, vochtige lucht die van de andere kant kwam aanwaaien. Al minstens een halfuur was er geen andere auto langsgekomen. Je koos je steen en sloop naar de cabine. Bernard lag te snurken, maar toen je het portier opentrok keek hij je aan, op de kop, half in de schaduw; de steen woog zwaar in je handen.

'Jezus, mens! Je maakt me aan het schrikken. Waar is Tiger?'

'Achter de vogels aan, in het ravijn.'

'Ik vind hem wel. Ik moet even mijn behoefte doen.'

Je liet de steen achter je op de grond vallen terwijl Bernard uit de cabine sprong, over de parkeerplaats liep en in het ravijn verdween. Hij had het sleuteltje in het contact laten zitten. Je wenkte Sam, die aan kwam hollen en door het andere portier in de cabine klom. 'Deur op slot.' Sam gehoorzaamde, met een starende blik op jou, gezicht stil en onleesbaar. Je kon niet zomaar wegrijden, dus startte je de motor en gaf flink gas. Bernard kwam terughollen, zijn gulp stond nog open.

Je gaf nog een keer gas, zette de versnelling in zijn één en trok op terwijl Bernard naast je mee rende en nog iets harder ging lopen om de afrit te versperren. 'Ogen dicht, Sam.'

De jongen sloeg zijn handen voor zijn ogen terwijl jij afremde, achteruitreed, weer afremde, het gaspedaal intrapte en naar voren schoot. Je reed Bernard ondersteboven. Door de klap werden jij en Sam naar voren en naar achteren tegen de bank gesmeten.

Je reed nog een keer achteruit. De dikke man lag stuiptrekkend op de grond, in zijn roze shirt zaten donkere vlekken, zijn mond bewoog krampachtig en het bloed gulpte eruit. Je schakelde weer naar de eerste versnelling en draaide het stuur zo dat het volle gewicht van de vrachtwagen over hem heen reed.

'Hou je ogen dicht,' zei je, en je reed vooruit en achteruit over hem heen tot hij stil bleef liggen. Elke keer schommelde de vrachtwagen minder hevig en werd Bernard platter, alsof er iets groots en kunstmatigs op hem was gevallen, uit de lucht, uit de donkere wolken.

En dan te bedenken dat ik een keer heb gezegd dat het jou aan moederinstinct ontbrak.

Althans, dat is jouw versie van wat er gebeurd is, de reden die je me in je laatste aantekenboekje geeft voor de wijziging in je plannen en voor de verantwoordelijkheid die je voor het kind nam. Op een of andere manier is het geen versie waar ik geloof aan kan hechten. Ik probeer een andere, een die past bij wat ik weet waar je toe in staat was.

Bernard bleef snurken en kwam geen moment bij bewustzijn toen jij de steen op zijn voorhoofd liet neerkomen, en nog eens, en nog eens, tot je armen en gezicht met dikke spetters overdekt waren.

Zo kreeg je bloed uit een steen.

Je had wel ergere dingen gedaan in je leven.

Je haalde de sleuteltjes uit het contact, deed het portier dicht, liep om de wagen heen en trok het portier aan de passagierskant open. Daar pakte je Bernard bij zijn voeten en trok hem naar buiten. Zijn hoofd bonkte over de metalen treden. Het liet een rood spoor achter, bespikkeld met sterretjes van bleek weefsel. Sam stond te hyperventileren, met grote, donkere ogen, schoot zonder waarschuwing in een kramp en begon over te geven, op de grond. Zijn hele lichaam schokte tot er alleen nog maar schuim van zijn lippen droop.

Je sleepte het lichaam van Bernard het ravijn in en verborg het onder dezelfde doornstruik waar Tiger dood lag. Voor de avond viel zouden aaseters de meeste rommel hebben opgeruimd. Je waste je bij de kraan, je armen, je gezicht, en je schrobde de bijtwond in je been en dwong jezelf niks te voelen. Dat was een gave die je had ontwikkeld.

Sam gaapte je aan, zijn gezicht en shirt met braaksel besmeurd.

'Kun je jezelf wassen?' vroeg je, met je handen op zijn schouders.

'Jawel.' Hij spatte water in zijn gezicht en over zijn handen, veegde zijn shirt af met natte handen en werd natter dan de bedoeling was.

'Heb je ook nog andere kleren?'

'Ik heb een tas. In de auto.'

'Ga dan wat anders aantrekken.'

'Het is kleverig,' zei Sam. Hij trok zijn hand van de bruine vinyl bekleding. Een laagje bloed bedekte zijn hele handpalm.

'Veeg maar af aan de vloer.'

Toen je van de parkeerplaats de weg op reed, begon het te regenen. Je zette de ventilatie op recycle om niet het ergste te hoeven inademen van de walmen die opstegen van het laagje water op de voorruit, waar de ruitenwissers tegen vochten om het zicht enigszins vrij te houden. Als het zo bleef regenen, zou het niet mogelijk zijn bij nacht te rijden. Sam duwde en trok zijn bebloede vingers van elkaar, spuugde erop, wreef in zijn handen als iemand die een vuurtje wil aansteken met wrijving, en boog zich voorover om ze af te vegen aan de ruwe mat, die hij besmeurde als met vingerverf. Toen hij dat beu was, ging hij weer rechtop zitten, bestudeerde zijn handen en probeerde de halvemaantjes van opgedroogd bloed onder zijn nagels vandaan te krijgen.

'Ik heb honger,' jengelde hij.

'Pak mijn rugzak maar. Neem wat fruit.'

Sam pakte de dadels en at er vier, kijkend naar jouw reactie om er zeker van te zijn dat hij niet meer nam dan hem toekwam. Hij zette de radio aan en keek op de kaart. 'Waar gaan we heen?'

'Terug naar waar we vandaan komen. De bui tegemoet.'

1989

Hij had maar één foto waar zijn ouders samen op stonden, met hem bij zijn moeder op de arm, en die was gemaakt toen hij nog maar een paar maanden oud was. Bij alles wat hij had doorgemaakt had hij die in zijn tas bewaard, in een plastic hoesje tussen de bladzijden van een boek, zodat hij niet kon verbuigen of scheuren. Zijn moeder heeft op de foto een spijkerbroek en een geel T-shirt aan met een groene mannenkop erop, zijn vader draagt alleen een korte broek, want het is januari. Iedereen kan aan die foto zien waarom die twee verliefd op elkaar zijn geworden. Ze zijn allebei gebronsd, mooi lijf, mooi gezicht. Wat is een mooi gezicht? Alles op de juiste plaats en in de juiste verhoudingen, en een gladde huid, maar zijn vader had een litteken op zijn wang, een litteken waar hij van hield. Zijn vader was sterk en lenig en de jongen gaf zijn vader altijd een kus op zijn litteken als hij hem naar bed bracht, wat niet zo heel vaak gebeurde omdat hij het grootste deel van de dag voor zijn werk van huis was. Hij herinnerde zich nog de smaak van dat litteken op het puntje van zijn tong. Zijn ouders waren geen slechte mensen, daar was hij zeker van, maar misschien waren het geen heel slimme mensen hoewel ze wel boeken lazen en alles van de wereld wisten.

Toen Bernard stopte, werd de jongen wakker.

'Ik ga daar slapen. Jij blijft in de cabine. Deuren op slot en je laat niemand erin behalve mij, begrepen?'

'Maar als...'

Maar Bernard liep al bij de vrachtwagen weg naar de enige plek in de schaduw. Hij had een handdoek bij zich die hij bij een halfdode boom uitspreidde op de grond en legde een tijdschrift over zijn gezicht. Het was bloedheet in de cabine en de jongen zweette, dus hij draaide de raampjes open. Ze waren een halve kilometer van de weg en er stonden geen huizen in de omgeving, er waren alleen velden, aan alle kanten. Bernard had de sleuteltjes in het contact laten zitten. De jongen kon rijden omdat zijn vader hem bij zich op schoot had gehad, maar dat wist Bernard niet.

De jongen wachtte tot hij Bernard hoorde snurken en duwde toen het portier open en probeerde zonder uit te stappen op de grond te plassen, maar er kwam weinig uit. Er was niks te drinken in de cabine en niks te eten. Er was een toiletgebouwtje want het was een kampeerterrein maar om daar te komen zou de jongen langs Bernard moeten. Hij vroeg zich af hoelang hij het kon uithouden zonder iets te drinken. Was het geen twee dagen? Hij had geen horloge, en er was geen klokje in de vrachtauto, dus hij kon alleen maar schatten hoelang hij daar zat door de zon in de gaten te houden, maar zelfs daar had hij niets aan want hij had nooit veel aandacht aan de stand van de zon besteed dus er konden best dagen zo voorbijgaan en hij zou het niet geweten hebben als het niet af en toe nacht werd. Maar hij hield het niet tot de nacht.

Het leek hem zo'n beetje midden op de dag. Hij duwde het portier weer voorzichtig open, pakte de sleuteltjes, sloot de cabine af en liep naar het toiletgebouwtje. Zijn maag rammelde en Bernard snurkte en bonte kraaien vochten om een afvalbak die lang niet geleegd was, en boven dat alles uit was de wind hoorbaar, die de aarde overal heen blies, er lag al een bruinrood laagje op Bernards lijf en op het bodybuildingtijdschrift dat hij over zijn gezicht had gelegd. Een foto van een man die naakt was op een minuscuul groen zwembroekje na rolde op het omslag met zijn spieren. Het gesnurk van Bernard vibreerde tegen de bladzijden, het broekje en de spieren van de man bewogen als in een tekenfilm.

De jongen ging het gebouwtje binnen en probeerde de kranen bij de wasbakken maar daar kwam geen water uit, dus ging hij

naar de douches, maar daar kreeg hij geen beweging in de kranen. Er had hier in geen jaren iemand gekampeerd want deze
weg ging niet ergens heen waar het mooi was en de kampeerplaats zelf was ook niet mooi, dus waarom zou je? Het enige water was in de toiletten maar dat ging hij niet drinken. Halfdode
vliegen kaatsten op de vloer en tegen het plafond. Een viel op
zijn arm en hij sloeg meteen toe met een harde pets, zodat het
bloed over zijn arm liep.

Hij herinnerde zich dat ze langs een tankstation waren gekomen voor ze hier stopten, daar zouden ze wel water en eten hebben, maar toen bedacht hij zich dat hij geen geld had. Wat was er
met het geld van zijn ouders gebeurd? Dat zou Bernard wel hebben omdat hij zijn oom en zijn voogd was, omdat de jongen de
enige erfgenaam van zijn ouders was, en omdat hij te jong was
om vertrouwd te worden en toen begon hij zich af te vragen wat
Bernard met het geld gedaan zou kunnen hebben, dat voor hém
was, en niet voor Bernard om uit te geven aan bier of deze nieuwe vrachtauto die hij gekocht had nadat de jongen bij hem was
komen wonen. Was de vrachtauto zijn erfenis? Bernard had
nooit iets over geld gezegd maar de jongen wist dat er iets geweest moest zijn, al was het maar een beetje, van de verkoop van
het huis, en geld van hun verzekering – hij wist dat ze een verzekering hadden, daar had hij zijn ouders over horen praten. Al dat
geld moest ergens gebleven zijn.

Hij begon van de kampeerplaats af het open veld in te lopen en
trok zijn schoenen uit. In de verte liep een groep mannen de andere kant op alsof ze halfdronken of uitgeput waren of zich gewoon niet druk maakten om waar ze heen gingen. Hij wilde het
wel op een lopen zetten en zich bij hen aansluiten, maar hij wist
dat dat niet kon. Aan die mannen zou hij toch niks hebben.

Zijn vader was altijd druk geweest met het werk dat hij deed,
wat belangrijk werk was waar iedereen door verlost zou worden,
en omdat het belangrijk was had de jongen hem vergeven dat hij
zo vaak niet thuis was. Zijn vader had meestal een korte broek

aan, zelfs op regenachtige winterdagen, en hij zei dat hij zich in huis opgesloten voelde, dus het eerste wat hij deed als hij zijn moeder een zoen had gegeven, was de jongen oppakken en hem naar buiten dragen, waar hij op zijn rug ging liggen en de jongen op zijn borst zette, met het gezicht naar hem toe, buik aan buik liggend of met de beentjes van de jongen schrijlings op zijn ribbenkast, onder de vijgenboom in het achtertuintje. 'Wat heeft mijn knul vandaag gedaan?' In het begin kon de jongen alleen maar lachen, maar toen hij wat ouder werd zei hij 'Ik heb ontbeten' of 'Ik heb een boek gelezen' of 'Ik heb gespeeld met Sandra', het buurmeisje dat even oud was als hij, en toen hij nog iets ouder was, vertelde hij zijn vader over de boeken die hij gelezen had en over zijn vriendjes op school en zijn leraren, en dan zei zijn vader: 'Je wordt te groot om op me te liggen, ik stik nog,' en dan drukte de jongen zich met zijn hele gewicht in zijn vader en snakte de man naar adem en moesten ze allebei lachen. Na tien minuten van deze troost, die het beste medicijn was tegen eenzaamheid en een perfecte balsem voor geschaafde knieën en kleine verwondingen, tilde hij de jongen van zijn borst, zette hem op de grond en ging weer met hem naar binnen.

Gezeten aan de rand van het veld keek de jongen tot de zon begon onder te gaan en de wolken boven de bergen rood werden. Hij was duizelig, zijn ogen prikten en er zat een dikke aanslag op zijn tong. Hij hees zich overeind en ging terug naar de kampeerplaats, waar Bernard nog lag te slapen. Hij overwoog hem een paar trappen te geven. Bernard was opgehouden met snurken, maar de jongen zag wel dat hij nog ademde en dat speet hem, want het enige wat hij wilde was dat Bernard wegging. Wat zou het fijn zijn als hij in zijn slaap overleed. De jongen ging een poosje bij hem zitten kijken hoe hij ademhaalde en zich afvragen hoe lang ze zo bij elkaar zouden blijven met z'n tweeën. Dit was niet het leven dat zijn ouders hem beloofd hadden. Dit was het leven waar die verzekering hem tegen zou moeten beschermen.

Toen het donker was klom de jongen weer in de vrachtwagen

en startte hij de motor. Bernard bewoog in zijn slaap. De jongen zette de versnelling in zijn één en gaf gas. Hij was bang dat Bernard wakker zou worden zodra hij de motor startte maar de wielen reden al over hem heen voor de jongen het wist en voor Bernard het wist. De takken van de halfdode boom krasten langs het raam en de vrachtauto botste tegen het toiletgebouwtje dat trilde en schudde en bijna tegen de vlakte ging. De vrachtauto was zijn erfenis. Hij nam alleen maar wat van hem was. Hij dacht niet na over wat hij deed.

Hij zette hem in zijn achteruit, reed terug over Bernard en toen vooruit richting weg. Het knerpte minder dan je gedacht zou hebben want het was een grote wagen en Bernard was maar klein, nauwelijks groter dan Sam hoewel veel sterker. De jongen reed naar voren en toen weer naar achteren. Even dacht hij dat hij Bernard misschien alleen maar de grond in had gedrukt. Hij deed de koplampen aan. Bernard lag erbij of hij nog zou kunnen slapen, afgezien van de roos tussen zijn lippen en de vreemde manier waarop zijn armen en benen alle kanten uitstaken, net spinnenpoten.

De jongen schakelde de motor uit maar liet de sleuteltjes erin zitten en de koplampen aan en liep door het gele schijnsel naar Bernard en zei: 'Bernard? Bernard? Gaat 't?' Maar Bernard zei niks en de roos veranderde in rode badbubbels en zijn ogen waren open maar zagen het niet toen de jongen zijn hand ervoor hield. Maar als ze open waren, was hij misschien toch wel wakker geworden. Het bodybuildingtijdschrift lag naast hem op de grond, kapot gescheurd. De jongen boog zich over hem heen en voelde zijn pols zoals zijn moeder hem een keer had laten zien, en voelde of Bernard ook nog ademde, en luisterde naar zijn hart, maar hij wist dat Bernard geen geluid meer zou maken en de jongen was blij en toen was hij verrast dat hij blij was, en huilde en schreeuwde en stampvoette hij. Hij wist helemaal niemand meer die nog om hem gaf.

Hij ging naast de man op de grond zitten en legde Bernards linkerarm in zijn schoot en hield hem een hele tijd vast, met zijn vingers tegen de dode pols aangedrukt. Hij keek naar de haartjes die goudkleurig werden in het licht van de koplampen. Bernard droeg een zegelring aan zijn pink. De jongen streek met zijn hand over de arm en de pols van de man. Hij zag de portemonnee in Bernards broekzak en haalde hem eruit en telde het geld en toen nam hij de ring van zijn vinger en schoof hij het gouden horloge van zijn pols en trok hij zijn nieuwe leren laarzen uit, die te groot waren voor de jongen maar hij wist dat hij erin zou groeien. De spijkerbroek en het overhemd waren kapot dus die liet hij zitten, en hij legde het tijdschrift weer opengeslagen op zijn gezicht. Hij vouwde Bernards armen kruiselings op zijn borst en legde zijn benen recht. Er was niemand die hem dat zag doen, afgezien van een kraai in de boom en zelfs die sliep.

De stoel achter het stuur was nat en de jongen zag dat zijn broek ook nat was en hij bleef een poosje buiten staan om hem te laten drogen, kijkend naar de wind die in het tijdschrift bladerde en het haar dat eronderuit stak. Hij deed het horloge van Bernard om, schoof de ring aan zijn rechter ringvinger en stak de portemonnee in zijn zak.

Bernard had afgezien van de jongen geen familie dus niemand zou hem missen, alleen misschien zijn vrienden en de mensen voor wie hij werkte. Maar er was wel een probleem. De jongen kon wel rijden maar hij had geen rijbewijs en als iemand hem in de vrachtauto zag rijden zou die de politie bellen en als de politie hem aanhield zouden ze het paspoort van Bernard controleren en weten dat de jongen niet de man was en de vrachtauto niet zijn rechtmatig bezit, ook al was Bernard de halfbroer van zijn moeder. Het was te gevaarlijk om alleen in het donker terug te lopen naar het tankstation, dus besloot de jongen de nacht uit te zitten in de cabine en intussen te bedenken wat hij de volgende morgen moest doen, wel wetend dat hij zijn erfenis zou moeten opgeven als hij dit wilde overleven.

Hij deed de koplampen uit en de portieren op slot en keek naar

de wolken die voor de maan trokken. Hij had nog steeds niks gedronken sinds de avond daarvoor en zijn tong en tanden keerden zich tegen hem. Om de paar minuten deed hij de lichten aan
om te kijken of Bernard inderdaad dood was.

Sam

Een ander weekend. Greg is vrij van zijn werk, dus we besluiten de stad uit te rijden voor een picknick. Hij kent een plek, een oude wijnmakerij tussen Stellenbosch en Franschhoek, waar tafels staan met uitzicht op de bergen. 'En ze hebben er kippen,' zegt hij. 'Dylan vindt die kippen leuk, hè, lieve knul?'

De rit van de stad naar de wijngebieden, drie kwartier, gaat langs de townships en het vliegveld. Als je heen en weer rijdt tussen het huis van Greg en dat van Clare zou je nog vergeten waar je was. Het zou net zo goed San Francisco kunnen zijn, met iets meer bedelaars op straat, iets meer mensen die proberen fruit of prullaria of kranten te verkopen, of die aanbieden je autoruiten te wassen. Op één kruispunt in de buurt van Bishopscourt, bij de afslag naar Kirstenbosch, staan een stuk of vijf, zes mannen die identieke verbeeldingen van het leven in de townships verkopen: ruwe basreliëfs van schilderingen op doek waar kleine blikken hutjes tegenaan zijn geplakt. Ik heb nog nooit iemand zo'n ding zien kopen.

'Van sloppenwijk naar waardigheid,' zeggen de billboards langs de hele N2, de uitvalsweg naar het vliegveld en de nationale kustweg naar het oosten. Ik weet nog dat ik met Bernard op deze weg reed; ik zou het liever compleet vergeten.

Een paar jaar geleden waren de krotten, opgetrokken uit karton, blik, plastic, flessen, vaten, banden, modder, wat ze maar konden vinden, tot gevaarlijk dicht bij de weg opgerukt, vertelt Greg. Maar de afgelopen twee jaar hebben ze de hele strook langs de weg ontruimd, zodat buitenlandse toeristen zich niet meer zo geïntimideerd voelen.

Bij de wijnboerderij parkeren we naast een van de originele zeventiende-eeuwse witte gebouwen en vinden bij een vijver een tafel in de schaduw waar we onze picknick kunnen uitstallen. Dylan maakt kippengeluiden, waarop Greg op milde toon zegt: 'Dat zijn eenden, schat. Wat voor geluid maken eenden? Kwak kwak in plaats van tok tok.' We trekken een fles wijn open, geven Dylan een beker sap en eten salades en sandwiches terwijl hij speelt. Hij heeft geen honger. Hij heeft vanaf het ontbijt aan één stuk door lopen eten.

Ik kijk naar de rotsen die overal uit de hellingen breken. De zon is zo dichtbij dat het wel een gewicht lijkt dat op me drukt. De lucht geurt als mijn kinderjaren, als mijn ouders, het huis waar ik ben opgegroeid – aloë's en houtrook, fynbos en penetrant stuifmeel dat net zoveel dierlijks heeft als plantaardigs, stuifmeel en stof dat vlekken maakt op de bladzijden van boeken en zich permanent in het oppervlak van allerlei voorwerpen nestelt zodat de geur nooit meer weggaat. Ik weet nog dat mijn ouders hun boeken obsessief afstoften, ze van een plastic kaft voorzagen om ze te beschermen, en het gestage verval dat ze hooguit konden vertragen nauwlettend volgden. Boeken waren alles voor hen, boeken in valse omslagen, rijen gevaarlijke boeken weggestopt achter onschuldiger exemplaren, andere boeken die ze op mijn slaapkamer onder een losse plank hadden verstopt. Wat is er met al die boeken gebeurd? Wat is er gebeurd met alles wat we hadden? Ik heb daar niets meer van, ik bezit niets meer uit mijn kindertijd. Ik heb één foto van mezelf uit mijn vroege jeugd. De eerste doorlopende herinnering aan mijn aanwezigheid begint op het moment dat ik bij tante Ellen introk – toen mijn ouders er niet meer waren, en Bernard ook niet meer.

Na de lunch zoeken we de kippen in de kruidentuin van het chique restaurant dat hier ook gevestigd is, en Dylan piept van verrukking. Hij is lief; hij geeft ons allebei een handje, springt op en neer, piept aan één stuk door en kijkt naar ons allebei om te zien of wij het ook leuk vinden. 'Je valt in de smaak,' zegt Greg.

'Hij boft.' Ik vraag me af of Greg weet hoezeer zijn zoontje boft.

Op de terugweg stoppen we even in Stellenbosch voor een ijsje, dat we in een park opeten, zittend in het gras. Een groepje studenten is aan het voetballen en verderop verkopen venters hun prullen aan toeristen.

Twee jongens van nog geen tien nemen ons van een afstandje op en beginnen naar ons te roepen. Greg roept terug.

'Wat willen ze?' vraag ik.

'Ze zeggen: mister, mister, mogen wij alsjeblieft wat van wat jullie hebben?'

'En wat heb je gezegd?'

'Ik heb gezegd dat het me spijt maar dat ze niks krijgen. Misschien volgende keer. En dat is waarschijnlijk dom – de volgende keer. Nou willen ze natuurlijk weten wanneer de volgende keer is.'

'Ze mogen mijn ijsje wel hebben.'

Hij schudt zijn hoofd. 'Dan willen ze daarna mijn ijsje, en dan dat van Dylan, en dan willen ze geld hebben, en van dat geld gaan ze snoep kopen, of als we echt pech hebben lijm of iets nog ergers, en dan gaan ze onder invloed van drugs gewelddadige overvallen plegen, of ze nemen een overdosis en sterven op straat, of ze worden verkocht. Het houdt nooit op. Ongelooflijk, dat ik dat uit mijn strot krijg.'

'Horen ze bij die venters?'

'Nee, zij zijn van hier. Die venters zijn niet eens van hier. Dat zijn waarschijnlijk allemaal West-Afrikanen, of ze komen uit Zimbabwe. De spullen die ze verkopen zijn ook niet van hier. Het meeste komt met containers tegelijk uit China.'

De jongens blijven roepen, Greg reageert telkens beleefd maar resoluut. Hij zou het net zo goed tegen Dylan kunnen hebben, die inmiddels helemaal onder het smeltende chocolade-ijs zit, alleen beluister ik een bevelende ondertoon in zijn stem die ik niet hoor als hij het tegen Dylan of Nonyameko heeft, of tegen de tuinman of zijn hulp. En is het geen bevelende ondertoon, dan is het wel iets paniekerigs. Als de jongens dichterbij komen, en brutaler worden, besluiten we dat het tijd is om te gaan.

'Geef die jochies eens ongelijk,' zegt hij in de auto. 'Als ik hun was en zij waren ons, zou ik hetzelfde doen. Soms heb ik geen idee wat ik doen moet, wat goed is en wat fout. Het zou elders zoveel makkelijker zijn.'

'Waar je ook zit, problemen heb je overal,' zeg ik. Hij kijkt even naar me alsof hij nou niet het idee heeft dat wat ik zeg per se waar is.

Dylan zit in zijn kinderstoel, eenden en kippen te tekenen, terwijl wij ons in de keuken met het eten bezighouden. Ik maak een salade, Greg zet een geroosterde kip in de oven om hem weer op te warmen, we trekken een fles wijn open en willen net aan tafel gaan als de honden buiten als een dolle beginnen te blaffen en te grommen.

'Dat is diezelfde vent die hier laatst ook was,' zegt Greg. Hij staat al op.

'Welke vent?'

'Iemand die hier altijd langskomt, om dingen te repareren, of messen te slijpen, dat soort zaken.' Hij loopt naar de deur en maant de honden tot stilte, maar ze blijven blaffen, vijf stemmen, één man en vier honden. Er zijn twee hekken tussen ons en de man op straat – het hek tussen de tuin en de oprijlaan, en het hek aan het eind van de oprijlaan, en dan is er nog het huis zelf, met zijn alarminstallatie, alarmknopjes, generator, nachtsloten, tralies voor de ramen, kogelvrij glas. We zouden ons in huis kunnen verschansen en de honden op hem afsturen. Pas als de man eindelijk weggaat, komt Greg weer binnen en gaat zitten. 'Ketellappers bestaan niet meer. Dat is een uitgestorven soort. Hij wil alleen checken of er iemand is,' zegt hij terwijl hij een drumstick pakt. 'Althans, dat is mijn idee. Misschien is hij wel onschuldig, maar er is hier de laatste tijd wel een paar keer ingebroken. Vind je me paranoïde? Mijn assistente werd een keer 's nachts wakker en toen stonden er vier mannen met geweren bij haar bed. Zij heeft geen honden. Een van die mannen trok zijn broek al uit terwijl de anderen haar kleren afrukten, maar toen kwam gelukkig de politie. Ze had een alarmknopje aan haar bed. Dat is haar redding geweest.'

Absolutie

De verhuizing was een excuus, niet voor Clare maar voor Jacobus, de man die haar aan Canigou Avenue met de tuin geholpen had vanaf het moment dat zij en haar man dat huis gekocht hadden, vlak na hun trouwen. Net als Clare vond Jacobus dat een tuin functioneel moest zijn, dat hij gewassen zou moeten voortbrengen waar zijn eigenaars van konden genieten, dat hij niet alleen mooi moest zijn om naar te kijken maar ook een voedselbron in magere tijden. Samen hadden Clare en Jacobus de bedden uitgezet in de lappendeken van gras achter het huis, een grasveld dat de vorige eigenaars hadden onderhouden met een bijna maniakale zorg, maar zonder enige interesse in iets anders dan gras. Samen met Jacobus en een neef van hem, een man wiens naam ze zich niet meer kon herinneren, had Clare de bedden gemarkeerd met draad en croquetpaaltjes en de graszoden weggehaald, en was ze het afmattende werk begonnen van het omspitten en verrijken van de harde bodem. Samen hadden ze de zaden uitgekozen, wisselbouw gepland, en meer voor William, de man van Clare, dan omdat ze daar zelf behoefte aan hadden, een overblijvende border aangelegd langs de muur aan de achterkant, en heggetjes om de bedden – als heggetjes nog het juiste woord was voor de wildgroei die ze met zich meebrachten, met bromelia's en clivia's en tuberozen, en hier en daar witte gazania's. Een oude kerstster bij het huis werd gerooid en in één hoek van de tuin plantten ze stinkhout en in de andere geelhout. Nu miste Clare die eenvoudige werktuin, aangelegd volgens oeroude principes, met rechte, heldere lijnen en duidelijke borders.

De verhuizing was een excuus om de betrekking te beëindigen.

Net als zij was Jacobus oud. Het nieuwe huis was nog eens een stuk verder van waar hij woonde. Het zou te ver, te moeilijk zijn om er te komen, en toen hij de nieuwe tuin zag, die vier keer zo groot was als de oude, schudde hij zijn hoofd en bood zijn verontschuldigingen aan, dat was te veel voor hem, en hoe dan ook, de nieuwe tuin was al wat hij was, een golvende showroom van rijpe soorten, een trofeeëngalerie, ontworpen door de vorige bewoners, met waterpartijen en verfijnde tegelpaadjes, een merkwaardig stukje bos en een gazon, bekende hij, van het soort waarvan hij altijd gehoopt had dat hij er nooit de verantwoordelijkheid voor zou hoeven nemen. Hij zag niet wat voor rol hier nog voor hem zou zijn weggelegd, zei hij. De steil aflopende grasvelden en bloembedden leken hem moeilijk, hij gaf de voorkeur aan vlakke grond om op te werken, en bovendien was de berg nu zo dichtbij dat de tuin vast de helft van de dag in de schaduw lag, zodat de omstandigheden hier wel heel anders zouden zijn dan waar hij ooit mee te maken had gehad. Hij vertrouwde het zichzelf gewoon niet toe om deze tuin te onderhouden. Clare gaf hem een afvloeiingspremie, kocht nieuw gereedschap voor hem voor zijn eigen tuin in Mitchell's Plain, die ze nog nooit had gezien, en zei dat hij een keer langs moest komen als ze hier een beetje gesetteld was, wel wetend dat hij dat vrijwel zeker niet zou doen.

De nieuwe tuinman was haar aanbevolen door haar buurman, Thacker, een gepensioneerde rechter uit Londen.

'Met een dergelijke tuin moet je wel iemand hebben die de meeste dagen van de week kan komen, al was het maar om er zeker van te zijn dat het allemaal een beetje binnen de perken blijft,' raadde Thacker haar aan. 'Adam doet mijn tuin al vier jaar, maar hij doet alleen de mijne, en daar heeft hij geen hele dagen voor nodig. Het is een goeie, eerlijke vent. Ik zal hem eens vragen. Hij zou de uwe 's ochtends kunnen doen en de mijne 's middags, als ik aan het tennissen ben. Ik tennis elke dag, moet u weten, bij de Constantia Club. Het extra werk zou Adam goed doen, daar ben ik van overtuigd, niet alleen om het geld, hij zou ook eerder uit zijn nest komen en de gin laten staan, als het tenminste gin is wat hij drinkt. Eerlijk genoeg, bedoel ik. Als u planten wilt bestellen bij het tuincentrum, zou ik dat natuurlijk maar zelf doen als ik u was, of het door uw secretaresse laten doen. Ze hebben nou eenmaal de neiging een deel in eigen zak te steken. Maar dat moet u toch weten, als autochtoon.'

'Ik heb nog nooit meegemaakt dat iemand van mijn personeel iets in eigen zak stak,' zei Clare in een opwelling van blanke woede.

'U hebt het nooit gezien, dat is het enige, u hebt het nooit gezien,' zei de rechter, hoofdschuddend en zwaaiend met zijn vinger. Hij beloofde het er met Adam over te hebben.

Toen ze hem dan eindelijk ontmoette, een week later, wist Clare meteen dat Adam geen Jacobus was.

'Hoe heet je nog meer, Adam?' vroeg ze, terwijl ze hem rondleidde in de tuin, die hij al leek te kennen.

'Ik heet Adam,' zei hij, zo zacht dat Clare moeite had hem te verstaan.

Ze probeerde het nog een keer, in wat ze veronderstelde dat zijn moedertaal was. 'Ik heet Adam,' zei hij opnieuw, in het Engels.

'Maar je andere naam, je echte naam, hoe hebben je ouders je genoemd? Hoe wil je dat ik je noem?'

'Ik heet zelf Adam,' zei hij nog eens, deze keer met iets meer overtuiging.

Clare herinnerde zich de familiefoto's waar Jacobus altijd mee kwam aanzetten – zijn keurige vrouw, glimlachende kinderen, bijeenkomsten met kerst en verjaardagen. Uiteraard waren die in zijn eigen tuin gemaakt, zodat Clare hem in zekere zin toch gezien had, en wist dat het een bescheidener versie was van de tuin bij haar oude huis, maar ze had hem nooit met eigen ogen gezien, noch ooit zijn vrouw en kinderen ontmoet. Hij had haar nooit uitgenodigd en zij had zich niet willen opdringen, hield ze zichzelf voor. Ze had nooit gezegd: 'Ik zou jouw tuin wel eens willen zien, Jacobus.'

Het bleek dat een broer van Adam, die ook tuinman was geweest en die nu dood was ('Hij werd heel ziek, hij ging dood,' zei Adam), de tuinman was geweest van de vorige bewoners van haar huis, een ouder stel dat naar Vancouver was geëmigreerd. 'Ik ken deze tuin goed,' stelde Adam haar gerust. 'Ik weet wat ik ervoor moet doen. U zult het zien. Ik heb mijn broer geholpen toen hij hem beplantte voor meneer en mevrouw Mercer.'

'Er zijn wel een paar dingen die ik graag anders zou willen,' legde Clare uit. 'Ik wil hier een groentetuintje hebben,' en ze wees naar een plek midden in het gazon die de meeste uren zon leek te krijgen, 'en ik wil bij de patio graag een kruidentuintje.'

Adam zette zijn handen op zijn heupen, nam de tuin in ogenschouw en floot tussen zijn tanden. Hij keek naar de zon en naar de berg en liet zich op zijn knieën zakken om de aarde in een van de bedden met overblijvende planten te bevoelen. 'Deze aarde is niet zo goed voor die dingen,' zei hij, hoofdschuddend en een handvol aarde verpulverend.

'Maar we kunnen nieuwe aarde laten komen. We zouden een paar mensen kunnen inhuren om te helpen, om de nieuwe bedden voor te bereiden. Ik ben te oud om dat nog met je te doen. Vroeger zou ik dat wel gedaan hebben. Maar ik verwacht niet van je dat je het alleen doet,' zei ze, omdat ze het vermoeden had dat hij meer werk zag dan hem lief was.

Hij schudde opnieuw het hoofd en wreef de aarde tussen zijn vingers. 'Die dingen gedijen niet goed hier,' zei hij. 'We zouden de tuin moeten laten zoals mijn broer hem heeft aangelegd. We zouden hem zo moeten laten. Voorlopig.' Hij glimlachte naar haar, een rij rechte, heldere tanden, en wreef zijn vingertoppen schoon aan zijn wijde spijkerbroek. Zonder precies te weten waarom nam Clare hem ter plekke aan, ze dacht hem er uiteindelijk wel van te kunnen overtuigen dat ze hier best groenten en kruiden konden verbouwen.

Elke doordeweekse ochtend kwam Adam om acht uur en keek Clare toe terwijl hij de bedden wiedde, snoeide, het gras maaide – ze moest investeren in een grasmaaier die groot genoeg was voor wat ze haar 'countryclub' begon te noemen –, de planten water gaf, de boel bemestte en de hele tuin met een woeste energie onderhield. Na een maand kwam Adam met een verontschuldigende blik in de ogen bij haar. 'Het is te veel voor alleen de ochtend. U ziet, hij is al overgroeid.'

'Zou je hele dagen kunnen komen?' Ze had wel gehoord van vrienden die andermans personeel inpikten, maar ze was verrast dat ze het zelf met zoveel gemak probeerde.

'De rechter is heel goed voor me geweest,' zei hij, met een knikje naar het huis van Thacker.

'Ik zou je meer kunnen betalen dan je nu van hem en mij samen krijgt.'

'Nee, nee, dat is het niet.' Adam wendde zijn blik af en Clare besefte dat het niet zijn bedoeling was de prijs op te drijven; hij was alleen eerlijk. 'Misschien als we er één iemand bij konden nemen, niet voor elke dag, maar twee of drie keer per week. Tien dagen per maand. Dan zou ik hem het vak kunnen leren zoals mijn broer het mij heeft geleerd, en als er eens meer te doen is, zou hij 's middags kunnen komen, als ik bij de rechter ben.'

'Is er iemand die je zou willen aanbevelen?' vroeg Clare, die vermoedde dat dat wel eens de achterliggende gedachte kon zijn, dat zij een vriend of familielid in de arm zou nemen.

Maar Adam schudde zijn hoofd. 'De meeste tuinmannen hier die ik ken, die zijn niet zo goed. Ze werken niet zo hard als ik. Misschien kent de rechter iemand,' zei hij, en hij haalde zijn schouders op. 'Maar het zou wel goed zijn, want ik wil niet dat deze mooie tuin van u die mijn broer heeft aangelegd een wildernis wordt. Het zou goed zijn er soms iemand anders bij te hebben.'

Zonder het te willen ging Clare de volgende week naar haar buurman, Thacker, om hem te bedanken voor de tip Adam aan te nemen en te vragen of hij misschien nog iemand wist. Zij zelf kende verder niemand in de buurt, en ze had ook geen vrienden met tuinlieden, of in elk geval geen tuinlieden die er tijd voor hadden haar tuin erbij te nemen.

'Zeker. Ik ben lid van de hoveniersvereniging. Ik zal eens informeren,' zei Thacker, schijnbaar tevreden dat hem dit verzoek werd gedaan. 'En als dat niks oplevert, zou u ook altijd nog kunnen vragen bij de botanische tuin, misschien hebben ze daar nog iemand rondlopen die wel een extraatje kan gebruiken.' Hij leidde haar rond in zijn eigen tuin, die sterk aan de hare deed denken, maar die half zo groot was, vol inheemse struiken en bomen, met overal daartussen de kleurrijke exotische planten die floreerden in het heersende microklimaat. Wat er extravagant en hooguit een beetje dreigend uitzag bij Clare, was in de kleinere tuin van Thacker meteen misplaatst – te gekunsteld, te opzichtig voor zo'n klein perceel, waar alles buiten proportie leek. De tuin was even vol en praalziek als de man zelf.

De connecties van Thacker bij de hoveniersvereniging kwamen met een jonge tuinman-in-opleiding die een bijverdienste zocht en die blij was onder leiding van Adam te kunnen werken. Een team, dacht Clare, ik heb een team aan het werk, waar ik ooit aan één man genoeg had. Hoeveel mensen zal ik er nog bij moeten nemen? Wie nog meer? Een jongen om het zwembad te onderhouden. Het water begint groen te worden. En glazenwassers. De ramen worden helemaal dof van het stof.

Maanden gingen voorbij en de vormen van de tuin bleven ongewijzigd. De seizoenen volgden elkaar op, de regen beukte de hele winter door tot het weer lente werd. Clare begon te verlangen naar een moestuin, naar het genot haar eigen tomaten te plukken, haar eigen basilicum te kweken, eten te bereiden waarvan ze wist dat het verbouwd was zonder bestrijdingsmiddelen, dingen die je niet in elke winkel kon krijgen, zelfs niet op speciaalmarkten. Toen ze het aansneed bij Adam, schudde hij weer het hoofd en zei dat dat niet zo'n goed idee was. Ze was nog nooit op een dergelijk verzet gestuit – niet bij Jacobus, niet bij Marie en bij geen van de verschillende vrouwen die ze in het verleden als hulp over de vloer had gehad – en ze kon niks anders verzinnen dan zijn verzet ogenschijnlijk te aanvaarden en achter zijn rug om toch plannen te maken. De jonge leerling-tuinman, Ashwin, die inmiddels elke doordeweekse ochtend bij haar werkte, en nog eens twee middagen – het was gebleken dat de vorige bewoners het hele jaar door één tuinman fulltime in dienst hadden gehad, en twee parttime, om de boel op orde te houden – was op een middag alleen aan het werk toen Clare hem met haar plan benaderde. Ze legde uit waar ze de bedden wilde hebben, en hoe groot ze moesten worden, en vroeg hem ze in het weekend tegen dubbel tarief aan te komen leggen.

'Met Adam?' vroeg hij.

'Nee, alleen. Zeg maar wat voor gereedschap je ervoor nodig hebt, dan zal ik dat huren. Grondfrees, ploeg, je zegt het maar. Ik wil een groentetuintje en een kruidentuintje. Volgens mij is dat niks te veel gevraagd, maar deze tuin betekent iets voor Adam, begrijp je? Mijn tuin is op een of andere manier belangrijk voor hem. Maar uiteindelijk is het wel mijn tuin, ik moet hier kunnen verbouwen wat ik wil. Wordt dat wat met die bedden hier? Denk je dat er genoeg zon is?'

Ashwin keek om zich heen, maakte wat berekeningen en stemde in met haar plan.

Dat weekend verwijderde hij het gras, bemestte de grond en plantte wat Clare wilde. Die zondagavond, toen de bedden in al hun agressieve hoekigheid waren aangelegd te midden van de verder vloeiende vormen die de tuin kenmerkten, keek Clare naar de keurige zwarte voren, die de belofte in zich droegen van kolen en tomaten, bonen en pompoenen, meloenen en sla, beschermd en verzorgd onder glimmende repen wit plastic, en had ze eindelijk het gevoel dat ze misschien wel van dit nieuwe huis zou kunnen gaan houden, met die berg die dreigend achter haar opdoemde, en flarden mist die als watervallen langs zijn staal-grijze flanken afdaalden.

Toen Adam maandagmorgen kwam, keek ze vanuit haar stu-deerkamer hoe hij zou reageren. Ze had zich geen betere reactie kunnen wensen. Hij schrok zichtbaar, liep hoofdschuddend om de nieuwe bedden heen en kwam toen naar de achterdeur. Een paar minuten later kwam Marie naar de studeerkamer met de mededeling dat Adam Clare persoonlijk wilde spreken.

'Het is niet goed. Die planten groeien hier niet.' Hij stond erbij alsof hem iets vreselijks was overkomen en Clare had met hem te doen, al had ze geen spijt van wat ze gedaan had. 'U kunt die dingen hier niet verbouwen. Die groeien hier niet. En het staat ook niet.'

'We gaan het dit jaar proberen,' zei Clare, naar ze hoopte op ge-biedende toon. 'Als het niet gaat, maken we er volgend jaar bloembedden van, of wordt het weer gras. Maar voorlopig doen we het op mijn manier.'

'Het is niet goed.'

'Het is ook niet fout, het is alleen anders. Je zult het zien. En als jij gelijk hebt, zal ik het wel zien. Maar je moet me laten verbou-wen wat ik wil, Adam, anders komt het niet goed, en zou ik je uit-eindelijk moeten vragen te vertrekken. Dat zou niet fijn zijn. Dan zou iedereen ongelukkig zijn. Op deze manier ben ik geluk-kig en jij zult moeten afwachten hoe ongelukkig die nieuwe bed-den jóú maken, en wat ze allemaal in mijn tuin zullen aanrich-ten. Maar geef ze een kans. Dan zullen we zien of ze het doen.'

Clare

De verslagen van de waarheids- en verzoeningscommissie zijn nu allemaal toegankelijk; ik heb er maar een paar uitgeprint, maar die beslaan al honderden – nee, duizenden – pagina's, meerdere cartridges. Ik heb de stukken doorgelezen waarvan ik het idee heb dat ze op een of andere manier met jou te maken hebben, Laura, met jouw zaak, jouw activiteiten. Ik heb de officiële uiteenzettingen van het ANC en andere organisaties herlezen; ik zoek je naam, maar die komt slechts zelden voor, en vaak verkeerd gespeld – Lara, Lora, Laure, Laurie zelfs, en slechts af en toe Laura. Welt, Wal, Wêreld, World, en uiteindelijk, in de laatste die ik gelezen heb, Wald, en soms, in een en hetzelfde stuk, Waldt en Weldt. Vaak staat je naam er niet eens, en heb ik geen andere keus dan je betrokkenheid bij de beschreven gebeurtenissen, de opening van een bombrief in een overheidsgebouw, de nasleep van een aanslag op een raffinaderij, zelf in te vullen.

Je acties blijven voor mij vraagtekens. Kun jij dat gedaan hebben? Kan ik begrijpen waarom je zoiets deed? Ik zoek weer naar analogieën in je aantekenboekjes, in het archief van je dat ik heb opgebouwd, maar raak bedolven onder je woorden. Ik check en controleer, ik vergelijk en besluit dat ik een poging moet wagen je verplaatsingen in de betreffende periode op een rijtje te zetten, in kaart te brengen. Je was toen hier, later daar, en een paar dagen daarna weer thuis. Uiteindelijk is het voornamelijk gissen wat ik doe. Ik kan gissen waar je geweest zou kunnen zijn, wat je deed, wat je dacht, wat je dreef. Ik blijf hoop houden dat je voormalige collega's bij me langs zullen komen en mij de informatie zullen geven die ze eventueel hebben, als er tenminste nog iets is wat mij niet onthuld is. Ik zou beleefd zijn, ik zou hun informatie in dankbaarheid aanvaarden, ik zou niet te veel moeilijke vragen stellen, noch even snel een oordeel vellen, over jou, over hen, over jouw gebrek aan communicatie, over hun verzuim om over jou en voor jou te spreken, met mij dan wel met anderen. Ik zou ze gastvrij ontvangen. Ik heb studie gemaakt van gastvrijheid. Bedankt dat jullie me verteld hebben waar mijn dochter op die en die dag was, zou ik zeggen, want nu kan ik mij tenminste met zekerheid voorstellen hoe die dag, welke het ook was te midden van alle andere, voor jou geweest is. Het is geen verhaal dat ze nou zo graag vertellen, zelfs niet onder vier ogen, dat begrijp je. Ze vinden het afschuwelijk. Een vrouw wordt niet geacht om... Vul maar in. Jij hebt alles gedaan wat niet van vrouwen verwacht wordt, wat vrouwen niet geacht worden te doen. Het vervult ze met afschuw omdat jij in actie meer man leek dan vrouw, en in elk ander opzicht meer vrouw dan man. Het een noch het ander.

Ik zit in deze nieuwe tuin, die voor mij niet meer nieuw is, maar die jij nooit gekend hebt, bij een huis dat jij versmaad zou hebben als verraad aan familieprincipes. Je heult met de vijand, zou je tegen me zeggen, dapper als altijd – maar ik heb je niet meer nodig om mij te vertellen wat ik al weet over mijn keuzes. Je bent nu helemaal in mij, altijd klinkt je stem in mij, duizenden verschillende stemmen, allemaal jij, ontleend aan momenten dat ik je hoorde zoals je gehoord wilde worden, momenten dat je niet besefte dat er iemand luisterde, misschien vooral ik niet. Het is geen surrogaat, het is het enige wat ik heb, die duizenden magische fragmenten van jou, opgeroepen rond de vuurkuil die tussen mijn ribben gaapt. Had ik maar een treurig lied, *un sí pietoso stile*, om je terug te winnen, zoals Orpheus met Eurydice. Ik bied je de beker aan om te drinken, een lied, een gebed, ik wens dat je weer verschijnt, *Etemmu*, de dwalende ziel. Ik schenk melk en nectar op het vuur, wijn en water, sprenkel er wit maïsmeel omheen, wrijf het in mijn vlees, snijd mijn keel door om je op te roepen, offer mezelf om jou gestalte te geven, maar je verrijst niet. Als je niet verrijst, ben je ook niet dood. Ik heb geen stoffelijk overschot gezien. Het moet zo zijn.

Ik heb geprobeerd deze tuin te leren als een boek, hem te interpreteren door zijn regels te lezen, hem te bestuderen om zijn vorm te begrijpen, zijn vier verschillende delen, zijn tuinbouwkundige spiegelingen, zijn aanleg, zijn constructie, het ontbreken van ironie en humor, of heb ik daar geen oog voor? Er is een langwerpig zwembad om baantjes te trekken, loodrecht op het huis – een watervlak waarin zich de tuin weerspiegelt, en de berg die erbovenuit rijst. Ik ploeg elke ochtend door dat water met mijn lange oude lijf, als een otter in een aquarium, aanvankelijk verblind door de onderwaterverlichting, want het schemert dan nog. Wat zegt dat zwembad tegen de tuin, wat is zijn dialoog, vraag ik aan mezelf en aan het water. Wat hebben het bos, de borders, de inheemse soorten, de exotische indringers en mijn eigen agressieve groentetuintje, met rechte hoeken in de vloeiende vormen gekerfd, en al welig tierend, zij het binnen de perken, wat hebben die elkaar te zeggen? Aan het eind van mijn baantje houd ik me even vast aan de gladde betonnen rand, ik kijk om me heen, neusgaten net boven de waterspiegel, dood haar uitwaaierend vanaf een stervend hoofd, drijvend op het water, terwijl ik mij vergaap aan de sprookjestuin om mij heen, een landschap van de verbeelding. Ik heb overwogen het gazon eruit te halen en te vervangen door een tapijt van vetplanten, onbestuurbaar, organisch, aan zichzelf overgelaten, een vesting van leven, een bolwerk dat alleen genomen kan worden door vlakke stenen, dicht genoeg bij elkaar om van de ene op de andere te springen. Het is wel verleidelijk.

Sam trok zijn knieën op tot onder zijn kin en wendde zijn blik van je af naar de weg. Volgens het weerbericht concentreerde de regen zich langs de kust en zou het in de bergen droog zijn. Je zou een weg volgen die weliswaar langer en langzamer was dan de kustweg, maar die je het binnenland in zou voeren, ver van waar Bernard maar naar op weg was geweest. Een eindje terug en dan een scherpe bocht in noordelijke richting, over passen, op naar je bestemming, die minstens twaalf uur rijden was – maar vast meer in die tijd, en in die vrachtauto, zeg zestien uur naar Ladybrand als je geluk had, en wat dan? Er zouden wegversperringen komen, lang voor je ook maar in de buurt was. Je vond het raar dat die er nog niet geweest waren, maar je stelde je vertrouwen in de voorzienigheid, hoewel je wist dat die onbetrouwbaar was.

Je kende een stad waar je misschien zou kunnen stoppen voor de nacht zonder aandacht te trekken. In het donker zou het niet moeilijk zijn om je voor te doen als de moeder van Sam, al was jij blond en hij donker. Weerlicht vulde de hemel achter je terwijl de vrachtauto met hangen en wurgen naar boven reed, naar de pas die je over de bergen zou voeren, weg van het noodweer. Oudtshoorn, de eerste stad na de Outeniqua's, was nog minstens een uur rijden en lag vlak en vederlicht te wachten, omlijst door de rode aarde van de vallei.

Vlak voor het hoogste punt van de pas liet je de regen achter je en keek je eindelijk neer op de donkere wolkenmassa. Waar de regen viel, leek de aarde wel zwart.

'Ik wil naar huis,' jengelde Sam.

'Waar is dat?'

'In Woodstock.' Vakwerkhuizen met afbladderende verf en gordijnen van oude lakens met bloemetjespatroon, alles verbleekt door de laaghangende zon. Binnen waren er natuurlijk de alomtegenwoordige, krakkemikkige posterrails, waar goedkope lijstjes aan hingen met familiefoto's of pastelkleurige illustraties van goden en heiligen, gestencilde gebeden, ontlijfde hoofden die van poppen of iconen waren gerukt, bungelend boven vettige bedden die tegen muren vol vlekken en barsten aan stonden, waarop de verf of het behang van onder af aan vergingen en nieuwe continenten vormden op het blootliggende cement, met gletsjers die zich losmaakten van de kromme plinten. Het was een plaats met huizen die weliswaar bewoond waren, maar al half verlaten.

'Maar heb je nog een huis?' vroeg jij, niet in staat om te zeggen: ik heb de man die jou een thuis bood omgebracht, het huis dat je misschien nog had is voorgoed verloren. 'Heb je ook grootouders?'

'Ik heb een tante.'

'Waar woont die?'

'Ergens. Een eind weg.'

'Waar dan?'

'Ergens in de Karoo.'

Je probeerde je te concentreren op de haarspeldbochten die de vrachtwagen tot een hoekige tango met de afgrond dwongen. Bij elke bocht claxonneerde je, doodsbang dat je een voertuig dat van de andere kant kwam zou verrassen. 'Weet je ook in welke plaats?'

Sam hield zich krampachtig aan de hendel van het portier vast en zette zich schrap tegen de grillige bewegingen van de wagen. Beaufort West, zei hij, aan de andere kant van de Little Karoo, achter de Swartberge, zwarte bergen die hun roodbruine kleur pas onthullen als je erbovenop staat. Het lag op je route, die je al rijdend uitstippelde. Daar kwam enig geluk bij, of was het louter toeval?

Je besloot door te rijden, daalde af naar de vallei, scheurde langs Oudtshoorn en klom verderop weer naar de vruchtbare landstrook ten zuiden van de zwarte bergen. Bij Kango stopte je om te tanken, je ademde de koele droge lucht in en kocht sandwiches en biltong in het winkeltje. Jullie bleven even zitten eten, en voelden je net een gewone moeder en zoon die samen een uitstapje maakten over de zeven passen die door gedetineerden waren aangelegd. Toen was het tijd om verder te gaan. De nacht viel snel en overrompelend en je reed verder over de onverharde bergweg, de rand van de afgrond aftastend met je koplampen. Je reed langzaam en smeekte je lichaam om erbij te blijven, om alert te blijven, de bochten intuïtief aan te voelen, en te voelen hoe scherp ze waren en waar ze ophielden, want de kleinste fout, een tikje te veel naar links, iets te veel gas, en jullie waren er allebei geweest. In die minuten kon je niet eens naar Sam kijken. De tijd dikte in tot één enkel moment van spanning die uitdijde naar alle jaren van je leven. Je kreeg spierpijn, je hoofd bonkte van de inspanning die het kostte om te proberen te bedenken hoe de weg in je kinderjaren ook al weer afdaalde. De ademhaling van Sam bonsde in je oren en hoe hoger je kwam, hoe zwaarder drukte de last die je helemaal zelf op je had genomen. Hij was van jou geworden, jij van hem.

(Maar hoe kunnen we dat zeggen? In je laatste aantekenboekje zeg je: 'Hij is voor nu van mij, en ik van hem, dat is stilzwijgend overeengekomen.' We hebben het hem niet gevraagd. Hoe kunnen we veronderstellen dat we weten wat hij dacht, hoe kunnen we ervan uitgaan dat hij er ook zo over dacht?)

Boven aangekomen, waar het wat minder steil werd, ontspande je je even, blies je alle adem uit die je had ingehouden, je wist dat je zou moeten stoppen, je besefte dat het zelfmoord zou zijn om bij nacht die haarspeldbochten naar beneden te nemen. Een bosje pijnbomen doemde op in het landschap van struiken en grassen, het tekende zich donker af tegen de lucht en verborg een kampeerplaats met rudimentaire faciliteiten. Je herinnerde je het nog half van onze gezinsvakantie, toen we zelf met zijn vieren over die passen waren gereden.

Een kampvuur was zichtbaar tussen de bomen en je besloot het erop te wagen. Je zou in de vrachtauto slapen en je met niemand bemoeien. Aan de rand van de kampeerplaats waren chemische toiletten, een paar honderd meter van het kampvuur, waarvoor je het silhouet ontwaarde van iemand die op zijn hurken zat. Staand bij het toiletgebouwtje scande je het duister op geluiden en beweging, luisterde je naar het plassen en overgeven van Sam, en naar het schreeuwen van een oehoe, oehóé, oehóé, oehóé. Je riep naar Sam door het blauwe kunststof wandje heen.

'Gaat 't?'

'Jawel.' Zijn stem klonk vochtig, gesmoord.

'Moet ik je helpen?' vroeg je, met je rug naar het kampvuur toe.

'Nee.'

Het had de onverhoedsheid van een aanval, een man die uit de nacht opdook, stilletjes, en opeens naast je stond, met een glinsterende, kaalgeschoren schedel, ogen bleek metaalgrijs in het donker. 'Hoe-gaat-ie,' zei hij, en hij gaf je achteloos een hand.

'Goeiendag.'

'Alles goed?' vroeg de man.

'Ja, hoor. Hij is alleen misselijk.'

'Dat is vervelend. Ik heb wel medicijnen als jullie die nodig hebben.'

'Dat is heel vriendelijk.'

'Ik zal ze wel halen. Wacht hier maar even.'

Je wist niet of je die man moest vertrouwen en besloot net om weg te gaan toen een tweede man kwam aanzetten, even tanig en blond als die andere hard en donker was. Een jakhals en een leeuw. De eerste man kwam terug met een potje met een paar pilletjes. 'Hebben jullie water? Mooi. Hij hoeft er nu maar één te nemen, en als hij morgenochtend nog niet beter is nog één. Ik geef jullie er vier,' zei hij. Het was de helft van wat hij nog had. 'Jullie kunnen morgen nieuwe halen, als het dan nog nodig is. Gaan jullie vannacht nog over de pas?'

'Ik moet naar Prins Albert,' loog je.

'Deze weg is na zonsondergang niet veilig, hoor. Nog even afgezien van de weg zelf, en de grootte van jullie wagen, zijn er ook nogal wat berovingen geweest. Jullie mogen ook wel hier blijven, bij mijn vriend en mij. Hij heet Lionel, ik ben Timothy. Jullie mogen wel in onze tent slapen, dan slapen wij buiten. Het regent hier vannacht toch niet. Jullie hoeven niet bang voor ons te zijn' – dat is makkelijk gezegd, het zou dom zijn geweest daar zo één-twee-drie op te vertrouwen, maar de stem van Timothy, en zijn accent (zij het niet zijn ogen), stelden je gerust, evenals de pillen van een merk dat je kende en die ongevraagd een herinnering wekten aan een reclame, een grafische voorstelling van een vereenvoudigd spijsverteringsstelsel dat van kwaadaardig rood langzaam veranderde in geruststellend blauw.

'Dankjewel. Dat is heel vriendelijk van jullie.' Je verraste jezelf weer, je deed wat je niet van plan was. Had je het vermogen om nee te zeggen verloren, of had je het vage idee dat die mannen die zich aan je voordeden als engelen je verlossing zouden brengen, en geloofde je in hun menslievendheid?

Waarheids- en verzoeningscommissie
4 juni 1996, Kaapstad

Slachtoffer: Louis Louw
Schending: Gewond bij bomaanslag door ANC
Getuigenis van: Louis Louw

Voorzitter: Dank voor uw geduld, meneer Louw. Ik geloof dat de microfoon het nu doet. Zou u alstublieft iets naar voren willen buigen en zo goed willen zijn er duidelijk verstaanbaar in te spreken?

Dhr. Louw: Wat wilt u dat ik [*onduidelijk*] of wat?

Voorzitter: Dat is prima, meneer Louw, de microfoon doet het nu en ik [*stilte... onduidelijk*] begin opnieuw. Nee, er is nog steeds een probleem. De tolken hebben een probleem. Een ogenblik terwijl ze dat oplossen. Dat is het? Oké? Is alles nu in orde? Goed. We kunnen doorgaan. Mijn excuses, meneer Louw. U mag de tijd nemen, er is geen haast bij. Zit u zo goed?

Dhr. Louw: Ik zit prima.

Voorzitter: Uitstekend. Laat u het ons alstublieft weten als u iets nodig hebt, of als u even wilt pauzeren. We zijn er ons inmiddels allemaal van bewust hoe moeilijk dit kan zijn. Hebt u de eerdere hoorzittingen gevolgd, en hebt u de getuigenissen van degenen die hier eerder vandaag geweest zijn meegekregen?

Dhr. Louw: Ja.

Voorzitter: Dus u weet wat voor vragen we misschien gaan stellen en wat voor dingen we van u zouden willen horen, en dat u iets over uzelf mag vertellen, om ons een... een beter besef hiervan te geven, van de vreselijke impact van deze gebeurtenis op uw persoon en op uw leven en op de levens van uw geliefden, uw familie, bedoel ik, en uw naasten?

Dhr. Louw: Ja.

Voorzitter: Zou u ons iets over uzelf willen vertellen, over wie u was, en waar u ten tijde van de bomaanslag zogezegd vandaan kwam?

Dhr. Louw: U moet begrijpen, ik was een gewone man. Ik was hier opgegroeid, was hier naar school geweest, en ik was lid van deze kerk hier. Ik ben gedoopt in deze kerk, en mijn broers en zusters ook. Mijn familie heeft hier altijd gewoond, al honderden jaren.

Voorzitter: Alstublieft, kunnen we stilte in de zaal hebben. Alstublieft. Meneer Louw moet zijn verhaal kunnen doen. Als er nog meer doorheen wordt gepraat, moet ik de zaal ontruimen. Gaat u alstublieft verder, meneer Louw.

Dhr. Louw: Ik was een eenvoudige kantoorbeambte ten tijde van de aanslag. Ik zat achter een bureau, gewoon als eenvoudige kantoorbeambte. Ik had nog nooit van mijn leven iemand kwaad gedaan.

Voorzitter: Had u niet in militaire dienst gezeten?

Dhr. Louw: Ja, maar dat waren bevelen. Ik heb het over het dagelijks leven, moet u begrijpen. Die aanslag is gepleegd in het dagelijks leven, ik ging gewoon mijn gangetje, en in het dagelijks leven konden wij het altijd met iedereen vinden, onze familie. We zijn altijd goed geweest voor de mensen. Ik was getrouwd vlak voor ik mijn betrekking kreeg en ten tijde van de aanslag hadden we een jongetje van drie en een meisje van één. We hadden een klein huis aan Weymouth Road en we hadden het goed. Mijn ouders waren trots op me omdat ik een goede betrekking bij de overheid had. Ik was op school niet zo'n goeie leerling geweest en ik denk dat ze zich zorgen maakten dat ik het niet zo goed zou doen in mijn leven, dat ik als jongere misschien wel op het verkeerde pad was, maar ik besloot na mijn diensttijd het roer om te gooien en werd heel toegewijd, ik was een harde werker in die tijd. Dus u begrijpt wat ik allemaal ben kwijtgeraakt bij dat vreselijks dat ze mij en anderen hebben aangedaan. Ik had mijn gezin, mijn middelen van bestaan, een goede betrekking. Dus wat ik eigenlijk wil weten is: wat gaat deze commissie doen om weer goed te maken wat ik ben kwijtgeraakt? Wat gaan jullie mij geven, want ik heb niks gedaan waar ik dit aan verdiend heb.

Voorzitter: Kunt u ons vertellen, meneer Louw, over de dag van de aanslag, en wat er precies op die dag is gebeurd?

Dhr. Louw: Ja, het is al lang geleden, bijna tien jaar, en door de medicijnen die ik slik zeggen de artsen dat ik hier en daar blackouts heb, er vallen gaten in mijn geheugen dus ik kan niet zeggen dat het zo is dat ik mij alles even helder herinner van die dag, begrijpt u. Als u mij niet gelooft kunt u mijn dokter hier vragen wat voor medicijnen het zijn, dan zal hij u zeggen dat ze ervoor zorgen dat ik geen nare herinneringen aan die dag bewaar. Het zijn heel speciale medicijnen, dat spul. U kunt het zo vragen, als u mij niet gelooft.

Voorzitter: Dat is niet nodig, meneer Louw. Wij geloven wat u zegt.

Dhr. Louw: Het is allemaal een beetje te verwarrend in mijn geheugen om er zeker van te zijn dat ik het mij herinner zoals het gebeurd is, dus u moet het mij maar vergeven als er gaten in mijn verhaal zitten maar ik doe mijn best om hier vandaag te helpen en mee te werken omdat ik hoop dat de regering in staat zal zijn iets te doen om mij terug te geven wat ik die dag ben kwijtgeraakt.

Voorzitter: We begrijpen het, meneer Louw. Er is bij u de diagnose gesteld van posttraumatische stressstoornis, waar u nog voor onder behandeling bent.

Dhr. Louw: Ik word inderdaad behandeld, maar ik denk niet dat ik ooit zal genezen, ziet u, en zoals ik al zei kan het zijn dat de medicijnen die ze me geven mijn geheugen en ook andere dingen aantasten.

Voorzitter: Dat is allemaal begrepen. Misschien kunt u beginnen met wat u zich nog van die dag herinnert.

Dhr. Louw: Ik weet nog dat ik opstond en dat mijn vrouw het ontbijt al klaar had. En ik weet nog dat ik bij de gootsteen in onze keuken stond en dat mijn twee kinderen daar aan het ontbijt er gelukkig uitzagen, dat was iets heel moois die dag, een heerlijk gevoel waar die dag mee begon, en ik dacht: het is allemaal goed, de familie gaat door, wordt voortgezet. Dat zullen sommigen van u misschien raar vinden, maar het was voor mij belangrijk dat ik de familielijn zou voortzetten zo u wilt, en het was fijn om naar mijn twee gezonde kinderen te kijken die die morgen op mij en mijn ouders en mijn vrouw en haar ouders leken. Dat is een mooie herinnering en de artsen zeggen dat ik moet proberen me daarop te richten, daarom herinner ik mij de oranje jurk die mijn vrouw droeg en dat ik eieren met spek at omdat het het eind van de week was en dat was een traktatie. Maar het is ook een droevige herinnering omdat het de laatste keer was dat we zo bij elkaar waren, met z'n vieren. Na het ontbijt ging ik douchen en trok ik mijn uniform aan dat mijn vrouw had gestreken en reed ik naar mijn werk. Het was een trage morgen en een heel warme morgen, denk ik, het moet die dag minstens vijfendertig graden zijn geweest. Als jullie mij niet geloven kunnen jullie het weerbericht voor die dag checken, dan zult u zien dat het heel warm was en jullie weten hoe het is als het zo warm is, dan is het moeilijk snel na te denken, en helder, zo was het die dag. Je hersens werken op die warme dagen minder goed. Ik denk dat er op kantoor formulieren moesten worden ingevuld of een memo geschreven, een weekverslag of een of ander intern memo maar dat is iets wat ik mij niet meer zo duidelijk herinner, ziet u, wat ik die dag precies te doen had. U begrijpt, u vraagt mij om mij te herinneren wat de artsen geprobeerd hebben me te laten vergeten en ik probeer [*onduidelijk*] ik doe heel erg mijn best u hiermee te helpen want ik wil dat de mensen weten wat mensen als mij is overkomen.

Voorzitter: Wilt u misschien een pauze om even uit te rusten, meneer Louw?

Dhr. Louw: Nee, het gaat prima zo. Ik heb liever dat het maar achter de rug is. Dus na die morgen ging ik lunchen, en het was vlak na de lunch dat het gebeurde. U begrijpt, het was een overheidsgebouw, daarom was het een doelwit. Het maakte hun niet uit, die mensen, wie ze troffen, welke levens ze misschien verwoestten. Het ging allemaal zo snel dat volgens mij niemand doorhad wat er gebeurde. De post was gekomen en ik had een doos op schoot en dacht er verder niet bij na want het was net zo'n archiefdoos als ik elke vrijdag via de interne post binnenkreeg. Ik nam aan dat het de gewone stapel archiefstukken was die ik moest verwerken maar voor ik het wist lag ik op mijn rug op de grond en kreeg ik water in mijn gezicht en was er overal brand en werd er geschreeuwd en gegild, en er [*onduidelijk*] ontploffingen, want niemand van ons wist dat ze [Einde band 4, kant B.] en zo niet dan zeg ik dat ons dat verteld had moeten worden. Ik kon me niet bewegen, natuurlijk, en moest wachten tot ik eruit werd gehaald, ik lag me daar alleen maar af te vragen of er iemand voor me zou komen en toen zag eindelijk een van de schoonmaaksters, ik weet niet meer hoe ze heet, God behoede haar, die zag mij en tilde op wat er van me over was en droeg me naar buiten, naar de straat, en toen bracht een ambulance me weg. Ik heb een hele tijd daarna geslapen en toen ik eindelijk wakker werd, pas toen realiseerde ik me dat ik alles verloren was, mijn benen bijna vanaf mijn heupen, mijn rechterarm vanaf de schouder, mijn linker onderarm, het zicht in één oog, mijn rechteroog, en de artsen zeiden dat ik nog geluk had gehad.

Voorzitter: En hoe reageerde uw familie?

Dhr. Louw: Voor hen was ik een held, alleen omdat ik het overleefd had, maar ik zei nee, jullie moeten me geen held noemen want ik was degene die de eerste bom deed ontploffen die dag, ik was degene die die doos openmaakte. Ik had voorzichtiger moeten zijn met dat pakket. Misschien, ik weet niet, misschien als ik iets beter gekeken had, was aan die doos wel te zien geweest dat ermee geknoeid was. Ze hebben ons op dat soort dingen getraind, maar je wordt slordig in die dingen, misschien wel een beetje lui of zoiets. Mijn vrouw was heel goed eerst, ze verzorgde me, en ik had mijn uitkering, maar op een gegeven moment kon ze er niet meer tegen. Ik kon het haar niet kwalijk nemen, als ik heel eerlijk ben, want weet u, ik was gewoon haar man niet meer, en dan moet u zich voorstellen hoe ik er toen uitzag, u ziet hoe ik nu ben, nu de wonden al een hele tijd genezen zijn. Ik kon niks voor haar betekenen. En met de twee kinderen erbij was het te veel voor haar alleen, ze trok bij haar ouders in, in het noorden, en nam de kinderen mee, en ik verkocht het huis en trok weer bij mijn eigen ouders in want ik kon niet voor mezelf zorgen. Het gaat nu beter met me en natuurlijk heeft de regering ook een beetje voor me gezorgd, zelfs de nieuwe, dat moet ik ze in elk geval nageven. Mijn vrouw is inmiddels hertrouwd en ik zie mijn kinderen niet vaak want een bezoek kan ik me niet veroorloven en zij kan het zich niet veroorloven ze naar mij toe te sturen. Dat is niet zoals het zou moeten zijn, begrijpt u, en dat wijt ik aan de aanslag van die dag, niet aan haar, ik weet dat het niet haar fout is. Wat moet ik anders? Ik vraag het u, leden van de commissie, wat zou ik anders moeten? Wat gaan jullie doen om mij te helpen?

Voorzitter: Zou u iets willen zeggen, meneer Louw, tegen degenen die de verantwoordelijkheid voor de aanslag op zich hebben genomen?

Dhr. Louw: Wat kan ik zeggen? Het was toch oorlog, in zekere zin. Maar zij vochten tegen ons, en wij verdedigden ons alleen maar. Dat is het enige. En ik was maar een ambtenaar.

Voorzitter: Stilte in de zaal, alstublieft. Dit is echt de laatste waarschuwing. Nog één keer zo'n herrie en ik zal de zaal moeten ontruimen.

Sam

Ondanks haar aanvankelijke verklaring dat ze dat niet zou doen begint Clare me zakelijke correspondentie met haar agenten en uitgevers te laten zien. Als ik nu bij haar kom voor een interview, ligt er op de koffietafel in haar studeerkamer een ordner op me te wachten. We praten 's ochtends, lunchen samen, en daarna mag ik in een andere kamer de papieren bestuderen, aantekeningen maken, ze fotograferen als ik wil, en haar vragen stellen, hoewel er altijd iets ijzigs onder het oppervlak schuilt. Ze is gereserveerd en afstandelijk en doet minachtend over het hele project. Een biografie schrijven is derderangs werk, zegt ze. Een biografie schrijven is kannibalisme en vampirisme. Ik heb haar niet weer 'schat' horen zeggen, en vermoed dat ik dat ook niet meer te horen zal krijgen. Dat was een zeldzaam moment van zwakte.

Een week later. In plaats van correspondentie begint ze er vandaag mee mij manuscripten en typoscripten met haar eigen kanttekeningen te laten zien, en weer krijg ik toestemming ze mee te nemen naar een andere kamer waar ik ze ongestoord kan bestuderen. Ik maak aantekeningen over verschillen tussen de gedrukte uitgaven van *Landing* en eerdere versies, die ze met pen heeft geschreven in schoolschriften. Er ligt hier genoeg werk om me maanden mee zoet te houden. Wat van essentieel belang is, is dat ik kopieën maak nu het kan, wat betekent dat ik elke pagina die Clare me voorlegt moet fotograferen. Ik koop extra memorycards voor mijn camera, een beter statief en een flitser. Ze kijkt geamuseerd toe als ik mijn studiootje opzet en ze verontschuldigt zich zelfs dat ze geen kopieerapparaat of scanner heeft. Uiteraard is er geen sprake van dat ik papieren mee het huis uit zou kunnen nemen. 'Te riskant,' zegt ze, 'dat begrijp je. Ik ben in het verleden nogal wat kostbare dingen kwijtgeraakt. Dat is voor mij iets onverdraaglijks. Maar leg vast wat je wilt, wat maar relevant zou kunnen zijn.' Ik weet dat ze elk moment van gedachten kan veranderen. Het ligt in haar vermogen een eind te maken aan het project en mijn contract af te kopen. Strikt genomen behoren mijn aantekeningen en transcripties niet eens aan mij toe, maar aan Clare en haar uitgever. Ik denk nog eens goed na over die camera en koop een draagbare scanner, dupliceer mijn eerdere foto's en mail alles wat ik kopieer naar Greg, die toezegt de bestanden te bewaren. Alles moet worden verzameld, gekopieerd, gearchiveerd, er moeten back-ups worden gemaakt. Naar alle waarschijnlijkheid is dit een kans die niemand anders ooit zal krijgen. Wie kan zeggen wat er met al die papieren gaat gebeuren als zij er niet meer is? Haar zoon heeft al duidelijk genoeg gemaakt op geen enkele manier te willen meewerken, en ik heb zo mijn vermoedens wat er na haar dood van de toegankelijkheid van haar archief zal overblijven. Het voornaamste is dat ik het boek voor die tijd geschreven en gepubliceerd moet hebben.

Ze vertelt me dat ze nog nooit eerder iemand zoveel inzage heeft gegeven. Niemand heeft de auteur aan haar werk gezien, 'door de verschillende variaties heen', zegt ze. Ik weet dat ik in veel opzichten alleen maar gebruikt word, precies zoals ik haar gebruik, haar vertoon van minachting jegens het project ten spijt. Er is haar reputatie waar aan gedacht moet worden – de biografie kan die alleen maar ten goede komen, net zo goed als hij mijn carrière alleen maar kan stimuleren. Dankzij dit project zou ik tegen mijn veertigste al hoogleraar kunnen zijn. En dan is er nog de financiële kant van de zaak. Zij en ik, wij spekken elkaar. Het is een relatie van wederzijds belang.

Afgezien van het geld en mijn carrière is er ook nog dat andere. Het onderwerp dat ik nog niet heb durven aansnijden. Ik sta mezelf een fantasie toe, ik stel me voor hoe het geweest zou zijn als ik mijn jeugd bij Clare en haar man in Kaapstad had gewoond, de stad die altijd mijn thuis was geweest.

Meestal lunchen we samen in haar studeerkamer en vraag ik haar van alles over de manuscripten, of over haar verleden, in een poging meer zicht te krijgen op belangrijke gebeurtenissen in haar leven en een gedetailleerde chronologie vast te stellen. Ze heeft me ook toegang gegeven tot haar persoonlijke bibliotheek, die duizenden banden telt op planken die door het hele huis hangen en die een eigen catalogus heeft, bijgehouden door Marie, van wie ik verneem dat ze een bedreven archivaris is. Als ik een ongewone of onverwachte titel tegenkom – *A Greater Than Napoleon: Scipio Africanus* (1926) bijvoorbeeld – vraag ik aan Clare of ze die gelezen heeft. Vaak weet ze zo'n boek in een cryptische frase samen te vatten ('de dodelijke indirecte benadering' in voornoemd geval). Andere keren geeft ze toe dat het boek een cadeautje was, of een impulsaankoop, en dat ze het nooit heeft ingekeken. 'Wie heeft nou tijd om alles te lezen?' vraagt ze dan.

Ze heeft niet veel foto's in huis – slechts twee van haar kinderen, van elk één, hoewel de foto van Laura uit haar kindertijd stamt, terwijl die van Mark van recenter datum is. Hoewel zelfvoldaan en heel geslaagd, oogt hij ook onverzorgd, en lijkt hij in niets op Laura, behalve in zijn blanke voorkomen en blonde haar. Het is voor het eerst dat ik een foto van Laura zie; ik zou haar niet herkend hebben, keurig met vlechtjes in het haar en gehuld in een schooluniform, maar uiteraard kan het niemand anders zijn.

Vanaf de kamer waar ik mag werken naar het middengedeelte van het huis loopt een gang die geschilderd is in de kleur van ongebleekte botten, en slechts gedecoreerd met een lang wandtapijt dat één hele muur beslaat. Net als het schilderwerk in huis zijn de kleuren van het wandtapijt gedempt: grijs, grijsgeel, een baan oker. In de grote L-vormige zitkamer die uitkijkt op de tuin hangt een kleine collectie schilderijen, voornamelijk derderangs Hollandse meesters, maar ook doeken van Cecil Skotnes en Irma Stern, en een ets van Diane Victor die het Voortrekker Monument voorstelt in puin. In een afgesloten glazen vitrine, omringd door wat naar ik aanneem het familiezilver is, staat een zwarte trommel met de naam van haar vader erop.

Een paar keer per week worden er boodschappen bezorgd. De post komt elke morgen. Soms komt er een koerier met enkele dozen vol boeken. De telefoon gaat nooit. Ik heb aangeboden een eindje met Clare te gaan rijden, zodat ze ook eens wat anders ziet, maar ze beweert dat ze al genoeg heeft gezien voor een heel mensenleven. Ze trekt zich hier terug, zegt ze, en het klinkt gedecideerd. En hoe dan ook, als ze er echt uit wil, rijdt Marie haar wel.

'Het is net een verhaal uit haar beginperiode,' zeg ik tegen Greg, 'een soort self-fulfilling prophecy.'

'Lees maar eens voor,' zegt hij. Hij is aan het koken en Dylan zit in zijn kinderstoel te spelen en mee te zingen met een ding dat hem spelenderwijs het alfabet leert.

'Ik heb het hier niet bij me, maar ik kan het wel navertellen. Het heet "De gevangene". Het gaat over een blinde academicus die een reputatie heeft opgebouwd met zijn aanvallen op de hand over hand toenemende bekrompenheid in het openbare leven. Als er een reactionair regime aan de macht komt – een wel heel platvloers regime – valt hij in ongenade. De academicus wordt ontslagen aan de universiteit, van zijn pensioen beroofd en uit zijn huis gezet, en omdat hij dan zowel dakloos als werkloos is (en onder het nieuwe regime zijn beide verboden), wordt hij gedetineerd. Aangezien de gevangenissen snel vol zitten en het regime geen enkele waarde hecht aan kennis of kunst, worden alle musea en bibliotheken omgebouwd tot gevangenissen. De mensen die er worden opgesloten worden geacht de inboedel van die gebouwen, die cultuurpaleizen, als brandstof te gebruiken – om boeken en kunstwerken te verbranden om warm te blijven. Samen met honderden anderen wordt de blinde academicus opgesloten in de Centrale Leeszaal van de Nationale Bibliotheek. Bewakers brengen de gevangenen dagelijks twee maaltijden, zodat ze niet omkomen van de honger, maar de lichte honger die voortdurend knaagt houdt hun geest nog alerter dan anders. Ze krijgen wel toegang tot de toiletten, want het regime hecht veel waarde aan hygiëne. De gedetineerde academici

maken bedden van oude encyclopedieën en slapen onder de leestafels, en als het winter wordt en de verwarming niet voldoende
is, verbranden ze zo lang mogelijk kranten en tijdschriften, vervolgens nemen ze alle commerciële fictie, maar uiteindelijk
moeten ze stemmen om te beslissen welke boeken van waarde
eraan zullen moeten geloven – met andere woorden, om te beslissen welke boeken minder waard zijn dan andere. Van de klas-
sieken zijn Dickens en Shakespeare de eersten die met aller in-
stemming verbrand worden, niet omdat ze allemaal zo'n hekel
hebben aan Dickens en Shakespeare, verre van dat, maar omdat
ze zeker weten dat er in hun bibliotheek geen unieke werken van
die schrijvers staan en ze dus niks onvervangbaars zullen vernietigen. Dickens en Shakespeare, aldus hun redenering, zijn overal
omdat van hun werken talloze edities bestaan.

Uiteraard kan de blinde academicus tijdens zijn opsluiting
niet lezen omdat de bibliotheek geen brailleboeken in de collectie heeft, daarom lezen de andere gevangenen hem om beurten
voor, en hij merkt dat hij gelukkiger is dan ooit tevoren. Hij
hoeft zich niet meer druk te maken om publicaties in voorbereiding, hij hoeft zich niet meer bezig te houden met de aanschaf
en bereiding van voedsel, hij hoeft niet meer met zijn vingertoppen te lezen. Tevreden wacht hij tot zijn eten voor hem wordt
neergezet, tot hij wordt voorgelezen, tot er een bed van leer en
vilt, afkomstig van de leestafels, voor hem wordt opgemaakt. In
ruil voor de achttiende-eeuwse pornografische titels die ze bij de
collectie zeldzame boeken aantreffen, vragen de andere gevangenen de bewakers om papier en inkt, zodat ze kunnen opschrij-
ven wat de blinde academicus hun dicteert, of voor zichzelf aan
de slag kunnen.

Als het reactionaire, platvloerse regime uiteindelijk ten val
komt, wat in het verhaal van begin af aan als onvermijdelijk is
voorgesteld, worden de politieke gevangenen die in de bibliotheken en musea werden vastgehouden vrijgelaten. De blinde academicus smeekt echter om in zijn gevangenis te mogen blijven.

Zijn voormalige medegedetineerden dienen namens hem verzoeken van die strekking in, en de nieuwe regering stemt toe in de bouw van een cel speciaal voor hem, in een hoek van de leeszaal, waar hij zoveel gelukkige jaren achter slot en grendel heeft doorgebracht. Zijn vrienden zorgen voor hem, brengen hem twee maaltijden per dag (om hem zijn alert makende trek te laten houden), lezen hem om beurten voor, en schrijven op wat hij dicteert. 's Nachts wordt hij in zijn cel opgesloten en valt hij tevreden in slaap, luisterend naar de stilte van de boeken die hem omringen, die niets van hem verwachten, behalve dat hij luistert als zij spreken.'

Greg glimlacht als Dylan 'l, m, n, o, p' zingt. 'Goed zo, ventje,' zegt Greg, terwijl hij naar mij zijn hoofd schudt. Zijn aandacht is altijd verdeeld. 'Je weet hoe ik erover denk, Sam. Zo'n obsessie is niet gezond.'

'Is het een obsessie?'

'Je weet alles over Wald wat er maar te weten valt. Je kent haar werk van voren naar achteren.'

'Maar dat is mijn werk. Ik heb erin toegestemd dat boek te schrijven. Ik was de voor de hand liggende keus, al ben ik misschien de enige die weet dat dat zo is.'

'En daar zie jij geen problemen van ethische aard in?'

'Dat sta ik niet toe – ik probeer me daar niet door te laten beïnvloeden. Ik probeer onbevooroordeeld te werk te gaan. Ik weet hoe ik objectief moet blijven.'

'Ik snap niet dat je elke dag naar haar huis kunt gaan. Dat zou ik niet kunnen als ik jou was. Als het mij was overkomen. Als zij mij had aangedaan wat ze jou heeft aangedaan, gezien de omstandigheden, gezien wat toch duidelijk jouw toestand was – ik bedoel, ik kan me alleen maar vóórstellen hoe je eraan toe was.'

Ik weet niet wat ik moet zeggen. Aan de ene kant heeft Greg gelijk – mijn rol in dit project heeft iets onethisch. Maar ik weet niet wat voor keus ik anders heb.

Absolutie

Clare schakelde de monitor in en zag dezelfde dienstauto die eerder langs was geweest voor het hek op straat staan. Het monochrome gezicht van mevrouw White staarde zonder met de ogen te knipperen in de lens. Het was acht uur 's avonds, en Clare wist niet meer hoeveel weken of maanden er verstreken waren sinds het laatste bezoek van die vrouw; misschien drie weken, maar misschien ook wel een halfjaar, een jaar, of nog langer. Clare drukte op de intercomknop.

'U komt niet gelegen. Ik ga net naar bed,' zei ze, en ze schakelde de schijnwerpers bij het hek in. Mevrouw White hief een hand op om haar ogen tegen de gloed te beschermen en drukte aan haar kant ook op de knop.

'We hebben een groep verdachten in uw zaak, mevrouw. Het zou ons gelegen komen als u naar hen kwam kijken.' Het was de eerste keer dat Clare de intercom gebruikte. Het verbaasde haar hoe helder het geluid was, het klonk net of mevrouw White lichaamloos naast haar in de kamer stond.

'Het komt mij niet gelegen.'

'Het komt mij en de verdachten wel gelegen,' zei mevrouw White.

Het was rustig op de weg dus het was twintig minuten rijden van Clares huis naar het bureau aan de havenkant van het centrum, bij het oude fort. Mevrouw White sprak niet tijdens de rit. Ze reden het gebouw in door de smalle poort aan Parade Street en parkeerden op de binnenplaats, die vol auto's stond, hoewel het bijna negen uur was tegen de tijd dat ze aankwamen. De chauffeur deed het portier open en mevrouw White ging haar voor naar binnen, twee trappen op naar een onbeduidend ogende kantoorgang. Mannen en vrouwen liepen zwijgend maar energiek van de ene deur naar de andere, met dossiermappen onder de arm, de blik op de grond gericht. Was de overheid zo ijverig geworden? Mevrouw White ging Clare voor naar het eind van de gang, een kamer in met een grote doorkijkspiegel waardoor je in de belendende cel kon kijken.

Een twaalftal mannen, variërend in leeftijd, lengte, gewicht en ras, werd op een rijtje de cel binnengelaten. Mevrouw White vroeg hun om beurten naar voren te komen.

'Deze?' vroeg ze aan Clare.

'Ik heb u gezegd,' zei Clare, en de irritatie was in haar stem te horen, 'de indringers hadden allemaal capuchons op en maskers voor – skimaskers, en bivakmutsen op met ook nog eens een gaasje voor de ogen. Handschoenen ook, shirts met lange mouwen, coltruien. Ik kon hun huid niet zien. Ik weet niet wat het waren. Ik kan niet eens met zekerheid zeggen of het wel mannen waren.'

'Deze?' vroeg mevrouw White, kennelijk onverstoorbaar.

'Ik ben toch duidelijk geweest?' jammerde Clare, met toenemende ergernis. 'Waarom vertikt u het om te luisteren?'

Mevrouw White bleef echter onaangedaan, kalm, als een goede ouder met een recalcitrante dochter. 'Deze?'

'Dit is absurd. Ik zie hier de zin niet van in,' riep Clare uit. Ze sloeg met haar vuist tegen de stoel en schaafde zich. 'Jullie hebben hier een stel mensen heen gehaald die niet op elkaar lijken. Dit is geen gebruikelijke confrontatie. En het is trouwens sowieso zinloos mij wie dan ook te laten zien. Ik heb niets gezien waar we iets aan zouden kunnen hebben. Ze waren allemaal in het zwart, en het was nacht, dus zelfs een beschrijving van hun kleren zou jullie weinig verder helpen. Het enige wat ik weet is hoe ze roken.'

'Hoe roken ze, mevrouw?' Mevrouw White wendde zich van

de verdachten af naar Clare en deed de lichten in de cel uit, zodat de mannen in het donker stonden. 'U hebt het nooit over een geur gehad. Meent u te weten hoe ze roken? Dat zou van belang kunnen zijn.'

'Ze roken naar een of ander ontsmettingsmiddel,' zei Clare. 'Met sinaasappelgeur. Schoonmakers.'

'Waren het schoonmakers?'

'Nee. Allejezus. Ze roken naar oplosmiddelen. Een industrieel geurtje. Ik weet niet. Ik zou de geur weer herkennen als ik hem rook. Het was een hele uitgesproken geur, uitgesproken onaangenaam.'

'Maar dit is belangrijke informatie, mevrouw,' zei mevrouw White. 'Waarom hebt u ons niet eerder verteld dat u ze kon ruiken? Komt u even mee.'

Mevrouw White ging Clare voor de deur uit, de gang op, een hoek om, nog een hoek, en een laboratorium in aan de andere kant van de confrontatiecel. Een groep mannen in witte jassen, even divers als de mannen in de confrontatiecel, en wel zozeer dat het bijna dezelfde mannen leken in andere kleren, keken op, maar vertrokken geen spier, alsof het volstrekt normaal was dat er tegen bedtijd oude vrouwen in hun laboratorium werden afgeleverd. Mevrouw White liet Clare plaatsnemen op een kruk bij de deur en enkele minuten later kwam er een jongeman bij haar met een aantal flesjes waar ze aan moest ruiken.

'Dit?'

'Nee.'

'Dit?'

'Nee.'

'Dit?'

'Dat komt wel meer in de buurt.'

'Dit?'

'Ja, dat is 'm. Maar...'

'Ah. Even kijken,' zei hij, en hij zocht in zijn rek met flesjes. 'Dit?'

'Ja. Zeker. Dat is 'm.'

'Lady Grove.'

'Lady Grove?'

'Lady Grove. "De vriend van de huisvrouw." Kent u die advertenties niet?' vroeg de man. Hij neuriede een calypsodeuntje en maakte wat danspasjes, met draaiende heupen, de armen uitgestoken als takken. 'Lady Grove,' zong hij, hoofdschuddend, alsof zelfs blinden en doven het zouden herkennen.

'Ik kijk geen televisie,' loog Clare.

'Dus toch geen industrieel geurtje,' zei mevrouw White, en ze klakte met haar tong. 'Een huishoudelijk schoonmaakmiddel. Maar dat kan mevrouw natuurlijk niet weten. Mevrouw heeft geen weet van huishoudelijke middeltjes. Zij heeft nog een meid, die ze ongetwijfeld nog meid noemt.'

'Een paar keer in de week maar,' wierp Clare tegen. 'Marie en ik doen het meeste zelf, zij doet alleen het zware werk, de ramen...'

Maar mevrouw White had Clare al bij een arm gepakt en nam haar weer mee de gang op, een hoek om, nog een hoek, naar een lege wachtkamer. 'Ik kom zo terug, mevrouw. Mevrouw wordt verzocht even te wachten.'

'Ik zou graag naar huis willen. Ik heb mijn medewerking verleend, mevrouw White. Ik denk dat ik me buitengewoon coöperatief heb opgesteld gezien de omstandigheden, om over het tijdstip maar te zwijgen. Mag ik u er misschien aan herinneren dat ik niet de dader ben?' Clare betrapte zich erop dat ze tranen van haar wangen veegde. De schaafwond aan haar hand trok een bloedstreep over haar gezicht.

'Niet de dader? Nee, natuurlijk niet, mevrouw. Het idee. Wat een rare opmerking van u. U had het ongeluk het sláchtoffer te zijn. En dat is een zeer ernstige zaak, hoewel sommige mensen misschien zouden zeggen dat slachtoffer zijn ook een soort delict is. Er zijn mensen die zeggen dat u voorzichtiger had moeten zijn, zoals u nu bent, in uw mooie, veilige huis. Niemand zou ernaar moeten verlangen om het slachtoffer te zijn. Wacht u hier alstublieft even. Ik ben zó terug.'

Clare had in geen tientallen jaren alleen in een wachtkamer gezeten. De laatste keer had ze in een ziekenhuis zitten wachten op haar ouders, om bij hun oudste dochter en schoonzoon te gaan kijken, wat er nog van hen over was. Het was ook wel te verwachten, veronderstelde Clare, dat de politie die keer, lang geleden, eerst naar haar toe was gegaan. Ze waren aanvankelijk beleefd genoeg geweest, een man had haar bij een elleboog gepakt, net als mevrouw White, en haar naar een leunstoel gebracht in haar eigen woonkamer, in het huis aan Canigou Avenue, en haar daar laten plaatsnemen, waarna hij bij haar was neergeknield en in zijn rauwe Engels had uitgelegd dat haar zuster was vermoord, en dat een positieve identificatie door iemand van haar familie nodig was omdat de familie van haar man aan de andere kant van het land woonde en er niet eerder dan de volgende dag kon zijn. Het moest officieel bevestigd worden. Ze waren in hun hotel vermoord.

Clare had haar man en zoontje thuisgelaten en was met de politie meegereden naar het ziekenhuis. Ze had verwacht dat ze geschokt zou zijn, toen het laken werd weggetrokken en een deel van een gezicht werd onthuld waarvan net genoeg over was om onmiskenbaar haar zuster te zijn: het schoonheidsvlekje onder haar lippen, die zelfs in haar dood getuit waren, alsof de aanslag op haar leven slechts op afkeuring kon rekenen. De politiemensen die erbij waren hadden hun adem ingehouden, alsof ze verwacht hadden dat Clare zich op het lichaam van haar zuster zou storten om haar verdriet te smoren in bloed, maar ze had slechts kort geknikt en met haar koele stem gezegd: 'Ja, dat is mijn zuster, laat me nu mijn zwager maar zien.'

 Nadat ze beiden geïdentificeerd had, brachten de politiemensen haar naar een wachtkamer met rijen oranje plastic stoeltjes, allemaal naar de deur gericht, waar ze alleen ging zitten en haar hartslag telde. Ze hadden aangeboden een verpleegkundige bij haar te laten komen, maar ze had het hoofd geschud, met twee vingers in haar hals en haar blik op de rode secondewijzer van de wandklok gericht, en tachtig slagen per minuut geteld, negentig, waarna ze een paar keer diep had ingeademd, vijfenzeventig, en toen zeventig. Hoe lang had ze daar alleen zitten wachten, het gezicht naar de klok aan de muur en de deur eronder? Slechts seconden waren herkenbaar, elke seconde een hartslag of meer, en na misschien vijftienduizend van die seconden hadden haar ouders als twee grijze monumenten in de deuropening gestaan. Haar vader, dat herinnerde ze zich nog, droeg een speldje van de oppositie.

'Wou je ze op de proef stellen?' had ze gesist.

'Wat?'

'Je speldje.'

'Speldje? O. Nee, schat. Dat zat op deze jas. Het was de eerste jas die voor het grijpen hing. Daar heb ik niet bij nagedacht.'

'Laat mij het er even afhalen, dan.'

'Dat kan niemand wat schelen. Ik ben een oude man. Van mij hebben ze niks te vrezen.'

Clare en haar ouders waren de hele nacht door de politie ondervraagd, en de volgende morgen hadden ze het ziekenhuis verlaten. De meute persfotografen had het speldje op de revers van haar vader wel weten te vinden. Toen de foto's in alle kranten verschenen, wist het hele land dat Christopher Boyce zelfs in het uur van zijn dochters dood openlijk voor zijn andersdenkendheid wenste uit te komen.

De begrafenis, die in zekere zin ook weer uit wachten bestond, had verscheidene onaangename momenten opgeleverd. Clare hoorde na afloop dat voor zij aankwamen een hele menigte met traangas was bestookt, waarna ze waren afgerost en in de boeien geslagen. Twee mensen waren later in hechtenis gestorven. Wat nog erger was: zij moest met haar ouders bij de familie Pretorius staan, die hun de toegang tot de papieren en eigendommen van haar zuster al geweigerd had. Ze zongen kerkgezangen die hun vreemd waren, terwijl al hun suggesties voor de dienst door de familie Pretorius genegeerd waren, en afgewezen als te werelds, of althans niet christelijk genoeg. 'Het wordt geen circusvoorstelling,' had de schoonvader van haar zuster laten weten. Terwijl de dominee de nabestaanden de les las over de zonden der mensen, had Clare haar blik strak gericht gehouden op een wilde vijgenboom en de berg in de verte, waar op de hellingen stof oprees in een duivelse dans rond de grote, vale koepels van graniet: stomme schildpadden die zich uit de aarde verhieven. Daarna hadden ze gewacht, zij en haar ouders, tot de twee kisten in de aarde waren neergelaten op touwen die de schoonfamilie van haar zuster langzaam door de gespierde vuisten liet glijden, met gezichten rood van de zon, zwetend onder dikke lagen vet. Toen de anderen waren vertrokken hadden Clare en haar ouders een paar handenvol aarde op de kisten gegooid voor twee mannen met schoppen de rest deden. Later vroeg ze zich af waarom ze niet zelf een schop had gepakt om er meer dan een paar handen aarde op te gooien, in plaats van maar te staan kijken naar die jongemannen, in hun shirts die nat waren van het zweet, dat ook zijn sporen trok in het stof op hun gezicht. Ze wilde zeker weten dat haar zuster onder de grond lag, en er niet meer uit kwam.

Daar zat ze weer, in een wachtkamer met oranje stoelen, het gezicht naar een deur en een klok, met handen die vochtig waren en koud, een oude vrouw die in haar eigen land maar nauwelijks bondgenoten had, een vreemde zelfs in haar geboorteland. De misdaad had haar te grazen genomen, het slachtofferschap was haar opgedrongen, en als slachtoffer was ze op een of andere manier ook verdachte.

Het duurde uren voor mevrouw White weer terugkwam, en tegen die tijd was Clare op haar stoel in slaap gevallen. De andere vrouw schraapte haar keel. Clare ging rechtop zitten, merkte dat haar mond had opengestaan en zag dat er wat kwijl op haar blouse terecht was gekomen. Ze knipperde met haar ogen naar mevrouw White, naar de klok achter haar.

'Mijn verontschuldigingen, mevrouw. Ik werd opgehouden. Ik had niet gedacht dat u er nog zou zijn,' zei mevrouw White. 'Waarom bent u niet naar huis gegaan?'

'Waar had u gedacht dat ik midden in de nacht heen zou gaan, zonder lift van u?'

'U had vast wel iets kunnen regelen. U bent er toch zo goed in uw eigen weg te vinden, of niet? Hoe dan ook, u bent al die tijd vrij geweest te gaan en staan waar u wilde. Ik begrijp sowieso niet waarom u met me mee bent gegaan, als u om te beginnen al geen zin had mee te werken,' pufte mevrouw White.

Clare keek naar haar ogen. Er was geen sprankje te zien van ironie of sarcasme, haar blik was wezenloos. Wie is dit stomme mens dat mij tegen bedtijd ontvoert en me uren alleen in een wachtkamer laat zitten? Dat is toch zeker niet zoals de politie tegenwoordig opereert?

'Waarom zei u dat niet voor u me hier alleen liet?' Clare probeerde zich te beheersen, maar er klonk toch iets van razernij in haar stem door.

'U hoeft niet boos te worden, mevrouw. Ik zal u meteen door een van onze agenten naar huis laten brengen.' Ze draaide Clare de rug toe, maar toen ze de deur uit liep bleef ze nog even staan, haar hoofd half omgedraaid. 'We hebben ook iets ontdekt over Lady Grove, het schoonmaakmiddel waarvan u zei dat de inbrekers ernaar roken. Dat is in drieduizend verschillende detailhandels in het hele land te koop. Niet wat je noemt uniek. Iedereen zou naar Lady Grove kunnen ruiken.'

'Aha.'

'Ja. Dus dan zult u ons allemaal wel als verdachten beschouwen, of niet, mevrouw?'

'Ik kan niemand als verdachte beschouwen, want ik heb verder geen enkele aanwijzing. Er lag toch bloed op de grond, of niet? U zou DNA-tests kunnen uitvoeren. En er was nog een kenteken van een auto.'

'Dat kenteken hebben we in het systeem niet terug kunnen vinden. Dat is nooit uitgegeven. Wellicht heeft uw assistente zich vergist,' zei mevrouw White, en ze snoof.

'Het is bijna drie uur 's nachts. Waarom moeten we dit gesprek in het holst van de nacht voeren?'

'Omdat u geen taxi gebeld hebt, mevrouw.'

'Zeg niet de hele tijd mevrouw, noem me dan mevrouw Wald als u me aanspreekt. Ik ben hier niet voor in de stemming. Onderzoek de bloedsporen die bij mij op de grond zijn gevonden. Zoek naar DNA-matches. Of doe het niet. Maar laat mij verder met rust. Ik wil u niet meer zien, mevrouw White, noch van u horen, tenzij u harde bewijzen hebt die een verdachte koppelen aan het bloed waar de vloer van mijn oude huis onder zat. Is dat duidelijk?'

'Volkomen, mevrouw. U bent alleen geïnteresseerd in bloed.'

Dagen of weken gingen voorbij waarin de inbraak uit haar gedachten verdween en Clare zich thuis ging voelen in haar nieuwe huis; ze leerde het eigen ritme van het huis kennen, zijn eigenaardigheden, het klemmen van een kastdeur, het druppen van de douche bij haar slaapkamer als de wasmachine draaide. Ze moest toegeven dat ze zich bij al die beveiliging ook echt veiliger voelde, maar dat ze er ook de hele tijd door aan haar veiligheid moest denken, iets wat ze in haar oude huis aan Canigou Avenue nooit had gehad. Als beveiliging inderdaad met paranoia gepaard ging, zou ze dat waarschijnlijk op de koop toe moeten nemen.

Toen, ook weer op een avond, Marie was nog laat aan het werk met haar correspondentie en Clare zat naar het nieuws te kijken, ging de zoemer van de intercom.

'We hebben goed nieuws, mevrouw,' klonk de stem van mevrouw White. 'We hebben de schoften gevonden.'

'Waarom moet u altijd onaangekondigd komen, en altijd op zo'n onhandig tijdstip?' riep Clare in de microfoon, boos op haar stem omdat die haar irritatie verried.

'De wet kent geen rust. En we weten nu wie er verantwoordelijk is, mevrouw.'

Marie liet mevrouw White binnen in de woonkamer. Clare bood haar geen stoel aan.

'Drie mannen en een vrouw. Een van hen is u bekend,' zei mevrouw White, bladerend in een dossiermap.

'Hoe bedoelt u?'

'Jacobus Pieterse, die in het huis aan Canigou Avenue uw tuin onderhield, hij is de moordenaar.'

'Maar er is niemand vermoord, en...'

'Ja, zijn DNA komt overeen met het bloed dat in uw huis is gevonden. Dat bewijsmateriaal waren we nog bijna vergeten. Waarom hebt u ons niet verteld dat u een crimineel in dienst had?'

Clare stond versteld van het idee alleen al. Jacobus was de zachtmoedigste, minst gewelddadige man die ze ooit had gekend. Hij weigerde altijd wat voor vergif dan ook in de tuin te gebruiken, uit angst dat er vogels aan dood zouden gaan. 'Jacobus is geen crimineel. En hij is zeker geen moordenaar. Ik weiger te geloven dat hij er ook maar iets mee te maken had. Hij staat er helemaal buiten. U hebt de verkeerde gepakt. Hij is honderdduizend keer dat huis in en uit gelopen. Er zijn volkomen onschuldige redenen waarom zijn DNA daar gevonden is. Ik weet nog dat hij zich gesneden had aan een snoeimes en dat ik hem naar binnen haalde om zijn hand te verbinden. Toen zal er ook ongetwijfeld bloed op de vloer zijn gedrupt.'

'Maar hij heeft een bende, deze meneer. Samen met zijn vrouw,' zei mevrouw White, en ze tikte in de map met de lange nagel van haar wijsvinger – ze had de nagels van een roofdier, dacht Clare.

'Bende? Die man is bijna net zo oud als ik.'

'Ja, maar dat maakt hem en zijn vrouw er niet onschuldiger op. U zou ons een hoop tijd bespaard hebben als u ons verteld had dat hij uw manusje-van-alles was,' snoof mevrouw White, en ze zwaaide met haar vinger naar Clare.

'Mijn tuinier. Niet mijn manusje-van-alles. Ik heb nooit een manusje-van-alles nodig gehad, alleen iemand voor de tuin. Dit is volstrekt onmogelijk. Jacobus en zijn vrouw zijn vrome christenen. Ze zouden zich nooit met wat voor misdaad dan ook inlaten. Wat voor aanklacht wou u tegen hem indienen?'

'Dat hij bij u heeft ingebroken, mevrouw.'

'Maar u zei dat hij sowieso al een crimineel was.'

'Ja, hij heeft met zijn bende bij u ingebroken. Dat maakt hem tot een crimineel, maar uiteraard was hij al een crimineel. Dat type pik je er zo uit. Althans,' en mevrouw White moest er zelf om lachen, 'dat type pik ík er zo uit, maar u kennelijk niet, anders zou u hem niet in de arm hebben genomen.'

'Jacobus is bij mij in dienst geweest zolang ik me kan herinneren. Hij kan niks met deze zaak te maken hebben gehad. Hij heeft jaren, tientallen jaren de gelegenheid gehad om in dat huis in te breken, en ik heb nooit enig probleem met hem gehad. Ik was nooit iets kwijt, er werd nooit iets gestolen, er is nooit een onvertogen woord gevallen, laat staan dat er bloed zou hebben gevloeid.'

'Hij wachtte gewoon het juiste moment af, mevrouw, hij wachtte op het juiste moment om tot de aanval over te gaan, als een slang,' zei mevrouw White, en weer snoof ze minachtend. 'Hij heeft toch gewacht tot uw man u verlaten had, of niet? U mag nog van geluk spreken dat u het er levend van af hebt gebracht.'

'En de spullen die gestolen zijn dan? Wilt u soms beweren dat de pruik van mijn vader bij Jacobus is aangetroffen?'

'O nee, mevrouw. Die spullen heeft hij al lang van de hand gedaan. Een hele slimme boef. Die heeft hij ongetwijfeld voor veel geld op de zwarte markt verkocht.'

Clare voelde de kamer draaien en kantelen. Die vrouw maakte haar misselijk, en onzeker van alles wat ze voor waar hield. 'Dit is waanzin. Die pruik heeft geen enkele waarde voor wie dan ook, behalve voor mij. U slaat de plank volledig mis. Dit is één grote vergissing. Dit moet ophouden.'

'Maar u hebt het zelf in gang gezet, mevrouw. Dit is een ernstig misdrijf. Wij gaan door tot dit helemaal is opgelost,' zei mevrouw White, en ze sloeg de map met een klap dicht en gaf er met haar lange nagels een laatste roffel op.

Clare

Ik heb de laatste tijd geregeld een droom die zo levensecht is, dat ik zeker zou weten dat het allemaal echt gebeurd was, ware het niet dat jij erin voorkwam, Laura, en zelfs dat maakt dat ik me afvraag of je niet weer bent opgedoken, of dat ik misschien zonder het zelf te weten een dimensie ben binnengeglipt waar het onmogelijke dagelijkse kost is. In die droom wekt Marie me elke keer uit een diepe slaap waarin ik net een andere droom heb gehad – die andere dromen zijn de enige die veranderen, en dat zijn bijna altijd banale dromen: koeien in een wei, ik op de boerderij als kind, of in een boot bij de Plettenbergbaai, herinneringen die uit het donker opdoemen. In het terugkerende deel van de droom is het steevast half zeven als Marie me wekt met de woorden: 'Je moet je klaarmaken, je moet naar de studio.' Ik lees daar mijn nieuwe boek voor, voor een uitgave als luisterboek. Dat is het wat die terugkerende droom zo echt maakt, want in werkelijkheid ben ik net deze week bezig met de opnames van mijn nieuwe boek, *Absolutie*, dat mijn geromantiseerde memoires bevat (en in niets lijkt op de memoires die mijn uitgever eigenlijk wilde, vandaar die officiële biografie). In de droom bedank ik Marie, ga ik douchen en droog ik me af, allemaal heel weloverwogen. Ik kies een zwarte broek en een zwarte blouse, bind mijn haar bijeen met een zwarte satijnen strik en breng een vochtinbrengende crème op mijn gezicht aan – het zijn altijd dezelfde handelingen in die droom, in dezelfde volgorde. Marie heeft een licht ontbijt voor me klaargezet – geen citroen, geen zuivel, niets om de stembanden te ontrieven of ontregelen. Thee, een zacht broodje met honing. In de auto zegt Marie dat het de laatste opnamedag is, en dat we daarna weer onze dagelijkse dingen kunnen doen, terug naar de sleur waar wij ons goed bij voelen. Ik herinner haar aan de aanwezigheid van mijn biograaf, herinner haar eraan dat die de komende maanden misschien wel dagelijks zal langskomen, behalve wanneer ik tegen hem zeg, zoals deze week (en zoals in de echte week waar we nu in zitten), dat ik andere dingen te doen heb en dat we een onderbreking van anderhalve week moeten inlassen. (Ik weet dat het wreed is, zoals ik met hem speel, zowel in mijn droom als in werkelijkheid. Hij weet niets over de inhoud van het boek dat op het punt staat te verschijnen. Het staat onder embargo.)

We komen aan bij een saai gebouw van glas en metaal. Een meisje dat mijn naam altijd verkeerd uitspreekt begroet ons hartelijk bij de receptie en gaat ons voor naar boven, naar de studio. In mijn droom ga ik in de studio achter een bureau zitten en glimlacht het productieteam naar me van achter het grote raam van de masterroom. Ze zwaaien... liefdevol volgens mij, liefdevol, want daar ben jij, Laura: een van hen. En niet zomaar een van hen, maar de baas, de leider van het team, degene die de touwtjes in handen heeft. Je buigt je naar voren, naar je microfoon, en zegt dat ik het maar moet zeggen als ik er klaar voor ben, dat we dan met de opname gaan beginnen. Er blijkt nergens uit dat je me herkent als iemand anders dan de schrijfster in je studio, de semiberoemdheid die door bijna elke straat in dit land zou kunnen lopen zonder te worden herkend, die slechts zou worden opgemerkt op de campus van enkele universiteiten, en ook daar alleen door een handjevol studenten en hoogleraren. In het buitenland is het een andere zaak. In de droom lijk je je niet bewust te zijn van onze verwantschap, of die te willen verbergen, en ik zit er verbijsterd bij. Waarom doe je zo aardig maar zo afstandelijk? Is het een kwestie van niet weten? Ben je niet de dochter die je lijkt, maar haar dubbelgangster? Of schaam je je voor me, en wil je voor je collega's niet weten dat je het kind bent van het monster dat daar zit om voor te lezen uit een boek, waarbij alle stemmen van haar geest versmelten tot één furieuze kreet want er spreekt zoveel boosheid uit dat boek (zowel het echte als het gedroomde, hoewel het verschillende teksten zijn, die elk een ander verhaal vertellen, gelijkend in hun razernij) dat ik in de droom (net zoals in de echte opnamesessies deze week) herinneringen heb aan eerdere sessies (droomherinneringen aan de echte opnamesessies, neem ik aan) waarin ik op het punt stond te gaan schreeuwen, krijsen, in tranen uitbarsten. Mijn wellevende redacteur in New York zal hier wel niet blij mee zijn. Hij vroeg met een artistiekerige stem om spanning en suspense in mijn voordracht, maar gecontroleerd, gemoduleerd, niet te bedreigend voor de oren en de gevoelens van mijn toehoorders. In de droom kijk ik naar het exemplaar van mijn boek, ik sla het open maar vind niets dan lege bladzijden. 'Toe maar,' zeg je tegen mij, met een vleiend glimlachje, 'toe maar, wanneer u eraan toe bent, in de microfoon als het kan.' Maar er staat niks in, werp ik tegen, en ik houd het boek op. Er is hier niks te lezen, en ik kan het me niet herinneren, ik kan me de woorden niet herinneren, zo werkt het niet, memoires, zelfs geromantiseerde, zijn een pro- duct van de herinnering op papier; individuele woorden kun- nen zich wel in het brein vastzetten, maar ik kan niet de hele tekst uit mijn hoofd voordragen. De tekst die ik geschreven heb zetelt niet in zijn geheel in mij. Je glimlacht naar me, en je wekt een geduldige, nogal toegeeflijke indruk, en je knikt. 'Neem de tijd,' zeg je, 'er is geen haast bij, we hebben de studio voor de hele dag, laat ons maar gewoon weten wanneer u klaar bent om te be- ginnen.' Ik blader door het script, en denk dat ik de tekst mis- schien over het hoofd heb gezien, dat hij er wel zal staan als ik weer kijk, maar de bladzijden blijven halsstarrig leeg. Ik kan niet voorlezen uit een leeg boek, zeg ik, ik kan niet doen alsof hier woorden staan terwijl dat niet zo is, jullie moeten mij de tekst brengen die ik gister en eergister gebruikt heb. Ik heb geen tijd voor spelletjes, voor dit soort 1 aprilgrappen. Ik ben een oude vrouw met gevoelens, en dit is een serieuze zaak, de lezing van mijn leven. Opeens kijk je kwaad, je duwt je stoel naar achteren en komt de studio binnenstampen. Je tornt boven me uit, je wijst naar me en je gezicht is vertrokken zoals altijd wanneer je boos was, maar nu honderdmaal erger, een woede zo groot dat de rest van de studio erachter verdwijnt. Je buigt je over me heen en sist: 'U gaat nu lezen, oude vrouw, en u leest door tot het gedaan is.' (Wat ze bedoelt is duidelijk: tot het gedaan is met mij.) 'We hebben niet de hele dag de tijd,' fluister je tussen je tanden. 'Dit is een heel dure studio en u verspilt onze tijd en ons geld.' Op je lijf ruik ik de geur van wildheid, van woestheid. Ik begin te beven, en het is altijd op dat punt dat ik wakker word, badend in het zweet.

Als ik in de loop van deze week ontwaakte uit die zich telkens herhalende droom, wendde ik me elke keer tot je aantekenboekjes of dagboeken, ik weet niet meer hoe ik ze moet noemen, want het zijn net zo goed plannen en afspraken en willekeurige invallen, die geen van alle iets prijs lijken te geven wat van enig nut zou kunnen zijn voor iemand anders dan voor mij, degene in de positie van de treurende ouder, als dat ze een verslag vormen van de tijd voor je verdween. (Ben ik niet de treurende ouder? Ik treur en ik was je ouder, maar ik kan mijn eigen positie en mijn gevoelens niet in overeenstemming brengen met het beeld dat ik voor me zie bij de frase 'treurende ouder': de snikkende vrouw met wit haar, een hoofddoek om en een gebroken lichaam in haar armen. Ik heb niet gesnikt, er is nooit een lichaam geweest om tegen me aan te drukken, de hoofddoek heeft mijn verbeelding geleend van foto's van rampgebieden, oorlogen, slagvelden. Ik zou nooit die vrouw kunnen zijn die ik voor me zie, zoekend naar haar onbegraven doden.)

Elke zaterdag spreek ik je vader over de telefoon. 'Heb je nog iets van haar gehoord?' vragen we aan elkaar. Dat vragen we nu al twintig jaar. Ik vertel hem over de dromen die ik over jou heb, hun helderheid, mijn overtuiging dat ze een teken zijn van jouw continuering, en je woede – woede die vooral op mij gericht is.

Dat gevoel hebben we allebei. We zijn allebei verantwoordelijk. Je vader is van mening dat hij je niet voldoende in je overtuigingen heeft gesteund – overtuigingen die we, op zijn allerminst, allebei deelden, ook al gingen sommige van je activiteiten ons te ver. Je spreekt tot ons, heftig, meedogenloos, je ratelt in onze hoofden, smekend en biddend. We kunnen je niet te ruste leggen.

Sam en jij zitten apart aan één kant van het vuur, met de leeuw en de jakhals, Lionel en Timothy, aan de andere kant. Er zouden voor de hand liggende vragen moeten zijn van de ene partij voor de andere – vragen die je hun gesteld zal hebben, vragen die zij voor jou gehad moeten hebben. Waarom kampeerden twee jonge studenten, want dat is wat ze zeiden dat ze waren, althans dat is hoe je ze beschrijft in je aantekenboekjes, waarom kampeerden twee jonge studenten alleen in de bergen? Waarom reed een vrouw alleen met een klein kind na zonsondergang in een vrachtauto over een gevaarlijke, onverharde bergweg? De twee partijen namen elkaar over het kampvuur heen op. Vertrouwde je hen intuïtief, zoals de jongen jou vertrouwde? Daarover zwijgt je aantekenboekje. Je had de cabine van de vrachtwagen afgesloten, de sleuteltjes had je veilig en wel op zak, dus je hoefde je geen zorgen te maken dat die mannen hem zouden stelen, hoewel je jezelf misschien toestond het ergste te denken om er maar op voorbereid te zijn, je voor te stellen dat je tegen de grond zou worden gewerkt, dat de sleuteltjes van je lijf zouden worden gerukt, en hoe je dan zou vechten, hoe je hen in het gezicht zou krabben en tegen Sam zou roepen dat hij je moest helpen, dat hij hen in de benen moest bijten zoals de hond bij jou had gedaan. Maar deze mannen hadden onschuldige gezichten, als van kinderen. Je haalde je Safari-dadels tevoorschijn en de mannen boden aan hun eten met jullie te delen. Sam peuzelde wat van een warm stuk brood en dronk er water bij, maar had geen trek in iets stevigers. Hij liet zich met zijn hoofd tegen je zij aan zakken en jij sloeg een arm om hem heen.

'Lionel en ik vroegen ons af of we jullie om een lift konden vragen, als jullie tenminste genoeg ruimte hebben,' zei Timothy. 'Ik weet dat het nogal aanmatigend is, en dat we vreemden zijn, en twee mannen, en jij een vrouw alleen, maar op het risico af dat wat ik zeg misplaatst is, ik kan je verzekeren dat je van ons niets te vrezen zou hebben. Niets te vrezen, bedoel ik, in de zin waarin vrouwen maar al te vaak alle reden hebben om mannen te vrezen.'

'Zijn jullie priesters?'

'Nee, geen priesters,' lachte Timothy. 'Maar stel dat we wel priesters waren, zou je dan gerustgesteld zijn?' Hij moest nog harder lachen.

'Nee,' beaamde je, en je probeerde ontspannen en onbevreesd over te komen. 'Waar gaan jullie heen?'

'De Nuweveld. Bij Beaufort West.'

'Ik ga ook die kant op. De tante van Sam woont in Beaufort West.'

'Je zuster?'

'Nee.' Door het vuur en de rook heen meende je Timothy een sceptische wenkbrauw te zien optrekken. 'Wat is er in de Nuweveld?'

'We gaan naar een kliniek. Beaufort West is er het dichtste bij. Er is verder geen plaatsje of zo bij onze kliniek.' Timothy hield zijn handen boven de vlammen en Lionel prevelde zo zacht iets tegen hem dat je niet kon verstaan wat hij zei. 'Je hebt nog niet gezegd hoe je heet,' zei hij.

'Lamia.'

Lionel hoestte en lachte. 'Aha, het nachtmonster.' Een steelse glimlach sneed door zijn gezicht terwijl hij zijn handen door zijn haar haalde en het wegtrok van zijn lijf.

'En een zeemonster. Een haai. Een uil. Een kever,' zei je. *Met brutale blikken en een glimlach op de lippen.* 'Geintje van mijn moeder.'

Dat was jouw idee, verwarring zaaien, alsof je wilde zeggen dat je Lamia was maar ook weer niet. Je lachte om te laten zien dat je het luchtig opnam. Je was niet je naam, of niet helemaal je naam, en de naam was meer dan hij suggereerde.

De twee mannen keken elkaar aan alsof ze niet zeker van je waren. Sam sliep en vulde de stilte met wat gekreun, zijn arm sloeg stuiptrekkend tegen je been. Je aaide over zijn hoofd en glimlachte geruststellend naar de twee mannen. Ze hielpen je Sam in hun tent naar bed te brengen, hem in te stoppen in een slaapzak, het hoofd op een kussen. Hoe lang, vroeg je je af, was het geleden dat het kind geslapen had zoals een kind hoort te slapen, het hoofd op een kussen, onder een deken? Hoeveel nachten had hij geslapen in een rijdende vrachtwagen, rechtop, of in elkaar gezakt tegen het portier, terwijl de hond over hem waakte?

Jij en de mannen keerden terug naar het vuur en dronken Old Brown Sherry uit blikken bekers. Met een ontsmettend middel en watten behandelde Timothy de wond aan je been, die rood en zwart was opgezwollen. 'Een zwerfhond,' legde je uit, 'op een parkeerplaats. Hij had het op ons eten voorzien. Ik had 'm niet in de gaten.'

'Je zult hier wel naar een dokter moeten. Misschien was hij wel hondsdol.'

'Ik heb wel dolle honden meegemaakt. Dat was deze niet. Deze was alleen vals.' Je vroeg hen een en ander. Ze legden uit dat het de grote vakantie was, een tijd dat ze weg konden van de universiteit, aan liefdadigheid konden doen, en ervaring opdoen, wat jongens die de stad uit gaan doen als ze weg zijn. En toen sneed Lionel iets anders aan.

'Er gebeuren vreselijke dingen.'

'Ja, vreselijk,' beaamde jij.

'Het zijn gevaarlijke tijden.'

'Heel gevaarlijk,' zei jij. Ze wisten niet hoe gevaarlijk.

'Vooral voor mensen zoals wij. Jonge mensen.'

'Ja, zeker.'

'Een heel beroerde tijd.'

'Ja. Kan niet beroerder.'

Om hier te komen waren ze eerst van Kaapstad naar George gelift, waar ze donaties voor de kliniek hadden opgehaald, vervolgens van George naar Oudtshoorn, en toen waren ze te voet de pas overgegaan. Ze hadden een tent bij zich, slaapzakken, een EHBO-trommel en genoeg eten voor een week, wat hun het langste leek dat het misschien zou duren om zonder al te veel haast te voet bij die kliniek te komen.

'De kliniek is gefinancierd door de ouders van Lionel en hun rijke vrienden,' zei Timothy met een glimlach.

'Het klinkt alsof je zelf uit de goot komt.' Lionel gaf zijn vriend een por tussen de ribben. 'Zijn moeder heeft de leiding over de kliniek. En wat doe jij?'

'Ik ben journalist geweest,' zei je, half naar waarheid. 'Ik zat bij *The Cape Record*.'

'Dat was vast interessant.'

'Zeker.' Je was wel zo voorzichtig om niet meer te zeggen, en je zag beide mannen hun adem inhouden, alsof ze betwijfelden of jullie allemaal aan dezelfde kant stonden. Lagen de scheidslijnen zo duidelijk, vroeg je je af.

'En nu rijd je op een vrachtwagen?' vroeg Lionel.

'Nu rijd ik op een vrachtwagen.' Je praatte niet als een vrachtwagenchauffeur en Timothy keek opnieuw sceptisch.

'En de jongen?'

'Zoals jullie zeggen: het is grote vakantie. Als hij geen school heeft, is hij bij mij.'

Het was laat, de stiltes die vielen werden langer en jullie begonnen te gapen en je uit te rekken. Een halfuur later liet je de twee mannen achter bij het vuur, en je zei welterusten zoals je familie welterusten zou zeggen, met een kusje op de wang. In de tent ging je in elkaar gedoken liggen, op de grond naast Sam, maar niet in staat zelf ook te slapen, een vloek die zich altijd op de beroerdste momenten deed gelden, juist wanneer je slaap het meeste nodig had. Als kind, dat weet je nog, bad je altijd om het vermogen je ogen te kunnen weghalen, te dromen zoals anderen droomden, alsof het alleen aan de ogen lag of je waakte of sliep.

Je zag Sam ademhalen, zijn dunne lippen een eindje van elkaar, licht van het vuur dat door de groene stof van de tent werd gefilterd viel op zijn tanden die schots en scheef stonden. Het licht droeg de dikke geur van houtrook met zich mee en haalde herinneringen naar boven aan kampvuren op het strand in vakanties uit je kindertijd, aan de boerderij, aan bruiloften en begrafenissen, talloze ceremonies van het alledaagse en het bijzondere, aan vuren gestookt met sprokkelhout en citroenhout waar je ogen van gingen tranen, vuren gestookt met pijnhout dat siste en knapte van het sap, vuren gestookt met kolen en aanstekerbenzine waar lappen rundvlees en vis op werden gegrild, waar de sappen uit drupten en spatten en knetterden. Ondanks het knappen en sissen van het kampvuur hoorde je de mannen met elkaar fluisteren.

Voor het licht werd stond je op en sloop naar de vrachtwagen, je glipte langs de beide mannen heen, die met het hoofd op de armen lagen te slapen. Met een overhemd van Bernard dat in een tas onder de stoel lag en een plastic fles water uit een van de douches aan de rand van de kampeerplaats, boende je de ergste bloedsporen uit de vrachtwagen, tot er niet meer dan een bruine vlek overbleef die uitliep in de lichter bruine stoelbekleding. Als ze ernaar vroegen, zou je tegen ze zeggen dat Sam wel eens een bloedneus kreeg, zoals kinderen wel vaker hadden, en toen schoot je te binnen dat Sam inderdaad een bloedneus had gehad. De leugen zou nog een kern van waarheid bevatten ook.

Je waste je onder de douche, de koude straal gaf je weer moed, en je trok een korte broek en je laatste schone shirt aan. Buiten was het inmiddels zo licht dat je jezelf in een van de spiegels van de vrachtwagen kon bekijken. Je had paarsige wallen onder de ogen en je was onlangs een stukje van een van je voortanden kwijtgeraakt. Het was geen gezicht dat je aanstond, te veel van mij in kaaklijn en gelaatskleur, te los in de wangen.

Je sloop weer terug naar het kamp en trof Sam voor de tent aan. Hij zat naar de bomen te staren. Sinds ze hier de avond tevoren waren aangekomen, leek het wel of hij geen gevoel meer had, was hij minder mens, minder aanwezig. 'Heb je goed geslapen?'

'Kunnen we mijn tante bellen? Ik wil nu naar huis,' een lange, hoge jengel, als een hond.

'Er is geen telefoon hier. Kom. Ik zal je helpen.' Je stopte zijn kleren, die vies waren van het bloed en het braaksel, in de afvalcontainer op het terrein en stak hem in de laatste schone kleren die nog in zijn tas zaten. Je kon hem in elk geval bij zijn tante afleveren, dan was jij van de verantwoordelijkheid af.

Toen de mannen wakker werden, brouwden ze koffie. Jullie dronken in stilte terwijl Sam van een blikje gecondenseerde melk nipte. De gebruikelijke gespreksonderwerpen van reizigers onder elkaar, over de route, speculaties over tijd en afstand, omwegen, de stoere verhalen van mannen, dat was allemaal overbodig. Er was maar één logische weg van daar naar Beaufort West, één weg door de bergen.

Toen je je koffie ophad, hielp je de jongens de tent af te breken en de slaapzakken op te rollen, alles compact en goed onderhouden. Je dacht aan je appartement en je schaarse eigendommen, nu achtergelaten, al doorzocht. Je wist dat je papieren werden gelezen, dat er werd gezocht naar onverwachte telefoonnummers, naar adressen, namen, clandestiene boeken in bruin kaftpapier, de paar dingen waar je sentimentele waarde aan had durven toekennen werden kapot gegooid. Zelfs die dingen, afgezien van de boeken dan, zouden voor een ander dan jou, en misschien mij, geen kennelijke waarde hebben gehad. Een blauwe glazen karaf die je als vaas gebruikte. Een raffia kleedje met een geometrisch patroon. Twee planten. Een foto van je vader als kind. Een verzameling schelpjes, gevonden op het strand. Het was een gemeubileerd appartement, de tafels en stoelen waren niet van jou. Als kind had je bezit al gewantrouwd. Het was onvermijdelijk dat de autoriteiten, als ze zelf klaar waren met hun werk, mij zouden oproepen om te komen ophalen wat er nog over was. Het was ook onvermijdelijk dat ze niks zouden vinden waar ze iets aan hadden. Verboden boeken wel, maar geen telefoonnummers, geen namen, geen adressen, geen data gepaard aan locaties. De vrouw van wie je het appartement gehuurd had keek misprijzend naar de etensresten in de oven, het stof op de plinten, de spinrag aan de kroonluchter, de fragmenten hout die aan het inlegwerk van een schaal ontbraken, waar nog altijd een vis in te herkennen was, de plastic schaal met gedroogde bloemblaadjes, de kunstplant in een vaas met roze glazuur – die dingen op de inventarislijst waar je de pest aan had gehad en die je had weggestopt. Ik verbeurde de waarborgsom, ik had andere dingen te doen en maakte me niet druk genoeg om die centen om het appartement zelf schoon te maken. We woonden tien minuten bij elkaar vandaan, en al die jaren heb ik je adres nooit geweten. Als ik het geweten had, zou ik elke dag zijn langsgekomen. Misschien heb je het daarom wel nooit verteld.

'Ben je klaar? Lamia?' Je reageerde niet. *Sie war in sich.* Je was diep in gedachten. 'Lamia? Wij zijn klaar, als jij en Sam ook klaar zijn.'

'Ja. We moeten gaan.'

De zon stond al hoog aan de hemel toen je wegreed van het kampeerterrein, het felle licht van de boomloze bergen in, vulkanische rode rotspartijen die verticaal naar boven en naar beneden golfden. De rest van de pas was minder eng dan het stuk dat je de avond tevoren had afgelegd – minder haarspeldbochten, minder spectaculaire afgronden. Nu was het slechts een kwestie van de koppeling en de remmen sparen. Je vreesde voor wat een nacht slapen je misschien wel gekost had.

Sam richtte zijn aandacht op de beide mannen, en keek naar hen met dezelfde strakke blik, dezelfde onwankelbare blik die jou ook zo van je stuk had gebracht. Het was een opluchting om niet het onderwerp van zijn aandacht te zijn. Sam keek niet alleen; hij bestudeerde hen, alsof volwassenen een nieuwe soort waren, indringers, vreemd aan zijn wereld, fantasiewezens. De mannen probeerden hem uit de tent te lokken. Timothy had een eind touw en liet hem zien hoe je allerlei knopen legde.

'Deze krijg jij er vast niet uit, wedden?' zei Timothy glimlachend, en hij gaf de jongen een plaagstootje.

'Als ik een mes had, zou ik hem zo doorsnijden,' zei Sam, grimmig en vastberaden.

'Ah, maar er is nog een andere manier, jongen. Je hebt helemaal geen mes nodig om deze knoop los te krijgen.'

'Met een mes is het wel makkelijker.'

'Maar daar gaat het niet om, Sam. Probeer het eens met je handen.'

Je kon niet aan hen uitleggen waarom Sam zo afstandelijk was, zo vreugdeloos. Je begreep het zelf nauwelijks, maar je had hem wel door elkaar willen schudden en zeggen: 'Wees blij! Ik heb je bevrijd! Je bent vrij! Ik heb gedood om jou te bevrijden!'

Prins Albert lag onder aan de bergen als een poel van wit en groen, helder afstekend tegen de hardbruine binnenlanden. Aan de rand van de stad ging je tanken en eten en water inslaan. Timothy en Lionel kochten zelf sandwiches, en betaalden de helft van de benzine. Sam fleurde op toen hij een perzik had gegeten, zijn gezicht en shirt zaten onder het sap en het vruchtvlees. De mannen dweepten al met hem, ze veegden zijn gezicht schoon alsof hij van hen was. Hij weerstond hun aandacht als een hond die geleerd heeft niet te bijten als hij betutteld wordt uit angst voor een pak slaag.

In de armoedige buitenwijken aan de noordkant van de stad, waar slonzige kinderen rondhingen en straathonden het verkeer ophielden omdat er een stuk rottend vlees op de weg lag, haalde je een politieauto in die langs de kant stond. Je verstrakte en ging iets langzamer rijden. De politieauto kwam in beweging en reed achter je aan. Hij volgde je een halve seconde, maar toen keerde hij en scheurde met zwaailicht en gillende sirenes achter een auto aan die de andere kant op reed.

'Dit is het echte Wilde Westen hier,' zei je.

Het Wilde Westen: cowboys en indianen; boeren en autochtonen; sheriffs en vogelvrij verklaarden. Sheriffs die aan de verkeerde kant stonden, destijds, en vogelvrij verklaarden die voor gerechtigheid streden. Buiten de wet staan, boven de regels gaan staan omdat die regels verkeerd zijn, dat is wat jij had gedaan. Afgezien van onze boeken, verborgen in hun gecamoufleerde holtes, en onze kring van bondgenoten, mijn bondgenoten in het bijzonder, die op hun eigen manier verscholen waren, hadden je vader en ik de wet altijd gerespecteerd. Waar had je geleerd meer dan een papieren opstandeling te zijn? Niet van mij. Ik was geen voorbeeld voor je geweest. Zelfs mijn werk, mijn papieren protest, kon nauwelijks gedurfd worden genoemd.

De rest van die dag zag je bijna geen auto's. Een vrachtwagen was van de weg geraakt, de berm lag bezaaid met stukken metaal. De chauffeur stond verbijsterd naar het wrak te kijken. Hij zwaaide naar je maar jij schudde je hoofd – een verontschuldiging en een afwijzing. Langs de weg sjokten mensen met een last op de rug, een bundel sprokkelhout op het hoofd, een kind in een katoenen doek op de kaarsrechte rug. Een stel jongens had een wagentje van een supermarkt gevonden waar ze elkaar om beurten een eind in duwden, alsof het gemotoriseerd was. Ze wuifden toen je hen inhaalde, door het stof heen dat je opwierp en dat hun in het gezicht stoof. Agaven en yucca's doorbraken de eentonigheid van de vlakte met hun bloemen, hun scherpe punten en hun sappige ronde vormen. Aan de horizon zette een trap het op een lopen.

Sam viel in slaap en Timothy las een boek. Lionel las af en toe over zijn schouder mee, en als dat ging vervelen, staarde hij naar de weg die de vrachtwagen eindeloos in zijn muil liet verdwijnen, of keek hij naar jou achter het stuur, naar je gezicht, dat even hard en getekend was als het wegdek.

Ik kijk naar de laatste foto's die ik van je heb, die met je aantekenboekjes en die ene brief het laatste spoor vormen. Je staat ergens op een heuvel, misschien in de Nuweveld, met lange witte acaciadoorns achter je, de geërodeerde vlakte van de Karoo in de wazige verte, en Sam aan je zijde. Op deze foto van jou en de jongen is te zien dat hij als een zoon voor je is – je hebt je handen op zijn schouders, hij tuurt door zijn wimpers en jij kijkt naar hem met een zorgzame glimlach; op een andere foto kijk je in de lens, je houdt hem voor je, zijn haar uit zijn gezicht gestreken, jouw haar uit het jouwe waaiend, zodat er geen misverstand kan bestaan over de vraag wie die twee eigenlijk zijn. Die foto's waren voor mij bestemd. Bewijsmateriaal in de zaak waar jij voor vocht. Geen zaak van ouderschap, maar van verantwoordelijkheid. Dit kind is mijn verantwoordelijkheid geweest, zegt je gezicht. Nu ben jij verantwoordelijk.

Ik.

Wat ben ik in gebreke gebleven.

Waarheids- en verzoeningscommissie
19 juni 1996, George

Slachtoffer: Jimmy Sukwini
Schending: Gedood bij bomaanslag van het ANC
Getuigenis van: Ethel Sukwini (echtgenote)

Vervolg.

Voorzitter: En op de avond van de explosie?

Mevr. Sukwini: Ik hoorde het pas de volgende dag. Mijn man zat in de nachtploeg en toen een vriendin van me belde dat de raffinaderij was opgeblazen, wist ik diep vanbinnen dat hij dood was. Diep vanbinnen wist ik al dat er iets niet goed was vóór mijn vriendin belde met het nieuws over de ontploffing.

Voorzitter: Kunt u ons vertellen, mevrouw Sukwini, hoe uw leven veranderd is na de dood van uw man?

Mevr. Sukwini: Meneer de voorzitter, dit is het ergste wat er kan gebeuren. Ik geloof niet dat ik moet [onverstaanbaar] heel moeilijk voor ons na zijn dood, en toen zijn we bij mijn ouders ingetrokken. Ik miste hem de hele tijd en mijn meisjes misten hun vader. Ik mis hem nog steeds. Hij was een goeie man. Ik begrijp waarom de kameraden deden wat ze gedaan hebben maar ik heb het idee dat het misschien anders had moeten zijn. Ik weet niet. Ik stond hierbuiten. Ik ben maar een onderwijzeres.

Voorzitter: Dank u wel, mevrouw Sukwini. Is er nog iets anders wat u zou willen zeggen?

Mevr. Sukwini: Alleen dat ik nog altijd wacht tot er iemand naar me toe komt, om te zeggen dat het ze spijt, dat ze voor mij en voor mijn dochters zouden willen dat mijn man niet was omgekomen. Daar wacht ik nog steeds op. Wilt u alstublieft tegen ze zeggen dat ze naar me toe moeten komen?

1989

De jongen werd wakker van de knal en de gloed en toen hij omkeek naar het noorden, zag hij de bergen in brand staan, en een ogenblik later zag hij haar gezicht achter het raampje van de vrachtwagen. Ze had een pistool op hem gericht. Toen herkende ze hem en liet ze het wapen zakken en zei: 'Doe open,' want ze kenden elkaar al een hele tijd. Afgezien van zijn dode ouders kende hij niemand ter wereld beter dan Laura.

'Wat doe jij hier?' vroeg ze. Ze keek naar zijn gezicht in het donker. 'Waar is Bernard?'

Hij deed de koplampen aan en wees.

Laura deed ze weer uit en ging boven op het opstapje naar de cabine staan, met het portier open. 'Is hij dood?'

De jongen knikte. 'Hij sliep. De vrachtwagen ging in zijn achteruit.'

'We kunnen hem zo niet laten liggen.'

Laura klom naar beneden en samen liepen ze naar de achterkant van de vrachtwagen. Ze moesten hun neus met hun shirt bedekken. De wolken waren aan het wegtrekken en er was genoeg maanlicht om de lichamen in de laadruimte te zien. De jongen hoefde haar niet te vertellen wie dat waren want Laura wist wat voor werk Bernard deed. 'Laten we hem achterin leggen,' zei ze, en samen tilden ze hem op en droegen hem naar de achterkant van de vrachtwagen en duwden hem naar binnen, Bernard rolde tegen een ander lichaam waar een arm af was, met verbrand haar en gekrulde lippen die de tanden bloot lieten. Ze deden de deuren dicht en op slot en wreven met hun handen over de grond.

De jongen probeerde te bedenken hoelang ze elkaar niet gezien hadden. In elk geval niet meer sinds zijn ouders er niet meer waren, misschien niet meer dan zeven maanden, maar Laura was weg geweest en ze was veranderd, haar haar was kort, haar gezicht was net een houtsnede en haar ogen waren donkerder. Ze was niet op de herdenkingsdienst geweest. In de kerk had hij alleen met mevrouw Gush gezeten, de vrouw die voor hem gezorgd had in de dagen na het ongeluk. Hij had op Laura zitten wachten. Hij had aan mevrouw Gush gevraagd: 'Hebt u het aan haar verteld?' De vrouw zei dat ze geprobeerd hadden contact te krijgen met Laura en dat ze wel een boodschap hadden achtergelaten, maar dat ze haar niet zelf gesproken hadden. Er waren mensen van de universiteit met wie zijn vader gestudeerd had of van wie hij les had gehad, ze schuifelden langs en gaven hem een hand. En dan was er de mentor van zijn vader, professor Wald, met zijn donkere haar en grijze baard, die kwam heel kalm op hem toelopen, heel zacht, gaf hem een hand en fluisterde dat zijn ouders zulke goede mensen waren, en dat zijn moeder zo'n bijzondere vrouw was, en dat het hem speet, dat hij het vreselijk vond dat ze er niet meer waren. De jongen wist dat professor Wald ook de vader van Laura was, daarom vertrouwde hij hem. De man had zijn handen op het hoofd van de jongen gelegd en gezegd dat als hij iets nodig had, hij het alleen maar hoefde te vragen, en als er niemand anders was om voor hem te zorgen, dan kon daar wel een oplossing voor gevonden worden. Professor Wald keek mevrouw Gush raar aan en zij keek de professor raar aan en toen liep professor Wald weer door met zijn grote vrouw, en de jongen had de professor nooit weer gezien omdat Bernard hem in huis had genomen maar nu was Bernard dood.

Er waren geen grootouders aangezien alle grootouders van de jongen overleden waren. Zijn vader had geen broers of zussen en Ellen, de zuster van zijn moeder, zei dat ze niet kon komen: 'Het is te ver en ik kan het mij niet veroorloven, lieve schat, dus je zult het me moeten vergeven, maar ik zie je gauw, oké?' Na de dienst vertelde mevrouw Gush dat Ellen wel gevraagd was om voor hem te zorgen, maar dat ze dat geweigerd had – dat zou een te zware last zijn. Bernard was de enige andere optie.

De herdenkingsdienst was in de universiteitskapel, omdat de mensen van de universiteit dachten dat hij dat wel zou willen, hoewel de jongen nog nooit in een kerk was geweest en hij zich ook niet kon herinneren dat zijn ouders het ooit over een kerk hadden gehad. Als het aan hun had gelegen, zou iedereen misschien bij elkaar zijn gekomen op het strand bij Camps Bay om samen te zingen, waarna ze hen zouden hebben opgetild zodat ze weg konden zweven, hoewel het in zekere zin niet uitmaakte omdat hun lichamen al de lucht in waren gevlogen. *Geen resten teruggevonden*, had het rapport op zijn gekke papier gemeld. Hij kon wel zien dat de bloemen in de kapel waren overgebleven van een andere gelegenheid, iets als een bruiloft, want ze waren veel te vrolijk met hun grote rode en roze kransen, en in plaats van livemuziek was er een cassettebandje met een of ander laag jammerend orgel, een beverig geluid, en het soort muziek dat zijn ouders begrafenismuziek zouden hebben genoemd. De hele tijd dat dat bandje draaide en de man op het podium praatte en praatte en praatte en zijn ogen plafondwaarts sloeg, bleef de jongen over zijn schouder kijken om te zien of Laura er al was, de enige persoon ter wereld die hij op dat moment wilde zien. Maar ze kwam niet, en hij zag haar die avond pas weer, toen hij in de vrachtauto zat en zij dat pistool op hem richtte.

Sam

Clare stuurt me een week weg, ze beweert andere verplichtingen te hebben. Een paar dagen blijf ik thuis terwijl Greg naar zijn werk is, en lig ik bij zijn zwembad naar de opnames van de interviews te luisteren. Op andere dagen ga ik naar zijn galerie aan Loop Street, en zit ik in een lege kamer aan het materiaal te werken dat ik tot dusver verzameld heb, of verken ik de stad in langdurige lunchpauzes, terwijl Greg met zijn kunstenaars onderhandelt. Op een dag ga ik een auto kopen – ik heb telefonisch met Sarah besproken dat het geen zin heeft te blijven huren tot december, als zij komt. Een auto is een auto, zegt Sarah; of het nou merk zus of merk zo wordt, ze vertrouwt op mijn oordeel.

Op woensdag loop ik Long Street helemaal af tot Kloof. Ik breng wat kleren naar de stomerij en ga midden op de dag naar de bioscoop. Als ik na de film weer buiten sta te wachten tot ik kan oversteken, komt er een jongeman op me af. Hij is beleefd, keurig gekleed, maar zijn kleren zijn vuil en hij stinkt.

'Het spijt me meneer, sorry dat ik u lastigval. Ik ben Derek,' zegt hij. Derek is niet zoals die vrouw die we hier laatst troffen. Ik hoor geen spoor in zijn accent dat zou kunnen wijzen op een bevoorrechte positie, en ook weinig wat duidt op enige scholing.

'Het spijt me ik heb geen kleingeld,' zeg ik.

'Dank u wel, meneer.' Hij wil alweer doorlopen, maar ik roep hem iets na.

'Luister, ik ga je geen geld geven, maar ik wil wel wat eten voor je kopen. Wat wil je hebben?'

'Wat brood en wat suiker en wat koffie,' zegt hij. 'Dat is wat we in de opvang het meest gebruiken. Brood en wat suiker en wat koffie.' Hij zegt het alsof hij het eerder heeft gezegd. Zijn lichaam zakt aan alle kanten naar de grond, maar zijn ogen staan helder. Hij heeft niet gedronken. Hij oogt futloos van de honger.

Ik zeg dat hij moet wachten en ga naar de KwikSpar verderop. Ik kies een met vitamines verrijkt bruinbrood, pak een halve kilo suiker, en ga op zoek naar de koffie. Ze hebben geen koffie onder de vijftig rand, dus ik besluit maar geen koffie te kopen. Het brood en de suiker zijn samen achttien rand, bij de huidige koers iets meer dan twee dollar. Minder dan ik voor een cappuccino zou betalen. Ik weet dat ik moet ophouden met omrekenen, dat dollars me spoedig niks meer zullen zeggen, dat ik mijn leven spoedig weer zal meten in de valuta van mijn jeugd.

Derek staat voor de winkel te wachten. Ik geef hem het brood en de suiker. Het brood lijkt hem teleur te stellen, alsof ik de verkeerde soort heb uitgezocht. Ik zeg dat ik niet genoeg geld had voor de koffie, wat in zekere zin waar is, want ik zou niet genoeg contanten hebben gehad om die ook te betalen.

'Dank u wel, meneer,' zegt hij, en hij loopt weg.

Die donderdag, als ik naar de stomerij ga om mijn kleren op te halen, zie ik Derek weer lopen. Zelfs op die korte afstand – hij loopt aan de overkant – ziet hij er bijna welvarend uit, of zo niet welvarend, dan toch in elk geval niet als iemand die aan lager wal is geraakt. Dan zet hij de plastic zakken die hij bij zich heeft op de grond, stroopt zijn mouwen op en begint een vuilnisbak te doorzoeken.

Greg riep zonet naar me dat hij het alarm inschakelde, wat betekent dat de keuken, de eetkamer en de hal tot de ochtend verboden terrein zijn. Ik heb bijna een vleugel van de begane grond voor mezelf – mijn slaapkamer, de aangrenzende badkamer en de studeerkamer van Greg, een kamer die voor een inwonende meid bedoeld zal zijn geweest toen het huis gebouwd werd. Er zijn in dit deel van het huis geen buitendeuren en er hangen bewegingssensoren rondom de tuin, bij de deuren en op elke hoek van het huis. Greg en Dylan slapen in de beslotenheid van de bovenverdieping: in de trap bij de keuken, bij de achterdeur, hangt ook een alarm. De honden slapen bij hen.

Je wordt zo paranoïde van alle geluiden. Een vloerplank die kraakt: is dat de wind, of loopt daar iemand? En de schoorsteen: ook de wind, of wordt er een raam opengedaan? Ik weet dat niemand binnen zou kunnen komen zonder het alarm in werking te stellen, of het zouden inbrekers moeten zijn die ver boven de middelmaat uitsteken. Ze zouden over de technologie moeten beschikken die vereist is om het systeem uit te schakelen zonder dat iemand hier dat merkt. Maar Greg is niet iemand van groot gewicht, en ik zeer zeker niet, dus ik weet dat we niets te vrezen hebben behalve gewone inbrekers, en in dat geval geldt de angst meer een mogelijke confrontatie dan verlies van enig bezit. Confrontatie, pijn, de dood.

Ik slaap bijna als het elektronische geloei me overeind doet schieten, mijn ogen kloppen mee met de sirene. Ik heb me niet meer zo gevoeld sinds ik klein was. Mijn hart ligt op mijn tong, mijn hele lijf vibreert van angst. Het alarm galmt door de hal, ik glip mijn bed uit, sluip naar de deur en doe hem voorzichtig open, maar ik zie alleen duisternis. Ik sprint terug door de kamer naar de ramen en laat de luiken iets omhooggaan. De tuin is halfduister, de nachtverlichting brandt en mijn adem is snel en oppervlakkig. De honden zijn stil. Dan houdt het alarm opeens op, het geluid verdwijnt in een vacuüm van stilte en Greg roept vanaf het andere eind van de gang. Hij ziet niks buiten. Het zal wel een dier geweest zijn, of een stroomstoring. De honden maken zich niet druk. Het beveiligingsbedrijf belt om te checken of alles in orde is, en Greg geeft ze het wachtwoord waar dat uit blijkt, en ook het wachtwoord dat we niet onder schot worden gehouden – daar is een ander wachtwoord voor – en dan gaan we weer naar bed.

Ik begin andermaal in te dommelen als de honden aanslaan en een paar tellen later snerpt het alarm. Ik ren de hal in zonder erbij na te denken en zie een gezicht achter het keukenraam, een hand plat tegen het glas. Greg komt naar beneden met Dylan in zijn armen. Hij ziet de man bij het raam, geeft Dylan aan mij en zegt dat ik met hem naar boven moet gaan, naar de badkamer. Die kun je vanbinnen op slot doen en heeft geen ramen. Er wordt aan de achterdeur gerammeld. Greg drukt op de nood-knop in de keuken. We zijn er geweest, denk ik, we zijn ge-weest. Ik ren de trap op met Dylan in mijn armen, die inmiddels is gaan huilen, duik de badkamer in en draai de deur op slot. Be-neden schreeuwt Greg in de telefoon: 'Er is een man in de tuin, hij probeert alle deuren en ramen.' Ik hoor beneden glas rinke-len, dan is het stil, even later rinkelt ergens anders glas. Ik denk aan de schuifdeuren in de hal, daar zitten geen tralies voor. Ik houd het hoofd van Dylan tegen me aangedrukt en wieg hem heen en weer. Het is een hele tijd stil, dan klinken sirenes en hoor ik overal rennende voetstappen, beneden, boven. Greg staat voor de deur. De kust is veilig, zegt hij, en hij geeft me het wachtwoord waaruit blijkt dat er echt niks meer aan de hand is, dat hij niet onder schot wordt gehouden. 'Coupe chocola,' zegt hij, 'niks aan de hand.'

De indringer ligt in de tuin op de grond, armen en benen ge-spreid, de bewakers van het beveiligingsbedrijf houden hem on-der schot. Hij lijkt nogal klein, een stuk kleiner nog dan Greg. Het is de man die hier eerder ook was, die beweerde ketellapper te zijn. Hij verzet zich niet en protesteert ook niet.

Zaterdagmorgen. Als we overal de glassplinters hebben opge-veegd, gaan we naar de patio en eten fruitsalade met Franse toast. De honden lopen om ons heen te bedelen en worden hele-maal wild als er een hadada op het gras neerstrijkt. De vogel vliegt snel weer op. Een glaszetter komt de ruiten vervangen en het beveiligingsbedrijf stuurt straks iemand om het hele sys-teem na te lopen. Greg heeft besloten een hek voor de glazen schuifdeuren te laten plaatsen. 'Dan wordt de kamer wel verpest,' zegt hij, 'maar wat moet ik anders? Het is óf van het uitzicht genieten en doen alsof dit het paradijs is, óf 's nachts rustig slapen. Ik heb zelfs overwogen naar een gated community te verhuizen, in Constantia of Tokai. Niet voor mij, maar voor Dylan.' Greg zegt wat ik de avond daarvoor dacht: 'Ik wist zeker dat we er geweest waren. Het is slechts een kwestie van tijd.'

Greg heeft, voor hij Dylan kreeg, een poos in een heel onoverzichtelijk oud huis gewoond, in de spannende wijk Observatory. Daar had een inbreker, toen Greg naar zijn werk was, een keer zijn vijf honden doodgeslagen. 'Daar kun je nog bijna mee leven. Ik was zelf in elk geval gelukkig niet thuis,' zegt hij. 'Maar als je oog in oog komt te staan met de man die alles van je af wil nemen omdat hij zelf niks heeft, en hij ons blanken ziet leven als farao's, dan weet ik niet hoe ik daar nog mee moet leven. Hij had niet eens een pistool. Alleen een mes. De politie zei dat hij high was, waarschijnlijk van de *tik*. Ik had mezelf in de studeerkamer opgesloten. Ik heb daar zitten huilen, ik dacht dat ik er misschien wel aan zou gaan zonder afscheid te nemen van Dylan, of dat hij Dylan en jou misschien wel eerst zou pakken, en dat ik daarmee verder zou moeten leven. Ik was te bang om de confrontatie aan te gaan. Wat zegt dat over mij? Ik denk misschien wel dat we hier niet meer zouden moeten willen wonen. Wij horen hier niet, momenteel. Maar een leven ergens anders kan ik me ook niet voorstellen. Ik zou nooit meer in New York kunnen wonen. Hoe jij dat zo lang hebt volgehouden is mij een raadsel.'

Hoe blij ik ook ben dat ik weer thuis ben, ik vraag me toch onwillekeurig af waar ik terecht ben gekomen, wat voor land, wat voor leven ik Sarah overreed heb om te kiezen. Ik heb geprobeerd alle redenen dat ik hier weg ben gegaan, mijn hele leven dat ik hier destijds achter me heb gelaten, te vergeten, maar het blijft terugkomen, als een chronische ziekte.

Bijna vier maanden zijn verstreken sinds het eerste interview. Op dit moment is mijn werk aan de papieren van Clare voor zover op dit moment mogelijk gedaan, en hoe dan ook, ze heeft me laten weten dat er niets meer is waar ze me inzage in wil geven. De privécorrespondentie die ik gehoopt had onder ogen te krijgen is niet tevoorschijn gekomen en dat zal ook niet gebeuren. Volgende week vertrek ik naar Johannesburg.

'We zouden een laatste reeks gesprekken kunnen hebben, als je wilt,' zegt ze vandaag tegen me. 'Niet dat ik op dat "laatste" nou zo de nadruk zou willen leggen. Je kunt in de toekomst gewoon contact met me opnemen, als de noodzaak zich voordoet, maar aangezien je hier nu toch bent, kunnen we misschien nog wat dingen bespreken die je tot nu toe niet hebt aangeroerd. Er is niet veel waar ik aanstoot aan neem. Ik ben gaan denken dat je je licht misschien wel onder de korenmaat zet. Je bent slimmer dan je je voordoet. Dat is zowel vertederend als verontrustend. Waarom kom je deze laatste dagen niet eens onder je korenmaat vandaan? Vraag me het onvraagbare. Laat de waarheid de vrije teugel.'

Ik moet mijn lachen inhouden, want wat ze zegt klinkt wel heel onwaarschijnlijk, ja, zelfs absurd na alles wat ze in het verleden heeft gezegd, na alle vijandigheid in het begin, toen ze de indruk wekte dat zelfs de meest basale vraag precies dat was: onvraagbaar. Ik denk – hoe kan het ook anders – ik denk dat ze al wel geraden heeft wat ik te vragen heb, waar dit hele project eigenlijk om draait, ervan uitgaande dat ze enig idee heeft wie ik ben. Het is alsof je toestemming hebt gekregen je moeder alles over zichzelf te vragen, en erachter te komen dat er opeens honderdduizend vragen bij je opkomen, de ene nog moeilijker onder woorden te brengen dan de andere, ook al heb je dan permissie.

Het weer is opgeknapt en we grijpen de gelegenheid aan om in de tuin te gaan zitten. Ik kom terug op een aantal dingen die we eerder besproken hebben, vraag opheldering over haar bedoeling met bepaalde passages, waar ze tegen in opstand komt – 'je vergiftigt me,' klaagt ze – en breng thematische verbanden ter sprake, details over haar familie, haar jeugd, haar relatie met haar zuster, waar ze bereidwilliger op reageert dan bij onze eerste ontmoeting. Ze lijkt zelfs op te monteren als ik over haar vermoorde zuster begin.

Na drie dagen van dergelijke discussies verliest ze opnieuw haar geduld.

'Je verbergt je nog steeds onder de korenmaat. Ik heb je uitgedaagd openheid te betrachten, maar je blijft je afschermen. Kom tevoorschijn. Ik nodig je uit. Draai er niet langer omheen. *Daar is niets geschied om verborgen te zijn, maar opdat het in het openbaar zou komen*,' zegt ze, en ik weet dat ik dat zou moeten herkennen – een citaat uit een van haar boeken? 'Luister, Sam,' zegt ze, nu meer als een moeder dan ooit, 'je weet pas of ik geen antwoord wil geven als jij het gevraagd hebt, en je kent me inmiddels goed genoeg om te weten dat ik inderdáád geen antwoord zal geven als ik dat niet wil. Maar wat je me ook wenst te vragen, ik zal het je niet kwalijk nemen. Dat is per slot van rekening waarvoor je hier bent, schat.'

Ik beeld me dat 'schat' niet in. Ik krijg er de rillingen van. Marie onderbreekt ons gesprek opeens, met thee en biscuits. Ze zegt niets en maakt zich zo snel mogelijk weer uit de voeten.

Ik probeer mijn gedachten weer op een rijtje te krijgen, maar de moed die even de kop opstak bij dat 'schat' is alweer weggezakt. Uiteraard heb ik twee vragen in gedachten: de stelbare vraag en wat voor mij onvraagbaar blijft. Dus stel ik de eerste, in de wetenschap dat ik er spijt van zal krijgen.

'Er is inderdáád nog iets anders.' De truc, dat weet ik, is de vraag zo in te kleden dat ik de boel niet belazer, en niet doe alsof ik geen idee heb wat het antwoord zal zijn, dat ik immers al weet, zodat als de vraag komt, ze zich niet verraden zal voelen. Ik wil haar niet voor het blok zetten; ik wil alleen zien hoe ze erop antwoordt. 'Bij onze eerste gesprekken – ik weet niet meer precies welk – hebben we het over schrijven onder dreiging van censuur gehad.'

Haar gezicht verstrakt. Ze heeft iets totaal anders in gedachten. Ik stel haar weer teleur.

'Ja. Dat gesprek herinner ik me.'

'U noemde een paar gevallen van schrijvers die als adviseur voor de censuur hadden gewerkt.'

'Ja. Sommigen geloofden daar echt in. Anderen hadden het naïeve idee dat ze de literatuur binnen een vijandig systeem beschermden.'

'Hebt u sommige van die schrijvers ook persoonlijk gekend?'

'Ik kende ze als een soort collega's, ja, zoals dat gaat met schrijvers onderling. Maar het waren geen vrienden van me. Waarom kom je niet ter zake?'

'Toen bekend werd dat ik uw biografie ging schrijven, kreeg ik een heleboel brieven van mensen met allerlei anekdotes over u. De meeste heb ik genegeerd, omdat het voor het merendeel, eerlijk gezegd, laster was, en allemaal zonder een greintje van onderbouwing of bewijs. Maar er was ook iemand, en ik weet niet wie, want het was een anonieme brief, die me een kopie van een document stuurde,' zeg ik, en ik reik haar een map aan. 'Ik ben naar het staatsarchief geweest om het origineel op te zoeken, maar de archieven uit die periode zijn helaas verloren gegaan. Ik hoopte dat u me misschien zou kunnen vertellen of dit echt is of niet.'

'Ik denk dat ik wel weet wat hierin zit.' Ze slaat de map open en haalt er een stapeltje fotokopieën uit, met een nietje erdoor, en haar voorletter en achternaam boven aan het eerste vel. Er is geen enkel bewijs dat zij dat inderdaad geschreven heeft; het zou kunnen dat iemand anders uit kwade bedoelingen haar naam boven een rapport heeft gezet waarin op uiterst formalistische wijze uit de doeken wordt gedaan waarom een bepaalde roman, die in de aangehechte pagina's wordt samengevat en geanalyseerd, onder de censuur zou kunnen worden verboden. Ze bladert het stapeltje door en legt het weer neer.

'Dat is echt,' zegt ze, en haar mondhoeken krullen omhoog. 'Dat is mijn handschrift, mijn paraaf, en dat zijn mijn woorden. Je wilt natuurlijk dat ik me op een of andere manier verdedig voor wat ik heb gedaan, maar dat ga ik niet doen. Ik zeg alleen dat ik het gedaan heb om het systeem op de proef te stellen, ik was ervan overtuigd dat ik het misschien van binnenuit zou kunnen ondermijnen, of zou kunnen bewijzen dat er niets verhevens aan was. Maar op een dag hielden ze domweg op van mijn diensten gebruik te maken, en werden mij geen boeken meer toegestuurd; opmerkelijk genoeg gebeurde dat nadat ik dit rapport had geschreven – toevallig of niet, dat weet ik niet, maar dat kan me ook niet schelen. Als je alle rapporten zou gaan lezen die ik geschreven heb, en dat waren er misschien twintig over een periode van twee jaar aan het begin van de jaren zeventig, dan is dit, dat jij hebt meegenomen, het enige waarin een verbod werd bepleit, en ik heb daarvoor gepleit op strikt juridische gronden, zoals je hierin kunt nalezen. Degene die dit rapport bewaard heeft wist wat hij deed, of meende dat althans te weten. Ik was ervan uitgegaan dat ik het enige nog overgebleven exemplaar had. De schrijver was totaal onbekend, en het boek, *Cape Town Nights*, was duidelijk speciaal geschreven om de censuur op de proef te stellen; het was obsceen en blasfemisch en maakte openlijk het regime belachelijk, wat allemaal verboden was. De kleine uitgeverij die de publicatie geriskeerd had, maakte er een gewoonte van dit soort rauwe pogingen om het systeem te tarten uit te geven. Het had een zekere futiele nobelheid. De andere boeken waar ik een leesrapport over heb opgesteld, zijn voor zover ik weet uiteindelijk allemaal zonder wijzigingen of verbeteringen vrijgegeven.'

'En de schrijver van het boek waar u tegen gepleit hebt?'

Ze glimlacht en schudt het hoofd. 'Schrijfster. Die ken je al.' Ik had geen spoor kunnen vinden van de schrijver van de verboden roman, waarvan alle kopieën kennelijk vernietigd waren, en die nooit meer opnieuw was uitgegeven, noch ooit in het buitenland was verschenen. Ik was ervan uitgegaan dat de man, want het was een man, ene Charles Holz, dood was.

'U hebt uw eigen boek laten verbieden?'

'Ik dacht dat je het misschien wel zou begrijpen, aangezien jij, net als ik destijds, een intellectueel bent, of een soort intellectueel, die probeert te overleven in tijden van waanzin.' Ze glimlacht slechts een moment en tuit dan haar lippen, als om een kus te geven. 'Wat ga je nu doen? Ga je wereldkundig maken dat de vrouw die zo fel stelling neemt tegen censuur, met diezelfde censuur heeft samengewerkt, zelf censor is geweest, en als zodanig tegen een boek van eigen hand heeft gepleit? Doe dat, als je wilt. Ik zal je niet tegenhouden. Dat kan ik niet. Niemand zal erdoor van gedachten veranderen. Als je de zaak op faire wijze uit de doeken doet, en ik weet dat je dat zou doen, omdat je zelf zeer formalistisch denkt, dan zullen degenen die me haten me blijven haten, en degenen die me niet haten zullen slechts van mening zijn dat deze nieuwe informatie mijn complexiteit alleen maar verdiept. Het is jammer dat dit het enige is wat je hebt kunnen vinden, een blindganger, een losse flodder. Ik dacht dat je op het goede spoor zat, dat je het echt wist. Daar was ik stellig van overtuigd,' zegt ze.

'Wat wist?' Mijn hart bonkt, ik vraag me af of ze refereert aan onze eigen begraven connectie, of ze zich mij nog herinnert van tientallen jaren geleden, of dat ze op iets heel anders doelt, iets geheims over haarzelf waar ik me nog geen begin van een voorstelling van kan maken.

Ze schudt het hoofd. 'Je hebt de verkeerde vragen gesteld. Hoe denk jij mijn leven te kunnen beschrijven? Je hebt niets dan een geraamte van feiten, je eigen vermoedens zullen voor het vlees op de botten moeten zorgen. Ik heb je niets laten zien. Omdat je nu meent te weten waarom ik, in een bepaalde periode in mijn leven, mijn eigen met zorg uitgewerkte ethiek misschien heb geschonden, ga jij een omhulsel van spierweefsel en huid schilderen en zeggen: "Dat is wie zij is, daar, zoals ik haar getekend heb."'

Ze legt de kopie van het rapport weer in de groene map. 'Jij zit gevangen onder die groene korenmaat, en wat verlicht je? Niets.

Een donkere, lege ruimte. Mijn grootste geheimen zijn onver-
licht gebleven. Vanonder die korenmaat kun je mij niet zien. Ik
was bereid je mijn demonen te tonen. Maar dat is werk dat je
voor mij hebt laten liggen, als ik er tenminste voor voel het op
me te nemen.'

Dat is hoe ze zich aan mij voordoet, en dat zijn haar woorden,
zoals ik ze heb opgenomen en uitgeschreven – maar als ik ze
weer lees, merk ik dat mij ontglipt is wie zij is: dat systeem van
opeenvolgende kleine explosies, door een grote huidzak omslo-
ten.

Absolutie

Aangezien het dat weekend koel zou zijn, stelde Marie voor een eindje te gaan rijden.

'Naar het strand?' vroeg Clare, maar ze bedacht zich meteen. 'Nee, niet naar het strand. Het zal wel winderig zijn.'

'Naar Stellenbosch dan?' zei Marie.

'Ja, dat is goed.'

'Misschien wil je ook nog even langs de begraafplaats, bij het graf van je zuster kijken? Daar zijn we al een hele tijd niet meer geweest.'

'Ja, lijkt me goed. Misschien is het wel weer tijd voor een bezoekje. Even kijken of ze niet stiekem is opgestaan.'

De ouders van Clare waren niet zo makkelijk te bezoeken. Die waren allebei gecremeerd, hun as was verstrooid in de wind op het puntje van de wereld, waar twee oceanen elkaar ontmoeten, wervelend rond haar hoofd en daarna neerdwarrelend op de golven.

Marie reed een eind over de N2, nam de afslag bij Baden Powell Drive, reed door Stellenbosch en vervolgens de met wijngaarden bedekte heuvels in naar Paarl.

De begraafplaats voelde onnatuurlijk wit aan, stenen van wit marmer met witgekalkte muren eromheen. De graven werden onderhouden door dikke blanken met een verbrande huid, die, door Clare betaald, de verlepte, eveneens blanke lelies op het graf van Nora en Stephan dagelijks vervingen door verse. De wilde vijgenboom stond er nog, buiten de muur, overwoekerd door klimop, en achter de boom was het Taalmonument nog te zien. Het graf van Nora was op een ereveld, ze lag naast haar man bij een eeuwige vlam die ze, zo ging het gerucht, de laatste tijd 's nachts uit lieten gaan. Maar die dag brandde hij, blauw en goudkleurig onder loden wolken, schril afgetekend tegen de witte kruisen die op hun beurt bijna niet te zien waren tegen de witte muur die de akker des doods omringde.

Het was dermate wit allemaal dat Clare, die zwart droeg, niet zozeer uit respect als wel uit modebewustheid, wel een indringer leek. Toen zag Clare dat er nog een indringer was, zwart en klein en rond, aan de voet van het monument dat Nora's graf markeerde. Clare wist wat het was voor ze het goed en wel gezien had, ze wist het bij de eerste doffe metalen glimp, half onthuld en zelf de eeuwige vlam half aan het oog onttrekkend. Het was de zwarte blikken trommel van haar vader. Ze kreeg het koud ondanks de hitte, ze legde haar hand op de arm van Marie, die in een witte mouw gehuld was. Toen ze bij het graf aankwamen, boog ze zich voorover en nam de trommel in haar handen.

Het was onmogelijk; het was te gruwelijk, dat ze hem daar vond. Op een of andere manier was dit precies wat ze verwacht had. Ze deed het deksel open. De pruik lag erin, en een fractie van een seconde beeldde ze zich in dat het hoofd van haar vader er ook in zat, schuin omhoog, haar aanstarend, hoewel dat onmogelijk was, want zijn hoofd was verast, en verstrooid op de wind. Clare dacht dat ze zichzelf hoorde gillen. Ze wist dat zij het wisten. Ze wist wie het waren – de familie van Stephan, zijn broers, misschien zelfs wel zijn neven en nichten. Het was duidelijk wat de pruik betekende, duidelijk dat haar medeplichtigheid bekend was, dat iemand haar eraan wenste te herinneren dat ze niet verheven was boven de wet, en ook niet boven de aanspraken die de geschiedenis maakte.

Clare verbaasde zichzelf, ze pakte een wit steentje en legde dat op het monument van haar zuster. Dat was geen traditie uit de religie van haar familie, maar op een of andere manier klopte het, de steen als erkenning van een gevoel dat ze niet kon omschrijven. Het zou te ver gaan om te zeggen dat ze om haar zuster treurde, en van enige genegenheid jegens haar zwager was al helemaal geen sprake, maar er woelde een onrust in haar hart die door het leggen van dat steentje althans voor een ogenblik tot bedaren werd gebracht. Toen Clare klaar was, vroeg ze Marie haar weer naar huis te brengen.

'Zou je niet eerst ergens willen lunchen?' vroeg Marie, met hoop in haar stem.

'Niet nu, nee, het spijt me. We kunnen onderweg wel een sandwich kopen als je trek hebt, maar ik hoef niks meer.'

Later die dag realiseerde Clare zich dat ze mevrouw White moest bellen. Het was bijna het eind van de maand. Wanneer was die inbraak geweest? Begin december een jaar geleden, of eind november van het jaar daarvoor? De data dwarrelden door haar hoofd. Het leek alsof het nog voorjaar was geweest, maar net warm genoeg om 's nachts de ramen open te hebben. Mevrouw White toonde weinig belangstelling aan de telefoon.

'Nou, dat is mooi. U hebt uw pruik weer terug. Ik neem aan dat de zaak nu gesloten is.'

'En Jacobus en zijn zogenaamde bende dan?'

'U hebt geen officiële aanklacht tegen hen ingediend, dus die hebben we laten gaan.'

'Is het zo simpel?' vroeg Clare, die haar oren niet kon geloven.

'Zo simpel als u het maakt, mevrouw.'

'En de inbrekers dan? Zijn er geen aanwijzingen?'

'Inbrekers?'

'De mensen die in mijn oude huis hebben ingebroken, natuurlijk.'

'Maar die hadden we, Jacobus en zijn bende, maar u zei dat zij het niet geweest konden zijn, mevrouw. Ik begrijp u niet. Wilt u nu dat we ze beschuldigen van beroving?' Mevrouw White klonk oprecht verbaasd, alsof ze er met haar hoofd niet bij kon, en geen flauw idee had wat Clare nou eigenlijk wilde of beoogde.

'Het was Jacobus niet, maar ik moet weten wie het wel was. Ik wil alleen weten wie het gedaan heeft – de inbraak, de diefstal. Ik kan u alleen zeggen dat het iemand uit mijn verleden geweest is. Iemand uit de familie van mijn zwager. Zijn vrienden, zijn broers, of zelfs zijn zusters. Ze willen me straffen.'

'Als dit een familiekwestie is, mevrouw, waarom hebt u de politie er dan überhaupt bij gehaald? Als u wist wie het was, waarom hebt u onze tijd dan verspild?'

'Zo eenvoudig ligt het niet.'

'Misschien zou u het onderzoek over moeten nemen. U bent zo goed in opsporen. U hebt die bijzondere pruik van uw vader immers ook opgespoord. Dat is heel goed. Misschien vindt u de indringers ook wel. Belt u mij dan, als u wilt. Dan zullen wij ze voor u inrekenen.' Als een bal die je kwijt bent, wilde Clare zeggen. Indringers die niet meer dan speelgoed waren, een pruik, een trommel, twee vrouwen van een zekere leeftijd. 'Of dan regelt u dit zoals dit soort dingen geregeld hoort te worden, mevrouw. Als familie onder elkaar.'

Maar het is geen familie, wilde Clare zeggen, ze hebben niks met mij te maken. Ze weten wat ik gedaan heb. Ze sturen me tekens. Ze terroriseren me.

Clare

Er is iets wat ik je nooit verteld heb, Laura – iets over mij wat ons meer op elkaar doet lijken dan jij je misschien zou indenken. Er is veel waar ik spijt van heb, vooral van hoe ik voor jou was als moeder, en van wat ik als moeder heb nagelaten, maar niets spijt mij zozeer als dit: dat ik, toen je er nog was om het aan te horen, heb nagelaten je de donkerste waarheid over mezelf te vertellen, dat ik, toen je het nodig had, heb nagelaten je te laten zien hoezeer we op elkaar leken. Dat is mijn ware bekentenis. Bekennen is het enige wat ik nog voor je kan doen.

Het is een verhaal over zusters: mijn zuster Nora en ik.

Misschien heb ik je dit nooit verteld, maar zelfs toen we nog klein waren, pestte Nora me meedogenloos. Ik was 'giraffekindje, gansje, gumminek. Ik ga je ophangen, gumminekje,' krijste Nora altijd, dreigend met een stuk touw. En als ik dan begon te huilen drukte ze me tegen zich aan en zei dat ze het niet meende, 'het was niet zo bedoeld, Clare,' het waren maar grapjes, dat deden zusjes. Ik hield op van haar te houden toen ik acht was, nadat ze al mijn haar had afgeknipt terwijl ik lag te slapen en het in de tuin had verbrand. Ze was mijn lieve zus niet meer ruimschoots voor ik volwassen werd, ja, nog voor ik ging puberen, lang voor Nora het huis uit ging.

Op haar zestiende deed Nora niets dan dreigen. Ze dreigde onze ouders dat ze met die grote bullebak en Boer Stephan Pretorius zou gaan trouwen, met of zonder hun toestemming. Ze dreigde mij een keer met een hete bakplaat van het fornuis, waarmee ze me door het hele huis achternazat, krijsend van *ik vermoord je, ik vermoord je* omdat ik haar lippenstift had gebruikt.

Ze dreigde de katten met elektrische schokken en verdrinking. Ze dreigde onze ouders dat ze alle contact zou verbreken als ze weigerden op haar huwelijk te komen. Ze dreigde de benen te nemen, ze nooit hun kleinkinderen te laten zien (het was misschien wel een zegen dat die er nooit gekomen zijn). Ze dreigde te veel. Waarom, vroeg ik me af, was ze zo anders dan ik? Hoe worden twee mensen in alles elkaars tegenpool terwijl ze in hetzelfde huis worden grootgebracht door dezelfde ouders met dezelfde waarden en normen? Zelfs vandaag de dag heb ik daar nog nauwelijks een antwoord op. Ze waren strenger tegen haar, maar niet zodanig dat er alleen maar een tiran uit kon voortkomen. Mijn vader zei altijd dat Nora zeker gekweld werd door de geest van zijn grootmoeder, aan wie hij met afgrijzen terugdacht: hoe zou je haar kwaadaardigheid anders moeten verklaren? Er zijn tijden geweest dat ik me afvroeg of jij ook door die geest werd bezocht, Laura, of de echo van Nora's naam in jouw naam een vloek met zich meebracht die de generaties overspande.

Zelfs als kind begreep ik waarom ze met Stephan wilde trouwen. Met liefde had het niets te maken. Hij was ouder dan zij, al een man – een man om de plaats van onze vader in te nemen, die een veel beter mens was. (Ik weet dat je tegenwerpingen zult maken – dat ik ook met een man ben getrouwd die de plaats van mijn vader moest innemen, ook een jurist. Maar in tegenstelling tot Nora was ik mij bewust van mijn dwaasheid, en jouw vader was – is – geen monster.) De man van Nora, anders dan onze vader, had een sterk, stevig lijf, blakend van gezondheid en tevredenheid. Wat konden onze ouders anders zeggen dan ja, onze zegen heb je? Maar al kon je zijn familie, met een beetje goede wil, een parallelle vertakking noemen van dezelfde christelijke stam (als we tegenwoordig nog van stammen kunnen spreken), dan nog was de familie Pretorius mijn ouders even vreemd als wij hun wel moesten zijn. De avond voor de bruiloft van mijn zuster hoorde ik mijn vader op zijn studeerkamer huilen zoals hij alleen huilde wanneer hij aan de doden dacht.

Een van de cliënten van onze vader leende ons voor die dag een limousine, en we betaalden de tuinier wat extra om ons naar de kerk te rijden, vandaar naar het diner, en na afloop weer naar huis. Op weg naar de kerk was de tuinman zo opgewonden over die prachtauto dat hij de ruitenwissers aanzette, alleen wist hij niet hoe ze weer uit moesten, dus toen we bij de kerk aankwamen scheen de zon weliswaar volop, maar gingen de ruitenwissers van onze geleende limousine piepend en knarsend over de kurkdroge voorruit heen en weer, en dat bleven ze doen toen de motor was uitgeschakeld, tot de accu leeg was. Na de dienst moesten we lopend door de stad naar het diner omdat er geen plek was in de limousines die de familie van mijn zwager – tientallen man sterk – voor zichzelf had gehuurd. Of misschien wilden ze een dergelijke intimiteit met ons gewoon niet riskeren. Mijn zuster was een van hen geworden, ze had zich bij hun kerk aangesloten, en ons rustige methodisme de rug toegekeerd. Stephan had een schandaal verwekt door iemand van buiten hun eigen kring te kiezen, maar hij had voet bij stuk gehouden. Hij zei dat hij van haar hield. En wie kon er nou niet van haar houden? Ze zag er in die tijd uit als Marilyn Monroe, blond en gaaf als een godin.

We kwamen bezweet en onder het stof bij het diner aan, terwijl mijn zuster al met haar nieuwe familie aan de koude soep zat. Er was een 'fout' gemaakt bij de tafelschikking, mijn ouders en ik zaten niet aan de lange tafel bij het bruidspaar en de ouders en zes broers en zussen van mijn zwager, maar aan een aparte tafel opzij, met mijn oom en tante en hun kinderen, ranke, bleke figuren die bijna stikten in al dat vlees. We stonden op niet een van de trouwfoto's, behalve die van mijn oom, met mijn zuster en haar man vaag op de achtergrond, kauwend op hun *braaivleis*.

In de maanden na de bruiloft, toen ze naar de boerderij van zijn grootouders waren verhuisd, een lang, wit huis bij Stellenbosch, leerde Nora de zeden en gewoontes van haar nieuwe stam kennen, de formaliteiten van hun taal met al zijn weeë verkleinwoordjes, *potje, zusje, vrouwtje.* In een gesprek onder vier ogen vroeg onze moeder aan Nora of de familie van haar nieuwe man haar wel goed behandelde. Mijn zuster gaf eerst geen antwoord, maar toen zei ze, iets te opgewekt: 'Ja, moeder, ik word goed behandeld.'

Toen we bij haar op bezoek gingen liet ik een antieke schaal vallen, handbeschilderd met tere blauwe bloemen. Hij viel kapot op de vloer die gepolijst was met ossenbloed en bezet met perzikpitten. Waarschijnlijk had ik mij iets te levendig voorgesteld hoe de schoonmoeder van mijn zuster zou reageren.

Jaren gingen voorbij. Tegen de tijd dat ik terugkwam uit Europa was mijn zwager iets hoogs in de Nationale Partij. Qua politieke overtuiging was ik, zoals dat tegenwoordig veelal heet, 'geradicaliseerd' – met name door mijn tijd in Engeland, en de mensen die ik daar ontmoet had, en de boeken die ik opeens mocht lezen zonder angst betrapt en bestraft te worden. Toen ik terugkwam, ontmoette ik je vader. Gelijkgestemde vrienden hadden die ontmoeting geregeld, we bleken elkaar aardig te vinden en besloten te trouwen. Ik kreeg je broer Mark, en terwijl je vader voorzichtiger werd, en er meer en meer voor waakte dat hij zijn nieuw verworven betrekking aan de universiteit niet op het spel zette, werd ik juist radicaler, ik schreef en publiceerde en woonde bijeenkomsten bij waar de vrouw van een hoogleraar zich verre van zou moeten houden. Dat viel dusdanig op dat ik de aandacht trok van mensen van beide partijen, en op één zo'n bijeenkomst, je broer was nog een dreumes, liet ik mij ontglippen dat mijn zuster en haar man een paar dagen in Kaapstad zouden zijn. Een van de aanwezigen vroeg, heel nonchalant, of ze bij mij zouden logeren. Laat me niet lachen, zei ik. De man van mijn zuster zou mijn gastvrijheid nooit accepteren. Ze verblijven in een of ander chic hotel. Wist ik ook welk? Hoe het heette? Natuurlijk wist ik dat, en ik flapte de naam eruit.

Ik wist niet dat het geacht werd geheim te blijven, en dat hun plannen alleen voor mijn oren bestemd waren, dat mijn zuster, door mij in vertrouwen te nemen, juist geprobeerd had mij een handreiking te doen, en het weer goed te maken.

Je hebt gelijk met je tegenwerpingen.

Natuurlijk wist ik dat wel. Ik wist dat het gevoelige informatie was. Ik gaf er alleen de voorkeur aan het te vergeten. De rest van mijn leven heb ik gespeculeerd over de vraag waarom.

Ik stel me het moment van ontzetting voor, het moment dat zij beiden in hun kamer in dat dure hotel door een indringer werden overrompeld. Nora en Stephan lagen samen in bed, de lakens glad van de haarolie, plakkerig van hem, sokken op de grond, koud en scherp, zurig in de warme kamer. Gewekt door het plotselinge opengaan van de slaapkamerdeur zat ze meteen rechtop in bed, nat van het zweet, ze zag de figuur die zich aftekende tegen het licht op de gang en moet zich hebben afgevraagd: waar is de beveiliging? Ze moet het voor onmogelijk hebben gehouden dat ze ooit nog eens om hun leven zouden moeten smeken. Nora zal logischerwijs van haar man verwacht hebben dat hij haar zou redden, maar ze moet ook beseft hebben dat hij nooit veel aanleiding had gegeven te denken dat hij ook maar iets zou doen dat voor hemzelf enig gevaar kon opleveren; hij was er de man niet naar om eerst aan een ander te denken, zeker niet wanneer zijn eigen veiligheid op het spel stond.

Ik heb de verklaringen gelezen. De moordenaar van mijn zuster meldde dat ze gedreigd had te gaan gillen, de bewaking te roepen, het hele hotel wakker te krijsen. Waarom, vraag ik me af, dreigde ze op dat uiterst cruciale moment wel, maar verzuimde ze de daad bij het woord te voegen? Ze keek naar haar stille echtgenoot die zich in doodsangst aan de lakens vastklampte, terwijl zich een strontgeur door de kamer verspreidde. (Een detail dat de politie niet onder de pet heeft gehouden.) De indringer ging eerst op mijn zuster af terwijl haar man geknield op het bed om zijn leven smeekte. En toen gebeurde het. Hij bewoog, maar niet richting indringer; hij klauterde van het bed naar het open raam, in een poging te ontkomen, maar zodra zijn voeten de grond raakten en zijn blote witte rug zich naar zijn vrouw keerde, zwaaide de loop van haar naar haar man, die getroffen werd met een zacht *pfft*. Ze gilde niet en verroerde zich niet, maar keek naar de moordenaar, die, zoals hij later zei, verrast was door haar stilte.

Toen ik de volgende morgen hun lichamen zag, dacht ik: dat heb ik gedaan. Dit is door mijn toedoen gebeurd. Ik heb de moordenaar op mijn zuster afgestuurd. Ik was niet geschokt door hun dood of het geweld dat hun was aangedaan. Ik wist wat kogels die van dichtbij op levend weefsel werden afgevuurd konden aanrichten; ik had zelf het paard van mijn nicht doodgeschoten. Het enige wat mij choqueerde was dat ik in staat was geweest de informatie prijs te geven die tot de dood van mijn zuster had geleid zonder daar nadien berouw over te voelen. Ze bevonden zich, hield ik mij toentertijd voor, aan de verkeerde kant van de historische scheidslijn. Daar had ik in elk geval gelijk in. Of ik ook gelijk had wat mijn eigen rol betreft, daar ben ik niet meer zo zeker van.

Je ziet, Laura, hoe ook ik mijn rol heb gespeeld – niet zo moedig als jij, maar even koppig en eigenzinnig, erop gebrand iets te doen, of op zijn minst nuttig over te komen op mensen die geëngageerder waren dan ik. Was ik gevoelloos? Waren we dat allebei?

In je laatste brief aan mij schreef je:

Je weet dat ik niet om absolutie vraag, want dat is iets waar jij niet in gelooft en wat je derhalve niet kunt, of niet wilt geven. Ik bied je dit document alleen aan als mijn versie van de waarheid, een van de vele waarheden. De waarheid van Bernard zou anders zijn, maar die kan niks meer zeggen. De waarheid van Sam zou weer anders zijn, misschien dat hij nog iets zal zeggen. Als je weigert mij te vergeven, weiger je dan ook een oordeel over me te vellen, of behoort een oordeel tot een andere ethische orde?

Kom terug. Kom terug zodat ik het allemaal in je gezicht kan zeggen, zodat ik mijn ethiek kan heroverwegen, om absolutie van jou kan smeken, me op mijn knieën kan laten vallen uit naam van verzoening en liefde. Al mijn liefde gaat nu naar jou uit. Ik wil alleen jou.

Terwijl de aarde je uit het oog van de zon draaide, wees Lionel je de weg naar de kliniek, een punt volgend dat hij herkende in een donkere plooi van de Nuweveldbergen. De kliniek was een lang laag gebouw te midden van een groepje witgepleisterde huizen, omringd door een acaciabos. Binnen brandden lichten en stond een radio aan. Timothy klopte aan bij het grootste huis, en zijn moeder deed open. Ze was een veel oudere vrouw dan je verwachtte, klein, in een keurige jurk. Ze kuste haar zoon op beide wangen en wendde zich toen met dezelfde begroeting tot Lionel.

'Moeder,' zei hij, 'dit zijn Lamia en Sam. Zij hebben ons een lift gegeven.'

'En ze zijn helemaal met jullie meegekomen? Dat is ook wat! Ben je ziek, lieve schat?'

Binnen was het licht en ongerijmd modern. Gloria, de moeder van Timothy, schonk thee in en bood je een slaapplaats aan in de kliniek. 'Er zijn momenteel geen patiënten, en bedden zat. Jullie kunnen blijven zo lang je wilt.'

'Eén nachtje misschien. Alleen om uit te rusten. Ik kan er ook voor betalen,' bood je aan.

'Dat hoeft niet. Je hebt de jongens een lift gegeven. Dat is betaling genoeg. Wil je niet nog een stukje malvapudding? Dat is de volgende dag altijd nog lekkerder, vind ik.'

'We blijven tot morgen. Dan breng ik Sam naar Beaufort West. Naar zijn tante.'

'Natuurlijk,' zei Gloria, alsof in Beaufort West alleen maar tantes woonden die op terugbezorging van hun weggelopen neefjes zaten te wachten.

Net als bij het huis van Gloria ging achter de rustieke buitenkant van de kliniek zelf een hypermodern interieur schuil, compleet met spreekkamers en wachtkamers, een operatiekamer en een slaapzaal met zestien bedden. Gloria en Timothy hielpen je om twee bedden op te maken, lieten je de toiletten en de douches zien, en de keuken waar je koffie en thee kon zetten, en nodigden jullie uit de volgende morgen bij Gloria thuis te komen eten. Toen ze je alleen lieten met Sam, bracht je hem naar bed en keek je hem recht in de ogen.

'Wij moeten eens praten,' zei jij. 'Weet je waar je tante woont in Beaufort West?'

'Als ik het zie. Ik weet niet meer hoe de straat heet, maar ik ben er eerder geweest. Ik ken de weg.'

'En je weet zeker dat ze er nog woont?'

'Ik denk het wel.'

'Als ik je naar je tante heb gebracht, laat ik je daar. En dan ga ik zelf weg. Ik ga naar het buitenland.' Sam trok een gezicht en trapte tegen het bed. 'De mensen gaan je natuurlijk vragen stellen over wat er met Bernard gebeurd is. Dan moet je ze vertellen wat ik met hem heb gedaan, hoe ik hem heb gedood. Geef me alleen eerst een dag of drie om weg te komen, voor je iets zegt.' Sam keek weer naar je op. 'Begrijp je dat?'

De volgende morgen gaf je je schriften en aantekenboekjes, die laatste brief, alle documenten die voor jou van belang waren, aan Timothy en Lionel in bewaring, en drukte hen, die twee vreemden die je vertrouwde, op het hart om, wanneer ze daartoe in staat waren, dat alles bij mij persoonlijk af te leveren.

Tussen de kliniek en Beaufort West lag alleen een onverharde weg die door heuvels kronkelde in de kleur van dode huid. Hij eindigde een kilometer voor de stad, ten noorden van de grote weg, dus als je niet wist waar je wezen moest vond je het nooit. Het plaatsje staat op geen enkele kaart en bestaat tegenwoordig niet meer.

De witte torenspits van de kerk dook als eerste op, uitdagend boven de stoffige bomen uitstekend. Je reed de stad binnen door een straat met treurige etalages en een tankstation waar je de wagen parkeerde naast een paar andere trucks, die fel en agressief glinsterden in de zomerse hitte. In een telefooncel aan de overkant bladerde je het dunne telefoonboek van Beaufort West door, op zoek naar de naam die Sam je gegeven had. Toen je die vond, draaide je het nummer en na één keer overgaan nam een vrouw op.

'Jaaaa. Met wie spreek ik?' Ze klonk argwanend.

'Hebt u een neefje dat Sam heet? Of Samuel?'

'Ja. Waar gaat dit precies over? Met wie spreek ik?' Het was geen stem die zich druk leek te maken om een neefje.

'Ik heb Sam hier bij me. Ik vroeg me af of ik hem bij u kon brengen. Zijn voogd is dood. Bernard – hij is dood. We zijn in de stad.'

'Je meent het,' zei de vrouw, op een vlakke toon die je verraste.

'Kan ik hem bij u brengen?' Je keek neer op Sam, die zich naast je in de telefooncel had gewurmd. Hij speelde met het snoer, draaide het in een onnatuurlijke vorm en staarde naar de overkant, naar een groente- en fruitverkoper.

'Wie bent u? Met wie spreek ik?' snauwde de vrouw.

'We komen er zo aan.'

De tante van Sam woonde in een laag huis met een lange, overdekte veranda. Ze stond boven aan het trapje toen jullie met z'n tweeën kwamen aanlopen, al perziken etend, het sap drupte langs jullie armen. Je hoopte dat de vrouw op Sam af zou snellen en hem in haar armen zou sluiten, maar ze bleef gewoon onder de overkapping staan wachten, in een spijkerbroek en een vuil wit shirt, met afhangende schouders en de armen over elkaar onder haar borsten. Ze had de scherpe trekken van Sam, dezelfde spitse neus en kleine ogen, maar met een dikke bos rossig haar.

'Sam? Is dat je tante? Is dat het huis?'

Sam keek naar jou en naar het huis en naar de vrouw.

'Ken jij je tante niet, Sam?' vroeg de vrouw.

'Jawel.'

'Wil je niet bij je tante komen?'

Je keek hoe Sam de drie lage treden op klom en voor zijn tante ging staan, met de ene hand de perzik aan zijn mond houdend terwijl hij het vruchtvlees van een bol stuk blootliggende pit zoog, de andere arm slap langs zijn zij. De vrouw legde een hand op zijn hoofd en streek over zijn weerspannige haar. 'Bent u nu zijn voogd?' vroeg ze. Ze kneep haar ogen tot spleetjes. 'Was u misschien met mijn zuster bevriend?'

'Nee. Ik ben hem toevallig tegengekomen. Hij zei dat zijn ouders dood waren. Hij zei dat u zijn enige familie was.'

'Dat kan wel kloppen, ja. Hoe weet u dat die schoft van een Bernard dood is?'

'Ik heb zijn lichaam gezien. Ik heb hem gezien – ik bedoel, ik heb hem dood gezien. Ik was aan het liften en op een gegeven moment zag ik hun vrachtauto. Het lichaam van Bernard lag even verderop. Sam hield zich schuil in de bosjes. Ze waren beroofd.' Je wist dat dat geloofwaardig was, berovingen kwamen wel meer voor. En in zekere zin was het ook een beroving geweest.

'Des te beter. Ik bedoel dat Bernard dood is. Niet dat ze beroofd zijn. Wilt u misschien een kop thee of iets anders?' vroeg de tante.

'Ik moet weer verder,' zei jij, want je wilde voortmaken. 'Neemt u Sam onder uw hoede?'

'U bedoelt dat u hem hier bij mij laat?'

'Hij is toch uw neef, of niet?'

Jullie staarden elkaar aan. De lippen van de tante spreidden zich en trokken plat tegen haar tanden.

'Dan zal ik hem wel in huis moeten nemen.' Sam had de perzik op, hij draaide zich weer naar jou toe. De pit bewoog heen en weer in zijn mond, en uit zijn blik sprak verwarring. Je overwoog opnieuw hem weer mee te nemen de wildernis in, hem te vernieuwen, zoals jij dat zag, en hem Samuel te noemen. Maar je wist dat dat onmogelijk was. 'U hebt me wel een last bezorgd, juffrouw. Hoe is uw naam?'

'Maakt niet uit.'

De tante van Sam rolde met haar ogen en snoof. 'Ik wil niet veel zeggen maar volgens mij zit hier een luchtje aan. Dat komt hier maar zo zonder iets aanzetten. Ik wil niet veel zeggen maar volgens mij is dat vrééémd,' zei ze, en opeens greep ze Sam vast, trok hem naar zich toe en drukte hem tegen haar verbleekte spijkerbroek. Hij schuifelde met zijn rode schoenen en probeerde zich uit haar greep los te wurmen, maar ze drukte hem nog steviger tegen zich aan, met haar armen om zijn bovenlijf. 'Zo is het. Ik vind die vrouw vreemd.' Ze hoestte, een hoest die van heel ver kwam, die haar bijna haar evenwicht deed verliezen en die het kind bevrijdde.

Je bestudeerde Sam met dezelfde intense aandacht en concentratie waarmee hij ooit ook naar jou had gekeken. Na alle ongewenste omhelzingen, het grijpen en vastklemmen, wilde je niets liever dan door hem worden vastgehouden, hem vasthouden, weer die warmte om je middel voelen. Je stak drie droge vingers uit en raakte zijn wang aan. Hij deinsde niet achteruit. Het liefst had je gewild dat hij zijn armen om je heen zou slaan, dat hij zou smeken niet in de steek te worden gelaten, je zou dwingen te doen wat je niet kon doen.

Maar hij had niks te zeggen.

Natuurlijk wist ik meteen wie hij was. Niet alleen hier. Ook in Amsterdam wist ik het meteen. En toen hij zo plotseling voor me stond, was het net alsof ik oog in oog stond met mijn eigen moordenaar. Ik vroeg me af of hij gekomen was om zijn pond vlees op te eisen. Maar hij is altijd alleen maar charmant geweest. Wat wil hij, vraag ik me af. Hij is speciaal gekomen om iets te zeggen. Waarom zegt hij dat dan niet?

1989

Het was geen toeval dat Laura en de jongen elkaar al kenden, voor ze hem daar in het donker aantrof, in die vrachtauto, met Bernard dood op de grond. Het enige toevallige was dat ze tegelijkertijd op dezelfde plek waren. Toen zijn ouders zichzelf samen met drie anderen bij een politiebureau hadden opgeblazen, was Laura echt de enige geweest die de jongen wilde zien, omdat Laura dichter bij een moeder kwam dan wat hij ook nog maar had in dit leven. Hij stak zijn hand naar haar uit en zij pakte hem en trok zijn hoofd tegen haar arm en heel even kon hij zich niet herinneren of ze pas was opgedoken toen Bernard al dood was of dat ze er daarvoor al was geweest. Een poosje zaten ze zwijgend voor zich uit te staren in het donker. De jongen wilde Laura wel vragen of hij niet bij haar kon blijven, nu zijn moeder dood was, maar dat deed hij niet. Hij wist dat dat niet kon.

Er was een politieblokkade onderweg, maar ze liet haar identiteitsboekje zien, en ook dat van de jongen, en legde uit dat ze op weg waren naar zijn oom, van wie de vrachtwagen was. De jongen vroeg zich af wat er met hen zou gebeuren als de politie een deur van de laadruimte zou openmaken en zou ontdekken wat daarin lag. Maar ze hadden geluk, de politie liet hen doorrijden en zei alleen dat ze voorzichtig moesten zijn.

Laura reed door tot het bijna licht was, naar een boerderij bij Beaufort West waar haar kameraden al op haar wachtten, en daar ontmoette de jongen voor het eerst Timothy en Lionel. Laura zei tegen de jongen dat hij die mannen moest vertrouwen en dat ze zelf weg moest – er was iets wat ze moest doen. Het was mogelijk dat ze hem weer zou zien, ze beloofde dat ze naar hem zou gaan zoeken en zei dat hij ook naar haar moest zoeken want als ze allebei naar elkaar zochten, zouden ze elkaar op een goeie dag weer vinden. Ze zei dat hij naar haar moeder moest gaan, dat hij haar moest opzoeken als hij ooit iets nodig had. 'Mijn moeder is een goed mens,' beloofde ze. 'Mijn moeder zal je niet in de steek laten.'

De jongen keek haar na, terwijl ze in een auto wegreed met een man, maar hij wist niet wie die man was en kreeg zijn gezicht niet te zien. Hij wist alleen dat Laura en de man iets belangrijks te doen hadden en dat het voor hem te gevaarlijk was om mee te gaan. Hij zou Laura nooit meer zien. Als ze van plan was geweest terug te komen, zou ze dat inmiddels wel gedaan hebben.

De vrachtwagen die zijn erfenis was liet ze achter, en in de dagen daarna keek hij toe hoe Timothy en Lionel en andere mannen graven dolven voor alle lijken, inclusief dat van Bernard.

Timothy verwijderde alles waaraan de vrachtwagen herkend zou kunnen worden en bracht nieuwe nummerborden aan, waarna een van de andere mannen ermee wegreed. De jongen zou de vrachtwagen nooit weerzien maar hij kon zich er niet druk om maken.

Aanvankelijk, als hij hun vroeg wat er ging gebeuren, lachten Timothy en Lionel en zeiden ze: 'Jij wordt onze mascotte.' Maar toen er weken voorbijgingen, wisten ze niet meer wat ze zeggen moesten. De jongen herinnerde hen eraan dat hij een tante had in Beaufort West waarop er dagen achtereen over gesproken werd of ze de jongen naar zijn tante moesten brengen of dat dat te riskant was, en of het misschien niet sowieso beter was hem gewoon te houden omdat hij in de beweging was opgegroeid en hij er dan misschien ook maar bij moest blijven, hij was immers al bijna een man die ze konden leren schieten. Maar Lionel zei dat dat niet goed was, niet eerlijk tegenover de jongen, en dat ze hem naar zijn tante moesten brengen.

De jongen kende zijn tante echter nauwelijks en de anderen wisten niet of ze te vertrouwen was. En toen zei hij: 'En de ouders van Laura dan? Laura zei dat ik naar haar moeder kon gaan. En haar vader... haar vader zei tegen mij dat als ik ooit iets nodig had...'

Zo belandden ze bij de vrouw op de veranda. Ze keken door de hordeur naar binnen, maar de vrouw schudde haar hoofd, nam de papieren van haar dochter aan en zei dat ze weer weg moesten gaan.

Daar stonden de jongen en de twee mannen, de deur was in hun gezicht dichtgeslagen, en hoewel ze in de schaduw stonden was het een hete en windstille dag in februari. De jongen begon over zijn hele lijf te zweten. De mannen keken hem aan en zeiden dat hij zich geen zorgen moest maken. Hij keek naar de berg omdat hij niet naar de mannen of naar de ramen van het huis wilde kijken. Hij wilde niet gezien worden noch iemand zien terwijl hij naar het spitsverkeer op Camp Ground Road luisterde, en bedacht hoe die overging in andere wegen, Liesbeeck Parkway, Malta Road, Albert Road, wegen die weg kronkelden naar het noorden, de contouren van de berg volgend, en terugdraaiden naar zijn eigen buurt, naar het huis dat ooit, tot voor kort, zijn huis was geweest.

Ze liepen terug naar de auto en bleven een tijdje in de schaduw zitten terwijl de mannen in zijn bijzijn bespraken wat ze nu met de jongen moesten. 'Ik vind dat we het aan de jongen zelf moeten vragen,' hield Lionel uiteindelijk vol, en toen het aan de jongen gevraagd werd, zei hij dat hij niet bij hen wilde blijven, maar dat hij naar zijn tante wilde, in Beaufort West, waar Laura hem in eerste instantie naartoe had gebracht, of niet in eerste maar in laatste instantie, nadat ze hem gered had uit de situatie die hij over zichzelf had afgeroepen. Zittend in die auto was hij ervan overtuigd dat het zijn schuld was dat die mannen moesten beslissen wat ze met hem moesten, zijn schuld dat Laura zich gedwongen had gevoeld voor hem te zorgen, zijn schuld dat zijn ouders om te beginnen al verdwenen waren. Het was zijn schuld, hij had gefaald.

Hij beloofde dat hij niets over hen tegen zijn tante of tegen wie dan ook zou zeggen.

'Niet voor dit achter de rug is, niet voor dit alles, zeg maar, geschiedenis is, jonge vriend,' zei Timothy.

Ze zouden hem bij zijn tante op de stoep achterlaten. Voor het geval er iets misging, als zijn tante weigerde hem binnen te laten, of hij het gevoel had dat hij niet bij haar zou kunnen aarden, gaven ze hem een telefoonnummer, als hij dat belde, zou iemand hem weer op komen halen.

Clare

Je reed de rest van de dag en een flink stuk van de nacht tot je, op een uur lopen van de grens, de vrachtwagen liet staan en je kompas begon te volgen naar een plek waar je hoopte ongemerkt het land uit te kunnen glippen.

De bergen waren droog, de miezerige bomen waren oud en gingen steeds dichter op elkaar staan. Terwijl je daar liep, begon zich in de dalen mist te vormen die tussen de takken bleef hangen. Een windje woei uit het zuidwesten, maar de hemel was helder en zou nog enkele uren licht blijven. Als je doorliep, zou je ruim voor het ochtendgloren bij de grens zijn.

Onder het lopen begonnen je gedachten zich te vullen met de dood van anderen, en je eigen onafwendbare dood, en de afwezigheid van Sam – een afwezigheid die je voelde in het gewicht van de bagage op je rug, de mazen van rood vinyl die in je vel drukten, je openden en bewoonden. De gedachten aan doden die jij had veroorzaakt – de doden waar uiteindelijk alleen jij verantwoordelijk voor was – vulden je helemaal, en dijden uit op de maat van een lied dat door je geheugen dreunde. Je was diep in jezelf, helemaal opgeslokt, de dood vulde je tot voorbij het punt van voldoening, *erfüllte sie wie Fülle*, verzoet door de gedachte aan je eigen dood, de dood die moest komen, die er binnen een uur of een dag zou kunnen zijn.

Je sandalen raakten de eerste rol prikkeldraad voor je hem zag, maar je hield op tijd je pas in om te voorkomen dat je je handen openhaalde. Je liet de rugzak van je schouders op de grond glijden en spitste je oren. Helemaal onder in de holte van rood vinyl vond je een draadschaar en een paar dikke leren handschoenen, je hees de rugzak weer op je rug en begon door de rol heen te knippen tot je beide uiteinden zo ver uit elkaar kon trekken dat je ertussendoor kon. Je had hierop getraind, je had zware draden doorgeknipt, de spieren van je handen waren sterk en alert. Je wist dat er misschien wel vele rollen zouden volgen, elke rol van de vorige gescheiden door een boomloze vlakte. Aan de andere kant bleef je even staan, je draaide je oren naar de wind en deed toen je handen ervoor, om in het vacuüm te luisteren. Afgezien van de wind was er geen geluid te horen. Je liep verder en probeerde in een loodrechte lijn op de eerste rol te lopen, maar je had geen idee hoe lang de volgende op zich zou laten wachten. Je hart begon te bonken, je voetstappen en je hartslag denderden door je hoofd. De mist was te dik om verder te kijken dan je armen lang waren en je longen stroomden vol vochtige lucht. Na vijf minuten stuitten je voeten op een volgende rol. Ook die knipte je door, je trok de draden met de scheermesjes uit elkaar en liep weer verder. Vijf minuten later, nog een rol, en daarna nog een. Je was bang dat je misschien wel met een boog terug was gelopen. Of dat je evenwijdig aan de grens liep, in plaats van hem over te steken – dat er misschien wel rollen prikkeldraad haaks op de grens waren gelegd om iedereen die hem wilde oversteken op een dwaalspoor te zetten. Toen bedacht je dat je een kompas had. Het lichtgevende instrumentje bevestigde dat je nog altijd richting de vrijheid liep. Na nog twee rollen prikkeldraad begon je de hoop te verliezen, je liet je uitgeput op je knieën zakken, je hart galmde en je ademhaling kwam met horten en stoten, je zwoegde onder de last van je vochtige rugzak. Alleen de grond vlak om je heen was te zien. Je horloge zei dat het twee uur was, maar voor je gevoel was het uren later. Er waren streken, werd wel gezegd, waar horloges het niet deden.

Toen je probeerde op te staan, merkte je dat het niet meer ging, je moest kruipen. Als het maar weer licht wordt, dacht je, dan zie ik tenminste waar ik ben. Je kroop een uur verder, steeds naar het zuidzuidoosten, maar kwam geen prikkeldraad meer tegen.

Je mond was droog, je gewrichten deden pijn. Uiteindelijk wist je overeind te krabbelen, maar terwijl je dat deed kwam van rechts een explosie van licht. Een man schreeuwde. Een hond blafte.

En toen hadden de man en de hond je te pakken.

Je kon je niet herinneren hoeveel dagen het was geweest; vijf misschien, of misschien wel vijftienhonderd. Alles waar je eventueel het verstrijken van de tijd mee zou kunnen bijhouden was je afgenomen en je leefde permanent binnen, in een cel zonder raam, met verplaatsingen door gangen zonder ramen naar andere raamloze kamers, raamloze badkamers, raamloze verhoorkamers, allemaal verlicht door dezelfde oranje lichten, je zou niet kunnen zeggen hoeveel dagen het geleden was dat je voor het laatst de lucht en de zon had gezien. En de zon! De intense gloed verblindde je aanvankelijk. Ze hadden je op je rug gelegd, je gezicht brandde in het felle licht. Je kon niet eens naar de wereld kijken om te zien of hij nog was zoals je je hem herinnerde, je moest je ogen dichtdoen tegen het schijnsel – hoewel de momenten dat je je ogen sloot tegen de zon en je de oranje gloed door je vergrijsde oogleden waarnam, vergeleken met de tijd dat je binnen opgesloten had gezeten, niet meer dan een vluchtige onderbreking waren. Het was een opluchting om, na de bedompte lucht van de gevangenis, zeewind in te ademen en te voelen hoe de zon je lichaam verwarmde, zodat zelfs de boeien waarmee je op je plek werd gehouden bijna te verdragen waren, en het feit dat je ruggengraat en benen slechts steun kregen van een dunne metalen buis, niet dikker dan je eigen pols, de eerste minuten bijna te negeren was. Je proefde zout in de lucht, en je zou kunnen schreeuwen als je dat wilde, maar de moed daartoe had je al lang geleden verloren, je durfde alleen in jezelf te fluisteren, bijna zonder je lippen te bewegen, waarop het zout prikte als scherpe witte bloemen. Ze hadden de kooi gesloten en waren weggesjokt, de duinen in, jij was achtergelaten bij het geluid van de golven die braken op het strand, en toen de wind draaide, van stemmen van anderen als jij, die ook bij zichzelf fluisterden, of jammerden, of zachtjes huilden, en een die een gesmoorde kreet slaakte.

'Het is een eenvoudig systeem, dames en heren, het heeft wel iets van een vishengel, maar met een bijna tegengesteld doel, zoals u ziet. De kooien, gemaakt van ultralicht titanium, zijn aan deze motoren hier vastgemaakt, die ze aan een kabel buiten het bereik van de vloed kunnen trekken, of tot een halve kilometer van het strand in diep water kunnen laten zakken, afhankelijk van wat de bedoeling is. Op dit strand, dat heel afgelegen is, het is van hier een uur rijden naar het hek, zoals jullie weten, en dan nog een uur naar de dichtstbijzijnde weg, liggen vijfentwintig kooien, die meestal alle vijfentwintig in gebruik zijn.'

'Wat zijn de afmetingen?'

'Elke kooi is een meter in het vierkant en drie meter hoog. Vanbinnen, langs de verticale as, zit een paal met een verstelbare dwarsstang die hoger of lager kan worden gezet, al naar gelang de schouderhoogte van de gedetineerde; het is van essentieel belang dat het altijd goed past, zodat de gedetineerde stevig vastzit, ook onder water. Boeien aan de enkels, om de hals en de polsen houden elke gedetineerde op zijn plek, en die zijn trouwens ook weer verstelbaar, zodat niemand de kans krijgt er in het water uit te glippen en naar boven in de kooi te zwemmen.'

'Maar zelfs dan zouden ze toch niet kunnen ontsnappen, of wel?'

'Nee, dat niet, maar ze zouden misschien lucht kunnen krijgen.'

De herinneringen waren heel duidelijk, de oude; het was je grip op het recente verleden dat minder vast was. Je wist nog de eerste keer dat je ooit op een strand had gelopen, toen je twee was, met je vader en mij en je broer, en je je rode badpak met zijn gele vissenpatroon strak tegen je huid voelde. Je herinnerde je de eerste stapjes die je gezet had, totaal onbevreesd, want je wist alles over de oceaan, je wist dat hij was om in te zwemmen, en ook dat hij kouder was dan hij eruitzag. Je was de branding in gelopen en was vol vertrouwen gaan pootjebaden, met je vader en ik zwemmend aan je zij. Er was de opwinding over het feit dat je makkelijker bleef drijven dan in de vijver bij de boerderij, maar de golven maakten wel dat het meer inspanning kostte. Na tien minuten in het water was je er klaar voor om op het strand te gaan uitrusten, om je borst te laten rijzen en dalen op het ritme van de branding, je haar in zoute strengen rond je gezicht terwijl je naar de golven keek die aan kwamen rollen en weer terug gleden. Je bleef op je rug liggen en staarde naar de blauwwitte lucht tot je vader een parasol uitklapte.

'Als u naar deze hier kijkt, kunt u zien dat we de kabel een eindje hebben laten vieren, het water komt al tot haar enkels. Het duurt niet lang meer, dan drijft de kooi af naar zee, en dat is wat wij de "proefdrempel" noemen. Als ze dat ondergaan zonder te gillen, krijgen we ze niet aan de praat en kunnen we ze net zo goed helemaal laten gaan. Het is een schoon systeem ook, want als we ze eenmaal vijfhonderd meter hebben laten gaan, wordt het deurtje automatisch geopend en hebben roofdieren, haaien en dergelijke, vrij spel. We hoeven de kooi alleen maar te laten hangen tot we gewoel in het water zien, dan weten we dat we de kooi weer terug kunnen trekken, min of meer leeg.'

'Dus er zijn geen begrafenissen nodig.'

'Alles wat over is, wordt verbrand. Maar soms vreten de haaien zo'n kooi helemaal leeg. "Schoon schip maken" noemen we dat. Dan hoeven wij alleen maar de volgende erin te doen.'

'Maar ik veronderstel dat er ook gedetineerden zijn die wel breken?'

'Zoals die vent daar, die daarnet zo schreeuwde. Mijn mensen zijn al het water in gegaan, ze trekken eruit wat ze weten willen, en als hij niet alles vertelt wat ze horen willen, gaat hij weer terug. Soms zijn er tien, twaalf van die tripjes nodig voor ze beseffen dat het ons menens is, dan gillen ze wel elke keer maar vertellen ons niet alles wat we willen horen, en dan gaan ze onherroe-

pelijk weer terug. Maar ze gaan uiteindelijk altijd een keer praten. Het is de efficiëntste methode die we gevonden hebben, en
hij heeft ook nog een ecologische functie. De visstand in dit gebied is de afgelopen drie jaar vertienvoudigd.'

'Dit is de hoogste instantie, zogezegd, voor de zwaarste gevallen.'

'Dit zijn de mensen die alles hebben doorstaan en nog niet zijn
doorgeslagen. Ik zou niet kunnen zeggen wat het is met de oceaan, het is een of ander natuurlijk ritme dat ze de stuipen op het
lijf jaagt. En we hebben ook proefondervindelijk vastgesteld wat
de beste werkwijze is. Je laat ze eerst een dag op het strand in
hun kooi liggen bakken. De volgende morgen, als ze de hele
nacht hebben liggen bibberen van de zonnebrand, slepen we de
kooien naar het water en laten het getij zijn toverkunstje doen.
Het is echt prachtig om te zien. Het heeft iets bevrijdends.'

Het blootliggende weefsel van je vingers en tenen, waar ze de
nagels hadden uitgerukt, klopte en brandde van het zout, en de
wonden waar je rug mee overdekt was deden nog meer pijn door
het zand dat erin stoof en de aanhoudende vlooienbeten. Je besefte dat je lag te verbranden als je je blote bovenbenen langs elkaar schuurde of je polsen in hun boeien bewoog. Het was of er
een prop watten in je mond zat en je deed je ogen dicht om het
beetje vocht dat er nog was vast te houden. Slapen was onmogelijk vanwege de kracht die nodig was om op je plek te blijven liggen; als je je ontspande, begonnen de boeien om je polsen en enkels in je vlees te snijden, en niet veel later zouden ze in je bot ker-
ven. 'Ik heb dit lang doorstaan, ik kan het nog langer. Het is niet
zoiets als ziekte of koorts, niet eens zoiets als schaamte. Naakt-
heid maakt niet meer uit. Ze kunnen met me doen wat ze willen,
ze kunnen toekijken hoe ik mezelf onder pis en schijt, als ik nog
iets te pissen of te schijten had. Er zit niks meer in mijn maag om
uit te kotsen, zelfs geen gal. Dit is niet het ergste wat ze me hebben aangedaan. Dit is bijna een verademing.'

Zo boven het zand hangen gaf misschien wel niet dat gloeien

van schaamte, noch het kille van een ziekte, je was niettemin zowel heet als koud. Binnen had de schaamte overheerst. Je wilde
er niet aan denken wat ze allemaal gedaan hadden om je te
schande te maken; het was onmogelijk daaraan terug te denken
zonder jezelf te verliezen.

Je hoorde de stemmen van de bewakers en de functionarissen
die op werkbezoek waren, maar wat ze zeiden kon je niet verstaan; ze bleven langer staan kijken dan je verwacht had, alsof ze
een cricketwedstrijd bijwoonden, met pauzes voor de lunch en
voor thee. Als je je hoofd naar weerskanten draaide, zag je net
zulke kooien als waar jij in lag, in rijen, negen aan je linkerzijde,
vijftien aan je rechter, de verste aan de rand van je gezichtsveld;
sommige lagen op dezelfde hoogte als jouw kooi, andere dichter
bij het water. Links van je lag een jonge vrouw. Net als jij spande
ze al haar spieren om te voorkomen dat de boeien in haar ledematen sneden. Je meende haar te herkennen van de gevangenis,
maar zo zonder haar, en op een afstand van verscheidene meters,
kon je het niet met zekerheid zeggen. Je klakte naar haar, zoals je
jezelf had aangeleerd, maar ze reageerde niet; misschien was ze
wel ergens anders, op reis. De bewakers stonden te ver weg om
aandacht te besteden aan wat jij hier uitspookte. Toen je naar
rechts keek, zag je dat de kooi aan die kant dichterbij lag, en je
herkende een vriend van de gevangenis. Samen hadden jullie het
oude alfabet geleerd, van een van de oudste gevangenen, een ver-
worvenheid die in de loop der tijden telkens weer aan nieuwe gevangenen was doorgegeven. Voor de bewakers was het niet meer
dan wat geluid, wat gebrabbel.

'Hallo, vriend. Ze kijken niet naar ons.'

'Hebben ze jou hier vanmorgen gebracht?'

'Ik weet het niet. Je moet jezelf goed rechthouden. Je polsen.'

'Het is morgen toch voorbij, hoe dan ook.'

Je probeerde te bedenken hoe lang jullie al bevriend waren. Jullie hadden elkaar zeker vijf jaar voor je gepakt was ontmoet. Jullie lichamen waren niet opvallend anders geworden; jullie wa-

ren magerder nu, met afgetobde gezichten, maar jullie waren nog als jezelf te herkennen.

'Ik ga niet schreeuwen. Jij?'

'Nee.'

Schreeuwen had geen zin. Je meende te weten hoe het was om te verdrinken, je was een keer bijna in het diepe van het zwembad verdronken toen je drie was. Aanvankelijk was je in paniek geraakt, je moest van het trapje naar het diepe zwemmen en opeens merkte je dat je naar de bodem zakte; je had je ontspannen, was door je lucht heen geraakt en opeens had je op de kant gelegen, op de tegels, met de mond van je zweminstructrice op de jouwe, er droop water uit de rimpels in haar gezicht en de kinderen stonden in een halve cirkel om jullie heen, nieuwsgierig kijkend hoe dat grote dikke mens je weer leven inblies. 'Het was helemaal niet zo erg om bijna te verdrinken; ik zou liever zijn verdronken dan te worden gereanimeerd. Waarom raakte ik eigenlijk in paniek? Ik kon zwemmen; ik kon al zwemmen voor ik kon lopen. Ik was tegen iemand aan het praten, een jongen met bruin haar, en probeerde intussen water te trappen, maar toen ging ik kopje-onder, ik zakte tussen de andere kinderlijven naar beneden, ik zie de dikke buik van de zweminstructrice nog voor me.'

Het licht begon zachter van toon te worden, vanaf het land kwam een verzengende wind aanwaaien die zand tegen je verbrande lichaam blies, en je begon af te koelen, misselijk van de zonnebrand die toeslaat zodra de zon achter de horizon verdwijnt. De vrouw aan je linkerzijde en de vriend aan je rechter begonnen ook te beven en te trillen.

Is dat je einde? Kom je zo aan je einde?

Dit is mijn nachtmerrie. Ik heb hem elke nacht, ieder uur, ik heb hem al twintig jaar.

Iets anders zie ik niet voor me.

II

Sam

Greg stelt voor om, voor ik morgen naar Johannesburg vertrek, samen een bezoek te brengen aan mijn oude buurt. We gaan eerst naar de weekendmarkt in de Old Biscuit Mill, waar druk geshopt wordt door hippe buurtbewoners, die kennelijk allemaal zijn afgekomen op de veel te dure baksels, handwerkproducten en Afrikaanse maskers, die wit zijn gespoten zodat ze er nog wat chiquer uitzien. Daarnaast zijn er nog altijd de vervallen winkels aan Albert Road, de autobewakers die bezeten gebaren dat je heel goed langs een ononderbroken gele lijn kunt parkeren omdat iedereen het doet en het de verkeerspolitie geen zak kan schelen en trouwens, het is toch zaterdag dus wat zou er kunnen gebeuren?

Op de markt zitten we op hooibalen wat te eten terwijl Dylan met een paar andere kinderen speelt. Greg lijkt iedereen te kennen en na twee uur eten en spelen en ons door de drukte heen wurmen om vegetarische wraps en pasteitjes en icecoffee te kopen, zeg ik tegen Greg dat ik mijn oude huis ga opzoeken. We spreken af dat we elkaar later weer zien.

Ik hol tussen de auto's op Albert Road door en loop met de kaart in mijn hoofd terug naar de City Bowl; na een paar straten ben ik bij Dublin Street, ik steek Victoria over en loop Kitchener in.

Devil's Peak rijst boven de buurt uit, zij het minder indrukwekkend dan in mijn herinnering. En hoewel de straat in twee decennia niet veel veranderd is, voelt hij toch smaller aan, krap en benauwd. Sommige huizen staan er vervallener bij dan vroeger, andere zien eruit alsof ze onlangs nog zijn opgeknapt, geschilderd, en in tralies verpakt die de hele veranda omgeven. Uit een van de krakkemikkige huizen dreunt de kwaito hem tegemoet. Verder heuvelopwaarts, uit een huis waar een nieuwe verdieping op is gezet, klinkt het stereogeluid van een strijkkwartet, alle ramen staan er wijd open en de gordijnen hangen slap van de hitte tegen de tralies.

Ik dacht dat ik het huis wel zou herkennen zonder naar het nummer te hoeven zoeken, maar voor ik het weet sta ik op de kruising met Salisbury en moet ik op mijn schreden terugkeren naar het huis met de nieuw opbouw, en dan zie ik dat ze van ons oude huis en het huis ernaast één woning hebben gemaakt. Beide waren vroeger wit maar het nieuwe pand is donkergrijs geschilderd, met zwarte lijsten, en er staat een glazen en stalen kubus bovenop waar vroeger de pannendaken zaten. Er is een nieuw hek geplaatst en de hele veranda is beveiligd met tralies in geometrische patronen. Door de open ramen kan ik naar binnen kijken: de muren zijn in de kleur van bloed geschilderd, het plafond is met bamboe bekleed en aan de muren hangen drukke Congolese maskers – 'boze magie', zou Greg zeggen. Een vrouw in een van de voorkamers kijkt naar me door het raam.

Drie jongens fietsen over straat, naar elkaar schreeuwend. Een kat kruist hun pad, de jongens joelen tot de kat onder een geparkeerde auto verdwijnt. Boven ons raast een helikopter en in de verte, de kant van de berg op, janken claxons van auto's en taxi's op Eastern Boulevard. Ik herinner me dit als een rustige buurt, maar misschien is dat het wel nooit geweest.

De vrouw komt de veranda op en kijkt me aan, en speurt dan naar beide kanten de straat af alsof ze iemand verwacht.

'Kan ik u helpen?' roept ze. Ze heeft geen plaatselijk accent – misschien wel Duits of Nederlands.

'Ik heb hier vroeger gewoond – althans, in die helft,' zeg ik, en ik wijs naar de zuidelijke helft van het huis.

'O? Lang geleden? Wij wonen hier vijf jaar. Wij hebben beide huizen samengetrokken. Eén was te klein. Het waren allebei bouwvallen. De straat was een hel, dat begint nu beter te worden. Misschien gaan we het wel verkopen. We kunnen wel een mooie prijs afspreken. Wilt u het weer kopen? U hebt hier lang geleden gewoond neem ik aan?'

'Ja, lang geleden.' Ik zie mijn ouders nog zitten in de voorkamer zoals hij vroeger was, met zijn beige muren, mijn vader aan het ene eind van de eettafel over zijn boeken gebogen, mijn moeder aan de andere kant rammend op een oude typemachine, terwijl ik met krijtjes en pennen zit te tekenen op hele einden pakpapier die ik heb uitgerold over de kale planken vloer.

'O, dat zal dan wel.' De vrouw kijkt nog een keer naar beide kanten de straat af. 'Anders zou ik u wel vragen even binnen te komen maar ik ben net de lunch aan het klaarmaken en mijn man is er niet en het is niet mijn gewoonte vreemde mannen in huis uit te nodigen als u begrijpt wat ik bedoel.'

'Dat is goed, hoor. Ik had ook niet verwacht binnen te kunnen kijken.'

Ik probeer me voor te stellen welke versie van mijn leven mij in staat zou hebben gesteld met mijn ouders in Kaapstad te blijven wonen, in dat huis op te groeien, ze er oud te zien worden en het misschien uiteindelijk te verkopen en naar een rustiger buurt te verhuizen, een bungalow in Hermanus met uitzicht op de oceaan, waarna we hier weer met zijn drieën konden gaan kijken en ons erover verwonderen hoe de buurt wel en niet veranderd is.

Ik heb het idee dat het zo had kunnen gaan als ik maar geweten had wat ze deden. Maar ik moet toch in elk geval iets geweten hebben over wat ze deden als mijn vader niet aan het studeren was en mijn moeder niet voor mij zorgde of op haar typemachine zat te rammen. Hoewel, misschien hoorde die typemachine er ook wel bij. 's Avonds gingen ze uit en lieten mij alleen met mevrouw Gush, de oude vrouw die geen tanden had en liedjes in mijn oren siste en koude 'soep' maakte van ijs en melk met stukjes guave uit blik. Soms ging mijn vader alleen ergens heen en bleef hij dagen of weken weg. Andere keren kwamen vrienden van mijn ouders, onder wie ook Laura, op bezoek en praatten ze tot diep in de nacht. Dan luisterde ik bij de deur van mijn slaapkamer en probeerde te begrijpen wat ze zeiden. Sommige van hun vrienden waren niet van hier; die hadden een vreemd accent of spraken gebrekkig Engels. Mijn ouders kenden mensen uit allerlei landen. Dat, begrijp ik nu, hoorde er ook bij – de mensen met wie ze omgingen, het gevaarlijke van hun kringen, zowel de formele als de informele banden.

Ik moet me ervan bewust zijn geweest dat iets aan mijn familie anders was dan anders. Ze zullen zich wel een keer versproken hebben. Als ik mij de typemachine herinner, moet ik beseft hebben dat die op een of andere manier belangrijk was. Net als Laura was mijn moeder journaliste. Zo kenden ze elkaar – zo, en misschien ook nog wel op een andere manier. Net als mijn vader had mijn moeder rechten gestudeerd; ze hadden alle twee bij William Wald gestudeerd, maar terwijl mijn vader zijn studie afmaakte onderhield mijn moeder ons met haar journalistieke werk. Soms nam mijn moeder me na school mee met de auto en zat ik een boek te lezen terwijl zij iemand interviewde. Maar toen ik het archief van *The Cape Record* doorzocht, de krant waar zowel Laura als zij voor had gewerkt, kon ik geen artikelen van mijn moeder vinden. Wel van Laura, maar niet van mijn moeder. Misschien had zij een andere functie, was ze bureauredacteur, of redactieassistent, of misschien heb ik het altijd bij het verkeerde eind gehad en liet ze mensen alleen maar geloven dat ze journalist was, omdat ze eigenlijk iets heel anders deed.

Ik zie mijn ouders voor me zoals ik ze voor me zie in mijn laatste herinnering aan hen, op de veranda van het huis in Woodstock, zoals die was toen wij daar woonden. Ze buigen zich allebei over me heen om me een kus te geven, waarna ze me aan de zorgen van mevrouw Gush overlaten. Mijn vader heeft een kaki broek aan en een blauw, geruit overhemd. Mijn moeder heeft een kleurige doek om haar haar geknoopt en draagt een rood topje en een overslagrok van calicot. Toen ze weg waren, ging mevrouw Gush in de kamer zitten terwijl ik op mijn slaapkamer een boek ging liggen lezen. Een uur nadat mijn ouders thuis hadden moeten zijn, kwam mevrouw Gush vragen of ik misschien een idee had waarom ze zo laat waren. Ik zei dat ik het niet wist – ze zouden bij vrienden op bezoek gaan. Een uur later stond de politie voor de deur. Mevrouw Gush nam me mee naar buiten en hield me bij mijn schouders vast terwijl de politie het huis doorzocht. Ik begreep niet waarom ze dat deden, en tegelijk wist ik het heel goed. Na een halfuur kwamen ze naar buiten met boeken en mappen en de typemachine van mijn moeder. 'Er neemt nog iemand contact op over de jongen,' zei een van de politiemannen. 'Kunt u hem vanavond hebben?' Mevrouw Gush protesteerde, waarop zij zeiden dat als zij het niet kon doen, ik de nacht op het bureau zou moeten doorbrengen. Toen tot mij doordrong dat ze de typemachine van mijn moeder meenamen, begon ik te krijsen en probeerde ik hem uit de armen van de agent te trekken die hem droeg. 'Kunt u die jongen niet in toom houden? Anders komt hij ook in de problemen, net als zijn ouders,' zei de politieman. Mevrouw Gush trok me naar zich toe en nam me weer mee naar binnen. Laden waren over de grond leeggeschud en alle meubels lagen omver, alle stoelen en de bank waren omgekeerd en van onderen opengesneden. In mijn slaapkamer, die anders altijd netjes was, lagen alle kleren en boeken en speelgoed door elkaar op de grond. Ik begon te huilen. Mevrouw Gush zei dat het geen zin had om te huilen en hielp me de boel weer een beetje op orde te brengen.

Als ik geweten had wat mijn ouders van plan waren, ben ik ervan overtuigd dat ik ze gesmeekt zou hebben het niet te doen, niets te doen dat hen in gevaar zou kunnen brengen of het risico inhield dat ze hen bij mij weghaalden. Je kunt niet volstaan met te zeggen dat ze het voor een 'goede zaak' deden, of dat ze 'nobele doelen' nastreefden. Dat weegt niet op tegen de verliezen – die zijn domweg te groot.

Ik vertrek vanmorgen uit Kaapstad, voor de zon op is. Greg en Dylan staan met de honden bij het hek om me uit te zwaaien. Ik rijd vandaag tot aan Colesberg en dan morgen verder naar Johannesburg, mooi op tijd om de sleutels in ontvangst te nemen van het huis dat we overnemen van de collega van Sarah, voor die naar zijn nieuwe standplaats vertrekt. Sarah komt dinsdag aan vanuit New York.

Tijdens de rit naar Colesberg houd ik mezelf wakker met opnames van mijn gesprekken met Clare. Het is een manier om mezelf af te leiden van het landschap dat, als ik de Hex River Valley achter me heb gelaten, het monotone karakter krijgt van de Karoo, waar ik nooit van heb leren houden in de tijd dat ik hier nog woonde. Na Laingsburg zijn er hele einden waar aan de weg gewerkt wordt en beland ik in eindeloze files waar over wordt gewaakt door vrouwelijke verkeersregelaars in oranje hesjes; ze zitten in mobiele witte units en laten het verkeer wachten terwijl de bonte kraaien erboven cirkelen en af en toe een duikvlucht maken naar een lekker hapje. Als we weer rijden, gaat het met een slakkengang over ruwe stukken weg, half afgemaakt, geribbeld met overal nog losse stukken asfalt die glimmen als kolenstof tussen de lichtere lagen gruis en grind. Dit mag dan de belangrijkste weg door het land zijn, het is nog steeds een tweebaansweg.

Ik luister naar de opnames van een van onze laatste gesprekken, waarin ik Clare vroeg of haar ouders – met name haar vader, die van begin jaren vijftig tot zijn dood halverwege de jaren tachtig actief was geweest in de oppositie – haar eigen politieke standpunten hadden beïnvloed.

'Als je bedoelt of ze me geïndoctrineerd hebben, vraag dat dan,' zegt ze, en ze kucht weer laatdunkend, een kuchje dat keihard uit de speakers knalt. 'Draai er niet omheen.'

'En, hebben ze u geïndoctrineerd?' Wat klinkt mijn stem toch vreselijk aarzelend, kruiperig, slijmerig.

'Niet echt zoals jij het bedoelt. Luister, mijn ouders waren allebei de eerste generatie van hun familie die boven het maaiveld uit kwam, die ging studeren, en dat maakte hen allebei bijzonder gevoelig voor wat er in de wereld speelde. Dat wil zeggen, ze hielden er een verzameling waarden op na die enerzijds de traditie in ere hield – ze hingen tegen het vrijzinnige aan, terwijl mijn grootouders en overgrootouders denk ik zeer godvruchtig waren – maar anderzijds waren ze ook van nature achterdochtig jegens totaliserende en totalitaire en ook autoritaire ideologieën. Tegen het eind van hun leven waren mijn grootouders van beide kanten, door omstandigheden, ervaring, waarneming, misschien wel bezig te veranderen in humanisten. Ze waren latent vooruitstrevend en zagen zich genoodzaakt om zich heen en vooruit te kijken, en om zelf te bedenken waar wellicht kansen lagen voor hun kinderen, mijn ouders, die verder gingen dan hun eigen landelijke en eigenlijk heel geïsoleerde leefwereld had opgeleverd – het waren mannen en vrouwen die bezig waren de orthodoxie achter zich te laten, voor zover je methodisten tenminste orthodox kunt noemen, die zich door de geschiedenis gedwongen zagen die overstap te maken, om ten gevolge van wat ze om zich heen zagen gebeuren hun wereldbeeld bij te stellen, hoewel de methodisten in dit land al best een behoorlijke, zij het niet vlekkeloze geschiedenis hadden. Mijn ouders daarentegen leken hun entree in de wereld te hebben gemaakt als volledig gevormde humanisten die godsdienstig waren op een nogal willekeurige, plooibare wijze – zij het mijn moeder meer dan mijn vader.' Op dat moment, weet ik nog, werd Clare afgeleid door een van de tuinmannen, die een grasmaaier aanzette die op de opname te horen is als een onduidelijk geruis op de achtergrond. 'Wat maakt die man een afschuwelijk lawaai, hè? Ik zal hem vragen daar even mee op te houden.' Ze roept iets naar buiten in het Xhosa en doet het raam dan met een klap dicht, maar de tuinman gaat gewoon door, herinner ik me nog, en het geluid van de maaier is nog altijd te horen, waardoor ze soms even moeilijk te verstaan is. 'Wat ik bedoel is dat onze ouders mijn zuster en mij dan misschien wel hebben opgevoed volgens hun geloof, en gedoopt, en geconfirmeerd, maar er werd nooit tegen me gezegd dat ik met zus of zo'n man moest trouwen, hoewel ik er niet aan twijfel dat als ik was thuisgekomen met een Afrikaner of een jood of een moslim, of met name met een niet-blanke, dat ik ze dan wel even aan het denken zou hebben gezet – of meer dan dat. Ik zie nog hun geschoktheid toen Nora haar verloving met Stephan aankondigde, en mijn moeder was er ook niet echt blij mee toen ze erachter kwam dat mijn aanstaande uit een katholiek nest kwam, al begreep ze dat hij zelf atheïst was. Zelfs humanisten hebben hun blinde vlekken.'

'Maar hebben ze u in politieke zin geïndoctrineerd?'

Ik herinner me nog dat ze verbaasd opkeek van mijn impliciete suggestie dat ze de vraag niet had beantwoord. Er valt een lange stilte in het gesprek terwijl het kabaal van de grasmaaier gewoon doorgaat. Ik kan hem horen vastlopen op een boomwortel of steen. Ik hoor mezelf op de bank heen en weer schuiven, een map tegen de recorder aan leggen, en op het knopje van mijn vulpotlood drukken om de stift er iets verder uit te krijgen.

'Ik wilde net zeggen dat dat nogal duidelijk is, gezien de betrekkelijke overeenstemming tussen hun en mijn politieke opvattingen, maar eigenlijk is dat verband helemaal niet zo duidelijk. Mijn zuster was immers in de verste verte niet geïndoctrineerd door mijn ouders, zij koos voor de andere kant. Je kunt dus niet spreken van een vanzelfsprekend verband. Het is dan ook een vraag die ik niet volledig kan beantwoorden. Ik weet uiteindelijk niet hoeveel invloed ouders op de overtuigingen van hun kinderen kunnen hebben, of hoe ze die invloed eventueel uitoefenen. Je kunt niet meer dan het zaad zaaien en goede omstandigheden creëren, en hopen dat de bloem die je op het plaatje is beloofd er dan ook uit komt, hopen dat de hybride niet terugvalt op eigenschappen van een eerdere generatie, of door onvoorspelbare en volkomen externe factoren – droogte, een storm, milieuverontreiniging – zo anders uitpakt dat het zaad muteert en er iets onherkenbaars opkomt.'

'U wilt zeggen dat dat met uw zuster is gebeurd?'

'Een mutant, ja. De grond, het water dat Nora dronk, de lucht die ze inademde, het was allemaal verontreinigd. En hoewel zij en ik min of meer onder dezelfde omstandigheden opgroeiden, had ik een grotere tolerantie, een natuurlijke immuniteit voor het milieu dat zo hardnekkig onze groei naar zijn eigen kwaadaardige hand probeerde te zetten. Nora niet. Nora was altijd ontvankelijk. Zij was zwak.'

'En uw dochter? Zou u kunnen zeggen dat u haar geïndoctrineerd hebt?' Ik hoor de spanning in mijn stem, ik klink opeens gesmoord, bang voor wat ik zelf zeg.

'Soms is een plant levenskrachtiger dan zijn ouder. Maar Laura – zoals je weet wil ik het niet over Laura hebben.'

Ik stop in Beaufort West voor een lunch. Ik koop een sandwich en ga in de auto zitten, een eindje bij het oude huis van Ellen vandaan. Er lijkt niks veranderd in de stad sinds ik hier de laatste keer was, afgezien van de flitspalen langs de wegen en het bord waarop wordt gewaarschuwd dat dit een gebied is met waterschaarste; het water in het stuwmeer staat op een gevaarlijk laag peil en ze hebben al water van elders moeten aanvoeren. Na jaren in de States valt me op hoe Amerikaans het er hier uitziet – de Amerikaanse fastfoodketens en motels, het autokerkhof en de trailers. Alleen zo af en toe een bord met een Afrikaans en een Xhosa opschrift herinnert me eraan waar ik ben, plus de bouw van de huizen, de townships en de mensen zelf. Demografisch is het net alsof er een stadje uit de Deep South in de woestijn van Nevada is gedumpt.

Het oude huis van Ellen lijkt evenmin veranderd als de stad, en ik realiseer me dat ik op de plek sta waar Lionel en Timothy twintig jaar geleden ook stonden.

'Is het dat huis?' had Lionel gevraagd. Hij was van hun tweeën altijd degene die zich het meest om mij bekommerde.

'Ja, dat is het,' zei ik, uit het zijraampje kijkend. Ik was er vaak genoeg geweest om ze vanaf de rand van de stad de weg te wijzen. Hoewel ik niet het precieze adres wist, kon ik het huis vanaf de rotonde bij de gevangenis zonder problemen vinden. Indertijd groeide er bougainville met oranje bloesems langs de dakrand, die aan de voorkant van het huis als een draperie van bladeren en bloemen over de veranda hing. De bougainville is er niet meer – op die veranda kan niemand zich meer schuilhouden.

Lionel gaf me de tas waar alles in zat wat ik had.

'Je belt ons als je iets nodig hebt, of als het niet gaat,' zei hij. Ik knikte en nam afscheid. Ik had ze niet lang genoeg gekend om iets te voelen bij het afscheid, afgezien van de hoop dat het niet nodig zou zijn ze te bellen, dat het bij mijn tante allemaal perfect zou zijn.

Ze bleven in de auto zitten kijken terwijl ik naar het huis van tante Ellen liep en aanklopte. Voor ik naar binnen ging, keek ik nog een keer achterom. Lionel zwaaide, Timothy keerde de auto, en ze reden weg. Ik heb ze nooit meer gezien.

Ik vertrouw erop dat mijn navigatiesysteem me in Gauteng over de doolhof van doorgaande wegen leidt, over de N1 naar de N12, via de M1 het centrum van Johannesburg in, dan van de snelweg af en verder over de lommerrijke Jan Smuts Avenue, langs de dierentuin, bij de Goodman Gallery linksaf Chester Road in, en vervolgens rechtsaf bij First Avenue. Daar is het na een klein stukje aan de linkerkant van de weg. Ondanks de drukte van de spits arriveer ik verbazingwekkend vlot op mijn bestemming. Als ik het stuur loslaat, merk ik dat mijn handen beven en dat ik buiten adem ben.

Vanaf de straat is het huis niet te zien: het enige wat te zien is, is een witte muur waarachter een flink bos oprijst, met helemaal links aan de straat een hek met daarachter een lange, verharde oprijlaan. Een eindje verderop in de straat staat een houten huisje, net groot genoeg voor één persoon, waar iemand van een particuliere bewakingsdienst vierentwintig uur per dag op een zwarte plastic stoel zit om het hele blok in de gaten te houden, van Chester tot aan Seventh Avenue.

Ik bel aan bij het hek en Jason, de collega van Sarah, laat me erin; de laatste drie correspondenten voor de krant in Afrika hebben hun intrek genomen in dit nepkoloniale bouwwerk. 'Zo zien Amerikanen het nou eenmaal graag,' zegt Jason, terwijl hij me een ring overhandigt met niet minder dan dertig sleutels en me rondleidt. 'Groot, oud, hoge plafonds, hoge muren, goed beveiligd, mooie buurt. Jullie zitten hier goed.' Achter in de tuin staat een cottage die ooit voor een inwonende meid was bedoeld en die Sarah als kantoor kan gebruiken, en ze krijgt ook nog de beschikking over een glimmende zwarte SUV. Jason geeft me de namen en mobiele nummers van de schoonmaakster en de tuinman, de telefoonnummers van allerlei voorzieningen, wachtwoorden, het nummer voor noodgevallen van het beveiligingsbedrijf, een lijst met goede restaurants in de omgeving en een heel boekje met informatie over veiligheid in het algemeen – waar het wel veilig is en waar niet. Volgens het boekje is het eigenlijk nergens veilig om te lopen, zelfs overdag niet. Indien maar enigszins mogelijk, neem de auto, en zeg tegen iemand waar je heen gaat, wanneer je daar verwacht te zijn en wanneer je weer terug bent. Dat lijkt mij erg overdreven, maar goed, ik heb nog nooit in Johannesburg gewoond en ik kan alleen maar afgaan op de verhalen die ik gehoord heb. Jason wijst me de knoppen aan waar ik in geval van nood of bij onraad op moet drukken – ten minste één in elke kamer, soms twee of drie – en geeft me ook nog twee mobiele knopjes aan hangers, een voor Sarah en een voor mij, die je om je hals kunt dragen.

'Die moet je altijd om hebben,' zegt hij, 'je weet nooit of de vrouw die aan de poort komt om maïs te verkopen niet toevallig een man in vermomming met een pistool is. Je wilt toch niet in je eigen bed vermoord worden. Wachtwoorden moet je geregeld veranderen. Rose heeft vier van de afgelopen vijf jaar voor me gewerkt, haar vertrouw ik volkomen. Andile, de tuinman, moet je heel scherp in de gaten houden, maar zolang hij op dagen komt wanneer Rose er is, doet zij dat voor je en hoef je je nergens zorgen om te maken. Maar goed, jij komt hier zelf vandaan, ik hoef je dit nauwelijks te vertellen.'

Ik bied aan Jason naar het vliegveld te rijden, maar hij heeft al vervoer geregeld, en een halfuur na aankomst ben ik alleen in deze luxe bunker. In mijn jeugd zou ik me nooit hebben kunnen voorstellen dat ik nog eens zo zou wonen, met personeel, al was het parttime, twee auto's, een zwembad en een beveiliging die minstens zo uitgebreid en geperfectioneerd is als die van Greg in Kaapstad.

Ik bestel een pizza – 'Je moet geen bezorgers binnenlaten, je moet alles door het luikje in het hek aannemen,' heeft Jason me gewaarschuwd – en vervolgens bel ik Sarah voor ze naar het vliegveld vertrekt. We zijn gewend aan dit soort tijdelijke scheidingen, hoewel zij in het verleden altijd degene was die voor haar werk van huis moest en niet ik, maar dat zal alleen maar zo doorgaan als ze hier eenmaal is. Na de vakantie gaat ze voor twee weken naar Angola voor een artikel over de olie-industrie; daarna naar Nigeria, Sierra Leone, en wat zich verder maar aandient. Ze is moediger dan ik, dus ik weet dat ik me geen zorgen zal hoeven maken of ze zich hier wel zal weten aan te passen. Gezien haar werk is ze waarschijnlijk nog niet eens de helft van het jaar in Johannesburg.

Met het televisiejournaal op de achtergrond bekijk ik op mijn laptop de profielen van mijn nieuwe collega's aan de universiteit. Net als eerdere baantjes die ik heb gehad, is dit weer een tijdelijk dienstverband. Het werk van Sarah is voor ons de hoofdmoot, althans voorlopig, haar werk bepaalt waar we wonen en voor hoelang.

In een opwelling zoek ik op de site van de universiteit naar mensen die Timothy dan wel Lionel heten. Ik heb nooit geweten wat hun achternaam was, maar ik heb in de loop der jaren geregeld naar Lionels en Timothy's gezocht. In het archief van de commissie voor waarheid en verzoening – de eerste plek die ik kon bedenken om te gaan zoeken – staan weliswaar talloze mensen die zo heten, maar geen van die mensen leek ooit te matchen met het kleine beetje dat ik van hen of hun bezigheden wist. Sinds ik Clare voor het laatst heb gesproken, kan ik me echter niet aan de indruk onttrekken dat die twee misschien wel de sleutel in handen hebben, dat ik zonder hen niet zal kunnen afmaken wat het ook maar is waarvoor ik hier gekomen ben.

De faculteit antropologie levert een hit op: ene professor Lionel Jameson. Ik klik op de link voor zijn profiel. Als zijn foto op het scherm verschijnt, weet ik meteen dat hij het is.

Sarah heeft vertraging. Ik wacht bij Woolworth's, in het winkelcentrum tussen de terminals voor binnenlandse en buitenlandse vluchten. Ik bestel koffie en een muffin met zemelen en ga aan de grote witte tafel in het midden zitten, met mijn rug naar de ingang.

Ik heb nog maar net een paar keer van mijn koffie genipt als een hand voor me opdoemt die een flodderig stukje karton naast mijn schoteltje neerlegt. Ik kijk op en zie een enorme vogelverschrikker van een man, die me niet aankijkt maar daar alleen maar staat. In hanenpoten, aan de ene kant in het Afrikaans, aan de andere kant in het Engels, wordt op het stukje karton verklaard dat de man doof is en geld nodig heeft. Ik heb niet veel contanten op zak, dus ik pak een munt van vijf rand en laat die in zijn hand vallen, die hij me voorhield zodra ik mijn portemonnee trok. Een blik van teleurstelling glijdt over zijn gezicht als tot hem doordringt wat voor munt het is, alsof hij niet kan geloven dat ik hem zo weinig geef. Hij bedankt me niet, wil me zelfs nog steeds niet aankijken – hij doet niets waaruit blijkt dat hij iets van me gekregen heeft, behalve beteuterd kijken. Zonder verder een van de andere klanten lastig te vallen loopt hij naar de uitgang en pas dan zie ik dat zijn spijkerbroek helemaal doorweekt is en onder de vlekken zit. Hij is dubbel incontinent en dat ruik ik dan pas, als hij de deur uit loopt, zonder te worden aangesproken door de bewakingsbeambte bij de ingang. Zijn spijkerbroek valt boven de enkels in rafels uiteen en aan zijn schoenen ontbreekt de hak en het hele achterste deel, dus het zijn meer slippers, die bij elke stap op de grond klepperen. Ik kijk hem even na en wijd me dan weer aan mijn muffin van twintig rand, die de lekkerste muffin blijkt die ik ooit heb gegeten, en die vergezeld gaat van een bakje gesmolten cheddar cheese en een heel klein potje jam. In een opwelling van ergernis vraag ik me af waarom de bewakingsbeambte, een ronde dame in uniform, nergens anders oog voor lijkt te hebben dan voor het romannetje dat ze zit te lezen, en waarom ze die man heeft binnengelaten om klanten lastig te vallen. Ik ben verontwaardigd en net zo plotseling kan ik niet geloven dat ik verontwaardigd ben, en dan word ik verontwaardigd om mijn eigen verontwaardiging. Ik ben bang dat Sarah er spijt van zal hebben dat ze hierheen gekomen is zodra ze uit het vliegtuig stapt en we omringd worden door mannen die aanbieden ons te helpen, ons de weg te wijzen, onze bagage te dragen: een mijnenveld van opportunisten, oprecht wanhopigen en criminelen. Qua risico's voor onoplettende mensen kan New York niet aan Johannesburg tippen.

Eindelijk is de vlucht van Sarah gearriveerd en als ik haar door de douane zie komen, voel ik een enorme opluchting dat ik weer met haar verenigd ben. Ik haat die scheidingen omdat ze me altijd doen denken aan andere scheidingen. Meteen wemelt het van de mannen die hun taxi aanprijzen dan wel de weg weten. Ik trek haar mee uit de drukte naar een icts rustiger hoekje. Ze kust me en ik probeer kalm te blijven, maar ik kan mezelf er niet van weerhouden over haar schouder te kijken of er niemand met haar bagage vandoor gaat.

Ze moet lachen om mijn waakzaamheid. 'Alsjeblieft, Sam, hiermee vergeleken is JFK een vliegveld in een derdewereldland. Waar staat de auto? Hoe is het met je? Wat ben je bruin.' Ze bekijkt me aandachtig en neemt tegelijkertijd haar omgeving in zich op. Ik wil haar op het hart drukken dat ze voorzichtig moet zijn, dat ze niet moet vergeten waar ze hier is, dat je hier ieder moment op je hoede moet zijn. Ik moet mezelf eraan herinneren dat ze hier eerder is geweest, ze weet hoe het hier is en ze weet beter dan ik hoe je op jezelf moet passen.

In de auto vraag ik haar of ze nog weet wat ze zei toen we elkaar voor het eerst ontmoetten.

'Dat je je niet druk moest maken?' lacht ze, terwijl ze langs me heen naar de skyline van het centrum kijkt.

'Je zei dat je bewondering had voor mijn moed, omdat ik naar de andere kant van de wereld was gekomen naar een stad waar ik niemand kende. En je zei erbij dat je niet wist of jij dat ook zou kunnen.'

Sarah houdt zich vast aan het portier terwijl ik mij in het verkeer stort. 'Ik kan me niet herinneren dat ik dat gezegd heb, schat, maar dat is wel meer dan tien jaar geleden. Mijn vader was een goed voorbeeld voor me. Hij heeft zich altijd vol enthousiasme op de ene woonplaats na de andere gestort. Toen deze post zich aandiende, wist ik dat ik moest solliciteren. Jij hebt in mijn land gewoond. Nu is het tijd dat ik ook eens een poosje in jouw land kom wonen.'

In het huisje schuiven we wat met het meubilair dat Jason en andere correspondenten hebben achtergelaten. We zullen stoelen moeten kopen, en een nieuwe bank, maar we wachten eerst op de container met onze eigen spullen. Voorlopig redden we het wel met wat hier staat. Hoewel Sarah uitgeput is, voelt ze zich toch verplicht even contact op te nemen met de redactie in New York. Met dit soort baantjes is er van acclimatiseren geen sprake – ze moet morgen gelijk aan de bak, met een of ander verhaal, 'meteen het diepe in,' zoals ze zelf zegt met dat enthousiasme waar ik van begin af aan voor gevallen ben. In het grote huis is een studeerkamer waar ik kan zitten als ik thuiswerk. Het huisje in de tuin heeft altijd dienstgedaan als kantoor voor de plaatselijke correspondent, en we hebben afgesproken dat dat zo blijft – een duidelijke scheiding tussen werk en privé, al is het maar een paar meter. Hoe dan ook, ik krijg op de universiteit ook een kamer. Voor we naar bed gaan stuur ik Clare nog even een mailtje, mijn eerste bericht aan haar sinds we elkaar voor het laatst hebben gesproken.

Geachte mevrouw Wald,
Ik schrijf dit met grote waardering en dankbaarheid voor uw geduld in de afgelopen vier maanden. Ik hoop, zoals u zegt, dat we elkaar weer zullen ontmoeten. Het lijkt waarschijnlijk dat ik ergens in het komende jaar weer naar Kaapstad zal terugkeren.

Ik ben begonnen met het uitschrijven van de interviews en zal ongetwijfeld nog meer vragen hebben als ik een eerste opzet voor het boek maak. In sommige gevallen, als de opnamekwaliteit te wensen overliet, zal ik u misschien een transcriptie doen toekomen. Sterker nog, ik sluit hier een transcriptie bij, uit het begin, van een opname waarin uw stem op een gegeven moment opeens wegvalt. Volgens mij ging er op de achtergrond een huisalarm af. Ik heb mijn best gedaan maar er zitten wat onverstaanbare passages bij en ik zou dankbaar zijn als u zou kunnen reconstrueren wat u daar ongeveer hebt gezegd (of als u nieuwe antwoorden zou kunnen geven, of herzien wat u misschien hebt gezegd, of zelfs aangeven dat het allemaal irrelevant was).

Ik hoop dat het niet overdreven klinkt als ik zeg dat de afgelopen vier maanden voor mij in velerlei opzicht heel vernieuwend zijn geweest. Het is mijn innige hoop dat we elkaar spoedig weer zullen ontmoeten om onze gesprekken voort te zetten. Ik hoop ook dat u mij mijn minder fatsoenlijke vragen en onthullingen bij onze laatste ontmoeting niet euvel zult duiden.

Met de beste wensen voor een goede vakantie en een voorspoedig nieuwjaar,
Sam Leroux

Ik houd me goed tot we in bed liggen, maar dan, gerustgesteld dat Sarah eindelijk naast me ligt, barsten de ervaringen van de afgelopen vier maanden door hun beschermlaag heen, ze spatten van mijn gezicht af, mijn adem stokt en mijn armen en benen beginnen te beven. Ik heb mezelf niet meer in de hand, ik schommel heen en weer en dein tegen haar aan terwijl ze me in haar armen neemt, en wacht tot ze me weer tot rust brengt.

Absolutie

Nu de verschrikkelijke hitte bijna voorbij was en de mist weer overvloediger van de berg naar beneden kwam, zijn kortstondige wit als een deken in de tuin uitrollend, besloot Clare om Marie, die zelden vrije dagen had, een week vrij te geven voor Pasen.

'Ik vraag me alleen af hoe ik me erdoorheen zal slaan,' zei Clare, met een gespeelde wanhoop die ze niet echt voelde. 'Ik ben het koken bijna verleerd.'

'Foei, Clare. Je zou bijna denken dat je helemaal onthand was. Luister, er liggen maaltijden in de vriezer, het enige wat je hoeft te doen is er 's morgens een uit halen, die op het aanrecht laten staan, dan kan hij vast ontdooien, en hem 's avonds in de oven zetten. Ik heb voor elke maaltijd een paar instructies opgeschreven,' zei Marie, terwijl ze een sjaal omknoopte en Clare een vel papier gaf met aanwijzingen betreffende maaltijdbereiding en huishouden voor elke dag dat ze weg zou zijn. Marie ging bij een nicht in Rustenburg op bezoek en had plannen om een beetje te gaan gokken, naar de kerk te gaan en wat wild te bekijken in het Pilanesberg-reservaat. 'Ik ga nu eindelijk eens een zwarte neushoorn zien. Ik heb nog nooit een zwarte neushoorn gezien. En een *wildehond*. Ik kan je niet zeggen hoe graag ik die een keer wil zien. Het platteland in die contreien kent volgens mij zijn weerga niet. Daar wil ik na mijn pensioen gaan wonen,' zei ze, lachend, en toen hield ze zich in en sloeg bijna berouwvol haar hand voor de mond. Wat leeftijd betreft had ze al veel eerder met pensioen gekund, en dat ze het nu over het eind van haar arbeidzame leven had, stond op een of andere manier gelijk aan impliceren dat er een eind zou komen aan het leven van Clare. Hoewel Clare heel goed wist dat ze op het gebied van de meest elementaire overtuigingen weinig gemeen hadden, was Marie een efficiëntere archivaris en manager en allround levensgezellin dan Clare ooit zou durven hopen nog eens in iemand anders te vinden. Meningsverschillen waren zo ongeveer contractueel vastgelegd, en hoewel Clare er geen enkele behoefte aan had kennis te nemen van de ouderwetse opvattingen van Marie over de meerderheidsregering of zwarten in het algemeen dan wel de rechten van seksuele minderheden, kon ze niet zonder haar; ze kon zich er geen voorstelling van maken hoe ze zich zonder Marie staande zou moeten houden.

Nu er niemand anders was om schakelaars om te zetten of kasten dicht te doen, deuren open te maken of de telefoon op te nemen, die enkele keer dat hij overging, werden de paar natuurlijke geluiden versterkt, en weergalmd als in een echoput, en vielen ze op Clares trommelvliezen aan als een tastbare drukgolf. Als de vriezer aansloeg sprong Clare overeind, overtuigd dat er iemand in de keuken moest zijn, dat Marie misschien van gedachten was veranderd en haar toch niet in de steek zou laten, of dat een indringer er op een of andere manier in geslaagd was met grote passen over het dorre gras te lopen, het alarm uit te schakelen en de sloten te forceren, en nu in de kamer hiernaast schaamteloos bezig was de bezittingen van Clare bij elkaar te jatten. Zo zou het gebeuren, als ze alleen was, het geboefte zou de kwetsbaarheid van Clare aanvoelen, de oudste van de meute, door de anderen voor dood achtergelaten, zodat de natuur weer de efficiënte illusionist kon spelen die ze was, en mensen die verdwenen niet zomaar door een luikje van het toneel zouden afgaan, maar echt van de aardbodem zouden verdwijnen – met huid en haar.

Na een dag waarop ze zelfs van de wind geschrokken was, was Clare twintig minuten bezig met het sluiten van alle gordijnen en jaloezieën tegen de snel vallende avond. In een opwelling van irrationele paniek liet ze ook de gepantserde rolluiken aan de buitenkant neer, met een gegons van de motor gevolgd door het penitentiaire geraas van metaal dat op metaal viel. Het ventilatiesysteem sloeg automatisch aan, en blies zulke frisse lucht de kamer in, met de vochtige, dierlijke geur van de bergen, dat Clare zich in haar opgeslotenheid bijna bevrijd voelde. Ze zou het alarm later wel inschakelen. Ze had de rolluiken nooit eerder gebruikt, en er tegenover Marie op gestaan dat ze niet zouden zwichten voor de gedachte dat ze hier in een permanente staat van belegering verkeerden. Anders dan bij de huizen van haar buren hingen er aan haar muur geen dreigende afbeeldingen van herdershonden, er was alleen de muur zelf, met zijn subtiele versterkingen, zijn akelige prikkeldraad en onzichtbare sensoren. Er stond wel stroom op het prikkeldraad, maar er hingen geen bordjes aan met 'Gevaar' of 'Ingozi', die brave waarschuwingen die criminelen op gevaar attendeerden. Zij die het erop waagden hier binnen te dringen, had Clare besloten, konden pijn of erger wel riskeren.

De diepvriesmaaltijd voor de eerste dag dat Marie weg was, was een tonijnquiche die kenmerkend was voor haar culinaire vaardigheden, die ze halverwege de vorige eeuw had opgedaan, in een tijd dat groenten uit blik en geconserveerd vlees in zwang waren. Sinds ze in dit huis woonde, had Clare de gewoonte bij de televisie te eten: ze was de verplichting beu elke avond de tafel te dekken, samen te eten en te proberen een beleefde conversatie gaande te houden over een dag die zo op alle andere dagen leek dat ze met geen mogelijkheid van elkaar te onderscheiden waren. Hier hadden ze een nieuw patroon ontwikkeld. Elke avond om zes uur zette Marie een schaaltje pretzels of chips voor Clare neer, wat biltong van koedoevlees voor zichzelf, schonk ze twee glazen wijn uit karton en vroeg ze aan Clare of ze 'tafel of dienblad' wilde. Clare deed altijd alsof ze serieus nadacht over de vraag waar haar voorkeur die dag naar uitging, maar koos steevast voor 'dienblad'. En dan zaten ze bij de televisie en aten van houten trolleys en keken naar de favoriete soaps van Marie. Verontwaardigd over de dolle pret en de janboel die ze er in die series van maakten, voorzag Marie de levensstijl van de verschillende personages van commentaar alsof het echte mensen waren. 'Ja hoor, weer een tienerzwangerschap,' zei ze dan hoofdschuddend en met haar tong klakkend, 'hetzelfde verhaal als eerder dit jaar, toen Frikkie Teresa zwanger had gemaakt.' Of: 'Ja hoor, discriminatie, alsof we dat verhaal nog niet vaak genoeg gehad hebben.' 'Verhaal' in plaats van 'probleem' of 'kwestie' – zo praatte de zuster van Clare en de schoonfamilie Pretorius vroeger ook. Na een paar uur van dergelijk vermaak excuseerde Clare zich en ging ze naar bed met een boek, waar ze de hele nacht, tussen korte slaapjes door, af en aan in lag te lezen.

Zonder Marie volgde Claire in haar eentje zo goed en zo kwaad als het ging hetzelfde patroon, maar ze werd afgeleid door het nieuws en liet de quiche te lang in de oven staan, zodat ze er uiteindelijk een laag aangebrande custard af moest halen. Ze dwong zichzelf een salade te maken en ging met lange tanden bij de televisie zitten eten. Ze was vaag van plan geweest naar iets anders te kijken dan de twee soaps die Marie en zij gewoonlijk volgden, maar toen de eerste van de twee begon, merkte ze tot haar verbazing dat ze toch wilde weten wat er allemaal gebeurde met Teresa en Frikkie en Zinzi en Thapelo. Op een gegeven moment viel ze in slaap met het dienblad aan de kant geschoven. Ze werd even na negen uur wakker van een Amerikaanse actiefilm die van het scherm knalde. De afwas zou tot de volgende morgen moeten wachten. Ze zette de vuile vaat in de gootsteen, zich ervan bewust dat Marie dat weerzinwekkend zou vinden.

'Vuile vaat trekt ongedierte aan,' zou Marie hebben gezegd. 'En ik bedoel niet alleen muizen en kakkerlakken, maar ook slangen, ik meen het. Ik hoorde dat mevrouw Van der Westhuizen laatst slangen had omdat ze de vuile vaat voor haar meid had laten staan die pas de volgende dag zou komen.'

Muizen en kakkerlakken, slangen en ander ongedierte, ze waren welkom vanavond als ze wilden, mits ze door de luiken heen konden die de buitenkant van het huis tot een pantser van staal en steen maakten.

Clare was te moe om te lezen, maar hield het boek dat ze probeerde uit te lezen toch bij zich op het nachtkastje. Op een gegeven moment zou ze weer klaarwakker zijn en dan moest ze de nachtelijke uren nog wel door. Aanvankelijk had ze het huis de schuld gegeven van haar slapeloosheid, en was ze ervan overtuigd geweest dat er iets aan mankeerde. Ze had het door verschillende milieudeskundigen laten onderzoeken, maar die hadden niks kunnen vinden. Toen wist ze genoeg, het lag aan de richting waarin het huis gebouwd was, of Marie en zij hadden de meubels op een of andere manier niet goed neergezet. Hoewel ze niet in die dingen geloofde, had ze een vrouw uit Mowbray geconsulteerd die beweerde een Feng Shui-meester te zijn. Die had wat geschoven met stoelen en banken, het bed van Clare met het voeteneind naar het raam gezet, twee spiegels opgehangen en verklaard dat de ruimte nu goed uitgebalanceerd was voor zo'n soort huis. Toch was het probleem nog niet opgelost. Vervolgens had Clare een Duitse interieurontwerper uit Constantia in de arm genomen om alle kamers over te schilderen met verf op waterbasis in kalme, neutrale tinten, maar ook dat haalde niets uit.

'Misschien ligt het probleem bij jou en zit het 'm niet in het huis,' had Marie gezegd. 'Ik heb zelf geen moeite om in slaap te komen, als ik overdag maar niet vergeet genoeg water te drinken, want anders krijg ik 's nachts de meest vréselijke krampen.'

Clare snoof minachtend en hief haar blik ten hemel.

'Ik wil alleen maar zeggen dat je het er misschien eens met iemand over moet hebben. Ze zeggen dat slapeloosheid, hoe was het ook alweer...'

'Ah, je hebt weer voor internetdokter gespeeld. Geneeskunde zonder theoretische onderbouwing.'

'... een indicatie. Ze zeggen dat slapeloosheid een indicatie kan zijn van een serieuzer probleem.' Opnieuw weer het klakken van die tong, één hand op haar heup, de andere wijzend met een beschuldigend vingertje. 'Je moet je eens laten onderzoeken, dat bedoel ik.'

Meer om Marie tevreden te stellen dan in de hoop op genezing had Clare zich onderworpen aan bloedonderzoeken, hartmetingen, hersenscans. Uit alles bleek dat haar lichamelijk niets mankeerde. Sterker nog, ze was opmerkelijk gezond voor een vrouw van haar leeftijd. Haar arts stelde psychoanalyse voor, maar dat was iets wat ze niet aandurfde. Ze sprak met haar nicht Dorothy, die zelf in het verleden ook last had gehad van slapeloosheid, en Dorothy opperde dat Clare eens een traditionele genezer zou kunnen raadplegen, een sangoma.

'Die weten wat ze doen. Dat is heus niet alleen maar ingewanden lezen en dat soort flauwekul. Ze gebruiken kruiden. Het zou kunnen helpen,' had ze gezegd. 'Maar het kan geen kwaad, denk ik, als je er een met een goede naam in de arm neemt.'

'En waar haal je zo'n wat jij noemt traditionele genezer met een "goede naam" vandaan?'

'Kijk maar in het telefoonboek – of vraag het aan je tuinman. Die weten dat soort dingen vaak wel.'

Clare was bang dat Adam een dergelijk verzoek misschien verkeerd zou uitleggen en kon zich er niet toe zetten het hem te vragen. Daar kwam bij, 'kwakzalvers' uit de westerse geneeskundehoek waren één ding – wichelroedelopers en spreekbuizen van de wereld der geesten, mediums en spiritisten waren een heel ander verhaal.

Er vast van overtuigd dat het uiteindelijk wel een keer over zou gaan hield ze op zich tegen haar slapeloosheid te verzetten. Ze verzoende zich ermee, leerde haar slaapprobleem beschouwen als een deel van haar persoonlijkheid dat, als een klein kind, aandacht en voeding moest hebben. Het liet zich toch niet bepraten en trok zich pas terug als een aantal bladzijden waren gelezen, als er aantekeningen waren gemaakt en haar gedachten geordend in een patroon dat voorlopig rust garandeerde, als alles keurig was weggestopt in het daartoe bestemde hokje, zodat de vrede in elk geval voor een paar uur getekend was – tot haar slapeloosheid zich weer begon te roeren en van haar eiste dat het spelletje van voren af aan begon, waarop haar gedachten andermaal hun razende rondjes begonnen te draaien. Het was een manier van leven, al was het weinig bevredigend.

Toen haar man haar voor het eerst had verlaten en ze zich gedwongen zag alleen te slapen na al die jaren met een warm lijf naast zich in bed, was Clare verbaasd geweest hoe koud het bed was nu ze alleen haar eigen gebeente had om het te vullen. Hij was in de winter bij haar weggegaan en de eerste nachten was ze aan haar eigen kant blijven liggen, het dichtst bij de deur, en had ze kussens neergelegd aan wat Williams kant was geweest om de tocht die ze met haar eigen lichaam veroorzaakte tegen te houden. Na zich een week langs die zachte bollingen te hebben uitgestrekt, die levenloos en roerloos bleven en zich geen moment aan haar nachtelijke bewegingen aanpasten, besefte ze dat het het verstandigste was om midden op de matras te gaan liggen, met aan weerskanten een gelijke afstand tot de rand. Dat scheelde wel qua kou, maar uiteindelijk weet ze die eerdere periode van slapeloosheid toch aan de afwezigheid van William. Hun contact was nog steeds hartelijk te noemen, hoewel hij haar verlaten had voor een andere vrouw, een die maar een jaar jonger was dan zij. Dat leek te suggereren dat de afgedwaalde aandacht van haar man niets met haar uiterlijk of ouder wordende lichaam te maken had, maar dat hij haar als persoon gewoon beu was. Een maand na zijn vertrek had ze hem gebeld om zich te beklagen.

'Ik doe zonder jou geen oog dicht,' zei ze bits.

'Neem een minnaar,' zei hij, op een toon die een beetje spottend klonk. 'Of een opblaaspop.'

'Doe niet zo belachelijk, William. Ik kan maar niet aan de extra ruimte wennen. Je hebt een leegte achtergelaten.'

'Dan moet je kleiner gaan slapen. Koop een luxe eenpersoonsbed, een hemel. Ga er als een douairière bij liggen.' Zo deed hij wel vaker, een beetje plagerig op een manier die volgens hem liefdevol was.

Er viel een stilte tussen hen op de lijn. Aan zijn kant, niet verder dan het andere eind van de stad, aan de andere kant van de berg aan de Atlantische kust, hoorde ze zeemeeuwen krijsen.

'Heb ik iets verkeerd gedaan?' vroeg ze. 'Was er iets wat ik had moeten doen?'

Hij zuchtte en ze hoorde de hoorn over zijn stoppels raspen.

'Nee, schat, je hebt niks verkeerd gedaan en er was ook niks wat je had moeten doen. Kwel jezelf daar nou niet mee. Je kunt mij op goede gronden de schuld geven en dat ook tegen iedereen zeggen. Alle venijn mag op mij neerdalen. Ik ben egoïstisch geweest en daar ben ik niet trots op, maar het is nou eenmaal zo. De waarheid is, ik ben gelukkig. Ik stel me zo voor dat ik met jou op een andere manier gelukkig zou zijn geweest, als ik... sorry, ik weet dat je niks over haar wilt horen.'

'Hoe heet ze?'

Er viel nog een stilte, een hoorbare aarzeling, en toen zei hij, alsof de naam zelf een zucht was, of een uitademing: 'Aisyah.'

In een flits had Clare het begrepen. Dat William bij haar was weggegaan had inderdaad niks met haar te maken. Er waren in het verleden tal van minnaressen geweest, dat wist ze, onder wie een aantal van zijn studentes. Eén of twee keer had ze het vermoeden gehad dat zo'n verhouding serieuze complicaties had gegeven, en onvoorziene verantwoordelijkheden met zich mee had gebracht. Maar dat met deze vrouw had alles te maken met de mogelijkheid van een heel ander soort leven, een nieuwe manier van leven in een land dat openstond voor nieuwe beloftes.

Om niet wakker te worden in volslagen duisternis, alleen in een nieuw huis dat altijd te groot aan zou voelen, te zelfbewust, te eigenmachtig, een nieuw huis dat in iets anders kon veranderen – een museum, bijvoorbeeld, of een lijkenhuis – zodra de waakzaamheid van de bewoners ook maar even verslapte, liet Clare het licht in de gang aan en ging ze naar bed.

Na zich een uur lang eerst op de ene, dan op de andere zij gedraaid te hebben, was ze bijna in slaap gevallen toen het licht even wegviel, alsof er een korte stroomonderbreking was geweest – of erger, alsof er iemand tussen haar en de deur door was gelopen. Ze bleef zo stil mogelijk liggen, spitste haar oren en bedacht zich dat ze was vergeten het alarm in te schakelen. Er was niks te horen afgezien van het zoemen van de ventilatie en het ruisen van de luchtstroom, maar Clare wist zeker dat ze door haar gesloten oogleden een verandering in het licht had waargenomen. Ze veronderstelde dat het misschien inderdaad wel een stroomonderbreking was geweest – een kortstondige afsluiting, zoals de energiemaatschappij dat eufemistisch noemde, alsof ze de levering van een elementaire dienst naar believen konden staken – maar zo had het niet aangevoeld, en bovendien zou haar eigen generator de stroomvoorziening dan naadloos hebben moeten overnemen. Nee, er waren mensen in huis, vrienden of familie van haar dode zwager, een van zijn zes broers en zussen of talloze neven en nichten, mannen en vrouwen die even oud waren als Clare zelf, gekomen om haar nogmaals te herinneren aan wat ze over haar wisten. Het wegnemen en terug laten vinden van de pruik van haar vader was niet genoeg; ze waren er nu op uit om haar op een nieuwe, veel vreselijker manier te kwellen. Net als bij de inbraak in haar oude huis aan Canigou Avenue nam haar hart het over en begon te bonzen van doodsangst en woede, dat iemand het zomaar waagde haar huis binnen te dringen.

Weer werd het licht onderbroken, en dat bleef zo, het was nog maar half zo licht als het had moeten zijn. Er stond iemand in de deuropening van haar slaapkamer. Als dit mijn einde wordt, laat het dan komen, dacht Clare, en ze deed haar ogen open.

Clare

Ik kan het niet meer verdragen, mijn schrikbeeld, opgeroepen met een gruwelijke verbeeldingskracht, van jou, gekneveld als een mager varken, wachtend op je lot in die titanium kooi, klakkend met je tong om niet gek te worden. Ik probeer opnieuw wat ik eerder heb geprobeerd. Ik bied je de kelk aan, een lied dat ik zelf heb bedacht, en spreek de wens uit dat je weer lijfelijk voor me opdoemt, mijn dwalende dochter. In de tuin stook ik een vuurtje met de dorre bladeren van de eucalyptusboom van de buurman en een berg takjes die vorige winter uit het stinkhout zijn gehakt. Het knettert en rookt en begint geleidelijk aan goed te branden. Ik schenk honing en melk op de vlammen, een glas wijn en water dat van de berg is gestroomd. Bij gebrek aan gerst wrijf ik wit maïsmeel fijn tussen mijn handen en sprenkel het over het vuur. Deze keer doe ik het zoals het hoort. Ik bid tot jou, Laura, smeek je om tevoorschijn te komen, beloof ter ere van jou een zwart schaap te slachten. Ik prik in mijn vinger om je op te roepen, pers er een druppel bloed uit om jou lijfelijk te laten opdoemen. Ik had het eerder niet goed gedaan, had het bloed alleen in mijn gedachten geplengd. Ik dreun en piep. Ik dans pasjes die ik zelf verzonnen heb, een gestoorde derwisj, haren in de wind, een blauwe kraanvogel, een oud wijf. Ik weeklaag zoals ik eerder had moeten weeklagen. De ibissen kijken toe en roepen in koor.

Ik wacht tot het vuur is opgebrand, trap de resten uit elkaar, schep er as overheen en zie de ramen van de buurman zwart worden als hij, de voorstelling moe, eindelijk naar bed gaat. Ik had tegen Marie gezegd dat ik niet gestoord wenste te worden, maar de buurman heeft ongetwijfeld gekeken zoals buurmannen dat doen, en zijn eigen vonnis geveld. Die zal wel tegen de andere buren, de grote heren van de Constantia Club, zeggen dat Clare Wald aan hekserij doet. En dan gaan ze mijn nieuwe boek natuurlijk allemaal lezen om te zien of er ook toespelingen in staan op mijn duivelskunsten. Ik voorspel een piek in de plaatselijke verkoop. Ik kan er niet mee zitten als ze denken dat ik gek ben – of erger: bij mijn volle verstand en een instrument van het kwaad.

In het donker, terwijl de maan van de berg af spat, zit ik voor mijn hoopje as en woel met mijn vingers in de vederlichte, grijze bloesems. Stilte, en een briesje dat in de sintels blaast, maar je bent niet gekomen. Mythe is niet meer dan dat, mythe. Misschien ben je al te lang dood. Misschien mankeerde er toch iets aan het recept of de bezwering.

Ik ga naar binnen, draai de deuren achter me op slot en schakel het alarm in dat Marie en mij een veilig gevoel geeft voor de nacht. Bij de teleurstelling dat je niet aan me verschenen bent, is er ook troost. Als je niet opstaat, is er nog een kans dat je niet dood bent. Maar als je niet dood bent, Laura, waar ben je dan? Waar ben je gebleven? Het lijkt me nauwelijks mogelijk dat je ergens rondzwerft zonder met wie dan ook contact op te nemen – niet met je vader of mij, en zelfs niet met je broer. Het kan niet dat je nog altijd gevangen zit; dat is slechts een onrustbarende fantasie. Nee, je kunt alleen maar dood zijn, en ik geloof niet in het bovennatuurlijke. Het was dwaas van me om te doen alsof.

Ik neem een douche en ga in bed liggen, rek met een krakend geluid mijn rug, draai me op mijn zij en begraaf mijn hoofd half in het kussen. In mijn slaap zwalk ik door allerlei dromen die over jou gaan, dromen waarin je mij verlaat, en zo niet, dan zit je opgesloten in een kooi, je lichaam blootgesteld aan de elementen, wachtend tot de haaien je verslinden, waarna palmgieren zodra het eb wordt je gebeente verder kaalvreten en je botten wegzinken in het slik, waar ze blijven liggen tot ze in een volgende eeuw ontdekt worden, het veenlijk van het land, slachtoffer van een strijd waarin je zelf ook slachtoffers hebt gemaakt.

Mijn eigen gekrijs wekt me uit mijn slaap en ik zit rechtop in bed, de dekens draaien om me heen omdat ik je adem voelde en de kou van je hand, en nu, nu ik wakker ben, kom je schreeuwend bij me terug op zwarte rafelvleugels vol verkoold bloed en slinger je me een akelige kreet in het gezicht. Je wurmt je tussen mijn tenen door en besmet mijn binnenste, een lintwormfoetus die woedend eist te worden wedergeboren.

Ik word schreeuwend wakker en Marie komt naar mijn deur. Zij is de bewaarder van mijn geheimen. Ik zou haar nooit kunnen laten gaan. 'Niks aan de hand,' zeg ik, 'ik heb alleen eng gedroomd.'

Maar het was geen droom, en je bent niet alleen gekomen.

Even snel als je gekomen bent verdwijn je in de schaduw, zodat alleen Nora nog overblijft, die op witte geluidsgolven vliegt, het geluid van wind die van de berg komt of van de lucht in dit huis, in beweging gebracht door zijn verborgen rotoren.

Ze komt met het geruis van twee kussens die op elkaar worden gedrukt, haar gewicht perst alle lucht eruit en even hoor ik twee weefsels langs elkaar wrijven. Ze is op de stoel het dichtst bij mijn deur gaan zitten. Ik weet meteen dat het Nora is, en haar aanwezigheid is zo levensecht dat mijn getraumatiseerde brein mijn hand opdraagt het alarmknopje in te drukken tot ik de stem van Nora in mijn hoofd hoor waarschuwen dat ze allang weg zal zijn tegen de tijd dat de mensen van het beveiligingsbedrijf hier zijn, en dan zal ik voor schut staan als een gek oud wijf, dan gaan ze me vragen of ik wel goed geslapen heb, of ik al met de dokter gepraat heb over de dingen die ik meen gezien te hebben, of ik al mijn medicijnen wel neem. Ik gebruik geen medicijnen.

'Dan zou je daar misschien eens mee moeten beginnen,' zegt ze.

De stem van Nora, met de verkneukelende toon van een jonge vrouw, lost mij op in een bad met zuur. Ik ken haar stem net zo goed als de stem van mijn ouders en jouw verdwenen stem, Laura. Ik kan jullie stemmen allemaal in mijn hoofd laten klinken, die van jou en van je broer, je vader, mijn doden en mijn levenden. Ik kan jullie stemmen op mijn eigen vrouwelijke wijze allemaal hardop nadoen. En nu merk ik dat ik jullie ook maar al te goed kan oproepen. Ik wil je weer terugsturen. Ik heb me vergist! Dit is alle bewijs dat ik nodig heb. Ik aanvaard dat jullie dood zijn, laat de levenden nu met rust.

Mijn zuster, de Nora die ik ongewild heb opgeroepen, heeft een gevoel voor humor waar het haar bij leven en welzijn aan ontbrak. Ze zit deze nacht uren bij me, geeft commentaar op mijn werken, alle boeken die ze nooit heeft kunnen lezen en speculeert over hun betekenis. Ze heeft zichzelf omgevormd tot een eeuwige lezeres, die gretig gebruikmaakt van de grote uitleenbibliotheek in de onderwereld. Ze heeft zichzelf in elk van mijn boeken aangetroffen en dat klopt, nu eens in de ene, dan weer in de andere gedaante, soms jong, vaker oud, man dan wel vrouw, mens of lagere diersoort. Eén keer heb ik haar de rol van orkaan gegeven, een storm van zo'n onvoorspelbare hevigheid dat hij alle meteorologen te snel af was en een nergens op voorbereide kuststrook verwoestte. In een ander boek was ze een langdurige droogte, en sarde ze de treurige heldin met donkere wolken die nooit een druppel regen loslieten. Ze is een bijzonder veelzijdig talent, ze plooit zich in elke vorm die ik voor mijn verhaal nodig heb.

Ze draagt de gele tafzijden cocktailjurk waarin ik haar voor het laatst gezien heb, koket over haar knieën getrokken, rug kaarsrecht, lippen pruilend als gewoonlijk. Haar huid is strak gebleven waar de mijne nu slap hangt, haar ogen stralend en helder waar de mijne de laatste tijd doffer zijn geworden, troebeler, en dwalen waarheen ze willen zonder dat ik iets in te brengen heb. Het enige wat anders is aan haar is een donkere holte, een volmaakt rond gat in de linkerkant van haar gezicht, waar je een vinger in zou kunnen steken, zij het niet veel meer. Rondom laait een roodachtig zwart vuur geruisloos in haar bleke huid. Het is het gat waar ik verantwoordelijkheid voor moet dragen, de fatale opening en eeuwige vlam, brandend onder een marmeren plaat. Op het laatste moment van haar leven werd het in haar gezicht geslagen, een gat dat haar gezicht voor drie kwart verteerde.

'Ik heb het alleen over mezelf gehad, maar hoe is het met jóú, lieve zuster?' zegt ze eindelijk na een urenlange analyse van mijn werk. 'Dat laatste boek was trouwens een triomf als ik het zo mag zeggen, maar wat een obsceniteiten. Moeder en vader wisten niet wat ze van al die taal moesten denken.' Na nog een kwartier van die irritante prietpraat – niet mijn idee van een nachtmerrie – valt ze stil en komt ze naar me toe, met onzekere bewegingen, alsof haar gebeente eeuwen ouder is dan het mijne, buigt zich over me heen en legt haar hand op mijn hart. Ik voel druk door een kille verdoving heen, en dan dringt de druk mijn huid binnen, wikkelt zich om het kloppende orgaan en vertraagt het tot een minder paniekerig ritme. Ik wou dat ik kon zeggen dat haar truc me niet bang maakt, maar dat doet hij wel. Mijn handen beven; ik miauw als een jong poesje en vraag haar daarmee op te houden.

Ik probeer met mijn gebruikelijke logica over de situatie na te denken. Het komt bij me op dat ik misschien wel slaap, en dat ik een nieuw soort droom heb die lucht geeft aan de schuld die ik zo lang met me heb meegedragen. Het probleem met deze redenering is dat mijn gebruikelijke stressdromen altijd van een compleet andere orde zijn en geen lichamelijk effect hebben.

Een paar weken geleden droomde ik dat ik in een drukke Europese stad was, half Parijs, half Londen, en dat ik van de ene kant van de metropool naar de andere liep, op de vlucht voor een niet nader omschreven dreiging en tegelijkertijd hollend naar een afspraak waarvan de precieze aard me eveneens ontging, maar waarvan ik wist dat ik me niet kon veroorloven hem niet na te komen. Bij een kruising van twee brede boulevards moest ik van een plaatselijke gids, een kleine vrouw met een bruin pagekapsel en een stalen brilletje die stotterde, een omweg maken via een onderaards museum, waarvan de ingang rood was en aan een mond deed denken, met scharlakenrode muren en zwarte trappen – alles bij elkaar een weinig verbeeldingsvolle uitgave van de hel, die wolken stoom voortbracht. Ik had een wollen jas aan die ik onlangs in het echt gekocht had, en besloot die bij de ingang achter te laten, wetend dat het binnen te warm zou zijn om hem aan te houden. Ik veronderstelde dat het maar voor enkele ogenblikken was en dat er niks met mijn jas kon gebeuren. Toen ik eenmaal het museum binnen was gegaan (waar ik geen wijs kon worden uit de expositie – diorama's van hoogwaardigheidsbekleders die door de geschiedenis waren ontmaskerd als schurken en verraders, een tableau van gesloopte sloppenwijken, een verzameling schedels van moordslachtoffers in relikwieënkastjes), werd het verscheidene graden koeler en ik begon te huiveren. Op hetzelfde moment dat ik weer behoefte aan mijn jas kreeg, besefte ik dat ik, om mijn weg te vervolgen, naar het andere eind van het museum zou moeten, aan de overkant van de rivier die de stad doormidden sneed. Alleen voorwaartse beweging was toegestaan. Het was onmogelijk rechtsomkeert te maken en mijn jas op te halen, en toen ik me dat realiseerde, viel me in dat de gids me met een list zover gekregen had datgene achter te laten wat ik tijdens mijn bezoek het meest nodig zou hebben. Het was verboden terug te gaan naar de ingang en elke keer dat ik toch een poging waagde, kwam ik tot de ontdekking dat het museum zelf de gangen achter mij had afgesloten: muren, hekken, allerlei barrières schoven ervoor. De jas was ik kwijt. Ik had geen idee aan welke straat de ingang van het museum geweest was, wat betekende dat ik de jas naar alle waarschijnlijkheid nooit meer terug zou krijgen. Dat plotselinge verlies vervulde me met een afgrijzen dat in geen enkele verhouding stond tot de echte waarde van die jas – bovendien zijn jassen en kleren in het algemeen geen dingen waar ik me in het echte leven nu zo druk om maak. Een kledingstuk is een gebruiksvoorwerp dat vervangen kan worden als het versleten is, of inderdaad kwijt. Ik heb aan kleren nooit emotionele waarde gehecht.

Afgelopen nacht droomde ik dat ik erin had toegestemd nog een keer de rol te spelen die ik als meisje had gespeeld in een toneelstuk op school. Het stuk had als thema vakantie en ik viel in voor een zieke actrice als het adolescente liefje van de hoofdpersoon. Maar naarmate de avond van de voorstelling dichterbij kwam, besefte ik dat ik verzuimd had het script te bestuderen en dat ik geen woord tekst van mijn personage kende. Noch kon ik mij de posities herinneren, die, bedacht ik, trouwens sowieso veranderd zouden zijn, aangezien het een nieuwe interpretatie van het verhaal betrof. Wat belangrijker was, op het laatste moment stemde ik erin toe de onsympathieke hoofdrol op me te nemen, waar ik helemaal nooit studie van had gemaakt. Die had de meeste tekst en stond bijna onafgebroken op het toneel. Terwijl ik in paniek was omdat ik die tekst nog moest leren, die ik om te beginnen niet eens kon vinden, belde een oude vlam op om te vragen of hij naar de voorstelling moest komen, en ik stond erop, zeker, hij móést komen, en hij móést zijn moeder meenemen (een ordinaire vrouw met een zwak voor victoriaanse sentimentaliteit die in het East-End van Londen in een pub had gewerkt), want hij zou het geweldig vinden, het was een indringende productie, op de planken gezet met de grootst mogelijke professionaliteit, met bijzondere decors en geweldige acteurs, een authentieke evocatie van negentiende-eeuwse kerstvreugde. Toen ik ophing werd ik onpasselijk, ik wist dat mijn verzuim om mijn rol in te studeren niets maar dan ook niets professioneels had.

Ik weet wat zulke dromen betekenen. Het verlies van de jas, het door een list ertoe gebracht worden iets achter te laten wat mij in de toekomst troost en bescherming zou moeten bieden, kan ik alleen duiden als iets wat te maken heeft met angst voor onteigening, angst van iets te worden beroofd. Ik zou niet in die dingen geloven als die droom in al zijn variaties niet zo hardnekkig uit mijn onderbewustzijn bleef opduiken. De droom over een slechte voorbereiding is duidelijker, en heb ik vooral als ik me zorgen maak over een ophanden zijnd optreden in het openbaar. Ik weet waarom die droom nu is teruggekomen. Ik heb toegestemd in iets waar ik nooit in had moeten toestemmen: een paar optredens, over vijf maanden, op het Winelands Literatuurfestival, waar ik voor mijn lezerspubliek zal komen te staan, althans wie maar de moeite neemt ernaartoe te gaan, en een serie lezingen in Johannesburg waar Mark me toe heeft weten te dwingen omdat ik in mijn nieuwe boek zijn identiteit gekaapt heb. Dat soort blootstelling aan het publiek kan ik nauwelijks verdragen.

Maar de aanwezigheid van Nora, en jouw eigen korte verschijning, Laura, heeft niet de aard van een droom. Als het geen daadwerkelijke obsessies zijn, zijn het wel hallucinaties of waanvoorstellingen, projecties van mijn eigen gestoorde geest. En als het dat zijn, is het net als met de slapeloosheid waar ik de afgelopen jaren bij vlagen aan lijd (misschien zijn ze wel een gevolg van mijn slapeloosheid, hallucinaties veroorzaakt door slaapgebrek): dan zie ik er het nut niet van in me ertegen te verzetten.

'Wat wil je, je wilt me zeker op mijn fouten en tekortkomingen wijzen?' zeg ik nu tegen Nora, 'me herinneren aan alles wat ik jou heb misdaan.'

'Ja, dat ook,' zegt Nora, en een zelfgenoegzaam lachje plooit haar pruillippen, een lachje en een tuitmondje dat we gemeen hebben. 'En jij hebt ons per slot van rekening opgeroepen. Maar daar komt nog bij, Clare, dat je niet berouwvol genoeg bent. Je bent een vreselijke zondares, en toch ga je niet naar de kerk, je negeert de traditie, je doet niets om te laten zien dat het je spijt of dat je berouw hebt.'

'Iedereen heeft zijn eigen vorm van boetedoening. Ik heb op mijn eigen manier berouw, in stilte,' houd ik vol. 'Ik heb berouw op manieren die zelfs jullie, de doden, misschien niet zien.'

'Maar als ik, zoals je op dit moment schijnt te denken, niets anders ben dan een begoocheling van je eigen geest, zou dat er dan niet op kunnen wijzen dat je gefaald hebt in je pogingen tot boe-tedoening?' Nora schudt het hoofd en die ogen die zo vaak fonkelden van woede, ogen die net zo hard krijsten en tierden als haar stem wanneer ze als kind tegen me tekeerging, ogen die oordeelden en veroordeelden, autocratisch als de ogen van de eerste de beste dictator, worden zacht.

We zitten nog een uur zwijgend bij elkaar, midden in de nacht, twee zusters, elkaar zo gelijk, gescheiden door de tijd. 'Is dit de prijs die ik moet betalen,' dwing ik mezelf eindelijk om te vragen, 'dit waken van de levenden?'

'Prijs? Jij spreekt van een enkele prijs? Er is niet één prijs. Er zijn vele prijzen voor wat jij hebt gedaan, voor alles wat jij begaan hebt. Prijzen, schulden, boetes voor elke keer dat jij de harmonie hebt verstoord, Clare. Je bent nog maar net met aflossen begonnen.'

Nu ik jou en Nora heb opgeroepen, heb doen verschijnen, Laura, hoe moet ik zorgen dat je weer weggaat? Als ik in het zwart gekleed ging, als ik vastte en kaarsen aanstak en toverspreuken opzei, me terugtrok in heremietengrotten in de wildernis, misschien dat je me dan zou toestaan de rest van mijn dagen en nachten ongehinderd te slijten.

Toen Nora eenmaal getrouwd was, en ze de kerk van haar man had omarmd, sprak ze mij bestraffend toe omdat ik niet gelovig was. 'Geloof is wat jij nodig hebt,' zei ze. 'Je hebt het geloof nodig om je weer op het goede spoor te zetten. Jij bent een zondige vrouw, Clare, en er komt een dag dat je zonden je fataal worden.'

'Als klein meisje speelde ik dat ik geloofde,' herinner ik me nog dat ik zei, woedend dat ze het waagde mij over zoiets persoonlijks de les te lezen, 'zoals kleine meisjes zich ook verkleden om te spelen dat ze een prinsesje zijn. Ik heb altijd geweten dat het verbeelding was. Voor jou, ik weet het, heeft het geloof altijd een fysieke realiteit gehad. Ik kan niet verklaren hoe het komt dat we zo anders tegen de dingen aankijken.'

Nora klakte afkeurend met haar tong en keek nog hooghartiger dan ze gewoonlijk al deed. We waren in ons oude huis aan Canigou Avenue, Mark kroop over de vloer terwijl Nora foto's van hem maakte. 'Ooit zal God je vinden,' koerde ze, en ze maakte nog een kiekje. 'Hij zal jou uitverkiezen en tot Zich nemen. Je hebt het mis als je denkt dat je een vrije wil hebt. Het geloof is geen kwestie van individuele keuzes.'

'Het is anders wel mijn keuze,' riep ik, en ik voelde de razernij kloppen in mijn slapen. 'Het is mijn keuze niet in geruststellende illusies te geloven. Geruststellende illusies richten deze wereld te gronde. Volgens die geruststellende illusies is het voor de ene groep juist en passend alle andere groepen te onderwerpen.'

'En mijn neefje dan? Wou je mijn jochie buiten de kerk laten opgroeien, zonder God?'

'Mark is niet jóúw jochie!' Mark keek verbaasd naar mij op en begon te huilen. 'Mark is mijn zoontje en Williams zoontje en wij zijn van plan hem op te voeden tot een goed mens, een moreel zuiver mens, niet iemand die zich boven een ander verheven voelt vanwege zijn huidskleur of de god voor wie hij op de knieën gaat.'

'Kinderen vinden niet maar zo hun eigen weg,' zei Nora, terwijl ze een foto maakte van een brullende Mark in mijn armen, mijn gezicht vertrokken van woede. 'Ze hebben een richtsnoer nodig, begeleiding. Ze hebben volwassenen nodig die hun de juiste weg wijzen.' Nog een foto: een flits en nog meer gekrijs.

'Het wordt tijd dat je gaat,' zei ik, en ik trok de deur open.

Nora kwam gisteravond weer, en ze zag er ongeveer zo uit als op die dag die ik mij herinner. Ze sprak zoals ze tegenwoordig altijd spreekt, een begroeting gevolgd door uren van irritante uitspraken over mijn werk. Vervolgens stond ze op vanwaar ze zat en legde ze haar spookachtige handen op mijn gezicht, en ik voelde mijn oogleden door haar vingertoppen. Toen haar handen wegvielen en ik mijn ogen weer opendeed, bevond ik mij in een mij onbekende kamer, nog steeds zittend op een bed, maar niet mijn eigen bed, niet in dit huis. Ik keek naar mijn benen en zag in plaats daarvan de benen van Nora, gehuld in een nachtjapon. Er lag een man naast me en ik rook aan de geur van zijn aftershave en de kamfercrème die in zijn voetzolen was gewreven dat het mijn zwager moest zijn, Stephan. De deur naar deze nieuwe kamer rammelde opeens met een ongewone heftigheid en mijn hand ging naar mijn mond, onbewust, zonder dat ik erbij nadacht. Mijn voeten bewogen krampachtig, ook zonder dat ik het wilde. Stephan prevelde paniekerig en ik draaide me naar hem toe. Het lichaam waar ik in zat deed alles uit eigen wil; ik was slechts op bezoek.

Er werd opnieuw aan de deur gerammeld en ik merkte dat ik eropaf holde, het lichaam van Nora duwde er met een schouder tegenaan en keek achterom naar Stephan, die ineengedoken op bed lag. Nora siste naar hem dat hij hulp moest inroepen, maar terwijl zijn hand naar de telefoon ging, werd het lichaam van Nora omvergesmeten door de deur die open knalde. We belandden op de vloer, tegen het bed aan, een pijnscheut galmde door de schouders van Nora – een pijn die ik kon voelen, maar slechts indirect, en meer als druk dan als pijn.

Een man was binnengekomen en deed de deur achter zich dicht, maar de klink bleef slap hangen en de deur zwaaide weer open. Er scheen licht naar binnen vanuit de gang – net het licht uit mijn eigen gang dat in mijn eigen slaapkamer naar binnen scheen. De man had niet de moeite genomen een masker voor te doen. Als je van iemand zou kunnen zeggen dat hij er weldenkend uitzag, dan wel van deze man. Maar het was niet het gezicht van de man die ik in de weken na de dood van Nora had leren kennen, de man die was aangeklaagd en schuldig bevonden, en die de ten laste gelegde feiten ook nooit heeft ontkend.

Ik vraag me af, Laura, hoe jij eruitzag als je iemand doodde, of je uitdrukking beheerst was, of je je volledig bewust was van wat je deed, zoals deze man leek te zijn, of dat je buiten jezelf was van spanning en razernij. Ik stel me je mond voor als een strakke lijn, de lippen opeen geperst: een rationele mond, een mond in harmonie met wat de rest van het lichaam doet. Maar tegelijkertijd zie ik ook onwillekeurig een andere jij, een vrouw die in woede is ontstoken, die schreeuwt om wraak en een tong van vuur ontrolt.

De moordenaar van mijn zuster had niks impulsiefs, van een verwilderde blik in de ogen was geen sprake. Hij kende zijn taak en voerde die uit zonder dat het zweet hem uitbrak of zijn handen gingen beven. De stank van stront vulde de kamer terwijl de man zijn pistool met geluiddemper op Nora richtte. Ik voelde iets ontspannen in het lichaam van mijn zuster en een vochtige warmte verspreidde zich over haar benen. In een flits was Stephan naar het raam gesprongen en alsof ze door draadjes met elkaar verbonden waren draaide de man zich dezelfde kant op en haalde drie keer de trekker over.

Ik wilde me niet omkeren om te kijken, maar het lichaam van Nora wel. Ik wist al hoe Stephan Pretorius er dood uitzag. De stank van stront en urine die op mijn neusgaten aanviel kwam uit de schoot van Nora en vermengde zich met de stank van kruit en wapenolie, de geuren van een onbehouwen beest, geschapen door de hoogste der dieren – een beest waar in de natuur geen plaats voor was.

De man met het pistool draaide zich weer om naar Nora. Toen hij richtte, voelde ik de spieren onder in het lichaam dat mij herbergde weer ontspannen, de vochtige warmte bleef vloeien en hoewel ik wilde smeken, de man wilde smeken mijn zuster gratie te verlenen, kon ik de mond van Nora niet in beweging krijgen, kon ik er geen geluid uit krijgen.

Ik keek naar de vinger van de man die zich om de trekker krulde en werd alleen wakker in mijn eigen slaapkamer, met de herinnering aan het kapotgeschoten gezicht van Nora schroeiend op mijn geestesoog – een krijsende pausin die in duisternis uiteenviel.

Zulke ervaringen kunnen slechts op twee manieren worden

uitgelegd volgens de logica waar ik naar leef, een logica die geen plaats biedt aan het bovennatuurlijke, hoewel het door bovennatuurlijk vertoon was, door mijn zogenaamde rite bij het vuur, dat ik die recente verschijningen lijk te hebben veroorzaakt. De oorzaak is ofwel psychologisch, wat wil zeggen dat mijn eigen schuldgevoel en besef van medeplichtigheid aan slechte daden zo groot zijn geworden dat zelfs mijn bewuste geest als in een droomtoestand wordt aangetast. Of de oorzaak is iets lichamelijks en misschien, in dat geval, nog wel wreder dan een psychologische oorzaak: het verlies van mijn verstand door een verwoestende dementie, hoewel ik mij niet bewust ben van andere psychische afwijkingen, problemen met het geheugen of een algehele verwardheid, en de artsen mij allemaal gezond hebben verklaard.

Ik kan de aantrekkingskracht van het bovennatuurlijke wel begrijpen. Jouw en Nora's bezoek uitleggen als geestverschijningen, als invasies vanuit een wereld buiten de fysieke wereld die ik om me heen zie, zou veel geruststellender zijn. Bij ontstentenis van een andere verklaring is het misschien sowieso wel de verklaring waar ik genoodzaakt ben aan vast te houden.

Nu Sam me een tijdje met rust laat, leg ik het laatste van je aantekenboekjes even weg, Laura, mijn gids naar de laatste weken voor je verdwijning, de dagen die je in gezelschap van Sam hebt doorgebracht. In plaats daarvan pak ik midden uit de stapel een willekeurig boekje, me afvragend hoe het mogelijk is dat ik die tien deeltjes twintig jaar lang grotendeels ongelezen heb gelaten. Dat is niet helemaal waar. Op momenten van grote zwakte, behoefte, verdriet, pakte ik er wel eens één en las een bladzij tot ik niet helder genoeg meer kon zien om verder te lezen, en dan legde ik ze weer voor maanden of jaren in de kluis. Elke hoop die ik had dat de boekjes aanwijzingen zouden kunnen bevatten over waar je misschien gebleven was, moest het afleggen tegen mijn zelfzuchtige verdriet.

Het boekje dat ik nu pak dateert van het jaar dat je voor *The Cape Record* ging werken. Je had je intrek genomen in de gemeubileerde flat boven een winkel aan Lower Main Road in Observatory. Op een typische ochtend stond je vroeg op om buiten te gaan zitten op het overdekte balkon, je keek naar het verkeer, de mensen, de auto's, je zwaaide naar de buren en riep naar ze, een jonge blanke vrouw in een grijze buurt. ('Wil je niet liever ergens wonen waar het wat veiliger is?' noteerde je dat ik op hoge toon gevraagd had. Je repliek: 'Ik hoef niet zo nodig in diep, donker suburbia te wonen, zoals jij.')

Je vader gaf je geld om de eindjes aan elkaar te knopen, maar dat ging buiten mij om. Ik zou tegenwerpingen hebben gemaakt, gezegd hebben dat je eerst maar eens zou moeten proberen je leven zonder onze hulp op de rails te krijgen, maar dan zou ik wel voorbijgaan aan het feit dat mijn eigen ouders mijn jaren in het buitenland bekostigd hebben, jaren waarin ik veel minder gefocust was en veel meer geld over de balk smeet dan jij ooit hebt gedaan, waarin mijn doelen ook beduidend minder nobel waren. Jij wilde de waarheid vertellen, ik wilde verhalen verzinnen, uit mijn duim zuigen. In die tijd en onder die omstandigheden, wie zouden we nou beter hebben kunnen ondersteunen dan jou? Jij en ook je broer hebben die liefde voor de waarheid van jullie vader. Ik kan dat niet anders zien dan als aanklacht tegen de leugens die ik zelf beroepshalve verspreid.

Na koffie te hebben gedronken ging je douchen, trok je eenvoudige, onvrouwelijke kleren aan en ging je naar beneden, in de hoop dat je gele Valiant, met al zijn deuken, nog daar zou staan waar je hem de avond tevoren had achtergelaten. (Hij is een keer gestolen; je vader heeft je toen geholpen een andere auto te kopen, en regelde middels een betaling dat je die bij een oud-student op de oprit kon parkeren – ook weer iets wat ik niet wist.) Elke dag reed je een kwartier over Victoria Road naar het centrum, parkeerde daar ergens je auto en liep verder naar de krant.

In het begin mocht je daar, jong als je was, en pas afgestudeerd aan Rhodes, alleen necrologieën schrijven. Het aantekenboekje bevat bondige schetsen van de overledenen over wie je schreef:

Een gepensioneerde middenstander met drie kinderen, alle drie naar Engeland geëmigreerd. Hij had alleen een kreupele teckel. Het hondje zal moeten worden afgemaakt, niemand wil het hebben. Ik maak een plaatselijke profeet van de man, overdrijf zijn belang en het effect van zijn dood op de buurt. Uit nieuwsgierigheid ga ik naar de begrafenis. Twee van zijn kinderen (snobs, maar ze treuren op luide toon; de zoon lijkt doodsbang voor iedereen die hij ontmoet) zijn overgekomen uit Londen, en er zijn wat oude dames uit de straat waar de man woonde. Meer niet. Nog geen tien mensen op zijn begrafenis. De volgende keer moet ik misschien zeggen dat hij niet zomaar een profeet was, maar de wedergekomen Heer, eens zien hoe massaal de mensen er dan op afkomen.

Elke ochtend bestudeerde je de overlijdensberichten. Soms kwam je op de redactie en zag dat de nachtredactie twee of drie berichten had aangestreept die een necrologie waard waren; andere keren koos je zelf, mensen van ontegenzeggelijk plaatselijk of nationaal belang, maar ook anderen, zoals die voormalige winkelier, mannen en vrouwen die door niemand voor belangrijk werden gehouden, behalve dan door het handjevol mensen dat hen kende en van hen hield.

Tussen de necrologieën door mocht je af en toe een klein verhaal schrijven: human interest, of een verslag van een niet al te belangwekkende rechtszaak. De waarheid was dat je genoot van de necrologieën en dat je daar je uiterste best op deed. Families reageerden als je contact zocht. Je luisterde geduldig en sprak beleefd, ongeacht wie je voor je had. Je checkte de feiten van de levens die je beschreef één, twee, drie keer en bracht vervolgens verfraaiingen aan zodat de meest onbeduidende doden aan belang leken te winnen (iets wat je van mij had, hoop ik – je passie voor waarheid ten spijt). Families schreven je om je te bedanken voor je stukken en een redacteur schertste dat ze je eigenlijk zou-den moeten opdragen je voortaan te beperken tot necrologieën: klerk en chroniqueur van de doden.

Toen je een maand bij *The Record* zat, ontmoette je een vrouw die weer als freelancer voor de krant was gaan werken nadat ze een kind had gekregen, dat inmiddels op school zat. Ze was bijna tien jaar ouder dan jij, maar bij die eerste ontmoeting ontdekten jullie dat jullie iets gemeen hadden.

'Ik ben Ilse,' zei ze, met donkere ogen onder een nog donkerder pony. 'Hebben ze je al uit je necrologische dwangbuis bevrijd? Zeg maar dat je naar misdaad wilt. Daar vind je het echte nieuws.'

Je zei wie je was en zij deed haar armen over elkaar en keek je aan.

'Jij bent toch een dochter van Bill Wald, of niet?' Het klonk meer beschuldigend dan vragend. Ze was klein van stuk, een kop kleiner dan jij, maar je voelde je toch geïntimideerd, alsof ze een ouder lid van de familie was.

Je had je vader nooit 'Bill' horen noemen, maar ja, zei je, je was inderdaad zijn dochter.

'Hij was een van mijn hoogleraren, maar ook een heel goede vriend. Ik heb hem al tijden niet meer gezien.'

Je meende haar te herkennen van een van de tuinfeesten die je vader altijd per se wilde geven voor studenten die cum laude wa-ren afgestudeerd. Maar dat zou dan jaren eerder geweest moe-ten zijn. Voor je wist wat je zei, kwam het eruit: 'Natuurlijk, Ilse. Ik weet nog dat mijn vader je heel graag mocht.'

Kan het zijn dat je toen al wist dat je vader en Ilse iets met elkaar hadden gehad? Ik wist het, had het al jaren geweten met iets als zekerheid, maar jij was nog klein toen ze bij hem studeerde, toen de kortstondige verhouding hem meer dan gewoonlijk van huis hield om vervolgens te eindigen zonder nadere verklaring maar met weken chagrijn van zijn kant. Het volgende wat ik hoorde was dat Ilse – ik heb nooit geweten hoe ze van achteren heette – met een andere student van je vader was getrouwd, en dat ze in verwachting was.

Opmerkzaam als je bent, besef ik dat het niet onmogelijk is dat je het wist – niet alleen van je vader en Ilse, maar ook dat je wist waar we allemaal mee bezig waren, op een manier waarvan we dachten dat een kind er wel niks van zou begrijpen.

Je liet je verslag van deze ontmoeting voorafgaan door een regel waarvan ik niet weet hoe ik die moet interpreteren: *Erin geslaagd Ilse te ontmoeten.* Ik voel een rilling over mijn rug gaan als ik die regel nog eens overlees, alsof jij, van begin af aan, alles hebt bedisseld wat daarna kwam, alsof jij de spelers in beweging hebt gebracht door je in hun midden op te stellen.

Beste Sam,
Wat klink ik toch ontzettend onnozel! Hoezeer jij er misschien ook van hebt genoten, je zorgvuldige transcriptie is voor mij het trieste maar heilzame bewijs dat ik in de toekomst maar niet meer moet instemmen met dit soort interviews. Wat een mens er zo voor de vuist weg niet allemaal uitkraamt! Ja, in het belang van je boek zal ik proberen de onduidelijke passages te reconstrueren en, als je het goed vindt, herzien wat ik elders zeg, waarbij ik de illusie dat we een gesprek voeren zoveel mogelijk intact zal laten. Wat weet ik van politiek? Ik ben bang dat ik enige research zal moeten plegen en mijn halfhartige politieke denkbeelden in een erudieter vorm zal moeten gieten, als het de bedoeling is dat je dit in je boek wilt opnemen. Nu ik het zeg: je moet me de andere transcripties ook laten zien – allemaal, en helemaal, onduidelijk of niet –, opdat ik toch nog kan proberen een en ander wat begrijpelijker te formuleren.

Ik stuur jou ook iets, hoewel ik geen idee heb hoelang het er naar Johannesburg over zal doen. (Waarom, overigens, New York verruild voor Egoli? Ik zou toch denken dat niks aan New York kon tippen, maar misschien ben je wel een masochist, dat je bent teruggekomen naar Afrika.) De vrouw in het postkantoor hier haalde haar schouders op en zei iets over onvoorspelbaarheid en onberekenbaarheid en dat soort dingen. Ik vroeg haar of ze het land nu minder stabiel vond dan het ooit eerder was geweest waarop zij, wijze vrouw, zei te vrezen dat zulks wel eens het geval zou kunnen zijn. Je ziet wat een pessimist ik ben geworden, maar misschien begrijp je, nu je hier wat langer bent, waarom ik er eigenlijk mee gestopt ben te wanhopen over de postbezorging in dit land, en me liever troost met de hoop dat wat ik verzend tenminste voor mijn dood bij de geadresseerde zal zijn, zodat ik op zijn minst nog te horen kan krijgen dat het inderdaad is aangekomen. Ongetwijfeld is dat de reden dat wij nu op deze onwaarschijnlijk steriele wijze communiceren, een wijze die voor mij, ouderwets getraind als ik ben in het schoonschrijven (als er één term is die om deconstructie vraagt, dan is die het wel *), opvallend onelegant, vluchtig en omslachtig is.

Wat ik je toestuur – een drukproef van mijn nieuwe boek, *Absolutie* – zal je hopelijk niet onaangenaam verrassen. Hoe dan ook, het zal in mei in de winkel liggen. Ik ben ervan overtuigd dat het risico dat mijn boek afbreuk doet aan het jouwe te verwaarlozen is, veeleer zal het dienst doen als een soort prelude avant la lettre, een opstapje voor jouw boek, zo je wilt. Daar komt bij, doordat ik het je nu al laat lezen, dat jij de tijd hebt om het op je in te laten werken en het in je eigen surreële portret van deze oude vrouw te integreren. Wat betreft het waarom, waarom ik je er niks over verteld heb, alles heeft immers een reden,

---

* Ik raadpleeg het woordenboek. Een schoonschrijver is iemand die mooi, verzorgd schrijft, wat strookt met mijn persoonlijke opvatting van mijn werk en roeping – maar het kan natuurlijk zowel op de vorm als op de inhoud slaan. En als je het over de inhoud hebt, kun je twee kanten op. Je kunt denken aan een ietwat neutrale betekenis van 'schoon': een schrijver wiens werk mooi is, verzorgd van stijl – maar er kan ook kritiek in doorschemeren: de schoonschrijver als krullentrekker, die de waarheid met veel omhaal van fraaie bewoordingen op zijn minst aan het oog onttrekt. Waar de waarheid aan het oog wordt onttrokken, kan iedereen zijn eigen waarheid invullen.

en niks spreekt vanzelf, laat me je alleen dit zeggen: ik vertel niemand iets over het werk waar ik mee bezig ben, behalve mijn agent en mijn redacteur in Londen, en die zetten samen de hele machinerie in beweging en bewerkstelligen uiteindelijk het resultaat dat de mensen elke twee of drie jaar van me verwachten, en pas als álles klaar is nemen de publiciteitsmensen de teugels over, maar dan is er ook geen houden meer aan. Puf puf, gaat het dan, gons gons, tjoeketjoek, en dan ligt er weer een boek.

Wat ik maar zeggen wil: ik hoop dat je iets van je gading zult vinden als het pakketje bezorgd is, en dat je me de geheimhouding en misleiding niet euvel zult duiden waarop ik per slot van rekening iedereen onthaal behalve die paar mensen die ik al jaren ken.

Met vriendelijke groet,
Clare

1989-1998

Het leven met zijn tante Ellen was het begin van iets als een normaal leven, een leven dat in de herinnering kon voortleven, een
leven dat de jongen – dat wil zeggen Sam, oftewel ik, of althans
een versie van mij – zich volledig zou herinneren en niet slechts
in fragmenten van geur en licht en geluid.

Dat wil niet zeggen dat het een bijzonder gelukkig leven was,
of zelfs een ongelukkig. Ellen adopteerde hem en verving de
naam van zijn vaders familie, Lawrence, door haar eigen naam,
Leroux, zonder hem te vragen of hij dat wel wilde. Net als het
verlies van zijn huis, met alles erop en eraan, en van het geld dat
zijn ouders hadden nagelaten, was dat ook weer een soort onter-
ving. Hij was altijd Sam Lawrence geweest en nu, na het invullen
van allerlei formulieren en het zetten van een reeks handteke-
ningen, was dat opeens verleden tijd.

Eén keer, toen Ellen boodschappen ging doen en Sam alleen
thuisbleef, belde hij het nummer dat hij van Timothy en Lionel
had gekregen. Er werd niet opgenomen. Een paar dagen later
belde hij het nog een keer, maar toen was het nummer niet meer
in gebruik.

In het begin wilde Ellen weten wat er gebeurd was, ze vroeg
hem tientallen keren precies te vertellen hoe hij bij haar op de
stoep terecht was gekomen. *Er was een beroving. De overvaller
schoot Bernard dood terwijl ik in de bosjes zat. Daarna ben ik gaan
liften. En de laatste mensen die me een lift gaven hadden haast, dus
die hebben me hier aan het eind van de straat afgezet en zijn toen
meteen doorgereden.* Dat was het verhaal waar hij op had geoe-
fend met Timothy en Lionel. Toen Ellen het vaak genoeg ge-

hoord had, hield ze eindelijk op met ernaar vragen, hoewel Sam aan de manier waarop ze naar hem keek, vanuit haar ooghoeken, wel wist dat ze hem niet echt geloofde.

'Nou ja, laat maar,' zei ze, 'je bent hier nu veilig, laten we het verleden maar vergeten.'

Of ze de politie ook had gebeld om aangifte te doen van de overval, en van de dood van Bernard, kwam Sam niet te weten. Hij was zich ervan bewust dat er aanwijzingen waren, in de vorm van het horloge en de zegelring van Bernard, dat er ook sprake zou kunnen zijn van een ander verhaal, een andere verklaring hoe hij bij haar terecht was gekomen. Een overvaller zou zo'n ring en dat horloge toch gestolen hebben. Sam bewaarde beide in een sok helemaal achter in de onderste la van de kast op de kamer die nu van hem was. Elke avond keek hij of de sok er nog lag, en of hij nog lag zoals hij hem had neergelegd.

'Het spijt me dat ik je niet meteen heb laten overkomen,' zei Ellen toen zijn leven met haar een paar weken op streek was, maar het klonk niet alsof het haar speet, helemaal niet. Hij had gehoopt dat ze net als zijn moeder zou zijn, of zelfs als Laura, dat ze hem zou toestaan tegen haar aan te kruipen, dat ze hem een beetje als haar eigen kind zou behandelen. Maar ze sloeg nooit haar armen om hem heen en ze liet hem ook niet begaan als hij zich in stilzwijgen hulde, als hij uit het raam staarde, in de tuin ging zitten, of op de bank naar het plafond ging liggen kijken. 'Ga je tijd nou niet verlummelen,' zei ze dan, als de lerares die ze was. Sam herinnerde zich nog wel dat zijn moeder geregeld klaagde over haar familie, over Bernard en ook over Ellen. 'Kop op, moed houden. Het leven gaat door,' zei Ellen. 'Je bent geen klein kind meer. Je bent al bijna een man, al is het je niet aan te zien. Ga wat doen. Lees een boek.'

De paar boeken die Sam bij zich had weten te houden waren, dat wist hij, kinderverhalen, meer niet. En hij begreep dat hij geen kind meer was, althans niet op de manier waarop hij dat ooit geweest was. Als hij al bijna een man was, besloot hij, werd het ook tijd om boeken voor volwassenen te lezen. In de hal waar alle kamers in het huis op uitkwamen stond een boekenkast met vier planken. Hij begon bij de onderste plank, waar een stuk of vijf, zes boeken van *Reader's Digest* stonden, beknopte uitgaven van bekende boeken waar hij in een week doorheen was, waarna hij zich voelde alsof hij te veel taart had gegeten. Verder stonden er Bijbels in het Engels en Afrikaans, en gezangenboeken in beide talen, maar die negeerde hij. Er stonden ook detectives – Agatha Christie, Ngaio Marsh: minder taartachtig dan die ingekorte boeken, maar nog altijd weinig voedzaam.

Toen hij van Ellen naar school moest, bleef er minder tijd over om voor zichzelf te lezen. Hij begon gerichter boeken uit de kast te pakken en ontwikkelde zich zonder te beseffen dat dat ook een vorm van onderwijs was. Hij las Schreiner en Millin, FitzPatrick en Bosman, Paton en Van der Post. Dat waren allemaal verhalen die hij zonder veel moeite kon lezen en begrijpen: het verhaal was nooit meer of minder dan waar het zich voor uitgaf. Hij las uiteindelijk alles wat in de kast stond en toen het herfst werd en de avonden lengden, ontdekte hij een andere boekenverzameling in de kamer, weggestopt achter stapels *National Geographics*. Waarom, vroeg hij zich af, waren die boeken zo weggestopt? Ze waren niet zo zorgvuldig verstopt als zijn ouders hun boeken verstopten, zonder omslag, met bruin kaftpapier eromheen, in plastic verpakt onder de vloerplanken weggestopt. De verstopte boeken van Ellen waren nog helemaal gaaf, met omslag en alle bladzijden erin, maar ze waren wel zodanig weggestopt dat een toevallige bezoeker ze niet zou zien staan. Sam begon met een boek dat *Duskland* heette. Dat leek aanvankelijk één soort verhaal te zijn – zij het een andersoortig verhaal dan hij ooit gelezen had – maar pakte halverwege uit als een heel ander boek. Hij wist niet goed wat het allemaal te betekenen had maar als hij het 's avonds op zijn kamer lag te lezen, met een zaklamp onder de dekens, werd hij erdoor gegrepen zoals hij nooit eerder door een boek gegrepen was. Er waren nog andere boeken van dezelfde schrijver die hem nog meer in verwarring brachten en opwonden dan dat eerste boek. Daarna ging hij verder met een schrijver wiens verhalen hij nog verwarrender vond: *The Late Bourgeois World* moest hij lezen met een woordenboek erbij, maar hij was er wel van overtuigd dat hij iets leerde van die boeken, zowel over het land als over zichzelf.

De laatste boeken achter de stapels *National Geographics* waren van Clare Wald. Toen hij de geheime verzameling ontdekte, was haar naam hem niet meteen opgevallen, maar nu hij het eerste boek van Wald in zijn handen had, *Landing*, vroeg hij zich af of de schrijfster de moeder van Laura zou kunnen zijn. Hij bekeek de foto op het omslag. Daar stond de schrijfster op met een jong jachtluipaard, dat de tong uit de bek had hangen. Hij had mevrouw Wald maar twee keer in zijn leven gezien, maar hij wist dat dat de moeder van Laura was, de vrouw die op de herdenkingsdienst van zijn ouders ergens achteraan had gestaan, en die later de deur voor zijn neus had dichtgesmeten. Hij stopte het boek onder zijn shirt en las het in één nacht in één ruk uit. En hoewel hij er nog minder van snapte dan van alle andere boeken die hij gelezen had, gaven de woorden van de moeder van Laura hem het idee dat het huis waar hij met zijn ouders in gewoond had nog andere kamers had – en niet alleen kamers, maar hele verdiepingen en trappenhuizen en bijgebouwen die harmonieerden met de architectuur van het kleine huis dat hij kende, maar die er tegelijkertijd iets heel anders van maakten, zodat hij een nieuw begrip kreeg van de oorspronkelijke ruimte. Hij las de andere boeken van haar hand – *Cacophony*, *Dissidence*, *In A Dry Month* –, en begon te begrijpen dat de verhalen van Wald niet alleen kamers waren om in te wonen die even echt waren als het huis waar hij met zijn tante woonde, het huis waar hij misschien ooit gehoopt had met Clare te wonen, maar dat het ook sleutels waren die de bibliotheek van zijn geheugen ontsloten.

Soms, 's avonds, hoorde hij Ellen aan de telefoon. 'Het is allemaal anders nu,' zuchtte ze dan. 'Met mijn eigen plannen is het nu wel afgelopen. Maar wat kan ik eraan doen? Er is niemand anders die hem in huis zou kunnen nemen nu Bernard dood is. Als het kon, weet je, zou ik er meteen vandoor gaan. Misschien wordt hij wel overreden door een vrachtauto. Nee, natuurlijk meen ik dat niet.'

Er zat een bepaald trekje in zijn familie, begon Sam te denken, waardoor ze onverschillig stonden tegenover het leven. Zijn moeder had dat, Bernard had het zeer zeker, net als zijn tante. En hij had het zelf ook. Dat wist hij heel goed.

'Jij moet naar een betere school,' zei Ellen toen de wintervakantie begon. 'Het wordt tijd dat we wat hoger gaan mikken.'

Mede dankzij de bijlessen van Ellen won hij een beurs voor een school in Port Elizabeth, waar hij het jaar daarop naartoe ging.

Dat was een kostschool. De vakanties was hij meestal bij Ellen. Soms maakten ze in de vakantie een reisje naar de kust. Hij las nu ook andere boeken uit andere landen maar hij bleef terugvallen op zijn eigen boeken, en vooral op die van Clare Wald.

Ellen opperde dat hij zou moeten proberen de jaren voor hij bij haar kwam wonen te vergeten. 'Dat zou veel beter zijn,' zei ze. 'Je mag je je ouders wel herinneren, maar probeer niet aan die tijd te denken. Je ouders wisten niet wat ze deden, in zoveel verschillende opzichten niet. Arme dwazen. Je kunt maar beter alles vergeten wat ze gedaan hebben.' Sam had geen flauw idee hoe hij gebeurtenissen zou moeten scheiden van de mensen die erbij betrokken waren, en toen de boeken van Clare hem de sleutel tot zijn eigen verleden hadden gegeven, had hij geen zin om die deur weer te sluiten.

Hij ging studeren in Grahamstown, stemde voor het eerst in 1994, eindigde als beste student van zijn jaar, schreef een scriptie en kwam daarmee ook als beste uit de bus. En de hele tijd las en herlas hij de boeken van Wald. Elke keer dat er een nieuw boek van haar uitkwam, kocht hij het zodra het in de boekwinkel lag.

Als hij dan niet lijfelijk bij Clare in kon wonen, kon hij in elk geval onderdak vinden in haar boeken.

Na aankomst in New York ging Sam rechtstreeks van het vliegveld naar de torenflat die door de universiteit was omgebouwd tot studentenflat. Hij stond om de hoek bij het Bellevue Hospital, hij hoorde elk uur van de dag en de nacht sirenes en kon niet slapen zonder oordopjes. Hij had Kaapstad altijd als een grote stad beschouwd maar na een uur in Manhattan wist hij dat dit iets heel anders was. Bomen waren onvolgroeid en zaten klem in gaten in het beton. Hij moest zich in bochten wringen om tenminste een stuk van de hemel te zien. Overal waar hij keek drongen gebouwen op waarbij hij in het niet verzonk. Het was nooit bij hem opgekomen dat hij de uitgestrektheid van de Karoo wel eens zou kunnen missen, een uitgestrekte, open ruimte die ergens toch vaak benauwd en drukkend had aangevoeld.

Toen zijn telefoon het eenmaal deed belde hij Ellen om te melden dat hij veilig was aangekomen. Ellen was de mening toegedaan dat de telefoon niet bedoeld was voor gekeuvel, maar alleen voor het in bondige bewoordingen overbrengen van essentiële informatie. Ze beloofden elkaar te schrijven en hingen na twee minuten op. Sam had graag nog wat langer gepraat maar wist niet hoe hij haar aan de lijn moest houden.

Aan het eind van zijn eerste week in New York was er een feest voor nieuwe studenten letteren in een van de voorname huizen die de universiteit in de stad bezat. Toen Sam aankwam, speelde er een jazztrio en drukte een ober hem een glas witte wijn in de hand. Hij zag een clubje mensen die hij van een van zijn werkgroepen herkende, maar toen hij zich bij hen voegde had hij er moeite mee de gesprekken over concerten en toneelstukken die ze al binnen één week gezien hadden bij te benen. Sam had niet het idee dat hij geld had voor concerten en toneelstukken, niet van de beurs die hem in staat stelde hier te studeren. Hij had zichzelf trouwens ook beloofd zoveel mogelijk van zijn beurs te sparen, hij moest immers ook weer een keer naar huis.

Zonder te worden gemist liep Sam naar een tafel in een hoek waar allerlei schalen met snacks stonden. Hij stond net te overwegen weer weg te gaan toen een stem naast hem zei: 'Jezus, wat is dit deprimerend. Ik ben Greg. En jij? Je komt me bekend voor.'

Sam keek naar de man die hem had aangesproken, verrast een Zuid-Afrikaans accent te horen.

'Ik ben tot de conclusie gekomen dat jij de enige was met wie ik een gesprek zou kunnen verdragen, afgezien van die Israëlische daar,' zei Greg, met een knikje naar een vrouw met een kaalgeschoren schedel die met de decaan van de letterenfaculteit stond te praten. 'Ik word gek van die Amerikanen.'

'Hoe wist je dat ik geen Amerikaan was?'

'Je kleren,' zei Greg. 'Hoe je staat. Je haar. Je schoenen. Vooral je haar, zou ik zeggen.'

Sam bracht zijn hand naar zijn voorhoofd en streek zijn haar opzij.

'Nee, zo,' zei Greg, en hij woelde in zijn eigen haar. Hij had tatoeages op zijn vingers van astrologische tekens. 'Zeg nog eens iets, dan zeg ik waar je vandaan komt en waar je op school hebt gezeten.'

'Hoe kom je op het idee dat je zo door me heen kunt kijken?'

'Zoveel blanke Zuid-Afrikanen zijn er nou ook weer niet en voor het merendeel zijn we toch familie. Waarschijnlijk zijn jij en ik verre neven van elkaar. Ik zou zeggen dat jij in Kaapstad hebt gewoond maar ergens in de Oostkaap naar school bent geweest. Grahamstown?'

'Port Elizabeth,' zei Sam. Het was beangstigend om zo doorzichtig te zijn.

Greg was naar New York gekomen voor een master in de kunstgeschiedenis. 'Als ik terugga, begin ik een galerie en ga ik kunst verkopen aan al die rijke Europeanen die op zoek zijn naar het authentieke Afrika,' zei hij, en hij maakte hoorntjes met zijn vingers en trok een gruwelgezicht. 'Mijn ouders vinden dat ik zou moeten proberen hier te blijven.' Hij zwaaide met zijn vinger naar Sam: '"Het is een kwestie van tijd," zegt mijn vader, "maar dan hebben ze ons allemaal opgeknoopt, jongen." Dus je begrijpt, ik heb geen keus. Ik moet wel terug om zijn ongelijk te bewijzen.'

Sarah was voorzitter bij de eerste sociëteitsvergadering die Sam bijwoonde. Na afloop ging hij naar haar toe om zich in te schrijven en de contributie voor dat jaar te betalen. Dat kwam neer op vijftien dollar, en zelfs dat was voor zijn gevoel wel erg veel, maar die vereniging was nou eenmaal iets waarvan hij meende dat hij er lid van moest worden om andere mensen te ontmoeten. Toen hij haar zag glimlachen, niet alleen met haar mond maar ook met haar ogen, leek hem dat nog een extra reden. Haar gebit was regelmatig en ze had dik, lichtbruin haar, en haar hele uitstraling had iets heilzaams en onmiskenbaar Amerikaans – alsof ze die ochtend wakker was geworden op een boerderij en een glas melk vers van de koe had gedronken, een koe die haar vader had gemolken, en ze pannenkoeken had gegeten die haar moeder zelf gemaakt en gebakken had. Haar kleren waren smetteloos en kreukvrij. Later, toen hij erachter kwam dat ze niks van boerderijen af wist en dat haar vader niet zou weten wat hij met een koe zou moeten beginnen, vroeg hij zich af hoe haar kindertijd er dan wel had uitgezien, maar hij wist niet hoe hij het moest vragen. Informeren naar haar jeugd zou alleen maar vragen over zijn eigen jeugd uitlokken.

Als de leden van de vereniging niet bijeenkwamen voor voordrachten van plaatselijke dichters of lezingen uit eigen werk, waren ze meestal te vinden in cafés aan Bleecker Street of ontmoetten ze elkaar bij een van de leden thuis. Het was op een van die avonden, bij een verbannen dichteres uit Somalië die ergens diep in Alphabet City woonde en die rondliep met haar sleutelbos als boksbeugel en een busje pepperspray in de aanslag, dat

Sam voor het eerst even alleen met Sarah kon praten. Hij wist dat ze bij journalistiek als aanstormend talent werd gezien, dat ze aan het eind van haar mastersopleiding was, dat ze al artikelen had gepubliceerd in toonaangevende weekbladen en dat ze een heel eind van de universiteit af woonde. Niemand van de vereniging wist waar ze precies woonde, want ze had nog nooit iemand bij zich thuis uitgenodigd. Ze spraken over haar scriptie: die ging over de berichtgeving in de Amerikaanse media over Irangate. Al pratend bevochtigde ze haar lippen door ze over elkaar heen te laten rollen en lange, diepe teugen te nemen uit een rode plastic beker, en af en toe nam ze wat chips – en intussen begon Sam het gevoel te krijgen dat hij haar nodig had. Hij realiseerde zich dat ze hem op een of andere vreemde manier aan Laura deed denken.

'Mijn vader heeft een tijd in Afrika gezeten,' zei ze, 'voor Buitenlandse Zaken. In Congo en Rhodesië, in de jaren zestig, en later in Zuid-Afrika – in de jaren zeventig en tachtig. Volgens mij heeft hij nog best een tijd in Zuid-Afrika gezeten.'

'Maar jij was niet mee?'

'Hij zei altijd dat zijn standplaatsen te gevaarlijk waren. Hij was geen ambassadeur, hij was een onderknuppel, dus mijn moeder en ik bleven gewoon in Virginia. Ik weet niet – anders hadden we wel met hem mee kunnen gaan, maar ik denk dat hij zich te druk maakte om onze veiligheid. Hij vond Zuid-Afrika op zich wel fijn. Hij zei dat het een prachtig land was. Maar ik kan me er geen voorstelling van maken hoe het geweest moet zijn om in zo'n gevaarlijke omgeving op te groeien.'

Ook al waren er verschrikkelijke dingen gebeurd, Sam had nooit het idee gehad dat het land als geheel gevaarlijk was, of althans gevaarlijker dan bijvoorbeeld Amerika. Hij probeerde de uitdrukking op haar gezicht te duiden. Sarah zag er nieuwsgierig en bedachtzaam uit, maar dat kon ook het licht zijn dat door de glazen lampenkap gebroken werd en van haar gezicht een labyrint maakte van diepe schaduwen.

Terwijl ze zo in gesprek waren, moest Sam steeds meer aan Laura denken, hij zag in Sarah dezelfde energieke nieuwsgierigheid, maar ook een fysieke gelijkenis, in haar gespierde ledematen en scherpe trekken, een verzameling hoeken en een olijfblonde teint, en ogen die altijd bezig waren – als ze Sam niet nauwlettend opnamen, bestudeerden ze haar omgeving wel, alles en iedereen werd geregistreerd. Als ze geïnteresseerd was, voelde Sam wel aan, als ze een verhaal rook, was dit een vrouw die niet zou rusten voor ze alles over je wist en begreep, voor ze de waarheid boven tafel had.

Sam

We worden wakker van de vogels, een oerwoudkakofonie zoals ik nog nooit van mijn leven gehoord heb, in Kaapstad noch in Beaufort West noch in Grahamstown. Afgezien van de hadada's, die ik ken, zijn er ook grijze loeries die er al even prehistorisch uitzien maar die een bloedstollend gekrijs produceren, alsof een baby de nek omgedraaid wordt.

Sarah holde vanmorgen meteen over de patio naar het tuinhuisje, om aan de research te beginnen voor een verhaal over Amerikaanse oliemaatschappijen in Angola. Het zwembad is aanlokkelijk maar ik weet dat ik naar mijn werk moet. We nemen afscheid voor die dag, ik prent Sarah in dat ze voorzichtig moet zijn en niemand moet binnenlaten, en zij wijst mij erop dat ik rustig moet blijven. Als ik de straat op rijd en nog even kijk hoe het hek achter me dichtgaat, komt er een vrouw aanlopen, een stapel handgeweven manden op het hoofd en plumeaus van gras om het lijf gebonden, alsof ze zo van het platteland komt.

Het verkeer in Kaapstad kan dan heel hectisch zijn en geregeld vastlopen, het heeft toch een zekere soepele logica waar ik mee uit de voeten kan. Ik ken de buurten van de stad en zijn knooppunten, zijn energie en zijn codes. Maar Johannesburg heeft zijn eigen agressieve regels en een meedogenloos tempo waar ik de koude rillingen van krijg, ook al klinkt voortdurend de stem van mijn navigatiesysteem die aanwijzingen geeft om van rijbaan te wisselen, over zoveel meter af te slaan, uit te kijken voor flitspalen. Tegen de tijd dat ik op de universiteit aankom heb ik het gevoel dat ik wel een verdoving kan gebruiken.

De Engelse faculteit heeft een parkeerplaats voor me geregeld in de garage onder het Senate House, dat vanbuiten doet denken aan een luxe hotel uit de eindtijd van de Sovjetunie. Binnen is het een Escherachtige nachtmerrie van liften en trappenhuizen en overdekte verbindingsgangen die nooit op elkaar aansluiten zoals ik gedacht had. Na twee keer de weg te zijn kwijtgeraakt kom ik eindelijk bij Engels aan, waar ik op de administratie te horen krijg dat ik naar een ander kantoor moet om allerlei formulieren in te vullen, en daarna naar weer een ander kantoor om mijn identiteitspasje op te halen. Anderhalf uur later ben ik weer terug met mijn pasje en de vereiste formulieren en geen flauw idee hoe ik overal gekomen ben. Iemand laat me mijn kamer zien, geeft me de code om erin te komen en legt uit dat ik bij aankomst nooit moet vergeten het alarm uit te schakelen want anders worden de mensen van de beveiliging op onderzoek uitgestuurd.

Alleen in mijn kamer, die kaal is op een bureau, een stoel, een lege boekenkast, een archiefkast en een computer na, download ik alle opnames van mijn interviews met Clare en de scans van haar manuscripten. Mijn onderwijsverplichtingen beginnen pas in februari en ze hebben me voor het eerste semester nog enigszins ontzien, maar ik ben van plan hier op deze kamer aan het boek te werken, al is het huis, waar ter verstrooiing ook nog eens een zwembad en een televisie zijn, veel gerieflijker, zeker op een warme dag in december als deze. De rest van de morgen ben ik bezig met het uitschrijven van een interview en reageer ik op het bericht van Clare dat ik de nacht tevoren heb ontvangen.

Geachte mevrouw Wald,
Ik hoop dat bij u alles goed is. Een Franse vriend van me zei een keer dat je een brief altijd moet beginnen met woorden over dan wel goede wensen voor, de geadresseerde, en niet met wat voor zelfreflectie dan ook. Ik ben bang dat ik dat nooit helemaal onder de knie heb gekregen. *Ik* hoop dat alles goed met u is als u dit leest. Wat zou het gekunsteld overkomen om een brief te begin-

nen met iets als: 'Geachte mevrouw Wald, U zult nu ongetwijfeld genieten van de lange decemberdagen en voorbereidingen treffen voor de feestdagen.' Misschien is het iets wat alleen de Fransen kunnen – of goed kunnen – of misschien is het wel een formule die eigenlijk alleen mogelijk is in het Frans. Dus in plaats daarvan begin ik met mijzelf, aangezien dat de enige opening is waar ik bekend mee ben.

Weest u alstublieft niet beledigd als ik zeg dat ik geschokt was toen ik begreep dat uw nieuwe boek misschien in sommige opzichten wel een soort memoires zouden zijn – dat is in elk geval wat uw laatste bericht lijkt te impliceren. Uiteraard zie ik ernaar uit, en kan ik alleen maar zeggen dat het me intrigeert. Ik heb een krant zover gekregen dat ze het door mij laten recenseren. Leest u wel recensies?

Nu ik weet dat *Absolutie* eraan zit te komen, heb ik meer dan ooit het idee dat voor de biografie weer andere gebieden moeten worden onderzocht, en zulks onder vier ogen doen zou, dunkt mij, het beste zijn. Vanaf februari heb ik hier onderwijsverplichtingen, maar als het enigszins mogelijk is zou ik u ergens in het komende halfjaar willen spreken.

Ik heb ook het idee dat ik u mijn verontschuldigingen moet aanbieden. Bij het uitschrijven van de interviews ben ik gaan inzien hoe onnozel mijn vragen waren, en hoe onvolwassen. Ik vraag me af hoe u er het geduld voor hebt weten op te brengen. Soms hoor ik in de opnames de irritatie in uw stem, maar alleen in uw stem. Ik dank u daarvoor – voor de beheersing die u betoond hebt, en voor het geduld in uw woorden.

Met vriendelijke groet,
Sam

Alvorens beneden te gaan lunchen kijk ik waar in het hoofdgebouw het kantoor van Lionel Jameson precies is. Als het hem is, en het is hem vast, weet ik eigenlijk niet wat ik zou moeten zeggen als we elkaar zouden ontmoeten. Misschien zou het beter zijn eerst te bellen of te mailen, maar als ik buiten ben, en op de trappen voor de ingang mijn sandwich eet, besluit ik dat het geen kwaad kan even een kijkje te nemen bij zijn kantoor, ook al ben ik niet van plan om aan te kloppen, al verlies ik uiteindelijk alle moed en draait het erop uit dat we elkaar nooit ontmoeten.

Zijn deur, zwaar, bruin, behangen met posters over directe actie en antiglobaliseringsbijeenkomsten, is halverwege een lange gang met een hoog plafond. Het is voor nu genoeg om te weten waar het is. Ik kan te zijner tijd wel contact opnemen, als ik de moed heb verzameld. Hoewel ik mezelf voorhoud dat ik hem wil vragen naar Laura, besef ik dat mijn aarzeling net zoveel te maken heeft met wat hij zich misschien herinnert over mij in die tijd.

Ik draai me om en wil net weglopen als de deur opengaat. Hij staat me aan te kijken, onmiskenbaar Lionel, hoewel zijn haar dunner en wilder is dan twintig jaar geleden. Het is een opluchting hem te zien en ik voel een onverwachte opwelling van blijdschap. Voor het eerst besef ik dat we in leeftijd ook weer niet zoveel schelen – hij is misschien een jaar of zes ouder dan ik, meer niet, hoewel het leeftijdsverschil in mijn ogen, destijds, veel groter leek.

'Wacht je op iemand?' vraagt hij.

'Lionel Jameson.'

'Dat is de naam op het naambordje.' Hij is norser dan ik me hem herinner, en zijn stem is luider, hij schalt door de gang en galmt onder het hoge plafond.

'Ik ben Sam.'

Hij bekijkt me iets nauwlettender en schudt zijn hoofd. 'Het spijt me, ben jij een van de kandidaten voor het lectoraat? De gesprekken zijn daar in de hal.'

'Ik ben Sam Leroux. Vroeger heette ik Sam Lawrence. Onder die naam zul jij me destijds gekend hebben. Laura Wald had me bij jullie gebracht.' Ik zie zijn gezicht veranderen, de rimpels in zijn voorhoofd worden glad getrokken, zijn pupillen worden groter.

'Kom binnen,' zegt hij, terwijl hij de deur verder open duwt. 'Ik vrees dat ik weinig tijd heb.'

De kamer van Lionel staat vol dozen met boeken die na een kennelijke verhuizing nooit zijn uitgepakt. De kamer voelt antiek aan, een pakhuis, vergeten door iedereen, behalve door de eenzame bewaker. Ik maak meer van hem dan hij is. Hij is ook maar een vroeg oud geworden academicus, een typische professor, blind voor de chaos, of te overwerkt om orde te scheppen in zijn eigen rommel. Op de planken liggen stapels papieren en mappen en uit niets blijkt dat hier de laatste maanden nog is afgestoft.

'Wat een opluchting dat het goed met je is,' zegt hij, terwijl hij mijn gezicht bekijkt. 'Geen jochie meer! Het gaat toch goed met je, of niet?'

'Dus je herinnert je mij nog wel.'

'Je klinkt al bijna net zo Amerikaans als ik. Je gaat me toch niet vertellen dat je ook in Chicago hebt gezeten?'

'New York.'

Hij schudt zijn hoofd, slaat zijn armen over elkaar en begint te lachen. De laden van de archiefkast in de hoek van de kamer zijn opengetrokken, er steken aan alle kanten met paperclips bijeengehouden stapels papier en hangmappen uit. 'Er zijn zoveel vragen,' zegt hij, terwijl hij zijn rode haar uit zijn gezicht veegt. 'Maar het is inderdaad goed met jou? Ik heb wel in de rats gezeten toen we jou daar achterlieten.' Zijn gezicht is vertrokken en hij friemelt met een paperclip waarmee een stapel papieren bij elkaar wordt gehouden. Ik stel hem gerust, zeg dat het met mij prima gaat. Zo'n reactie had ik nooit verwacht. 'Jij moet voor mij ook vragen hebben. Wat ik je kan vertellen...' Hij valt stil, schudt nogmaals het hoofd, alsof hij iets inslikt wat hij had willen zeggen.

Ik vertel hem dat ik een biografie van Clare Wald aan het schrijven ben, dat ik bijna klaar ben met de research maar dat er nog een paar dingen zijn die ik opgehelderd zou willen zien. Al was Clare niet genegen het met mij over Laura te hebben, ik heb niet het gevoel dat ik het erbij kan laten zitten. Haar verhaal verdient toch op zijn minst een plekje in mijn boek.

'Ik hoopte dat jij me misschien wat meer over Laura zou kunnen vertellen.'

Als Lionel die naam weer hoort, lijkt hij in te slaan als een bom: zijn borst verschrompelt en alle leven vloeit uit zijn gezicht weg; hij verstijft helemaal terwijl hij zich omdraait en wat gaat staan rommelen in de ontelbare papieren op zijn bureau. Ik heb het gevoel dat mijn aanwezigheid hier op een of andere manier een inbreuk is die ik niet zo bedoeld had. Ik wil weer weg, en ik zie dat Lionel mij ook weg wil hebben.

'Ja, nee, natuurlijk, dat begrijp ik. Ik ben bang dat ik zo meteen een paar sollicitatiegesprekken heb, je zult me echt moeten excuseren. Misschien kunnen we hier op een later tijdstip nog eens op terugkomen. Het spijt me dat ik nu niet met je kan praten.'

Ik nodig hem uit een keer te komen eten maar hij is er niet in de vakantie, ik moet hem in het nieuwe jaar maar bellen. Ik weet dat hij me probeert af te poeieren, maar neem me voor het niet op te geven, hoelang het misschien ook gaat duren.

Vanavond gaan Sarah en ik uit eten in een druk restaurant aan een promenade in Rosebank. We krijgen een tafeltje buiten, waar we naar de voetgangers kunnen kijken. We bestellen, maar besluiten dan dat we toch liever een cocktail hebben in plaats van wijn, dus ik ga even snel naar binnen. Daar lopen een stuk of vijf, zes mensen rond die allemaal in de bediening werken – te veel voor de krappe ruimte bij de kassa, achter de bar, en te weinig voor alle klanten die op dat tijdstip in het restaurant zitten. Ik wijzig de bestelling en besluit te wachten terwijl de barkeeper onze cocktails bereidt. Er staat een jonge vrouw achter de kassa die me verlegen aankijkt en dan glimlacht. Gedachteloos glimlach ik terug. Zodra ze me ziet glimlachen beantwoordt ze mijn glimlach, ze lijkt helemaal verrukt, maar dan krimpt ze ineen en kwijnt weg, alsof ze zich dood geneert – ze draait zich om en duikt achter de bar. Haar collega's zien het en trekken haar overeind en kijken naar mij en vragen haar wat er aan de hand is. Ze schudt haar hoofd en verdwijnt de keuken in.

Ik ga met onze cocktails naar buiten.

'Proost,' zegt Sarah, en we klinken. 'Wat was dat daarnet? Jij stond alleen maar te glimlachen, maar dat meisje keek alsof je haar een ring met een diamant had aangeboden of zoiets.'

'Ik weet niet. De meeste blanken kijken door zwarten heen. Bewakers. Serveersters. Winkelbediendes. Je krijgt wat je geeft. Ik glimlachte terug. Misschien was het wel de eerste keer dat een blanke jongeman naar haar glimlachte.'

Ons eten wordt opgediend en we bestellen nog twee cocktails. De avond is warm, windstil, en verderop staan een paar straatmuzikanten, ze zingen een oude hit van Dolly Rathebe. Als we op de dessertkaart zitten te wachten, komt een oude blanke vrouw op ons af laveren.

'Ek soek 'n honderd rand,' zegt ze, en ze houdt haar hand op.

Ik zeg haar dat het me spijt, dat ik geen honderd rand heb die ik aan haar zou kunnen geven, al is dat niet waar. Ik zie Sarah aanstalten maken haar portemonnee te pakken, maar mijn blik weerhoudt haar daarvan. De vrouw verwenst ons en loopt door naar een ander tafeltje waar ze zich te veel generen om haar af te wimpelen en ze een handvol kleingeld krijgt. Ze zoekt er de grootste munten uit en laat de rest liggen. Een paar centen – laat maar, die wil ze niet.

'Je kunt het haar moeilijk kwalijk nemen,' zeg ik, terwijl ik een dessertkaart in ontvangst neem van de serveerster. 'Voor vijf rand kun je bijna niks kopen. Greg zegt wel eens dat hij eigenlijk belastingaftrek zou moeten krijgen omdat hij blank is. En dat is dan Greg, die zo ongeveer de radicaalste figuur is die ik in dit land ken. Volgens zijn schattingen geeft hij tienduizend rand per jaar aan mensen die om geld vragen. En dan rekent hij nog niet eens alles mee wat hij zijn huishoudster en tuinier en kindermeisje geregeld toestopt, of de goede doelen die door zijn galerie worden gesponsord. "Het leven op de plantage, hè?" zegt hij. "Dat is de prijs die je betaalt."' Ik gebaar naar de goedgeklede mensen aan de tafeltjes om ons heen, de extravagante porties, de drank die nogal wat kost maar niettemin niet is aan te slepen.

'Het is in New York tegenwoordig niet veel anders, of in Londen,' zegt Sarah. 'Het is niet plaatsgebonden. Die problemen kennen ze overal.'

Absolutie

De man trok één voor één zijn dunne leren handschoenen uit. Clare tuurde in het licht van de gang en herkende hem meteen. Het was niet iemand die ze zo een-twee-drie verwacht zou hebben.

'Goeie hemel,' riep ze uit. Het hart bonkte haar in de keel. 'Wat denk jij in vredesnaam dat je hier aan het doen bent?'

'U wist dat ik zou komen,' zei haar zoon, terwijl hij zijn jas uittrok. 'U zei dat ik mezelf binnen kon laten.'

'Dat heb ik helemaal niet gezegd, Mark! Ik overweeg sterk om de politie te bellen.'

'Doe niet zo belachelijk, moeder. Ik kom hier logeren, dat weet u vast nog wel. Wat doet u al zo vroeg in bed? Het is nog niet eens tien uur.'

'Noem je dat vroeg? Ik kan me niet herinneren dat ik jou heb uitgenodigd.' Clare keek toe hoe Mark zich op de met taf beklede stoel bij de deur van haar slaapkamer liet zakken. Ze ging rechtop in de kussens zitten en knipte het lampje naast haar bed aan. Haar zoon oogde vermoeid, klauwen van rimpels hadden sporen getrokken in zijn slapen. Ze vond het buitengewoon irritant om zo te worden gestoord. Ze wist dat ze nu niet meer in slaap zou komen en vreesde dat de hele week, die er een zou moeten zijn van intense en ononderbroken arbeid, verspild zou worden aan de eisen, nukken en grillen van haar zoon.

'Ik had me niet gerealiseerd dat ik een uitnodiging moest hebben als ik naar huis wilde,' zei hij, terwijl hij zijn groene zijden das lostrok en de bovenste knoopjes van zijn overhemd opendeed zodat Clare een pluim van borsthaar te zien kreeg die haar afkeer inboezemde. Het recht, dat zijn vader en grootvader van moederskant slank had gehouden, had Mark Wald een buikje opgeleverd dat hij zich eigenlijk niet kon veroorloven.

'Dit is mijn huis, niet het jouwe. Het oude huis aan Canigou Avenue, het huis waar je zuster en jij zijn opgegroeid en doorheen zijn geraasd en dat jullie op je geheel eigen wijze gemolesteerd hebben, dat huis zou je in zekere zin nog als jouw huis kunnen beschouwen, maar dit huis is van mij en van niemand anders zolang ik leef. Ik heb jouw huis met een aanzienlijke winst en voor mijn eigen veiligheid verkocht. Een huis dat je het jouwe zou kunnen noemen zul je zelf moeten kopen en is jouw eigen verantwoordelijkheid. Hoe kom jij aan een sleutel van mijn huis?'

'De laatste keer dat ik hier was hebt u een sleutel voor me laten bijmaken.' Hij klonk even vermoeid en kortaangebonden als zijn moeder. 'Voor noodgevallen. U wílde graag dat ik er zo in kon. Althans, dat zei u toen.'

'Wat kortzichtig van me. En waarom val je mij lastig en niet je vader en stiefmoeder?' Dat was zo hun manier van communiceren, stekeligheden, half spel, half gemeend: aan de ene kant wilden ze elkaar alleen maar plagen, aan de andere kant zat er een hoop haat en nijd bij.

'Pa zit midden in een verbouwing. Het kwam hun niet goed uit. Ik weet wat u denkt maar er valt verder echt niks over te zeggen. U kunt niet van mij verwachten dat ik hier ga zitten roddelen. Kan ik misschien een kop thee voor u maken of zoiets?'

'Ik waag me niet aan de vraag wat jij wel of niet kunt.'

'Mág ik misschien een kop thee voor u maken?'

'Sta mij de wellevendheid toe in mijn eigen huis voor gastvrouw te spelen. Je beseft zeker wel dat ik, nu jij hier zo bent binnengedrongen, vannacht geen oog meer dichtdoe. Je hebt mijn rust verstoord, en die is mij op zijn best al nauwelijks gegund,' zei ze, terwijl ze haar benen uit bed zwaaide. 'Ik neem aan, aangezien je mij een kop thee aanbiedt, dat je zelf iets te eten of te drinken wilt.'

'Als het niet te veel moeite is.'

'Dat is het wel, maar we zullen zien wat we kunnen vinden. Marie heeft voor een heel weeshuis eten in de vriezer gezet. Ga jij maar eten, dan kijk ik wel toe.'

Clare vond brood en kaas, chutney en mayonaise, en maakte een sandwich voor haar zoon zoals ze in jaren niet bereid had. Als hij met zijn gezin overkwam, logeerden ze meestal bij de exman van Clare omdat Coleen, de vrouw van Mark, altijd klaagde dat ze bij Clare zo nerveus werd. Clare, die Coleen weinig interessant vond (Coleen geloofde in wat ze omschreef als de 'traditionele rol van de vrouw'), had daar geen klachten over. De twee kleinkinderen, een tweeling, waren te klein om mee te converseren en waren zelf voornamelijk geïnteresseerd in zwembaden, ijsjes en eindeloze bezoeken aan het aquarium. Alleen als Mark in zijn eentje voor zaken naar Kaapstad kwam, logeerde hij weleens bij zijn moeder.

'Waarom zitten de luiken dicht?' vroeg hij, terwijl hij een glas wijn inschonk uit het karton in de koelkast.

'Zou je niet eerst vragen of je een glas wijn mag?'

'Begin nou niet over iets anders, moeder. De luiken. Is er iets gebeurd?'

'Je stelt wel irritante vragen. Zou je je moeder geen glas van haar eigen wijn aanbieden?'

'Wilt u een glas van uw eigen wijn, moeder?'

'Nee, dank je, dan slaap ik nog minder, maar neem jij gerust een glas,' zei ze met een knipoog.

'De luiken, moeder,' hield Mark vol. Hij probeerde niet te glimlachen en dronk in één teug zijn glas Stein halfleeg. 'Waarom drinkt u van dit bocht?'

'Dat vindt Marie lekker. De luiken zitten dicht, als je het weten wilt, omdat ik me kwetsbaar voel. Is dat wat je wilt horen? Zonder Marie voelde ik me, voor het eerst sinds we naar deze vesting zijn verhuisd, een oude vrouw, alleen op de wereld, met niet meer dan breekbaar glas tussen mij en degenen...' even hield ze zich in, waarna ze, zonder de implicaties van wat ze wilde zeggen helemaal te peilen, vervolgde: 'tussen mij en degenen die mij hun beschuldigingen voor de voeten willen werpen.'

'Ik weet niet waar u het over hebt.'

'Ik ook misschien wel niet. Hoe dan ook, oude koeien uit de sloot halen kunnen we het best maar overdag doen,' zei ze, terwijl ze opstond van de keukentafel. 'Als jij wilt opblijven, ga je gang. Ga maar televisie kijken, als je op dit uur tenminste nog iets fatsoenlijks kunt vinden, ga muziek luisteren of wat je gewoonlijk maar doet om je nachten door te komen.'

'Eigenlijk ben ik doodop.' Mark wreef over zijn gezicht, dat ooit zo strak en bleek was geweest, maar dat nu begon uit te dijen tot een fletse massa. 'Ik was vanmorgen om vijf uur al op. Ik had om tien uur een zaak en ik heb de laatste vlucht genomen, en die had ook nog eens een uur vertraging. Als ik morgen geen verplichtingen had, zou ik het klokje rond kunnen slapen.'

'Afspraken met cliënten?'

'Afspraken, ja. Ik moet vroeg op, maar ik dacht dat we morgenavond misschien samen zouden kunnen eten. Zou u het leuk vinden om uit eten te gaan? Ik kan ergens reserveren. We zouden zelfs naar dat restaurant in Franschhoek kunnen gaan.'

'Ik loop niet echt warm voor een avondje uit, ik ga na donker liever niet te ver van huis.' Sterker nog, Clare moest toegeven dat ze na zonsondergang liever geen stap meer buiten haar vesting waagde. Die enkele keren dat ze de laatste tijd nog uitnodigingen had gekregen voor gelegenheden 's avonds, had ze die afgeslagen, met als excuus de leugen dat haar assistente en zij allebei niet goed genoeg meer zagen om nog in het donker te rijden. 'En trouwens, Marie heeft genoeg eten achtergelaten en wat zij maakt is voor mij goed genoeg. Mijn smaakpapillen zijn niet meer wat ze geweest zijn, dus jouw etentje zou sowieso niet aan mij besteed zijn. Je weet waar de logeerkamer is. Er heeft hier sinds je vorige bezoek niemand meer gelogeerd, dus als de lakens vuil zijn, is het je eigen vuil. Als het al te weerzinwekkend is,

ligt er schoon goed in de linnenkast. Ik ga ervan uit dat je niet zo
verpest bent door je eigen personeel dat je niet eens meer weet
hoe je een bed moet opmaken.'

Ze bleef op de drempel staan en vroeg zich af of ze geacht werd
haar zoon nu te omhelzen dan wel hem een nachtzoen te geven.
Ze waren nooit zo scheutig geweest met lichamelijke affectie.
Een gênante seconde of wat later knikten ze allebei en deed
Mark het licht uit.

Clare was de volgende morgen bij het krieken van de dag op. Ze
was te moe om te zwemmen en ging in plaats daarvan aan het
werk, alvorens de studeerkamer naast haar slaapkamer uit te komen. Dat was misschien het grootste voordeel van dit nieuwe
huis – dat ze zo vanuit bed achter haar bureau kon gaan zitten
voor de nacht helemaal voorbij was, zonder iemand te hoeven
tegenkomen behalve haar eigen spiegelbeeld, dat soms al sto-
rend genoeg was. Marie wist dat ze niet voor elven hoefde aan te
kloppen als de deur dicht bleef, maar Mark was minder goed af-
gericht.

'Bent u al op, moeder?' riep hij vanaf de andere kant van de
deur.

'Een dichte deur betekent dat je niet wilt worden lastiggeval-
len,' riep Clare. Ze deed open en nam Mark op zoals hij daar
stond, gedoucht en wel, zijn overgebleven haar achteroverge-
kamd en met gel op zijn plaats gezet, zijn overhemd opbollend
over zijn buik.

'Mijn eerste afspraak is afgezegd.'

'En nou moet ik je vermaken.'

'Het leek mij een mooie gelegenheid om even te praten. Was u
aan het werk?'

'In tegenstelling tot jou ben ik altijd aan het werk, zelfs als ik
niet daadwerkelijk aan het schrijven ben. Maar nu je me dan
toch gestoord hebt, kan ik het ambachtelijke werk maar beter
even stopzetten. De prijs is hoog, dat begrijp je zeker wel. Wat nu

verloren gaat, haal ik met geen mogelijkheid weer terug.' Ze perste haar lippen opeen in wat ze hoopte dat het een ironische glimlach was. 'Misschien kun jij koffiezetten en kijken waar Marie de beschuit heeft gelaten, dan gaan we over een halfuur in de tuin zitten. Adam zou vandaag het gras maaien, maar ik zal hem wel vragen even tot morgen te wachten.'

Zoveel inbreuk op haar leven was ze niet gewend, zeker niet nu ze zich eindelijk thuis begon te voelen in dit nieuwe huis dat haar, nog even afgezien van de naast elkaar gelegen studeerkamer en slaapkamer, ook veel meer privacy en een veel grotere afstand tot de buitenwereld verschafte. Bedelaars konden niet meer opeens op de stoep staan. Alleen zij die heel veel lef hadden of die volstrekt radeloos waren, belden aan bij het hek. Marie, die het gevoel had dat één hek nog niet genoeg was, had voorgesteld nog een tweede hek te laten plaatsen zoals ze bij sommige huizen in Johannesburg had gezien, zodat je een soort sluis had waarin eventueel gevaar nog gekeerd kon worden. Het idee was dat als er bijvoorbeeld boodschappen waren besteld, de bezorger door het eerste hek werd binnengelaten en hij de boodschappen in de sluis kon zetten, en dat Marie dan voor de bezorging kon tekenen terwijl ze door dat tweede hek van de bezorger gescheiden bleef – pas als de bezorger weg was en het eerste hek weer goed en wel dicht zat, deed zij het tweede hek open om de boodschappen te pakken. Clare had het hele idee eerst als bespottelijk paranoïde van de hand gewezen. Kaapstad was geen Johannesburg, waar hele buurten geprivatiseerde veiligheidszones waren en gewapende mannen in kogelvrije wachtposten waakten over parkeerplaatsen bij supermarkten. Bovendien: zij die het echt wilden, zouden heus wel binnen weten te komen, hoeveel extra hekken je ook in de strijd wierp; ze knipten gaten in hekken, groeven tunnels onder muren. Nergens was je veiligheid honderd procent gegarandeerd.

Mark kwam aanzetten met een dienblad en Clare merkte onwillekeurig op dat er bekers op stonden – bekers, geen kop en schotels – en een pakje koffiemelk. Marie zou een placemat of doek op het dienblad hebben gelegd, het porselein hebben gebruikt, de melk in een kan hebben geschonken en de beschuit met plakjes cake op een schaal hebben gepresenteerd. Zulke dingen maakten het leven in dit land draaglijk, terwijl ze tegelijkertijd nadrukkelijk de aandacht vestigden op het ironische van de situatie dat je zo leefde in dit land waar je toevallig geboren was.

'Het lijkt vreselijk onrechtvaardig, dit leven,' zei Clare, terwijl ze een beker aannam. 'Dat wij zo kunnen leven. Het zou me niks verbazen als het ons op een gegeven moment, en niet eens in zo'n heel verre toekomst, allemaal zou worden afgenomen. Noch zou ik zoiets als een door niets gerechtvaardigde beroving beschouwen.'

'De regering zou u tot minister van landhervorming moeten benoemen, moeder. U klinkt als een radicaal.'

'Heb je ooit gedacht dat ik iets anders was?'

'Vroeger dacht ik dat u liberaal was,' zei Mark, terwijl hij suiker en melk door zijn koffie roerde waarna hij het lepeltje aftikte op de rand van zijn beker op een wijze die Clare ineen deed krimpen. Dat getik had hij van zijn vader overgenomen. 'Een goede, ouderwetse blanke liberaal.'

'Dat is wel een heel ernstige belediging. Hoe heb je ooit kunnen denken dat ik liberaal was?'

'Ik wist toen nog niet wat dat betekende. Ik was nog maar een kind. Toen ik me realiseerde dat u geen liberaal was, of iets vergelijkbaar tams, iets waar je even makkelijk een etiketje op plakte, dacht ik dat u misschien wel een pragmaticus was.'

'Een nog grotere belediging. Hoe zou je me nog meer willen noemen? Opportunist? Reactionair? Vredestichter?'

Mark lachte en schudde zijn hoofd. 'Nu begrijp ik dat u niet alleen radicaal bent, maar ook streng non-conformistisch, als je dat zo kunt zeggen.'

'Laten we zeggen dat dat kan en het daarbij laten. We hoeven hier geen etiketjes te plakken op mijn politieke overtuigingen, die sowieso steeds veranderlijker worden. Ik zie overal absurde toestanden en vooral veel nep, en even bedenk ik dan hoe efficiënt een en ander vroeger geregeld was. De mensen in dit land klagen niet genoeg als goederen of diensten – vooral diensten – beneden de maat zijn. Ik ben van de generatie, net als jij (jammer genoeg), die kan zeggen dat hij twee corrupte nationalistische regimes heeft meegemaakt. De vraag is of we het tweede ook zullen overleven – sommigen in de regering zien ons als een onafgemaakte kwestie, als een potentiële vijfde colonne, als latente vijand. Eén kolonist, één kogel. Dat zijn degenen die elke blanke als kolonist of parasiet beschouwen, de tegenhangers van de mensen onder het oude regime die elke zwarte als terrorist en uitvreter zagen. Misschien is het slechts een kwestie van tijd voor mensen zoals ik, en vooral zoals jij, gezien de aard van je werk, als vijanden van de staat worden aangemerkt. Wij zijn de nieuwe intriganten, en potentiële terroristen. Andersdenkend zijn staat tegenwoordig gelijk aan hoogverraad, een gedachtegang die bij het oude apartheidsregime in die abjecte vorm niet eens zou zijn opgekomen.'

'Nu klinkt u inderdaad als een racist en een reactionair.'

'En echt, ik beschouw mezelf als geen van beide. Ik weet dat ík degene ben – een van de weinigen, een van de laatsten – die overtuigd blijft van de goede zaak. Niet de mannen en vrouwen die hun verleden als activist als rookgordijn gebruiken, die aan de touwtjes trekken en kunstjes uithalen door bonnen wegens te hard rijden en erger te laten verdwijnen als toverpoeder. Je zuster zou daar graag iets over hebben willen zeggen. Zij zou vernietigend commentaar hebben geleverd. Zij zou gesproken hebben zoals ik spreek, maar met meer lef. Misschien komen we nog eens tot de ontdekking dat we eigenlijk op haar leunen, dat we haar erfenis claimen als onze eigen politieke oprechtheid. Ik wou dat Laura ons haar vertrouwen waard had geacht, en dat wij haar meer reden hadden gegeven op ons te vertrouwen.'

Mark schoof heen en weer op de witte gietijzeren zitting van zijn stoel en keek ongemakkelijk, alsof over zijn zuster horen praten voor hem ál te pijnlijk was. Het kon best zijn, besefte Clare, dat hij dingen over Laura wist waar hij nooit over gesproken had.

'U praat over Laura alsof ze een held was – of heldin. Maar ik ben er niet zo zeker van of ze dat wel was,' zei Mark. 'Als kind was ze een plaag. En dat werd er niet veel beter op naarmate ze opgroeide.'

'De media hebben de idee van heldendom gedevalueerd en geperverteerd. Een beetje succesvolle sportman of -vrouw krijgt tegenwoordig bijna automatisch een heldenstatus aangemeten. Laura valt in een heel andere categorie. Wat zij gedaan heeft, wat ik veronderstel dat zij gedaan heeft, was zowel te groots en onbaatzuchtig als te schandelijk en afgrijselijk om heroïsch te worden genoemd. Het ontbreekt die term inmiddels aan de noodzakelijke ambiguïteit om er de activiteiten van je zuster mee te kunnen aanduiden – dat geldt zowel voor wat ik weet dat ze heeft gedaan, als voor wat ik wel kan raden dat ze waarschijnlijk gedaan heeft. Ze was op een of andere manier meer dan menselijk, maar minder dan een godin. In tegenstelling tot de helden uit de oudheid denk ik niet dat Laura een lieveling van de goden was, of zelfs maar van één god – en zeker niet van de God van de christenen, die, onder veel meer, een god was waar Laura weinig vertrouwen in had. Lijkt je dat een faire beoordeling?'

'Nog voor haar tiende joeg ze mij al de stuipen op het lijf. Ik neem aan dat ze een soort heldin voor me was, als kind, zij het geen karakteristieke heldin. Ik kan geen oordeel vellen over wat ze als volwassene gedaan heeft of gedaan zou kunnen hebben. Eerlijk gezegd heb ik geprobeerd onkundig te blijven van de details, om mijn kijk op haar niet te bezoedelen.'

'En hoe zie je haar dan?'

'Als volstrekt onafhankelijk persoon. Net als u.'

Clare speurde zijn gezicht af op een glimlach maar Mark was even ernstig als wanneer hij zich voorbereidde op een rechtszaak; als daar ergens humor en empathie sluimerden, hield een ander deel van hem de kooi waarin die werden vastgehouden stevig op slot. Ze wou dat hij niet zo onmenselijk was.

'Niemand kan vleien zoals een kind dat kan. Volstrekte onafhankelijkheid is, voor mij althans, iets van een ver verleden – als ik het al ooit geweest ben. Het was aan je vader dat ik voor het eerst de zeggenschap afstond over de dagelijkse manoeuvres die nodig zijn om je op een doordeweekse dag door het leven te slaan. Je vader nam het personeel aan en ontsloeg het, hij deed de administratie, regelde een kokkin zodat we niet van de honger hoefden om te komen en een kindermeisje om op je zuster en jou te passen als ik dat weigerde omdat ik het te druk had met mijn werk. Je vader nam alle huiselijke taken op zich die samenleving, cultuur, godsdienst en de staat eeuwenlang de vrouw hadden toebedacht. Dat was echter niet waar ons huwelijk op is stukgelopen. Ik wil niet dat daar misverstanden over bestaan. Er waren een heleboel andere vrouwen, en het zou me niks verbazen als hij naast Laura en jou nog andere kinderen had. Kijk niet zo gechoqueerd. Wat ik nu voor hem hoop is dat hij gelukkig is met zijn nieuwe mevrouw Wald.'

'Aisyah.'

'Ik heb me laten vertellen dat ze zo heet, ja.'

'Ik zou liegen als ik zei dat mijn omgang met haar vrij van elke spanning was. Ze doet alsof ze verwacht dat blanken haar als keukenmeid behandelen, en vervolgens gaat ze zich dan ook nog eens zo gedragen: heel veel melk en viér klontjes suiker in de koffie. Ze mag mij helemaal niet, volgens mij, en Coleen en de kinderen kan ze niet uitstaan. En ze verafgoodt pa, dag en nacht – half meid, half concubine. Het is bij het weerzinwekkende af.'

'Nou klink jij als een reactionair. Als je collega's je konden horen...'

'U hebt me alweer zover dat ik te veel heb gezegd. Ik hou er niet van als u mij als een soort boodschappenjongen gebruikt. Dat doet pa ook altijd.'

'Het verbaast me dat hij nog een boodschap aan me hééft.'

'Hij wil weten dat het goed met u gaat, meer niet. Na die inbraak was hij heel bezorgd, maar hij wist niet wat hij moest doen om u te helpen.'

'Hij wist anders altijd precies wat hij moest doen. Het ging uiteindelijk zelfs zover dat hij van tevoren al wist wat er gedaan moest worden, vóór ik er maar over had nagedacht hoe ik een eventueel verzoek in die richting in woorden zou moeten uitdrukken. Hij had een hele goede intuïtie wat dat betreft – Marie heeft dezelfde gave. Bij anderen – de mannen die ik gekend heb voor ik met je vader trouwde, mannen die afhankelijk van me waren en die me versteld deden staan met hun ultieme onverschilligheid – was onafhankelijkheid mijn vrijbrief. Als ik mijn eigen boontjes kon doppen, wist ik dat het mij vrij stond mijn eigen weg te gaan zodra de situatie onhoudbaar werd. Als ik genoeg geld had om te eten en ergens mijn nachten te kunnen doorbrengen waar het droog en warm was, of daar nou veel slaap bij te pas kwam of niet, was dat voor mij destijds genoeg. Een dergelijke houding kun je je veroorloven als je jong en ongebonden bent, nog niet belast met kinderen of zelfs maar de verantwoordelijkheid voor een relatie die door de wet is bekrachtigd, en met de langzame aanwas van dingen die je leven inhoud geven, of die een sentimentele waarde hebben die alleen jou bekend is, dingen die bepalen wat je uiteindelijk doet, waar je heen gaat, wat je wellicht riskeert. Ik ben nooit iemand geweest voor hebbedingetjes, of noem het zelfs maar objecten. Mijn bezit is misschien wel uitgedijd, maar het was mijn bezit aan boeken dat er uiteindelijk het meest toe deed, dat, en de paar spullen van mijn ouders en grootouders die ik heb uitverkoren om te bewaren.'

Clare zag dat Mark onder de tafel op zijn horloge keek, alsof hij dacht dat zij het niet doorhad. Op hetzelfde moment kwam Adam om de hoek van het huis aanlopen met een grastrimmer. Clare voelde de berg tegen haar rug drukken, de zon brandde hele lagen van haar gezicht.

'Zeg je tegen hem dat hij niet mag maaien, vindt hij wel een andere manier om lawaai te maken. Maar ja, harde werkers zijn nou eenmaal boven kritiek verheven,' zei Clare, en ze wendde zich weer tot haar zoon, die nog steeds op hete kolen zat maar te trots was om zich te excuseren. 'Onze tijd zit erop. Jij hebt afspraken.'

'Je bent eerder terug dan je gezegd had,' zei Clare toen Mark die avond binnenkwam. Eerder die dag had ze heel even met de gedachte gespeeld om de alarmcode en de cijfersloten te veranderen maar toen had ze zich gerealiseerd hoe onredelijk iedereen behalve zij dat wel niet zou vinden. Van je kinderen houden was één ding, maar ze onvoorwaardelijk toegang verlenen tot je eigen leven, zoals zij in haar onbezonnenheid gedaan had, was iets heel anders. Eigenlijk kon ze zich helemaal niet herinneren dat ze Mark een sleutel van haar huis had gegeven – een sleutel noch de code van het alarm. Kon ze dat maar ongedaan maken zonder hem voor het hoofd te stoten. Ze wist echter dat hij nogal lichtgeraakt was, hij merkte blijken van geringschatting op waar geen mens ze ooit bedoeld had. Wat had hij gekrijst vroeger, en bedreigingen geuit om iedereen voor de rechter te slepen, zijn vrienden, zijn leraren, zelfs zijn ouders en grootouders en zijn zuster – wat had hij eigenlijk op zijn tante Nora geleken, bedacht Clare voor het eerst. 'Ik had je op z'n vroegst over een uur verwacht,' zei ze, en ze boog zich naar voren om een kus in ontvangst te nemen. Die gaf hij snel en plichtmatig, alsof hij het contact bijna afstotelijk vond. 'Het eten is alleen bij lange na nog niet klaar. Je zult wel honger hebben. Ik neem aan dat je verwacht hier de hele week je natje en je droogje te krijgen? Blijf je de hele week? Héb je honger?'

'Zeker, moeder, maar als u mij nou eens het eten liet doen? Ik kan heel aardig koken,' zei hij, en kuste haar andere wang.

'Er hoeft helemaal niks gekookt te worden, het enige wat er hoeft te gebeuren is de oven aanzetten en de ontdooide maaltijd erin schuiven. Je zou een salade kunnen maken. Eet je wel salades?' Ze wierp een blik op zijn buik en maakte zich zorgen om zijn hart, wat ze al deed sinds hij klein was. Hij praatte niet met haar over zijn gezondheid, maar ze wist dat hij de afgelopen jaren verscheidene keren onder het mes was geweest. 'Wat heb je vandaag gedaan?'

'Zoals u weet had ik enkele afspraken met cliënten.' Hij liep achter haar aan naar de keuken en keek toe terwijl Clare een krop ijsbergsla, een avocado en twee tomaten uit de koelkast pakte. 'Die avocado is niet rijp, moeder. Die moet u met een paar bananen in een papieren zak doen en ergens anders neerleggen.'

Clare keek naar zijn mollige handen en de kaak waarvan de strakke lijnen in vlezigheid ten onder waren gegaan, en legde de avocado terug in de koelkast.

Uit respect voor zijn onwankelbare geloof in vertrouwelijkheid had ze geleerd geen nieuwsgierige vragen te stellen over zijn werk. Zijn cliënten waren voor het merendeel particulieren wier recht op privacy, zoals vastgelegd in de nieuwe grondwet, hij verdedigde. Soms hadden zijn zaken haar echter wel verrast, zoals die keer toen een cliënt van hem aanvoerde dat het recht op privacy hem een soort beroepsgeheim garandeerde in zijn werk als prostitué. Mark had die zaak verloren, maar hij had wel hartstochtelijk gepleit voor de jongeman, die tijdens zijn korte detentie het hiv-virus had opgelopen en die niet lang na zijn vrijlating, bij gebrek aan een juiste medische behandeling, aan een aidsgerelateerde ziekte was overleden.

Clare had de zitting van het constitutionele hof bijgewoond – het was haar eerste bezoek daar, in de begindagen van het hof – en was zowel geroerd als verbijsterd door de fysieke ruimte en het instituut dat erin was ondergebracht. Het gebouw zelf vond ze een architectonische miskleun, hoewel het van alle kanten geroemd werd. Het ademde wel een zekere openheid en transparantie, en besef van de geschiedenis van het land, maar dat ging ten koste van de monumentale plechtstatigheid, waar het jammerlijk aan ontbrak. Het was weliswaar duidelijk dat de ontwer-

pers het centrale plein bedoeld hadden als een plein waar ongedwongen geleefd werd, maar het voelde aan als wat het feitelijk
was: een verbouwde luchtplaats van een gevangenis, compleet
met de omheinde puinhopen van twee trappenhuizen die nog
over waren van de afgebroken cellenblokken waar ooit gedetineerden hun proces hadden afgewacht. Ze vergeleek het onwillekeurig met de grandeur en het monumentale van het Uniege-
bouw van Herbert Baker in Pretoria, waar de zwarte midden-
klasse zich tegenwoordig in de weekenden vermaakte, jongeren
oefenden er op hun dansen, volwassenen poseerden er voor
trouwfoto's en dat alles tegen een achtergrond van groene ga-
zons, in allerlei vormen gesnoeide bomen en klassieke doorkijk-
jes. Het was heel goed mogelijk monumentaal te zijn zonder de
menselijke maat uit het oog te verliezen, respect af te dwingen
zonder de gemiddelde burger te intimideren of van zich te ver-
vreemden. Het constitutionele hof had op dat punt fundamenteel gefaald. Nobele denkbeelden waren ten koste gegaan van
zowel gebruiksvriendelijkheid als schoonheid.

In de rechtszaal zelf had Clare vooral een gevoel gehad van
symbolische chaos – in haar ogen was het een ratjetoe. Hier en
daar waren hele stukken van de vloer bruin betegeld, terwijl in
het laagste gedeelte een wit tapijt lag met een misplaatst grijs en
paars, organisch dessin. De muren waren van ruwe rode bakste-
nen, restanten van de cellenblokken, en hier en daar wit gepleis-
terd, met grijze betonnen zuilen. De raadslieden zaten aan bruine, houten schrijftafels die eruitzagen als afdankertjes van een
uitleenbibliotheek, terwijl de rechters zelf, hoger dan de verdediging maar lager dan de publieke tribune, achter een balie zaten
die bekleed was met zwart-witte koeienhuiden – mooie Afrikaanse toets, vond Clare, en het enige blijk van originaliteit en
artistieke integriteit in dat allegaartje. Het was zowel eigentijds
als traditioneel, maar het had allemaal te veel glas en staal en te
veel botsende hoeken, zinloze balkons en schreeuwerige opper-
vlakken om ooit één geheel te worden. Wat Clare mooi had ge-

vonden, wat haar in al zijn vermetelheid zowel geïmponeerd had als verontrust, was dat het publiek letterlijk op de rechters neerkeek. Dat was haar iets te populistisch, ze voelde zich er niet prettig bij, maar het idee dat de rechters in de eerste plaats toch het volk moesten dienen was in theorie juist. Dat de advocaten, de raadslieden die voor het hof pleitten, op het laagste niveau hun werk moesten doen was een nog fraaier ironisch detail. Door het langwerpige raam, schuin achter de rechters, bleef het leven op straat – voetgangers en auto's – nog net zichtbaar. Sirenes waren binnen te horen. Alles was poreus en transparant. Dit hoogste hof in het land was geen hof van willekeur, geen plek waar in het geheim met twee of meer maten gemeten werd, maar een open hof. Wat Clare echter het meeste zorgen baarde, was dat het constitutionele hof, de hoogste gerechtelijke instantie in dit broze nieuwe land, in zijn poging om open en toegankelijk en transparant te zijn, te makkelijk genegeerd kon worden – of erger, aangevallen.

In tegenstelling tot sommige van zijn collega's, mannen van het oude bestel die nog pleitten met het gebrek aan logica van de apartheid, de logica van de onlogische voorrechten, leek Mark gevoel te hebben voor de toon van het hof, de nonchalante formaliteit van de taal van het hof, en voor de kritische verhoortrant, de immense frustraties en goedmoedige plagerigheid van zijn rechters. Hij dwong respect af en was overtuigend, al vonnisten de rechters uiteindelijk niet ten gunste van zijn cliënten. Het was een nobel iets om voor te pleiten, het recht op privacy, maar Clare vroeg zich af of haar zoon de advocaat eigenlijk niet te ver ging, of hij met het intellect en de inventiviteit waarmee hij de letter van de wet altijd wel naar believen wist te plooien, niet het risico liep het recht uiteindelijk te veel naar zijn hand te willen zetten. Er waren grenzen aan de privacy, dat was altijd zo geweest en dat moest vooral zo blijven. Een staat die de privacy geen enkele beperking oplegde, verviel onvermijdelijk tot chaos – een toestand die met recht staatsondermijnend kon worden genoemd.

Dat was echter een van de vele dingen waar Clare en Mark niet over discussieerden. Als ze naar zijn werk informeerde, viel hij ofwel stil, of ging hij in de verdediging. Ze hoopte maar dat hij over het recht kon praten met zijn vader, die hem in zoveel opzichten als voorbeeld had gediend. Ze hoopte voor beiden dat er een dergelijke vertrouwelijkheid tussen hen bestond, maar met het verstrijken der jaren begon ze te geloven dat daar vast geen sprake van was, en dat de beste en meest vertrouwde sparringpartner van Mark wel zijn eigen geest zou zijn. In dat opzicht had hij misschien meer van zijn moeder.

Clare

De uren gaan voorbij en ik doe mijn best het enthousiaste stofzuigen van Nosipho, het maaien en snoeien van Adam en het heen-en-weergeklepper van Marie tussen haar studeerkamer en de mijne te negeren, maar dan word ik geveld door een migraineaanval. Het begint achter in mijn nek en verplaatst zich knarsend en schurend langs de zijkant van mijn hoofd, als tektonische platen die over elkaar heen schuiven in een boog van mijn achterhoofd tot mijn voorhoofd. Daarna komen de misselijkheid en de visuele vervormingen, de twee niervormen die ik altijd zie, vormen die de wereld in hun omlijning wringen. De eerste keer dat dat gebeurde dacht ik dat ik blind werd. Ik heb geleerd dat de enige manier om er een eind aan te maken is: mijn ogen dichtdoen en hopen dat het binnen een paar uur weer over is. Dus ga ik maar weer naar bed, maar de hoofdpijn is meedogenloos, en de pijn verspreidt zich, kruipt langs mijn sleutelbeenderen en straalt zijn demonische vleugels uit over mijn schouderbladen. Na een uur van eerst op mijn ene en dan op mijn andere zij liggen, op mijn buik en dan op mijn rug, kussens onder mijn hoofd en op mijn hoofd, val ik eindelijk in slaap en raak ik meteen verzeild in een van de meest verontrustende van mijn repeterende dromen, een droom die verschillende vormen kan aannemen maar die altijd is gebaseerd op eenzelfde scenario.

Op een gegeven moment in het recente verleden, aldus gewoonlijk het verhaal, heb ik de verplichting op me genomen op de honden te passen van een jong stel dat in mijn kindertijd bij ons in de buurt woonde. In de meeste versies van de droom bedenk ik, op de middag dat de eigenaren terug worden verwacht van hun vakantie, op het laatste moment dat ik al verscheidene dagen niet meer naar de dieren heb omgekeken, dat ik ze geen eten meer heb gegeven en dat ze ook niet meer naar de tuin konden. Ik word overspoeld door visioenen van uitzinnige honden, vacht en poten onder de stront, kamers één grote puinhoop. In de wetenschap dat, op zijn ergst, één of beide honden misschien wel dood zijn, hol ik naar het huis, waar ik gelijk met het stel aankom. Alle hoop dat ik een en ander kan rechtzetten voor zij het ontdekken wordt de bodem ingeslagen. Maar in de variatie op de droom die ik vandaag heb, schiet me pas als ze al terug zijn te binnen dat ik de honden verwaarloosd heb, wat mijn onverantwoordelijkheid des te groter maakt. Ik besef dat ze me niet gebeld hebben om de reservesleutel van hun huis terug te vragen en kan mezelf er, door schaamte overmand als ik ben, niet toe zetten zelf op zijn minst even te bellen. Ergens aan de randen van de droom ligt de dreiging van gerechtelijke stappen tegen mij op de loer: ik zal door de rechter, en derhalve door het publiek, worden gebrandmerkt als een dierenbeul, iemand met zo weinig verantwoordelijkheidsbesef dat ze er niet eens op kunnen vertrouwen dat ik wel voor mezelf kan zorgen, zodat ze niet anders kunnen dan mij opsluiten, opdat ik tenminste niemand kwaad kan doen.

Elke keer dat ik deze droom heb, gaat het om hetzelfde stel. Ze hebben ofwel twee honden, of één hond, of een hond en een kat. Ik laat altijd na om te doen wat ik beloofd heb, met als gevolg niet alleen een uiterst gênante situatie, maar ook, in potentie, een gruwelijk eind aan die volstrekt onschuldige andere levens, van die huisdieren die op mij vertrouwden in hun meest elementaire behoeftes. Wat me altijd meer dan wat ook dwarszit als ik wakker word, is dat ik geen flauw idee heb waar dat gevoel bij mij vandaan komt, dat ik dat stel ooit zou hebben teleurgesteld. Ze hadden niet eens een huisdier, maar toen ik in de bovenbouw van de middelbare school zat, paste ik in de vakantie wel eens op hun dochtertje. Ik weet dat ik altijd goed voor het meisje zorgde, ik las haar voor het slapengaan verhaaltjes voor, stopte haar in, troostte haar als ze om haar moeder huilde (altijd haar moeder, nooit haar vader), wachtte tot de ouders terugkwamen van hun etentje en werd vervolgens lopend naar huis gebracht door Rodney, de vader, die eruitzag als een meer verdorven versie van Cary Grant. Hij drukte me het geld altijd in de hand als we bij ons hek aankwamen met een hand die nat was van het zweet. En de briefjes waren al even vochtig. Indertijd zou ik het niet erg hebben gevonden als Rodney me van het pad had getrokken en tegen een boom aangeduwd, en gekust. Hoewel er nooit iets in die richting gebeurd is, vertakt dat gevoel zich als een soort onderstiksel door het weefsel van mijn dromen, onzichtbaar voor het blote oog maar niettemin de basis die alles op zijn plek houdt, die zorgt dat de naden niet te zien zijn en het patroon verborgen blijft in de satijnen glinstering van het onderbewustzijn. Als ik nu terugkijk op mijn verlangen naar Rodney, vermoed ik dat als hij me daadwerkelijk gekust had, als hij me echt met de rug tegen de bast van een boom had geduwd, als hij zijn tong werkelijk tussen mijn lippen had gedrongen, ik geschokt zou zijn geweest.

Ik besef, te laat, dat deze reeks dromen niks te maken heeft met Rodney, noch met zijn vrouw, noch met zijn dochtertje, op wie ik zo goed gepast heb, en ten aanzien van wie ik geen enkele reden heb mij schuldig te voelen of anderszins geplaagd te worden door mijn geweten. Die dromen hebben alles te maken met jou, Laura, het wildebeest dat ik verwaarloosd heb, dat ik verzuimd heb te eten en te drinken te geven, waar ik niet de verantwoordelijkheid voor heb genomen op de manier die jij nodig had. Ik had niet moeten wachten tot jij een keer om hulp vroeg. Ik had moeten weten wat je nodig had, ik had je behoeftes moeten voorvoelen, moeten voorzien wat jij je genoodzaakt voelde op je te nemen. Ik had moeten weten dat jij niet te temmen was, laat staan te breken. Als ik geprobeerd had je tegen te houden, zou jij dat hebben toegelaten?

'Nee,' zeg je, als je vannacht bij me in bed komt liggen, je om me heen kronkelt en mijn ledematen met de jouwe omvat. 'Je had me nooit kunnen tegenhouden.'

'Maar als ik anders was geweest, als ik een andere manier van zijn had gekend, als ik met beide handen had kunnen geven in plaats van altijd, áltijd, iets achter te houden, dan zou je me misschien toch wel hebben laten helpen!'

'Het verleden kan niet ongedaan worden gemaakt, oud mens. Je moet accepteren wie je bent.'

'Wat ben ik?' bedel ik, terwijl jij opstaat en je terugtrekt. 'Zeg me wat ik ben!'

'Een monster,' zeg jij, met een stem die oplost in droefheid. 'Net zo'n monster als ik.'

Ik lees weer verder waar ik laatst gebleven was, omdat ik niet weet wat ik anders moet. Ik realiseer me, voor het eerst, dat alle tien aantekenboekjes eigenlijk niets meer zijn dan schoolschriften – dezelfde die ik ook gebruikt heb bij het schrijven van mijn eerste vijf, zes boeken, ervan overtuigd dat als de autoriteiten ooit een inval zouden doen in het oude huis aan Canigou Avenue, ze wel zouden denken dat het schriften van kinderen waren die geen enkele bedreiging vormden. Ik schreef ook opzettelijk met een kinderlijk handschrift, af en toe zelfs overdreven slordig. Maar jouw handschrift, Laura, is altijd precies en, hoewel ongewoon, onmiskenbaar volwassen. Iemand die jouw handschrift zag, zou zeggen dat het de hand van een schrijfster was, in tegenstelling tot dat van mij.

Na Ilse die eerste keer op de krant te hebben ontmoet, zag je haar een paar dagen later weer en vroeg je haar, op een toon alsof het een spontane ingeving was, of ze zin had met je te gaan lunchen. Ze stelde voor naar een tentje aan Church Street te gaan.

Als je al weet had van haar relatie met je vader, wist je dat goed te verbergen. Je probeerde de rol te spelen van de ingénue die een vrouw met meer levenservaring om raad vroeg, en om vriendschap – die haar vroeg te zijn wat ik nooit voor jou geweest was; ik weet niet of je mij ooit om raad gevraagd hebt, ik kan het me in elk geval niet herinneren. Je wendde je altijd tot de mannen in de familie, je broer en je vader, of zelfs je ooms, de vrouwen negeerde je – mij niet alleen, maar je tantes en nichtjes evenzeer – alsof je het vermoeden had dat alleen mannen toegang hadden tot de waarheid, en dat vrouwen, in onze maatschappij, niet meer waren dan decoratie, en evenzovele hindernissen op de weg die jij wilde gaan.

Die hele lunch ging Ilse tekeer tegen de repressieve nieuwe wetten die het volk waren opgelegd en sprak ze vol hoop over uit het buitenland teruggekeerde oppositieleden, die gekomen waren om het land met de schittering van vuur te bevrijden. Bang dat iemand zou meeluisteren keek je om je heen of er ook mensen reageerden, hield je in de gaten wie er kwam en wie er ging, en al die tijd was Ilse aan het woord en genereerde haar tengere lijf zoveel boosheid dat het bijna pijnlijk was tegenover haar te moeten zitten.

'Het is hier redelijk safe, hoor,' zei ze, toen ze zag dat jij je niet op je gemak voelde, 'en de caféhouder is trouwens een sympathisant.'

'Je moet hoe dan ook voorzichtig zijn.'

'Als je voorzichtig blijft, krijg je nooit iets gedaan. Zolang mensen als wij – als onze ouders, onze familie – zich niet rechtstreeks bedreigd voelen, verandert er niets.' Ze kreunde en liet het hoofd in de handen zakken, met veel gevoel voor drama. Dat was het soort explosieve passie dat je vader onweerstaanbaar vond, en dat ik hem nooit kon bieden. 'Ik moet me verontschuldigen,' zei ze, naar je opkijkend door haar donkere pony, 'het is niet eerlijk van mij om er maar van uit te gaan dat jij er wel dezelfde mening op na zult houden. Maar ik weet waar de voorkeuren van Bill naar uitgaan, dus ik stelde me zo voor dat jij –'

'Nee,' stelde je haar gerust, en je pakte haar hand en drukte hem als om een verbond te bezegelen, 'je hebt helemaal gelijk. Ik ben het volkomen met je eens.'

Ze glimlachte en nam jouw hand tussen haar beide handen. 'Ik wist het wel. Ik ben zo blij. Je moet Peter ook ontmoeten. We zochten al zo iemand als jij.'

Je voelde je gevleid door die opening, maar had het idee dat je haar niet kon vertrouwen. Misschien had je wel gelijk: ze was de minnares van je vader geweest, had zich in zijn armen genesteld toen jij nog klein was, terwijl ze wist dat hij een gezin had. Ze was bij hem thuis geweest, had zijn vrouw en kinderen ontmoet, en toch had ze hem verleid, zich bewust van de schade die ze daarmee kon aanrichten.

'Dat zou ik heel fijn vinden,' zei je, bijna flirterig. Op die dag besloot je elke kans aan te grijpen die je geboden werd haar leven binnen te dringen, en haar te laten boeten voor wat ze had misdaan.

Ik heb tegen Adam gezegd dat hij vandaag wat later moest komen, zodat ik in alle rust kan zwemmen en genieten van het ochtendlicht dat aan de ene kant van het witte grindpad door de donkere, traanvormige bloemblaadjes van de Afrikaanse lelies schijnt, en aan de andere kant de dauw op de vuurlelies doet glinsteren. Ik besef vol afgrijzen dat de vorige bewoners die kaarsrechte bloembedden en dat al even rechte pad erdoorheen zo hebben aangelegd dat je de oude Zuid-Afrikaanse driekleur krijgt: blauw, wit, oranje. Ik neem me voor Adam de lelies te laten weghalen; ik heb toch al nooit van die afschuwelijke gifkleuren gehouden.

Als Adam komt ga ik naar binnen en besteed ik de ochtend aan het doornemen van een transcriptie van een van mijn gesprekken met Sam, die me nu schrijft alsof ik zijn geliefde ben of zoiets, of zo niet zijn geliefde, dan toch in elk geval de moeder die hij zich altijd gewenst had. Het knaagt aan me, maar ik kan me er nog niet toe zetten hem meer te geven dan ik al gedaan heb.

Na de lunch keer ik terug naar jouw woorden, Laura, met het

gevoel dat elke pagina jou niet zozeer dichterbij brengt, en mij niet van lieverlede de waarheid over je lot onthult, als wel steeds grotere gaten slaat tussen wie jij feitelijk was en hoe ik jou altijd zag. Met elke regel weet ik minder en minder, tot het zover komt dat ik ga denken dat je niet eens jezelf bent, niet in dit schrift, niet als in het laatste deeltje, waarin ik, ook al beschaam je al mijn verwachtingen, het menselijke zie van de keuzes die je maakt, of zo niet dat, dan in elk geval toch jouw rationalisering van die keuzes, de verschillende manieren waarop jij meende er toch iets menswaardigs in te kunnen zien. In dít boekje, op deze pagina's, ben je echter niets dan kille berekening, een doelgerichte en vastberaden jonge vrouw, die alleen doet wat ze wenst te doen, wat zij heeft besloten of wat haar is opgedragen te doen. Wat mij ontgaat is de precieze aard van dat verlangen.

Op hun voorstel regelde jij een ontmoeting met Ilse en Peter in een kroeg in Observatory – wat betekende dat je, na je werk die vrijdag, je auto kon wegzetten en nog geen minuut hoefde te lopen om ze daar te treffen, aan een tafeltje in een hoek, waar jullie konden praten zonder bang te hoeven zijn dat je werd afgeluisterd.

Gezien de uitbundigheid van Ilse toen jullie samen hadden geluncht en haar roekeloze uitspraken was het een verrassing dat Peter zo beheerst was, conservatief zowel in kleding als in manier van doen – het type student van in de dertig die de basis voor zijn carrière had gelegd op Bishops of aan de SACS, vanwaar hij regelrecht naar de Universiteit van Kaapstad was doorgestroomd alvorens, zeg, een Rhodes Scholarship te winnen en politicologie te gaan studeren in Oxford; met andere woorden: oppervlakkig gezien was hij het evenbeeld van je broer of een van zijn vrienden. Hij was echter totaal anders dan zijn voorkomen suggereerde. Hij had nooit in het buitenland gewoond, en jaren nadat hij zijn kandidaats had gehaald en de dienstplicht had overleefd, stond hij nog pas op het punt om onder supervisie van je vader aan zijn doctoraal te beginnen. Je vroeg je af wat en hoeveel Peter wist over Ilse en 'Bill', zoals ze hem per se wenste te noemen. (Bij mij had hij nooit 'Bill' geheten, niet één keer in de tijd dat wij bij elkaar waren, en die naam zo in jouw schrift te zien staan doet me meer pijn dan ik zou hebben gedacht. Onnozel als ik ben was ik ervan uitgegaan dat die oude wapens hun vuurkracht nu wel verloren zouden hebben.) Ik struikel over de woorden als ik ze tegenkom: 'Ik weet het van Ilse en pa. Weet mama het ook?' Hoe was het toch mogelijk dat je jezelf er niet toe kon brengen mij in vertrouwen te nemen en te vertellen wat je wist?

Ondanks alles mocht je hen allebei, je vond hen ongedwongen, prettig gezelschap, anders dan je andere collega's – meest mannen, meest oudere, door de wol geverfde, zwaar drinkende mannen van wie sommige hun leven riskeerden om verhalen te schrijven die het regime liever niet verspreid zag –, in elk geval voor jou, een jonge vrouw die niet het recht had er zo aantrekkelijk uit te zien en toch onbereikbaar te blijven.

Aanvankelijk stond de politiek niet op de agenda die avond, jullie vertelden elkaar je levensverhaal. Ilse was ontsnapt aan een beschermde jeugd in Graaff-Reinet, met een vader die in de jaren zestig als huurling in de Congo was omgekomen.

'Hij is gestorven in de armen van zijn zoon, mijn halfbroer, die hij min of meer gerekruteerd had voor eenzelfde bestaan – allebei onechte kinderen maar echte klootzakken.'

'En je moeder?' vroeg je, want je wilde zoveel mogelijk over hen aan de weet zien te komen – vooral over de vrouw die je vader zo had aangetrokken.

'Niet lang na de dood van mijn vader dronk ze zich klem en verongelukte met de auto – ze is in de Valley of Desolation een afgrond in gereden.' Je zag het voor je, die hoge berg van aarde en gesteente, die pieken en steile kliffen, met in de diepte de bikkelharde grond van de Karoo.

Tegen de tijd dat haar moeder verongelukte, was Ilse al ontsnapt naar Kaapstad, waar Peter en zij elkaar tijdens hun studie hadden ontmoet. Ze trouwden vlak na haar afstuderen, hoewel de ouders van Peter, hij bankier en zij huisvrouw, er allebei op tegen waren – zij het dat ze in de loop van het jaar daarvoor waren overleden, hij aan kanker, zij aan een hartaanval.

'Dus jullie zijn wezen,' zei jij, 'volwassen wezen.' Ze keken je aan alsof ze daar nooit eerder bij stil hadden gestaan en ze nu opeens anders tegen zichzelf aan gingen kijken, als individu en als tweetal, samen op de wereld. En jij, hoewel meer dan tien jaar jonger dan zij, kinderloos als je was en altijd zou blijven, tot in het graf, jij presenteerde je als de moeder die ze allebei zochten.

Het was echter duidelijk dat dit een onderwerp was waar Ilse moeite mee had. Zij had er geen zin in om over ouders en kinderen te praten, en zeker niet over overledenen.

'Heb jij niet de pest aan *The Record*?' vroeg ze, terwijl Peter nog drie pilsjes ging halen. 'Een verhaal over een zwerfkat wordt nog geschrapt als ze denken dat ze er wel eens door in de problemen zouden kunnen komen. En als ze eens wél over de townships schrijven, en dat gebeurt bijna nooit, doen ze alsof ze verslag uitbrengen uit diep, donker Afrika.'

'Waarom werk je er dan?'

'De alternatieve kranten betalen minder goed. Ik heb een kind, Peter studeert weer, wat moet ik anders? Soms moet je wel water bij de wijn doen. Het zal niet altijd zo blijven. De dingen gaan heus wel veranderen. Daar gaan wij toch voor zorgen, of niet?' Ze keek je ingespannen aan, zonder met de ogen te knipperen, haar blik half verborgen achter de lange donkere lokken die in haar gezicht vielen.

Naarmate de avond vorderde en Ilse daar in die hoek maar op gedempte toon tekeer bleef gaan, terwijl Peter haar af en toe kalmeerde en probeerde op te beuren, voelde jij steeds meer verontwaardiging opwellen, een gecompliceerd soort geagiteerdheid. Wie was die vrouw dat ze zo schijnheilig deed, dat ze maar zei en deed wat ze wilde, zonder de consequenties onder ogen te hoeven zien?

Ik heb je weggelegd, Laura, zolang het je tenminste belieft je stil te houden, en beantwoord eerst het bericht van Sam. Ik plaag hem wat, probeer hem met zachte hand te pushen, in de hoop hem te sturen en te dwingen de eerste zet te doen – iets waar ik zelf te laf voor ben.

Beste Sam,
Dank voor je bericht. Uiteraard ben ik niet beledigd dat je geschokt bent, al heb ik zo'n vermoeden dat je Franse vriend je ook zou hebben aangeraden de ontvanger van je correspondentie niet te instrueren hoe op je woorden te reageren. Een mens reageert op wat woorden zeggen, maar soms – te vaak – is de bedoeling van die woorden onduidelijk. Neem de woorden die ik geschreven heb: die klinken stekeliger dan ik ze bedoelde. Als je hier was, zou je de glimlach op mijn gezicht zien en weten dat ik het wel amusant vind, maar het ontbreekt mijn hersens aan de energie om die geamuseerdheid in mijn woorden te leggen, als je begrijpt wat ik bedoel. Als we lezen, interpreteren we de intentie van de ander naar gelang van wat de tekst zegt (de tekst die de ander heeft geschreven). Uiteindelijk kan er alleen maar dát zijn, de woorden op de bladzijde, of in dit geval op het scherm. Laat me je derhalve verzekeren dat ik nooit beledigd ben door de geschoktheid van iemand om wat ik wellicht heb gedaan of wat ik wellicht heb gezegd, en nog wel het minst om wat ik wellicht heb geschreven. Het is vaak mijn bedoeling geweest – mijn vurige wens – om op een of andere manier te choqueren. (Weer een onthulling voor je boek.) Ik vrees dat ik dat zeer zelden voor elkaar heb gekregen, dus je geschoktheid is een soort geschenk voor een oude vrouw, en zal mij 's nachts warm houden, hoewel ik momenteel weinig behoefte heb aan warmte aangezien de hitte hier werkelijk verschrikkelijk is – 33 graden vandaag, met een zuidoostenwind om het nog wat onaangenamer te maken. We kunnen slechts hopen op een gigantische onweersbui in de namiddag. Ze zeggen dat er haaien zijn gezien in Valsbaai, haaien

zo groot als helikopters of dinosauriërs, haaien zo groot als minibusjes, als kernonderzeeërs. Je weet niet wat je moet geloven. Marie houdt eerbiedig afstand van de oceaan, minstens twintig meter, zozeer is ze ervan overtuigd dat haaien zijn voorbestemd om uit het water te komen en hun prooien gewoon op het land te grazen te nemen. Ikzelf heb al heel lang nergens anders meer gezwommen dan in mijn eigen zwembad, en het was niet mijn bedoeling nog iets aan die gewoonte te veranderen. Daar heb je het weer – de bedoeling, dat grote schrikbeeld.

Ga je alsjeblieft niet weer verontschuldigen voor je vragen aan mij. (Het is iets anders, dunkt mij, om in je correspondentie te gelasten iets achterwege te laten dan een bepaalde respons op je woorden te eisen; ook hier, moet je weten, glimlach ik overigens ironisch.) Ik weet dat ik voor interviewers een lastige ben. Dat komt door mijn reputatie. Ik denk dat jouw tijd in Amerika je directer heeft gemaakt, hoewel je nog wel iets van je Zuid-Afrikaanse aard hebt behouden; als mij af en toe al iets verbaasd heeft, was het wel die directheid. Bij de Britten en zelfs bij plaatselijke geleerden gaat het allemaal veel omslachtiger – die stellen vragen in de vorm van hele alinea's of mini-essays, vragen die de geïnterviewde intimideren. Ik denk wel eens: als de interviewer zoveel te zeggen heeft, waar is de geïnterviewde dan nog goed voor? Weet dat ik je (algehele) terughoudendheid op dat punt gewaardeerd heb. Ik weet niet of je je bewust terughoudend hebt opgesteld, maar dat maakt niet uit.

Recensies, ja, die lees ik. Ik kijk uit naar de jouwe en vertrouw erop dat je eerlijk zult zijn over de dingen waarin ik gefaald heb. Wees ervan verzekerd: ik weet dat er tekortkomingen in het boek zitten, dingen die ik had willen zeggen maar niet kon zeggen omwille van anderen, dingen die ik gebrekkig heb gezegd, minder direct dan ik graag gewild had. Dat heeft allemaal met bescherming te maken – bescherming van mezelf, bescherming van mijn familie. (Hier, privé, kan ik direct zijn. 'Mijn' in plaats van 'de'.) Dat is de reden dat het boek, zoals je wel zult merken, zo afstandelijk is en die afstandelijkheid zo halsstarrig handhaaft. Wat is nu een veiliger manier om over het zelf te schrijven dan van een vertekenende afstand?

Een geestdriftige jongeman aan de Universiteit van Stellenbosch die allerlei aardige, volstrekt goedbedoelde (daar heb je het weer), maar krankzinnige kletskoek over mijn boeken schrijft, heeft me gevraagd een lezing te geven op het Winelands Literatuurfestival; je weet ongetwijfeld wie ik bedoel maar ik heb zijn naam in mijn mentale prullenmand gegooid en kan me er even niet toe zetten hem er weer uit te vissen. Hoe dan ook, ik heb ja gezegd voor ik me kon bedenken. Ik vroeg me af of jij misschien zou willen overwegen ook te komen?

Hartelijks, Clare

P.S. Ik neem aan dat jij aan feestdagen 'doet'. Ik niet. Ik wens je niettemin 'prettige feestdagen'. Ik ontsnapte in tijden van feestdagen altijd aan bijeenkomsten door lange wandelingen te maken – in een tijd dat je in deze stad nog 'betrekkelijk ongemoeid' werd gelaten (ik herinner me die woorden van jou nog) als je een wandeling ging maken op de heuvel bij het Rhodesmonument, waar de bomen en de architectuur van de universiteit je bijna wijsmaakten dat je op de Palatijn was. Zulke wandelingen kun je niet meer maken, ik niet meer en de meeste mensen eigenlijk niet meer. Zelfs groepen wandelaars met hele roedels honden zijn hun leven niet meer zeker. Als je in mei naar Stellenbosch komt, vinden we misschien wel een manier, en is ons misschien wel de tijd vergund, om te wandelen. Dat zou ik fijn vinden.

1998-1999

Het leven na de dood van zijn ouders voelde aan als een aaneenschakeling van hoekjes: een hoekje van het kleine huis van zijn tante; een hoekje van een kamer of een reeks kamers op school en toen aan de universiteit; een hoekje van een vliegtuigcabine; een hoekje van zijn studentenhuis in New York, half bewoond door andere wezens en vuil dat een dag nadat je het verwijderd had weer terugkwam. Sarah bood hem meer dan een hoekje. Zij was ruimte en licht en lucht en onbevangenheid in haar bewegingen, een gratie die zo natuurlijk en onopzettelijk was dat hij zich alleen maar over haar kon verwonderen.

Hij wist niet wat het misschien zou kunnen betekenen, een relatie te beginnen met een Amerikaanse, en zijn leven met een ander land te verbinden. Hij zag wel in dat hij zichzelf voorbijstreefde, maar tegelijkertijd wist hij dat hij bijna niemand anders op de wereld had – alleen een tante in een dorp in de rimboe, die hem eigenlijk niet eens had willen hebben. Hij had geen noemenswaardige connecties, geen geld, geen privileges dan die hij zelf misschien zou verwerven.

'Vertel eens over je exotische jeugd,' zei Sarah, terwijl ze met haar vingertopje een ovaal op zijn wang trok, om een litteken heen waarvan hij zich niet kon herinneren hoe hij eraan kwam omdat het uit zijn prilste jeugd stamde. Ergens in hem sluimerde een herinnering waarin zijn moeder hem vertelde dat er een kat in zijn wieg was gesprongen, terwijl een andere echo hem zei dat hij in prikkeldraad was gevallen. Nog weer een andere versie luidde dat iemand hem in zijn armen had genomen en met een kapot flesje een jaap in zijn gezicht had gegeven omdat zijn ouders hem ergens mee naartoe hadden genomen waar ze dat beter hadden kunnen laten. Hoe het ook zij, het litteken was er en ging ook niet meer weg. Het maakte deel uit van zijn gezicht zolang hij zich kon herinneren dat hij eruitzag als de persoon die hij als zichzelf herkende. Zich zijn gezicht voorstellen zonder het litteken op zijn linkerwang was zich het gezicht van een ander voorstellen, een andere persoon en een andere identiteit, iemand die hij misschien ooit geweest was maar nu nooit meer zou kunnen zijn.

Haar vinger trok telkens hetzelfde ovaal tot hij zei dat ze daarmee moest ophouden en hij zijn hand om de hare legde en het vochtige oppervlak van haar ogen bestudeerde. 'Exotisch' was een rare omschrijving aangezien zijn jeugd in zijn ogen nooit anders dan heel gewoon was geweest, afgezien van de dood van zijn ouders en de omstandigheden waaronder hij aan de zorg van zijn tante was toevertrouwd. Maar zelfs die gebeurtenissen hadden niets exotisch in de zin die de meeste mensen met 'exotisch' associeerden. Op Sarah moest hij natuurlijk wel exotisch overkomen, veronderstelde hij, en strikt genomen was dat ook wel weer een correcte omschrijving. Vergeleken bij haar kwam hij inderdaad vanbuiten, uit een ander land dat zo vreemd was als het maar zijn kon, al voelde hij zich merkwaardig thuis in Amerika, dat hem aan de ene kant heel erg aan Zuid-Afrika deed denken en aan de andere kant totaal niet. Voor hij naar New York kwam, had hij altijd verondersteld dat Groot-Brittannië voorbeeld en referentiekader van zijn vaderland was, maar hoe langer hij in de stad verbleef, hoe beter hij besefte dat hij het helemaal bij het verkeerde eind had gehad. Amerika voelde als zijn vaderland in andere woorden, zijn dubbelganger, tegenovergestelde en voorland, zijn culturele tweeling en tegenpool.

Als Sarah het over zijn 'exotische' jeugd had vreesde hij dat ze niet alleen vreemd bedoelde in de zin van 'des buitenlands', maar ook raar en barbaars, gekruid en geparfumeerd, een jeugd met de glamour van bizarre landschappen, wezens, gewoontes, tribaal en tropisch, hoewel 'tropisch' ook niet bepaald juist was uitgedrukt.

Hij vertelde haar dat zijn ouders dood waren en dat zijn tante hem na hun dood in huis had genomen en dat hij, hoewel hij haar nu een keer per jaar zou zien als hij naar huis ging voor de vakantie, verder alleen op de wereld was. Hij zei eerst niets over Bernard. Hij zei niets over de manier waarop zijn ouders aan hun eind waren gekomen. Later realiseerde hij zich dat hij zo over hun dood had gesproken dat verder vragen werd ontmoedigd.

Of misschien had Sarah hem wel gevraagd waaraan ze overleden waren, en had hij alleen gezegd: 'Ze zijn overleden. Ze zijn dood.'

'En na hun dood,' zei ze, alsof ze begreep dat hij er nog niet klaar voor was om over hen te praten, 'wat kun je me over die jaren vertellen?'

Toen hij begon te vertellen over de tijd dat hij bij zijn tante woonde, besefte hij dat zijn herinneringen allemaal besloten lagen in de boeken die hij gelezen had, de boeken waar hij in gewoond had om wijs te kunnen raken uit zijn eigen leven, om oudere herinneringen te ontsluieren – de boeken van Clare. Zijn herinneringen waren net zozeer zijn eigen herinneringen als dat het scènes waren uit de boeken die hij gelezen had in de tijd waarin de betreffende gebeurtenissen zich voordeden. In alle gevallen begon het verhaal dat hij aan Sarah vertelde als zijn eigen verhaal om dan, onbedoeld, over te gaan in iets wat hij niet zelf had meegemaakt en wat uit een van de boeken van Clare afkomstig was.

Er waren verhalen over zijn schooltijd. Verhalen over doen alsof hij ziek was, omdat anders zou uitkomen dat hij een groep jongens had omgekocht bij een schoolverkiezing op hem te stemmen door te beloven dat ze de rest van het jaar elke week per persoon één reep chocola van hem zouden krijgen – wat toch aan het licht kwam doordat een zwarte schoonmaker het had gehoord, waarna hij ten overstaan van de directeur had volgehouden dat die zwarte gelogen had. Verhalen over het platen draaien op de slaapkamers van jongens die alleen overdag op school waren en die door hun ouders heen en weer werden gereden naar huizen in voorsteden met hoge muren en zwembaden, tuinmannen en huishoudsters – en over de ontdekking van een oud familielid van een schoonmaakster die zich verstopt had in een schuurtje in de tuin, overdekt met volmaakt ronde, etterende wondjes waarvan hij wist dat ze door een brandende sigaret waren veroorzaakt. Verhalen over die keer dat hij een schorpioen in zijn schoen had gevonden – en hij had toegekeken terwijl de schorpioen zich naar hem toe draaide, en hij zijn *metasoma* liet zakken, zijn staart, en zijn *aculeus*, zijn angel (woorden waarvan hij wist dat hij ze alleen uit een boek kon hebben), waarna hij langzaam de aftocht blies. Verhalen over stiekeme uitstapjes, en de piano waar hij 's nachts op gespeeld had in een leeg lokaal.

'Wat speelde je?' vroeg Sarah, terwijl ze zijn vingers bekeek.

'Schumann,' zei hij, bedenkend dat hij voornamelijk etudes van Chopin had gespeeld. Een van de personages van Clare, herinnerde Sam zich, was een pianist en Schumanndeskundige.

Hij vertelde haar verhalen over een Afrikaanse leraar die verliefd op hem was geworden en hem een dichtbundel had gegeven van C. Louis Leipoldt.

'Heb je die man ook aangegeven?'

'Hij ging het jaar daarop van school af. Ik heb hem nooit meer gezien. En er is ons nooit verteld waar hij heen is gegaan.' Eigenlijk was die man gewoon op school gebleven en was er nooit meer met een woord over die bundel gerept.

Verhalen over vakanties met Ellen bij de Bushman's, of aan de Indische Oceaan, waar blauwgroene golven met donderend geraas op de kust beukten – over nevels die uit het schuim opstoven en die door grillige rotsen aan flarden werden gescheurd, rotsen die de golven tot fascinerende kolken en wielingen opzweepten zodat hij doodsbang naar de met grassen begroeide toppen van de duinen was gerend om maar weg te wezen bij dat water, snel in en uit ademend, zijn borst rijzend en dalend onder een dun T-shirtje. Hij was nooit bang geweest voor de oceaan.

'Wat voor kleur T-shirt?'

'Groen met goudgele mouwen,' zei hij, bedenkend dat het misschien ook wel blauw met oranje was geweest.

Toen ze iets meer dan een jaar bij elkaar waren, vertelde hij Sarah eindelijk iets over Bernard, hoewel hij zich eerst dagen moest opladen alvorens daartoe over te gaan, en hij het script dat hij aan het schrijven was telkens opnieuw afdraaide om er zeker van te zijn dat hij zou weten wat hij moest zeggen op vragen die ze wellicht zou gaan stellen.

Na de dood van zijn ouders, voor hij naar zijn tante ging, zei hij, was hij bij een voogd geweest, een oom, of eigenlijk een halfoom, en die voogd, die halfoom, was verdwenen met al het geld dat zijn ouders hadden nagelaten, dat beetje althans dat er was, en met al hun spullen, zelfs zijn speelgoed.

'Ik had nog een paar boeken en wat kleren en dat was het zo ongeveer.'

'En die voogd, die halfoom, die was gewoon verdwenen?' Sarah klonk meelevender dan ooit iemand geklonken had, op zijn moeder na.

'Ja. Hij liet me gewoon achter – hij ging weg, en toen heeft mijn tante me in huis genomen. Hij had me bij haar achtergelaten. Hij heeft me gewoon laten staan. Bij haar voor de deur.'

'God, Sam, wat verschrikkelijk. Arm kind.' Een gepijnigde uitdrukking kwam op haar gezicht, haar ogen werden rood en er welden tranen in op. Ze veegde de tranen weg en legde haar handen op de zijne en hield ze vast alsof ze de waarheid uit zijn vingers wilde persen.

Hij hoorde de motor razen en voelde de hobbel als een rots die uit de grond oprees, voelde de zwarte pook in zijn jongenshand, en toen de volgende hobbel die met een knerpend geluid onder hem in elkaar zakte, gevolgd door een nog zachtere hobbel, waarna hij het lichaam zag liggen, geplet en met rozen bedekt, als water in het schijnsel van de koplampen. Jarenlang had hij zijn best gedaan om geen emoties te voelen bij dat moment, dat zijn leven veranderd had, dat ene moment waarop alles anders was geworden. Hij wist dat hij die verandering had laten gebeuren ook al was het een ongeluk. Maar natuurlijk was het een ongeluk. Zijn ouders waren om het leven gekomen bij een ongeluk. Zo had iedereen het aan hem uitgelegd. Hij probeerde zich te herinneren wie hem eigenlijk het eerst verteld had dat zijn ouders dood waren – dat moest de politie zijn geweest, of mevrouw Gush, de oude tandeloze vrouw – maar er gaapte daar een gat, alsof de film van zijn geheugen was gebroken en er hele dagen tussenuit waren gevallen, waren verschroeid in een kapotte projector, met geel en zwart geknetter dat was overgegaan in wit.

Er gebeurden voortdurend ongelukken. Hij kwam uit een land van ongelukken. Hij probeerde te begrijpen wat dat betekende. Het leek te betekenen dat niemand ooit waar dan ook verantwoordelijk voor was, als je de waarheid maar kon zeggen en wat het belangrijkste was: als je maar kon zeggen dat het je speet. Maar hij had niet de waarheid verteld en hij had ook geen spijt.

Het was allemaal op geen enkele manier te verklaren dus zei hij even niks en probeerde hij een verklaring te bedenken die voor hemzelf in elk geval hout zou snijden. Door een of andere genadige speling van het lot had hij deze vrouw gevonden die hem scheen te mogen en nu hij haar gevonden had, kon hij zich een leven zonder haar niet meer voorstellen, maar overal eerlijk over zijn was te riskant. Hij kon er niet op vertrouwen dat ze het wel zou begrijpen, hij kon er niet op vertrouwen dat ze zijn geheimen wel zou bewaren. Hij voelde haar hunkering naar het onbekende, naar verhalen, naar het verborgene en het schandelijke, en hij wist dat die hunkering onverzadigbaar was.

'Het is gewoon gebeurd,' zei hij, hoofdschuddend, 'ik weet niet hoe ik me toen voelde. Ik miste mijn ouders. Dat is wat ik voelde.'

Hij begreep wel dat ze niet tevreden zou zijn met wat hij ge-voeld had. Hij zou altijd meer moeten geven, een landschap bij elkaar moeten fantaseren, omdat hij zeker wist dat ze graag wil-de dat hij ergens vandaan kwam waar zij zich geen voorstelling van kon maken. Dus vertelde hij haar over vogels waar ze nog nooit van gehoord had, hadada's en buulbuuls en loeries, en planten die ze nog nooit gezien had, reusachtige wolfsmelk en koolpalmen en wilde vijgen, en bergen, zo groen en zacht dat het leek of ze met fluweel bekleed waren, en bespikkeld met watten-schaapjes. Grijze stofdeeltjes werden bij hem groepen fluweel-aapjes op hoogvlaktes en bergpassen, kuddes springbokken die op de vlaktes graasden, grote trappen die over de vlakke Karoo vlogen en bavianenfamilies die midden op de weg bivakkeerden. Hij vertelde haar over belangrijke plekken uit zijn jeugd, de Ta-felberg, Vishoek, Kampbaai, en verzon verhalen over hitte in de maanden die op het noordelijk halfrond winters waren.

'Ja,' zei ze, 'dat klinkt wel als een verbazingwekkend land. Maar er wonen daar vast ook nog mensen. Daar wil ik graag iets over horen. Ik wil meer over je ouders weten. Je hebt me nog niet eens verteld hoe ze heetten.'

'Peter,' zei hij, 'en Ilse.'

Sam

Voor we trouwden heb ik Sarah uiteindelijk toch verteld wat mijn ouders hadden gedaan, dat ze waren omgekomen bij een aanslag, maar dat zij die zelf hadden gepleegd, dat ze zichzelf per ongeluk hadden opgeblazen en daarbij ook anderen mee de dood in hadden genomen – mensen die medeschuldig waren aan de apartheid, maar ook onschuldige mensen.

Ik vertelde het haar in de auto, op weg naar haar ouders in Virginia. Ik wachtte tot we reden, in de wetenschap dat ik niet terug zou kunnen krabbelen, dat ik wel zou moeten zeggen wat ik op te biechten had.

'Je bedoelt dat je ouders een zelfmoordaanslag hebben gepleegd.' Haar stem was zo zacht dat hij bijna niet boven het geraas van de motor uit te horen was.

'Hun dood was een ongeluk. Zoals ik het heb begrepen wilden ze de auto voor het politiebureau laten staan en eerst bellen om te waarschuwen, maar er was iets niet goed met het ontstekingsmechanisme. Ze zaten nog in de auto op het afgesproken tijdstip te wachten, op het juiste moment, toen de bom tot ontploffing kwam.'

'Ik dacht dat de strijd tegen de apartheid geweldloos was.'

Ik had me voorgesteld dat ze zou gaan gillen en schreeuwen van woede. In plaats daarvan klonk ze lamgeslagen, als iemand die wordt overspoeld door een plotseling, onbegrijpelijk verdriet.

'Je moet het in de context zien. Het was een ongeluk. Het was niet de bedoeling dat het zo zou gaan. Het was niet de bedoeling dat er onschuldige mensen bij zouden omkomen. Je kunt de getuigenis voor de waarheids- en verzoeningscommissie over de slachtoffers lezen. Hun dood was een ongeluk.' Ik weet nog dat ik zwaar zat te ademen, dat mijn keel bijna werd dichtgesnoerd. Het had iets pervers om zo over mijn ouders te praten, alsof hun dood een soort administratieve vergissing was: de verkeerde map uit de kast getrokken, de verkeerde procedure in acht genomen, de verkeerde werknemer eruit gemikt.

Tien, vijftien kilometer reden we zwijgend verder. Ik deed mijn mond open en voelde mezelf, bijna tegen beter weten in, beginnen met Sarah de waarheid te vertellen over Bernard. Mijn hart begaf het bijna, zo ging het tekeer, maar ik wilde dat ze het wist. Ik wilde eindelijk iemand vertellen wat ik gedaan had.

'Ik denk dat het uiteindelijk niet veel uitmaakt,' zei ze, voor ik de moed bijeen had geraapt om het uit te spreken. 'Maar ik wou dat je het eerder had verteld.'

Uiteindelijk heb ik niks gezegd over Bernard. Ik heb het haar nog steeds niet verteld. Ik houd mezelf voor dat het nu te laat is, dat niemand erbij gebaat zou zijn als ik het haar nu nog vertelde.

Aangezien er niemand meer is aan wie ik kan vragen in welk jaar ik de trein kreeg, en in welk jaar de rode driewieler, hussel ik alle kerstdagen voor mijn ouders omkwamen door elkaar tot er één enkele warme, chaotische dag overblijft waarop we naar het strand gingen, voor een feestje met als thema Hawaii, voor een Mexicaanse lunch, met twaalf gasten, met twee gasten, met grootouders, zonder grootouders, en met vader en moeder die altijd borrels zaten te drinken uit een thermosfles, in badkleding, terwijl ze mij de hele tijd insmeerden met zonnebrandcrème. De eerste kerst die ik bij mijn tante in Beaufort West doorbracht blikkerden de metalen daken in de felle zon en bleven mijn armen in de hitte op de veranda plakken aan het tafeltje en mijn benen aan de plastic stoel. Vriendinnen van Ellen kwamen lunchen, ze maakte vijf verschillende salades, ze braadde een kip en ze had ook nog een kerstcake met rolletjes suikerglazuur en stukjes marsepein, die ze van een vrouw van de kerk had gekocht. Ik kreeg cadeaus die eerder bedoeld leken om me een beetje te troosten dan om me echt op te beuren: nieuwe schoenen, een korte broek, een boek met korte verhalen. Bij het uitpakken voelde ik geen enkele blijdschap, en moest ik me inhouden om niet in tranen uit te barsten – wat lukte tot ik toch moest huilen toen ik een foto van mijn moeder als meisje uitpakte. Ellen had er een zilveren lijstje omheen gedaan. Of Ellen zelf ook cadeautjes had om uit te pakken kan ik me niet meer herinneren.

Het is me gelukt de eerste kerst na de dood van mijn ouders te vergeten. Toen was ik alleen met Bernard, omringd door bier en vlees, loeiheet van de braai. Er waren geen cadeautjes dat jaar, althans niet waar ik een herinnering aan wil bewaren.

Ik besluit te geloven dat mijn ouders nog getwijfeld hebben, dat ze zich op het laatste moment hebben teruggetrokken, dat ze er nog weer over hebben nagedacht, er met elkaar over gesproken, maar dat ze vervolgens tegenover elkaar bevestigd hebben dat wat ze deden goed was, ongeacht het risico voor henzelf, ongeacht wat het voor mij voor gevolgen zou hebben als de aanslag mislukte. Ze konden niet geloven dat ze hun dood tegemoet reden. Ze kunnen niet de wens hebben gehad om te doden. Ik heb geprobeerd mezelf ervan te overtuigen dat het alleen maar een oefening was om te laten zien dat het in hun vermogen lag om te doden – ervan uitgaande dat een bomaanslag een oefening kan zijn.

De container uit New York is een paar dagen geleden aangekomen en ik ga op zoek naar het dossier dat ik heb bijgehouden met knipsels en documenten die betrekking hebben op mijn ouders.

KAAPSTAD, 29 OKTOBER 1999 – SAPC

MK-LEIDER OVER TRAINING VOOR EN MISLUKKING VAN
BOMAANSLAG KAAPSTAD

Na verhoren is voor de waarheids- en verzoeningscommissie komen vast te staan dat de bom die in 1988 bij het hoofdbureau van politie vijf mensen het leven heeft gekost, bedoeld was als een verdedigbare aanslag op een overheidsdoel, erop gericht het apartheidsregime te laten zien dat het niet onaantastbaar was.

Zes voormalige leden van Umkhonto we Sizwe (MK), de militaire vleugel van het ANC, hebben verzoekschriften ingediend voor amnestie in verband met hun betrokkenheid bij deze en een aantal andere aanslagen op overheidsinstellingen in de jaren tachtig.

Onder de aanvragers was Joe Speke, 52, die een aantal van die aanslagen heeft beraamd in de tijd dat hij hoofd was van de Eenheid Bijzondere Operaties van het ANC – waaronder ook de aanslag op het politiebureau van Kaapstad. Dhr. Speke beschreef de opleiding die Peter Lawrence, pleger van voornoemde aanslag, had gekregen in het gebruik van een op afstand te bedienen detonator die echter defect was, met als gevolg de onbedoelde dood van Lawrence en diens vrouw, journaliste en ANC-activiste Ilse Lawrence, die op het moment van de explosie bij hem in de auto zat. Eén politieagent en twee burgers verloren eveneens het leven toen de auto, volgeladen met tien kilo explosieven, voortijdig tot ontploffing kwam.

Dhr. Speke, die wordt vertegenwoordigd door William Wald, advocaat te Kaapstad en hoogleraar in de rechtsgeleerdheid aan de Universiteit van Kaapstad, werd aan een kruisverhoor onderworpen door Carlo Du Plessis van het opperste gerechtshof die de families van de twee burgerslachtoffers vertegenwoordigt. De families verzetten zich tegen het verzoek om gratie van dhr. Speke op grond van de overweging dat de slachtoffers burgers waren met wier dood geen enkel politiek doel gediend kon zijn. Dhr. Speke voerde aan dat de geheime dienst de cel van Lawrence mogelijk had geïnfiltreerd en de bom had gesaboteerd.

Dhr. Speke zal zijn pleidooi maandag afronden.

Als ik zo'n rapport lees, moet ik moeite doen om niet kwaad te worden. Wat een stommelingen, denk ik dan, wat een stommelingen om zo hun leven te riskeren. Als die bom niet opeens was afgegaan, zouden ze toch op zijn minst bijna zeker gepakt zijn en naar de gevangenis gestuurd – en als ze erin geslaagd waren te ontkomen, en mij mee naar het buitenland hadden genomen voor een leven in ballingschap, zoals hun plan wel geweest moet zijn, dan hadden ze nog altijd het slachtoffer kunnen worden van een aanslag op hun leven. Ik weet dat ze van me hielden maar hoeveel kunnen ze nou echt van me gehouden hebben als ze bereid waren mijn welzijn op het spel te zetten? Ik stop het dossier weg voor ik de fout maak nog meer verontrustende documenten te lezen. Als hun missie inderdaad gesaboteerd was, zou dat misschien nog enige troost bieden: de wetenschap dat ze zijn omgekomen, niet door een fout, niet door hun eigen fout, maar door de vijand, door de staat.

We nemen alleen een paar dagen vrij voor de feestdagen en gaan dan allebei weer aan het werk. Ik sluit me op in mijn kamer op de universiteit en ga weer verder met de opnames van mijn interviews met Clare. Ik schrijf ze zorgvuldig uit, een proces dat nog meer tijd in beslag neemt dan de gesprekken zelf ooit gedaan hebben. Ik ben nog maar bij de eerste dagen, aan het begin van de reeks gesprekken die ik met haar gevoerd heb. Mijn stem klinkt de hele tijd gesmoord uit de boxen van de computer, afgeknepen, als uit een andere wereld. Clare daarentegen klinkt precies zoals ik me haar herinner.

'Heeft het moederschap verandering gebracht in uw schrijven?' Ik hoor de buiging in mijn stem, die, daar ben ik me van bewust, bedoeld was om een oordeel te suggereren dat al gevormd was.

'Je vergeet dat ik al moeder was,' zegt ze op lijzige toon, waarna ze haar keel schraapt en kucht, 'toen ik schrijfster werd.'

'Maar de twee ongepubliceerde romans die u van de hand

wijst als jeugdwerken, die waren geschreven vóór uw huwelijk, dus de vraag lijkt me niet ongerechtvaardigd.'

'Goed dan. Heeft het moederschap verandering gebracht in mijn schrijven? Bedoel je de praktijk van het schrijven, of de inhoud?' Zonder hoorbare overgang schakelt ze over van afwijzend op althans de suggestie dat ze bereid is serieus op mijn vraag in te gaan.

'Allebei. Hoe u de vraag zelf wenst uit te leggen.'

'Het is niet zo'n vreselijke vraag, nu ik erover nadenk,' zegt ze, waarna ze weer stilvalt, en ik herinner me dat ze toen uit het raam keek, naar haar tuin, ze keek voortdurend naar buiten, alsof alle antwoorden te vinden waren in de planten, de bomen, de bloemen, misschien zelfs in het gazon en het zwembad. 'Het moederschap veranderde de praktijk van het schrijven op voorspelbare wijze. Mijn tijd was niet langer helemaal van mezelf, hoewel een dergelijke ervaring niet uniek is, zeker niet voor een moeder. Het komt eenvoudigweg hierop neer: jezelf aan de gevestigde orde van een gezin onderwerpen is gedeeltelijk altijd een kwestie van zelfdestructie (voor die ongelukkigen die uit alle macht tekeergaan tegen de beperkingen die het gezinsleven met zich meebrengt, omdat ze voor hun gevoel geen andere keus hebben, voelt het gezin aan als de totále zelfdestructie, een bruut einde aan elke kans op individuele subjectiviteit). Voor mij, als moeder en echtgenote op dat moment in de geschiedenis van deze in maatschappelijk opzicht hoogst reactionaire kolonie, betekende het dat ik opeens belast was met de zorg voor een kind, met elementaire zaken als vieze luiers, hongerige mondjes, gehuil, in bed stoppen, uit bed halen en uiteindelijk het heen en weer rijden naar school, en naar vriendjes of vriendinnetjes, de drama's van de puberteit – terwijl kinderen hun ouders zien, als ze hen überhaupt al zien (als de mijne mij überhaupt zagen), als handhavers van tucht, als helpers en beschermers, en niet zozeer als mensen met een eigen leven: het verhaal van het kind moet, althans voor het kind, het verhaal van de ouder overschaduwen, de ouder heeft slechts een ondersteunende taak. Dus het moederschap beroofde mij van tijd, en om althans iets van die tijd terug te pakken (en dit is een ongelooflijke bekentenis), onttrok ik die aan mijn huwelijk – minder tijd voor mijn man, meer voor het schrijven en de kinderen. Mijn zoon zou je een andere versie vertellen, een waarin ik, toen mijn carrière eenmaal van start was gegaan, bijna altijd schitterde door afwezigheid, terwijl hij werd opgevoed door zijn vader, kindermeisjes, au pairs, huishoudsters en zelfs tuinmannen. Maar dat zou geen correcte versie zijn, zij het, dat geef ik toe, ook niet een geheel incorrecte versie; hoe dan ook, wat dat aangaat heb ik niet het gevoel dat ik me hoef te verontschuldigen omdat ik, terwijl mijn kinderen opgroeiden, af en toe afwezig was. Ik was er als het belangrijk was om er te zijn. Wat de inhoud van mijn werk betreft, of het biologische dan wel chemische feit van het moederschap verandering heeft gebracht in stijl en vorm van mijn werk of in mijn onderwerpkeuze, dat zal ik aan de critici moeten overlaten, die zullen daar na mijn dood wel een oordeel over vellen.'

Absolutie

Clare had geen trek. Ze schoof haar eten heen en weer over haar bord, speelde ermee als een kat die met een vogeltje stoeit dat hij per ongeluk gedood heeft, terwijl Mark zijn bord leegat en nog een keer opschepte, alsof hij er maar niet genoeg van kon krijgen maar het ook niet snel genoeg achter de rug kon hebben. Oogcontact tussen hen, als dat al tot stand kwam, was slechts vluchtig; het leek erop of haar zoon alles deed wat in zijn vermogen lag om te vermijden dat hij Clare aankeek. Het bord dat voor hem stond, de serie van vier geometrische schilderijen aan de muren van de eetkamer en de ramen met hun uitzicht op de met schijnwerpers belichte tuin, licht dat bomen en struiken omtoverde in een sferisch decor en het zwembad in een poort naar een glimmend groene onderwereld, dat was waar de blik van Mark op bleef rusten, niet op het gezicht van zijn moeder. Ze kon hem niet zeggen hoe pijnlijk dat was. Clare probeerde niet naar hem te staren, maar ze deed het onwillekeurig toch; hij was het enige wat ze nog had in de wereld, afgezien van de mensen die ze betaalde om haar dagelijks leven in goede banen te leiden. Ze wist dat ze hem niet meer kon claimen – als dat recht al aan iemand toebehoorde, dan was het wel aan zijn vrouw en kinderen.

'Was die inbraak nog maar afgelopen jaar?' vroeg Clare, meer om de stilte te verbreken dan omdat ze het niet goed meer wist.

'Weet u dat niet meer, moeder? Het was het jaar daarvoor.' Hij zei het op een manier die suggereerde dat Clare vergeetachtig werd. Het voelde als een klap in haar gezicht.

Al jaren voor de inbraak had Mark haar aangeraden haar huis aan Canigou Avenue te verkopen en ergens heen te verhuizen waar het veiliger voor haar was, en toen ze dan eindelijk inzag dat ze geen andere keus had dan zich te onderwerpen aan een vrijwillig huisarrest achter hoge muren en hekken en schrikdraad, met Marie als haar cipier, altijd in de buurt, had ze zich alleen maar beklaagd dat het geen leven was, niet voor een vrouw, niet voor wie dan ook, laat staan voor iemand die haar vrijheid altijd als iets vanzelfsprekends had beschouwd. Daarop had Mark gerepliceerd dat Zuid-Afrika geen land was waar een oudere alleenstaande vrouw, of twee van zulke vrouwen, alleen konden wonen zonder een man die hen vierentwintig uur per dag beschermen kon. Ga naar Australië of Nieuw-Zeeland, had hij gesmeekt, of naar Groot-Brittannië of Frankrijk, of voor mijn part naar Amerika. In elk van die landen zou ze beter af zijn dan hier. Clare had aan zijn vrouw gedacht, die gewoon bij hen voor de deur tot een paar keer toe bijna beroofd was, en had hem fijntjes gevraagd of een huwelijk dan wel het gezelschap van een man wel afdoende bescherming bood. Nee, had Mark moeten toegeven, als het voor hem mogelijk was ergens anders werk te vinden, in een land waar het veiliger was, waar hij 's avonds nog boodschappen kon gaan doen zonder zich zorgen te hoeven maken wat hem thuis te wachten zou staan, of wat er onderweg met hem zou kunnen gebeuren terwijl hij zoiets onschuldigs deed als even naar de stomerij gaan, zou hij de hele familie, Clare incluis, meenemen, zonder enige aarzeling. Hij was tot de slotsom gekomen dat Zuid-Afrika domweg geen land was voor een vrouw van welk ras of welke leeftijd dan ook. 'Het enige wat die mensen hier zou kunnen veranderen,' zei hij, 'zou het vertrek zijn van alle vrouwen uit het hele land. Dat is wat ervoor nodig zou zijn: het opstappen van meer dan de helft van de bevolking, om te laten zien dat ze het zat zijn om als minder dan tweederangsburgers te worden behandeld, als minder dan dieren, als bezit van de gemeenschap der mannen, beschikbaar om door hen te worden uitgebuit, misbruikt en onderworpen, en gedwongen om tegen hun eigen belangen in te handelen, om medeplichtig te zijn aan het geweld dat hun door mannen wordt aangedaan.'

'Dan herinner jij je de details van die inbraak ook nog wel,' zei Clare, terwijl ze haar bord aan de kant schoof. 'De incompetentie van de politie, hun onvermogen om op grond van allerlei aanwijzingen eventuele verdachten op te sporen of bewijzen rond te krijgen, het feit dat een heleboel dingen van evidente waarde – elektronica, zilver, dat soort dingen – genegeerd werden ten faveure van een voorwerp van geen enkele evidente waarde, behalve misschien voor een verzamelaar van juridische curiosa.'

'De pruik van grootvader.'

'Precies.'

'En de zaak is nooit opgelost.'

'Politieonderzoek en rechtsgang waren één grote karikatuur. Ze beschuldigden mij er zo ongeveer van dat ik een crimineel was omdat ik in zo'n gevaarlijke omgeving woonde, alsof Rondebosch Langa is, en ze insinueerden van alles over mijn veiligheid op de lange termijn, en zelfs over mijn recht om als blanke vrouw in dit land te blijven wonen, ongeacht het feit dat ik op grond van mijn geboorterecht gewoon een Zuid-Afrikaans paspoort heb. Ze suggereerden dat ik een buitenlandse was, zo niet een regelrechte buitenlandse, dan in wezen toch niet veel anders dan een buitenlandse.'

'Als het een kwestie was van alle blanke vrouwen het land uit, begin ik zo langzamerhand het idee te krijgen dat er heel veel voorstanders zouden zijn van een dergelijke oplossing.'

Dat was niet iets wat Clare zelf zou hebben gezegd – sterker nog, ze vond het verre van zuiver, en ze begon te beseffen dat haar zoon in politieke zin niet zo vooruitstrevend was als ze ooit had gedacht.

'Hoe dan ook,' vervolgde ze, 'wat zich recentelijk aan belangwekkends heeft voorgedaan is dat de pruik weer terug is, bij mij terug – en ik heb het idee dat dat van begin af aan ook de bedoeling is geweest. Het was aan mij overgelaten hem terug te vinden, en tot ik hem zou terugvinden hield hij zich in alle openheid verborgen, of eigenlijk niet eens echt verborgen, hij lag voor iedereen zichtbaar op een hoogst symbolische plek.'

'Ik kan het even niet volgen. Is de zaak nou toch opgelost?'

'Een paar maanden na de inbraak, op een bijzonder fraaie dag, stelde Marie voor om een ritje te maken naar Stellenbosch, en op de terugweg ook even bij het graf van Nora en Stephan in Paarl langs te gaan. Op de begraafplaats, bij de eeuwige vlam die de familie van Stephan daar met alle geweld wilde hebben, alsof hij een of andere nationale held was, alsof zijn ideeën het waard waren blijvend in ere te worden gehouden, lag de pruik van mijn vader, in de trommel met zijn naam in gouden letters op het deksel.'

Clare keek hoe Mark de informatie opnam, en toen ze merkte dat hij haar ergens niet helemaal geloofde, verliet ze de eetkamer en kwam ze even later terug met de gebutste zwarte trommel. Mark maakte hem open, haalde de pruik eruit, drapeerde hem over een opgestoken vuist en draaide hem rond om hem van alle kanten te bekijken.

'Dat is 'm wel degelijk,' zei hij. 'Als kind was ik geobsedeerd door deze pruik.'

'Afgezien van foto's en boeken en zijn verzameling pennen was dit het enige bezit van mijn vader dat mij echt iets deed, toen hij was overleden. Ik had er geen idee van dat hij voor jou ook belangrijk was.' Ze schudde haar hoofd en keerde weer terug tot waar het haar om ging. 'Maar goed: die pruik wordt dus gestolen, hij verdwijnt voor enige tijd, de politie kan geen enkele aanwijzing vinden, de politie vertikt het om in te gaan op mijn verzoek de diefstal van een voorwerp dat zo evident van nul en generlei waarde is nader te onderzoeken, en als ik vervolgens op het idee kom een bezoek te brengen aan het graf van mijn vermoorde zuster en zwager, vind ik 'm daar, alsof hij daar op me lag te wachten, alsof hij daar was achtergelaten als boodschap en als herinnering. Nee, niet alsóf, maar heel doelbewust, als je het mij vraagt:

die pruik is van mij gestolen en op die symbolische plek gelegd als boodschap van mijn kwelgeesten.'

'Wat bedoelt u toch in godsnaam, moeder?'

Clare probeerde rustig te blijven, maar ze kon soms helemaal razend worden van haar zoon!

'Wat u zegt is dat de dieven wisten wie u was en dat Nora een zuster van u was. Dat kan dus alleen maar betekenen dat u het bewuste doelwit was van die inbraak, en niet zomaar slachtoffer van een willekeurig misdrijf. Maar afgezien daarvan ontgaat mij echt wat u nou eigenlijk wilt zeggen.'

Clare slaakte een dramatische zucht en gebaarde naar Mark dat hij de pruik weer terug moest geven. Ze duwde een lok op zijn plaats, legde de pruik weer in de trommel en deed het deksel dicht. 'Precies, er was niks willekeurigs aan die inbraak, noch waren die inbrekers gewone criminelen, en als ze dat wel waren, dan handelden ze in opdracht van mensen die geen gewone criminelen waren. Wie zal het zeggen of mijn kwelgeesten, want zo beschouw ik ze, zelf degenen waren die het vuile werk opknapten, of dat het slechts stromannen waren van degenen die mij, op de meest indringende en intimiderende, zij het uiteindelijk ook tamelijk kleingeestige manier, wensten duidelijk te maken wat ze over mij wisten. Het is echt zo'n bravourestukje dat uit de koker zou kunnen komen van een of andere bureaucraat, een hoogwaardigheidsbekleder die een pervers genoegen schept in elk nietje en elke paperclip.'

'Ik kan het nog steeds niet volgen. Wat zouden die kwelgeesten, zoals u ze noemt, dan over u moeten weten?'

Clare haalde diep adem en spreidde haar handen uit alsof ze een onzichtbaar spel kaarten uitwaaierde over de tafel. 'Hier komen we aan de lange staart van de wortel, die zich nog uit alle macht vastklampt aan de aarde van de geschiedenis. Dit is informatie die je een andere kijk op je moeder zal geven – informatie die onze verstandhouding, vrees ik, geen goed zal doen, die onze relatie alleen maar kan schaden, een onthulling die hoe dan ook wonden zal slaan.'

'U zegt het alsof u eigenlijk de crimineel was, in plaats van degenen die bij u hebben ingebroken.'

'Inderdaad,' zei ze, en haar stem werd hees en haar lip trilde, ondanks haarzelf. 'Dat is precies wat ik ben, een crimineel, en niet op de manier die de politie suggereerde, niet omdat ik willens en wetens slachtoffer werd van mijn eigen gebrekkige beveiliging, voor zover daar sprake van was, maar een echte crimineel.'

Ze liet de bekentenis indalen en wachtte op zijn reactie. Hij fronste zijn voorhoofd en keek alsof hij haar niet geloofde.

'Of misschien moet ik het anders formuleren. Al was mijn misdaad strikt genomen als zodanig dan misschien geen misdaad, ik beschouw mezelf, en kan mezelf alleen maar beschouwen, als schuldig aan zoiets als misdadige nalatigheid, of nee, geen nalatigheid, maar roekeloosheid – ik ben roekeloos omgesprongen met de levens van anderen, met informatie die die levens in gevaar bracht. Gedurende het hele circus van de waarheids- en verzoeningscommissie heb ik overwogen een symbolische daad te stellen waar nogal wat moed voor nodig zou zijn geweest – dat wil zeggen, ik heb overwogen amnestie aan te vragen als politiek misdadiger. Maar uiteindelijk ontbrak het mij aan die moed, en had ik er ook geen behoefte aan de veel ernstiger misdrijven te bagatelliseren die gepleegd waren door mensen die direct schuldig waren, en niet indirect, zoals ik dat in elk geval ogenschijnlijk ben. Niettemin heb ik ergens nog altijd het gevoel dat ik een onstilbare behoefte heb aan een behandeling van een verzoek om amnestie – een juridisch proces, een formele hoorzitting bedoeld om de waarheid boven tafel te krijgen, en een rechter die zich over de zaak uitspreekt, die mij kan zeggen dat ik, wat ik gedaan heb, niet alleen uit boosaardigheid heb gedaan, uit een persoonlijke wrok, maar om politieke redenen.'

Mark ging rechterop zitten. Als de aard van haar misdaad hem ontging, hoopte ze dat hij dan toch in elk geval gevoelig zou zijn voor de urgentie van haar behoefte. 'Maar de amnestiecommissie heeft haar werk afgerond, alweer een tijdje geleden,' zei hij, met een onthutste blik in zijn ogen.

'Dat begrijp ik. Ik weet dat er geen reële kans bestaat dat mij ooit politieke amnestie zal worden verleend.'

'Maar wat dan – overweegt u aangifte te doen bij de politie van de misdaad die u meent te hebben gepleegd?'

'Mijn betrekkingen met de politie zijn zo al beroerd genoeg. Ze zouden alleen maar denken dat ik een loopje met ze nam, na alle consternatie rond die pruik; ik weet zeker dat ze mijn bekentenis niet serieus zouden nemen – ze zouden me misschien zelfs beschuldigen van het verspillen van politietijd. Nee, dit is geen zaak meer voor de autoriteiten.'

Clare keek haar zoon aan. Zijn blik was strak, alle goedmoedigheid en genegenheid waren weggedrukt.

'Het hele verhaal begint eigenlijk bij jou,' zei ze. Een wenkbrauw van Mark ging even de lucht in, maar de rest van zijn gezicht bleef strak, slechts zijn kaken bewogen en maalden zijn eten. 'Jij was het eerste kleinkind in de familie. Nora was weliswaar tien jaar eerder getrouwd dan ik, maar haar huwelijk was kinderloos gebleven. Door jouw komst verslechterde de relatie met mijn zuster zienderogen. Mijn zwangerschap en jouw soepele geboorte, je buitengewone schoonheid als baby, dat alles was olie op het vuur dat Nora al van mij gescheiden hield zolang als ik leefde. Sommige eerstgeboren kinderen passen zich aan. Die zijn blij met de kinderen die na hen komen. Die koesteren hun broertjes of zusjes, beschermen ze en nemen ze bij de hand, zoals jij met Laura deed – althans op je betere momenten. Mijn zuster had helemaal niets van dat koesterende, en als ze dat wel had, werd het zozeer overschaduwd door haar woede dat ik haar positie als stralend middelpunt van de belangstelling van onze ouders had ondergraven en onderuitgehaald, dat ze maar op één manier op mij kon reageren, en dat was met haat en rancune – ze verfoeide mijn geboorte en stoorde zich mateloos aan mijn aanwezigheid. Ik zal je een opsomming besparen van wat ze me als kind allemaal heeft aangedaan: alle aframmelingen, alle brandwonden, alle leugens en scheldpartijen, alle dierbare boeken van mij die ze verscheurde of wegmaakte, al haar pogingen een goede verstandhouding tussen mij en mijn ouders in de weg te zitten. Het was alleen op dat laatste punt dat ze geen succes had, en het was haar eigen falen op dat punt waardoor ze zichzelf te kijk zette als de kinderbeul die ze altijd geweest was. De kinderbeul en de schijnheilige sadist.'

Terwijl ze zo vertelde, zag Clare het gezicht van Mark een ongelovige uitdrukking aannemen.

'Ik weet dat je denkt dat ik overdrijf – hierin, en in alles – maar luister alsjeblieft even. Het was in de wintervakantie, we logeerden een week bij oom Richard en tante Frances op de boerderij, en in die week vierde Dorothy haar twaalfde verjaardag. Ik was zelf net elf geworden. Tante Frances had een feestje georganiseerd voor de hele familie en voor wat vriendinnetjes van Dorothy van haar school in Grahamstown. Met hulp van mijn moeder, die, zoals je je nog wel zult herinneren, uitstekend kon koken, had tante Frances een werkelijk schitterende verjaardagstaart gebakken. Toen het tijd werd de taart op te dienen, en de hele familie en alle vriendinnetjes en buren en zelfs het personeel met al hun kinderen bijeen waren om Dorothy de kaarsjes te zien uitblazen, ging tante Frances naar de provisiekamer om hem op te halen. Terwijl wij zaten te wachten, hoorden we haar een kreet slaken en even later kwam ze bleek en geschokt weer binnen. In haar handen had ze de schaal met de taart, maar op de taart lag een grote hondendrol, een enorme bruine klodder stront. Dorothy barstte in tranen uit terwijl tante Frances naar een verklaring zocht. De verzamelde kinderen, en zelfs een aantal van hun ouders, moesten er allemaal vreselijk om lachen. Alsof het allemaal nog niet schokkend genoeg was stapte Nora naar voren en wees naar mij. Met haar meest zelfingenomen stemmetje deelde ze mee dat ze mij in de achtertuin met een plantenschepje hondenpoep had zien opscheppen. Maar nog voor ik daar iets tegen in kon brengen – dat had ik helemaal niet gedaan, maar ik had de hele morgen verstoppertje gespeeld met Dorothy en haar vriendinnetjes, dus een sluitend alibi had ik ook niet – riep een van de kinderen van de bedienden dat Nora een liegbeest was, dat hij háár hondenpoep had zien opscheppen en dat hij háár daarmee naar de provisiekamer had zien sluipen en dat ze er weer uit was gekomen zonder dat iemand anders het gezien had. En dat jochie riep dat met zoveel overtuiging dat wel niemand zijn woorden in twijfel zou trekken.

Was het daarbij gebleven, dan zou het verder vergeten zijn, want Nora straffen alleen omdat dat jochie dat zei zou ondenkbaar zijn geweest, zelfs voor onze ouders met hun egalitaire denkbeelden. De volwassenen zouden hem misschien wel geloofd hebben, maar een aantal zou dat toch liever niet hebben laten merken omwille van zijn huidskleur, en dat laatste zou de doorslag hebben gegeven. Maar Nora kon de beschuldiging van dat jongetje niet over haar kant laten gaan, en was daarbij ook nog te jong om te weten hoe ze hem moest aanpakken om het zo te laten lijken dat zij de onschuldige, de beledigde partij was – de rol die feitelijk voor mij was, ik was valselijk beschuldigd, en ik bleef inderdaad staan zoals onschuldige mensen dat wel vaker doen: geschokt en met opengevallen mond, zonder dat er een woord uitkwam. Nora daarentegen vloog op haar beschuldiger af en trok aan zijn shirt en sloeg hem twee, drie keer in het gezicht voor mijn vader en oom Richard haar weer weg konden trekken bij dat jongetje dat half zo oud was als Nora en nog niet half zo groot.

Na die dag merkte ik een verandering op in hoe mijn ouders met Nora omgingen. Ze lieten haar niet meer op mij of een ander kind passen. Ze kreeg thuis geen verantwoordelijkheden meer. Mijn ouders deden nog wel hartelijk tegen haar, maar toch ook afstandelijker, alsof ze zoiets ongehoords had gedaan dat ze in hun ogen nooit meer dezelfde zou zijn als voorheen. Hondenpoep op de verjaardagstaart van ons nichtje leggen zouden ze nog hebben kunnen vergeven, ze zouden er zelfs begrip voor kunnen hebben gehad. Dat had allemaal met jaloezie te maken – zo niet op Dorothy, dan toch misschien, indirect, op mij. Maar Nora had het alleen maar erger gemaakt door eerst mij te beschuldigen van iets wat zij had gedaan – wat op een zoveelste poging neerkwam mij in een kwaad daglicht te stellen – en vervolgens de enige getuige van wat er werkelijk gebeurd was ook nog eens aan te vliegen.'

'Goed,' zei Mark, en de rimpels in zijn voorhoofd verdiepten zich, 'wat u beweert is dus dat het echte probleem, wat uw ouders betrof, was dat Nora een wandaad had begaan, met voorbedachten rade, met als doel hun goede indruk van u, hun lieveling, teniet te doen.'

'Waar haal jij vandaan dat ik hun lieveling was?'

'Dat moet u wel geweest zijn, in elk geval in de ogen van Nora, als ze zich gedwongen voelde zoiets te flikken – als ze zich al zo achtergesteld voelde dat ze het idee had niet anders te kunnen dan u op een of andere manier zwart te maken.'

Clare merkte een verandering op in de houding van Mark, alsof er een juridisch probleem voor nodig was om zijn aandacht te trekken, en dit treffen met zijn moeder voor hem iets draaglijker te maken.

'Zo heb ik het nooit bekeken. Eigenlijk was haar aanval op dat jongetje dat de waarheid aan het licht bracht nog het ergste – dat jongetje dat immers niets te verliezen had, of eigenlijk alles, maar zich daar niet van bewust was, en dat derhalve de waarheid wel móést spreken.'

'Wat gebeurde er verder met dat jochie?'

'Voor zover ik me kan herinneren werd hij mee naar binnen genomen voor wat koude kompressen op zijn gezicht, en kreeg hij thee en een stuk van de reservetaart die tante Frances gemaakt had voor het geval die ene taart niet genoeg was. Die andere taart had boven in een droogkast gestaan, veilig en wel. En dat was ook een flinke taart, dus gelukkig voor Dorothy zat de feeststemming er weer vlug in. Maar Nora was inmiddels verdwenen met mijn vader. Ik zou niet durven zeggen of ze bij die gelegenheid een pak rammel heeft gekregen. Ik heb het vermoeden van niet. Ik heb zelf nooit slaag van mijn ouders gehad, en ik kan me ook niet herinneren dat Nora wel ooit slaag kreeg. Ik heb eerder het idee dat ze onderworpen werd aan een van de filosofische verhoren van mijn vader, die vaak net zo pijnlijk waren als een pak rammel geweest zou zijn, want hij kon je echt het gevoel geven dat je helemaal overgeleverd was, dat je je nergens meer achter kon verschuilen, en in elk geval in de verste verte niet voldeed aan wat er als kind van je verwacht werd – al bleef je bij hem altijd je menselijke waardigheid behouden. Mijn vader wist precies waar die grens lag, hij kon je je fouten laten inzien zonder je besef van eigen menselijkheid tekort te doen. Na mijn huwelijk, en vooral nadat jij geboren was, werd de verstandhouding tussen Nora en mij nog slechter. De vraag is: heb ik uiteindelijk gedaan wat ik deed om alles wat Nora mij in de loop der jaren had aangedaan, of vanuit een gevoel op een of andere manier te moeten bijdragen aan een morele en politieke en democratische strijd? Was het politiek, of was het iets persoonlijks?'

'En waar hebt u zich volgens uzelf dan wel schuldig aan gemaakt?'

Hoewel het warm was in huis, en het ook een warme dag was geweest, liep er een koude rilling over Clares rug. Ze had nog nooit met wie dan ook gesproken over wat ze gedaan had, zelfs niet met haar man, en zeker niet met haar ouders, die geschokt zouden zijn geweest, met afschuw vervuld, en het haar misschien wel nooit vergeven zouden hebben. Alleen zij die erbij waren geweest toen ze haar mond voorbijpraatte moeten het hebben geweten, en ze had al sinds jaar en dag geen contact meer met die mensen; het verhaal was niet naar voren gekomen in het proces tegen de vermeende moordenaar van haar zuster en zwager, en ook niet bij de hoorzittingen van de waarheids- en verzoeningscommissie.

'Ik heb gezegd waar Nora verbleef. Ik heb tegen iemand die geacht werd dat niet te weten gezegd waar Stephan en zij die nacht logeerden. Van die informatie is gebruikgemaakt en zoals je weet zijn ze in bed vermoord. Een hele tijd geloofde ik dat het louter onachtzaamheid van me was geweest, en het verlangen belangrijk te worden gevonden door mensen voor wie ik respect had en ook bang was, en niet zo'n klein beetje ook. Maar hoe meer tijd eroverheen gaat, hoe meer ik ervan overtuigd raak dat ik precies wist wat ik deed – ik wist hoe de informatie gebruikt zou worden en wat de consequenties zouden zijn. Achteraf was het voor mijn gevoel net zo goed een politiek als een persoonlijk besluit. Stephan was machtig en het lag in zijn vermogen veel kwaad te doen. Door hem te elimineren had ik het gevoel dat ik het hele apartheidssysteem een geweldige klap toebracht. Nora was *collateral damage*, zoals dat tegenwoordig heet. Haar politieke rol was verwaarloosbaar, en grotendeels symbolisch.'

Clare zag hoe Mark even echt zijn best deed haar aan te kijken, maar zich vervolgens toch omdraaide naar de verlichte tuin. In de hoop hem dan althans in de spiegeling van de ruit te kunnen aankijken, keek Clare dezelfde kant op. De lichten in de tuin en bij het zwembad werkten op een tijdschakelaar en floepten net op dat moment uit, zodat ze elkaar opeens zaten aan te staren in de donkere weerspiegeling van het raam.

Clare

Deze ochtend ben ik met Adam aan het werk in mijn groente-tuin, de grond aan het voorbereiden om een bed sla in te zaaien, als ik per ongeluk een mierenkolonie verstoor. De mieren komen meteen op me af als ontsnapte gevangenen, kruipen in mijn sandalen en bijten me in mijn voeten en enkels voor ik weg kan komen. Adam richt de tuinslang op mijn voeten zonder mij om permissie te vragen. De mieren spoelen weg en verdrinken.

'Het spijt me, mevrouw Wald.' Hij kijkt geschrokken, gegeneerd en ook een beetje verbaasd om wat hij net heeft gedaan.

'Je hoeft je niet te verontschuldigen, Adam, alsjeblieft. Dat was juist heel goed dat je dat deed.' In alle eerlijkheid ben ik verrast door die plotselinge intimiteit. Dat was precies het soort contact dat Jacobus en ik ooit hadden, ongedwongen en met wederzijds begrip van de aard van onze verstandhouding: een noodzakelijk contact ten bate van een goede samenwerking. Later smeert Marie zalf op de plekken waar ik gebeten ben en de schade blijkt mee te vallen. De mieren die het overleefd hebben zijn natuurlijk weer aan het werk gegaan en ik besluit het inzaaien van de sla voor een andere dag te bewaren.

Ik denk na over het fenomeen provocatie. Uitdaging. Kon een blanke vrouw met een bevoorrechte achtergrond, die alleen maar kon profiteren van het onrechtvaardige systeem in dit land, zich dusdanig geprovoceerd voelen dat ze geen andere uitweg zag dan de confrontatie aan te gaan, of in elk geval hand- en spandiensten te verrichten voor mensen die de confrontatie aangingen?

De weg die jou ertoe gebracht heeft het werk te doen waarvan jij vond dat je het doen moest, Laura, die kan ik zonder al te veel moeite volgen. Het is het werk zelf, als je het 'werk' kunt noemen – de spionage, de bomaanslagen, de moorden op onschuldige mensen, al was hun onschuld dan gecompromitteerd door het steentje dat ze onwillekeurig bijdroegen aan het bouwwerk van de apartheid, met al zijn instellingen en instituties, zijn economie van onderdrukking en isolering –, dat ik maar niet kan rijmen met wat naar mijn overtuiging moreel en ethisch aanvaardbare vormen van verzet zijn. Ik trek de grens bij geweld, omdat ik weet hoe gemakkelijk het voor een geweldscultuur is om zelfs de rechtvaardigen aan te steken. Als ik kijk naar wat er van ons democratische land geworden is, naar het burgergeweld dat tegenwoordig zowel onze valuta als ons wapenschild is, vraag ik me af of vreedzame burgerlijke ongehoorzaamheid, niettegenstaande het trage van een dergelijke strijd, geen betere manier zou zijn geweest om de vrijheid te verwerven. India heeft het wel op die manier voor elkaar gekregen; het mag een maatschappij zijn waar grote ongelijkheid heerst, maar je kunt er voor het merendeel wel over straat lopen zonder bang te hoeven zijn.

Ik wist dat ik een radicaal had grootgebracht toen ik onder je matras een map vond waar *Top Secret* op stond – je was toen dertien, hooguit veertien. In de map zaten met de hand geschreven verslagen van gesprekken die je had afgeluisterd als je vader en ik bezoek hadden. Er zaten voor heel wat tafelgesprekken in, vastgelegd in jouw precieze handschrift. Tussen haakjes vatte je delen van het gesprek samen die voor jou niet interessant waren: '[Ze praten tweeëntwintig minuten over Alan Paton]; [Saai halfuur over LaGuma]; [Wie is Rick Turner?]; [De maaltijd begint met tien minuten praten over tripjes naar de boerderij].' Wat voor jou van belang was, wat jouw interesse wekte en je ertoe aanzette met de hand hele verslagen uit te schrijven van gesprekken tussen volwassenen die je ook nog eens verontrustend nauwkeurig op papier zette, waren de politieke discussies met onze vrienden over alles waarvan we wisten dat het fout was, en wat we dachten dat eraan gedaan zou moeten worden. Je vader en ik waren het vaak met elkaar eens, maar onze vrienden niet, want mijn meer radicale tijd was toen wel geweest. Sommige zinnen waren rood onderstreept, en als je wist wie het gezegd had, zette je dat erbij. Ik weet nog dat ik huiverde toen ik een patroon begon te bespeuren dat een bepaalde stellingname en ideologie verried: 'geweldloos verzet wordt niet serieus genomen'; 'maar je moet geweld met geweld beantwoorden'; 'moeten we er dan bij gaan zitten, sit-ins houden zoals in Amerika, terwijl om ons heen een holocaust plaatsvindt?'. De stokebranden, die vrienden van ons die zich het felste uitlieten, goede vrienden die later een spreek- en publicatieverbod zouden krijgen, en van wie sommige naar het buitenland werden verbannen, terwijl andere stierven in gevangenschap – hun woorden waren de woorden die jij onderstreepte, en niet de meer gematigde uitlatingen van je vader of mij. Wij waren te passief, te pacifistisch voor jou, onder onze minst dappere tegenwerpingen trok je met een gele stift een wiebelig lijntje, waarmee je ons markeerde als lafaards en kletskousen. Ik huilde toen ik die gele golven zag en eruit opmaakte wat je van me vond.

Ik heb de map teruggelegd onder je matras en er nooit over gesproken, niet met jou en ook niet met je vader; ik hoopte dat je je besef van onrechtvaardigheid, en wat ik nu begin te begrijpen dat je getergdheid was, zou omzetten in creativiteit. (Waar is die map gebleven? Ik heb hem nooit meer gezien toen je eenmaal het huis uit was, en ik heb hem nadat je verdwenen was ook niet bij je spullen gevonden.) Het klinkt als ijdelheid, als ik zeg dat ik graag wilde dat je zoals mij zou worden, of zelfs zoals je vader, die zijn woede omzette in een diepgaande, hartstochtelijke studie van het rechtsstelsel. Daarom was ik dolblij toen je journalist werd, ik was opgelucht dat je op papier uiting zou kunnen geven aan je opvattingen en hoopte tegen beter weten in dat je geen gevaarlijke dingen zou doen. Jij zou goed doen! Jij zou ongerechtigheid aan de kaak stellen! Jij zou strijden met woorden!

Van die enkele keren dat we je zagen toen je weer terug was in Kaapstad, herinner ik me nog hoe snel je gefrustreerd raakte en boos werd. Ik kon zien dat je voor jezelf het besluit nam dat je meer moest doen dan het nieuws verslaan, althans dat beetje waar je dan over mocht schrijven. In plaats van jezelf aan banden te laten leggen, zou je je zolang het mocht duren in de vlammen storten, zou je branden met een heilig vuur, een louterend vuur dat door het hele land zou trekken en het blonde gras zwart zou blakeren.

Dit is hoe ik het begrijp: jij had het gevoel dat je je stem niet kon laten horen, je was ervan overtuigd dat je geen andere keus had dan tot daden overgaan, je pen dichtdraaien en de toetsen van je typemachine het zwijgen opleggen, de inkt laten drogen en het typelint laten vergaan – jij kon niet anders dan het schrijven over een waarheid die uiteindelijk door de staat werd bepaald aan andere mensen overlaten, mensen met meer geduld. Ik begrijp die beslissing. Ik begrijp dat je vader en ik op een of andere manier een vrouw hebben grootgebracht die er geen vrede mee had om te doen wat veilig was, en al helemaal niet om te doen wat haar gezegd werd. Ik begrijp dat je geen andere keus meende te hebben dan tot actie over te gaan.

Maar we hebben je nooit geleerd om te doden.

Vandaag zat ik in je papieren te lezen en vond ik een hele bladzijde die, op onverklaarbare wijze, gewijd was aan feiten die betrekking hadden op Rick Turner, de filosoof en activist die, na een spreekverbod van bijna vijf jaar, in zijn eigen huis vermoord was, doodgeschoten door een open raam. Als ik dat lees, in jouw handschrift, gaat er een vreselijke, pijnlijk koude rilling over mijn rug. Turner moedigde het activisme van blanken aan en ik begrijp opeens in een flits dat zijn voorbeeld en zijn oproep tot actie, hoewel hij vermoord is toen jij nog een kind was, misschien wel het duwtje is geweest dat jou wakker schudde, het sein om je regelrecht in de gewapende strijd te storten.

Toch vraag ik me af of het zo eenvoudig kan liggen. Je aantekeningen zijn meer een compilatie van bekende feiten over de
zaak, en over de onopgeloste moord op Turner, dan het soort be-
spiegelingen dat je op schrift stelt als je geïnspireerd wordt door
een held of martelaar. Het is bijna alsof je een diepgaand onderzoek voorbereidt, alsof je ontdekt had, eindelijk, wie Rick Turner was – niet zomaar een vriend van een vriend van de familie,
iemand over wie ten tijde van zijn dood aan tafel wel gesproken
werd, maar een man met een eigen verhaal, een heel ander voorbeeld voor wie blank was in dit land dan je vader of ik je ooit zouden kunnen geven.

1999

Hij lag al een halfuur wakker, rusteloos onder het winterdekbed dat kortgeleden was opgediept uit de kast waarin Sarah ruimte had gemaakt voor zijn bescheiden garderobe. Zij moest ook wakker zijn geweest, want toen de telefoon ging had ze hem al na één keer overgaan opgenomen.

'Sorry, met wie spreek ik?' Haar stem klonk gesmoord en toenemend in toonhoogte, waarna ze zich naar hem omdraaide en met gefronste wenkbrauwen toefluisterde: 'Het is de politie. In Beaufort West. Maar ik begrijp geen woord van wat hij zegt.' Hij moest glimlachen om hoe ze dat uitsprak, Boo Fôr West, elke lettergreep even duidelijk afgerond, hoewel haar stem uiteenviel in een reeks verstikte klanken die hij maar moeilijk kon aanhoren. Toen drong tot hem door wat ze zei en nam hij de telefoon van haar over. Het voelde aan alsof ze hem een gewicht had gegeven dat zwaarder woog dan zijn geweten.

Hij hoefde het haar niet te vragen. Ze bood aan met hem mee te gaan, om er zeker van te zijn dat hij niet alleen zou zijn als hij geconfronteerd werd met wat er gebeurd was. Hij zou tegen de decaan zeggen dat er problemen thuis waren en dat hij weg moest maar dat hij zou proberen terug te zijn voor het begin van het voorjaarssemester.

'Problemen thuis' was voorzichtig uitgedrukt. De problemen betroffen niet alleen wat er gebeurd was, maar ook waar het gebeurd was; niet alleen het huis en de straat en de stad maar ook de regio en de provincie en het land waar zijn tante woonde en de relatie waarin al die plaatsen stonden tot de plaatsen eromheen, en de toestand die daar heerste, gebieden die nog verder weg lagen, enzovoort tot de hele wereld de context werd van een schreeuwende, heftige misdaad in een afgelegen uithoek. In zijn hoofd was dat alles tezamen iets heel specifieks en hij zag het voor zich als in een dramatisch tableau, versluierd door opstuivend zand, fijn als bloem in het licht van de schijnwerpers. Hij wist dat hij het zo zou zien als ze er vanuit het westen naartoe reden: een gordijn van stof dat als een rij handen uit de gele aarde oprees.

Hij had uitgekeken naar de vakantie, een reisje naar de warmte van het zuidelijk halfrond in het hartje van de noordelijke winter, ook al was het reisdoel dan het droge bekken van de Karoo en de sociale apathie van Beaufort West, waar de dagen voorbij zouden gaan in het gezelschap van zijn tante en haar vriendinnen, die alles wilden horen over zijn leven in het buitenland, er zelf net zo op gebrand als hij om er even uit te zijn. Ellen had voor Nieuwjaar een tripje naar Plettenbergbaai gepland, en op de terugweg zouden ze ook even naar Prins Albert gaan, want, zei ze, 'daar voelt het altijd alsof het lente is, ongeacht de tijd van het jaar'.

Liggend in bed die ochtend, de telefoon nog in zijn hand, voelde hij de brokstukken van zijn vooruitzichten op een vakantie als een ijskoude regen op hem neerdalen, en toen besefte hij dat het niet alleen in zijn hoofd regende maar ook buiten, een ijsregen waardoor het uitzicht uit het raam op West End Avenue langzaam vervormd werd, en de rijen taxi's kanariegele modderstromen werden waar hun achterlichten lange bloedsporen in trokken.

Sam

Het is een drukkende dag halverwege januari in de toren van het Senate House, de ramen zijn te klein, de lucht is bedompt en de gebouwen die eromheen staan zijn een vreemde mengeling van postindustrieel brutalisme en een soort retrovisie op de toekomst.

'Als Kaapstad een kruising is tussen San Francisco en Miami Beach,' zegt Sarah tegenwoordig tegen vrienden in de States, 'dan is Johannesburg een combinatie van Beverly Hills, Cleveland en *Blade Runner*.'

Ik maak lange dagen in deze kamer, ik rijd elke dag heen en weer over Jan Smuts Avenue, waar altijd files staan, verkeersopstoppingen veroorzaakt door het wisselend aantal rijbanen: van drie naar twee naar één, weer naar twee, hoewel het soms ook voelt alsof er in beide richtingen vijf rijbanen zijn, een breedte die hij feitelijk nergens bereikt.

'Ik vind het heerlijk hier,' zei Sarah vanmorgen, 'zo moet het paradijs er ongeveer uitzien – thuis werken in een cottage in een prachtige tuin met mijn eigen zwembad en eigen, heerlijke groenten en fruit. Het enige vervelende is de aanhoudende angst dat ik nog eens wakker word met de afgezaagde loop van een geweer in mijn gezicht. Maar goed, dat kan je overal gebeuren.'

Ik sta stil op de kruising van Jan Smuts met St. Andrews; op een billboard zie ik een schoonmaker in een groen uniform die tegen een voetbal trapt onder de tekst: EEN VERENIGDE NATIE. Voor het billboard staan borden die verschillende kanten op wijzen: de 'Hoofdpijnkliniek' is rechtsaf, de 'Zuid-Afrikaanse Mensenrechten Commissie' is linksaf. Een Britse oliemaatschappij heeft het billboard gesponsord. Een man komt op me af, hij loopt tussen de auto's door met een handgeschreven bord: 'Lasser/Schilder'. Zijn mobiele nummer is eronder gekrabbeld. Dat soort bordjes zie je overal in de stad, aan bomen en op muren. Als hij zijn bord voor mijn raampje houdt, steek ik in een verontschuldigend gebaar mijn handen op en wuif hem weg.

Het uittypen van de interviews met Clare duurt langer dan ik verwacht had. Het geeft me het gevoel alsof ik langzaam in haar woorden verdrink – en het zijn niet alleen die interviews, ik heb ook een berg aan gekopieerd materiaal uit haar archief, plus verschillende interviews die ik eerder heb gehouden met die paar betrouwbare mensen die wel over haar wilden praten, om maar te zwijgen van de hele boekenplank in de universiteitsbibliotheek met haar gepubliceerde werken, en de planken met alle boeken over haar boeken. Het lijkt niet zozeer een onmogelijke taak als wel een taak die me jaren zou kunnen kosten; en het is maar twaalf maanden tot de deadline die de uitgever me heeft opgelegd.

Ik ben net toe aan een koel drankje en een zak popcorn als de telefoon gaat. Het is Lionel Jameson.

'Ik hoop dat je me mijn norsheid afgelopen december kunt vergeven.' Zijn stem piept en zoemt, en klinkt snel en hees door alle digitale ruis heen; als ik niet beter wist, zou ik denken dat hij van het andere eind van de wereld belde. 'Om eerlijk te zijn was je bezoek een volslagen verrassing voor me – een schok.'

'Dacht je dat ik dood was of zo?'

Er valt een stilte en dan flapt hij er, zonder mijn vraag te beantwoorden, uit: 'Als het aanbod van een etentje nog staat, zou ik dat graag aannemen. Dat ben je me nog wel verschuldigd, dacht ik.'

Ik weet niet wat ik van die toon moet denken, maar ik heb het er met Sarah over en we spreken af hem vrijdag uit te nodigen.

Ze gaat begin volgende week naar Angola en om een of andere reden heb ik nu het gevoel dat ik Lionel liever niet alleen zou zien.

Als ik hem terugbel met het adres zegt hij: 'Zo! Chique buurt. Zeg, iets anders, ik zou graag iemand meenemen, als het goed is.' Hij hoeft me niet te vertellen dat hij Timothy bedoelt – dat weet ik al, alsof het mij is aangekondigd in een nachtmerrie.

Die vrijdagavond, het is nog licht buiten, arriveren ze in een dure zwarte auto – van Timothy, niet van Lionel. We kijken toe terwijl het hek dichtgaat en hoewel we redelijk veilig zitten achter dat hek, vergrendelt Timothy met een achteloze druk op zijn sleuteltje de portieren.

'Ik weet wie jij bent,' zegt hij, terwijl hij me een tien jaar oude fles Kanonkop Pinotage in de handen drukt, 'en ik neem aan dat jij ook nog wel weet wie ik ben.'

Het verschil tussen de twee mannen zou niet uitgesprokener kunnen zijn. Waar Lionel sjofel en afgetobd is, met een verweerde huid, bloeddoorlopen ogen en een baard van enkele dagen, is bij Timothy alles even verfijnd. Zijn nagels zijn gemanicuurd, zijn pak is duurder dan ik mij ooit zal kunnen veroorloven. Zijn succes straalt er aan alle kanten van af.

Als ik Sarah en de beide mannen aan elkaar heb voorgesteld gaan we bij het zwembad zitten borrelen tot het donker is. Timothy werkt tegenwoordig voor het Zuid-Afrikaanse toeristenbureau. Hij luistert terwijl de anderen praten. Zijn zwijgzaamheid maakt me onzeker. Sarah excuseert zich om de paar minuten om een telefoontje aan te nemen of een mailtje te beantwoorden, korte afwezigheden waarin ik best had mogen verwachten dat ze iets complimenteus over haar zouden zeggen, maar zodra ze weg is valt Lionel stil en staren beide mannen naar de grond. De kaasjes en crackers en olijven die ik heb neergezet gaan snel op; Sarah en ik raken ze nauwelijks aan.

Ik sta op het punt ze naar binnen te nodigen voor het eten, als Timothy eindelijk ook iets zegt.

'Ik hoorde van Lionel dat je graag meer wilde weten over Laura Wald.'

'Ja, maar dat hoeft niet per se nu. Ik hoopte alleen dat jullie me misschien zouden kunnen vertellen wat er van haar geworden is.'

De twee mannen kijken elkaar aan, als om te checken of ze het nog steeds eens zijn over iets wat ze eerder hebben afgesproken. Er gaan enkele minuten voorbij, het is bijna donker, de zon zakt nu heel snel achter de horizon en het wordt gelijk een stuk koeler. In een tuin verderop slaat een hadada opeens zijn metalen vleugels uit en laat een monsterlijke kreet horen. Timothy staart me aan met een vreemde, taxerende blik in de ogen.

'Luister, vriend – je hebt geen idee wat je eigenlijk vraagt.'

Aan tafel zitten we te babbelen alsof de beide mannen en ik elkaar nooit eerder ontmoet hadden. Timothy geeft ons tips over Johannesburg, wat er te doen en te zien is, waar we beter niet heen kunnen gaan, hoe serieus we allerlei adviezen over onze veiligheid moeten nemen. Lionel blijft erbij dat het niet zo gevaarlijk is als ze ons willen doen geloven. Ik doe mijn best om me op de conversatie te concentreren maar vraag me de hele tijd af wat Timothy bedoelde. Af en toe kruisen onze blikken elkaar en soms zie ik hem naar me kijken als hij denkt dat niemand het ziet, alsof hij niet kan geloven dat ik ben wie ik zeg te zijn.

Als we gegeten hebben excuseert Sarah zich weer, ze legt uit dat ze nog een verhaal wil afmaken voor ze naar bed gaat. Eigenlijk hebben we van tevoren afgesproken dat ze mij de ruimte zou geven ook nog alleen met de mannen te praten. Er is geen verhaal dat ze hoeft af te maken, geen deadline die ze die vrijdagavond laat nog hoeft te halen.

Als Sarah weg is, valt het gesprek weer stil. Ze vragen me niets over mezelf, over mijn leven in de jaren na ons laatste afscheid. Als ik geen vragen stel, zeggen ze allebei geen woord – ik kan ze niet anders zien dan als mannen die heel anders zijn dan ik ben.

Ze hebben iets hards, iets gevaarlijks, allebei, alsof ze op een of andere manier verwilderd zijn, alsof ze zo een glas kapot zouden kunnen gooien, een stoel kapot zouden kunnen slaan als ze daar toevallig zin in hadden, zonder zich druk te maken om de eventuele consequenties. Dat is niet hoe ik me hen herinner.

'Is er dan niets wat jullie me over Laura kunnen vertellen?'

Hun aarzeling is onthutsend, ik vraag me af of het een typisch Zuid-Afrikaanse opgelatenheid is die ik vergeten ben – onwil om het echt ergens over te hebben, stiltes opvullen met koetjes en kalfjes, eindeloos om onderwerpen heen draaien zonder ooit tot de kern te komen.

'Wat is het eigenlijk precies, vriend, dat je denkt dat je weten wilt?' vraagt Timothy met een glimlach waar geen greintje geamuseerdheid in zit.

'Ik zou graag willen weten wat er van haar geworden is.'

'*Ag*, nee, dat wil jij niet weten, echt niet,' zegt hij, ritmisch het hoofd schuddend en met elke zijwaartse beweging een lettergreep accentuerend.

Lionel schuift heen en weer op zijn stoel en kijkt ongemakkelijk. 'Daar kun je het niet zomaar bij laten,' zegt hij tegen Timothy. 'Je moet Sam wel vertellen wat hij weten wil.'

'Ik kan het aan niemand anders vragen,' zeg ik. 'Ik bedoel, ik weet niet wie ik zou moeten benaderen of waar te beginnen. Je begrijpt dat ik het niet zozeer vraag voor het boek, als wel om mijn eigen nieuwsgierigheid te bevredigen. Laura was een goede vriendin. Ze was bijna als een moeder voor me.'

'Man, dat is allemaal verleden tijd!' roept Timothy wild gebarend, alsof hij het verleden wil afweren. 'Oude geschiedenis!' Hij staat op en gaat nog steeds hoofdschuddend achter zijn stoel staan.

Lionel oogt gegeneerd. Hij kijkt me aan, trekt zijn wenkbrauwen op en schenkt me een treurige glimlach. Timothy pakt de fles wijn, schenkt zichzelf nog een glas in en begint te slurpen. Dan pakt hij een boek over Johannesburg van de plank en breekt de rug als hij het openslaat. Het is duidelijk dat hij meer weet over Laura.

'Als jij het niet aan Sam vertelt...' begint Lionel, maar Timothy valt hem in de rede.

'We hebben de wederopstanding der doden, het uitpluizen van het verleden, het bestuderen van de ingewanden allemaal gehad. Er valt verder niks over te zeggen, Sam. Jij kunt die vragen beter helemaal niet stellen.'

'Ik wil alleen weten wat er met haar is gebeurd. Jullie hoeven me niks te vertellen, ik accepteer het feit dat ik jullie niet kan dwingen, maar als jullie weten waar ze gebleven is...' Ik ben mij bewust van de smekende ondertoon in mijn stem. Ik voel me er ongemakkelijk bij, het doet me denken aan mezelf als kind, aan hoe ik Laura om dingen kon smeken, hoe ik altijd kon soebatten met mijn tante, mijn leraren, met iedereen die mij niet gaf wat ik hebben wilde.

'Jij wilt meer weten?' Timothy zucht, zet het boek terug op de plank en kijkt me aan, wijzend met zijn glas. 'Wat ik jou kan vertellen is dat Laura aan de verkeerde kant van de geschiedenis stond. Dát is wat ik jou kan vertellen.'

Ik begrijp niet wat hij bedoelt. Wat hij suggereert lijkt mij onmogelijk. 'Bedoel je dat ze te militant was?'

Timothy snuift minachtend en neemt een slokje van zijn wijn. 'God, je hebt echt geen idee, hè?'

'Kom op, Tim, ik zie niet hoe hij dat wél zou moeten hebben.' Lionel schuift naar voren op zijn stoel alsof hij op het punt staat nog iets te zeggen, maar dan steekt Timothy zijn arm uit en glijdt Lionel weer naar achteren.

'Ze stond aan de verkéérde kant, Sam.' Timothy gaat weer zitten. Hij praat nu zachter, alsof hij zijn best doet zijn toon aan de omstandigheden aan te passen. 'Ze stond aan de verkeerde kant en iemand heeft haar betrapt. Dat is het enige wat ik weet.'

'Maar dat is allemaal niet naar voren gekomen bij de waarheids- en verzoeningscommisie...'

'De waarheids- en verzoeningscommissie was niet volmaakt. Niet compleet. Wat daar te berde is gebracht is niet representatief voor de hele laatste fase van de apartheid. Luister,' zegt hij, en hij vouwt zijn handen alsof hij wil voorgaan in gebed, 'ze bracht mensen in verlegenheid. Niemand wilde over haar praten – wij niet, maar de andere kant ook niet. Volgens mij is er een en ander in de doofpot gestopt en zoiets wordt niet aan de basis bedacht, als je begrijpt wat ik bedoel. Om zoiets te verdoezelen heb je een mandaat nodig. Haar familie heeft gelukkig nooit druk uitgeoefend om de onderste steen boven te krijgen. Als ze dat wel hadden gedaan, wie weet wat er dan misschien uit zou zijn gekomen. Misschien zouden we dan zelfs te weten zijn gekomen wat er met haar gebeurd is.'

'Dus dat weten jullie niet?'

'Ik weet alleen dat ze is weggegaan met een van de anderen, en dat ze nooit meer is teruggekeerd. De man die met haar mee was gegaan, die is niet veel later omgekomen, door een bombrief, in Mozambique. Als er iemand was die iets over haar wist, waar ze uiteindelijk terecht is gekomen, waar ze misschien begraven ligt, dan was hij het. Maar hij kan het ons niet meer vertellen. Het komt er dus op neer dat ze verdwenen is.'

De informatie treft me als een mokerslag. Ik voel me verslagen, ontreddered, kapot. Ik wil ze hier weg hebben. Het was een vergissing om contact op te nemen met Lionel. Ik verontschuldig me, zeg dat Sarah de volgende morgen vroeg op moet. Lionel kijkt gegeneerd en ik hoor Timothy iets fluisteren als: 'Ik zei al dat het zo zou gaan.' Als ik hun auto achteruit de oprit af zie rijden, is het enige wat ik kan hopen dat ik ze nooit meer zal zien. Hun versie van de geschiedenis hoef ik niet te horen.

Weer binnen vertel ik aan Sarah wat Timothy gezegd heeft. Ik beef en mijn stem faalt. Ik slaag er nog net in haar te zeggen dat ik het allemaal niet kan plaatsen. Ze houdt me vast en luistert naar me terwijl ik hijg en tekeerga. Laura werd geacht een vriendin van mijn ouders te zijn, en al die tijd, zeg ik met gesmoorde stem, heeft ze hen bedrogen. Sarah zegt niet dat ik moet kalmeren of dat ik moet proberen er niet aan te denken.

'Zou het kunnen,' zeg ik, en overal waar ik kijk zie ik rood, de hele kamer bonst en gonst, 'dat zij mijn ouders gesaboteerd heeft?'

Sarah schudt het hoofd. Dat is een vraag die zij niet kan beantwoorden.

Maandagmorgen. Sarah vertrekt voor een hele week naar Angola. Ik breng haar naar het vliegveld en barricadeer me vervolgens in huis, waar ik het nieuwe boek van Clare ter hand neem, dat net bezorgd is en, misschien ironisch, precies de afleiding is die ik nodig heb om niet de hele tijd aan Laura te hoeven denken. Ik heb er moeite mee te geloven wat Timothy me verteld heeft, maar ik heb ook geen reden om iets anders te geloven. Toch lijkt het mij onmogelijk dat Laura aan de andere kant heeft gestaan. Het lijkt mij volstrekte onzin, maar ergens klinkt het ook weer heel plausibel, en zou het niet alleen haar verdwijning kunnen verklaren, maar ook de manier waarop mijn ouders zijn omgekomen.

Ik verwerp die gedachten, die almaar in een cirkeltje ronddraaien tot ik er bijna gek van word en bijkans over mijn nek ga, en hoop troost te vinden, ja, misschien zelfs inzicht, bij Clare.

Absolutie heeft een smaakvol omslag met een matte foto van een witgewassen Kaapse boerderij bij zomers weer, omringd door bomen waarachter een berg oprijst, alles gezien door een kapotte ruit waarvan de kozijnen het uitzicht omlijsten. Over de glasscherven op de vensterbank kruipt een slak. Als het vervormende effect van dat raam er niet geweest was, zou het plaatje van dat huis in dat landschap bijna kitsch zijn geweest, een stereotiep Zuid-Afrikaans stukje platteland, een tweederangs Pierneef – al veronderstel ik dat dat misschien ook wel weer zo bedoeld is. De omlijsting nodigt ons echter uit om te speculeren over de aard en de eigenaar van het huis met het kapotte raam, en de persoon of personen die er wellicht wonen, die zelf misschien wel over die slak heen, door die kapotte ruit, naar dat keurige huis in de verte kijken. Het zou een personeelshuisje kunnen zijn op het land van een wijnboer, tochtig en pover verlicht, slecht onderhouden ook, dicht genoeg bij het grote huis om er goed zicht op te hebben zonder de idylle te verstoren: de geiten in de wei, de eenden in de vijver, in de schaduw van uit Engeland geïmporteerde eiken waarin ook Engelse eekhoorns heen en weer springen. De tekst zelf heeft met het plaatje niks te maken, althans niet rechtstreeks. Terwijl ik zit te lezen, weet ik dat ik hoop iets aan te treffen, al was het maar een zijdelingse verwijzing, een fluistering of zelfs een stilte waarin ik misschien iets van mezelf zou kunnen terugvinden.

Uiteraard vind ik niets. Het boek is geschreven voor ik Clare begon te interviewen en ik bespeur nergens iets van een indirecte verwijzing naar mijn persoon, niet eens een veelbetekenende stilte. Ik probeer niet teleurgesteld te zijn. Tegen de tijd dat ik het uit heb is het laat in de avond, bijna donker buiten.

In de keuken, deuren en ramen dicht en op slot hoewel de lucht in huis verstikkend is, schenk ik een glas wijn in en houd ik het boek op een armlengte afstand, draai het om, strijk met mijn vingers over het gladde omslag. Achterop heeft de uitgever de genreaanduiding 'fictie' gezet, voor het geval we daaraan mochten twijfelen. Maar het lijkt erop dat we daar toch wel degelijk aan zouden moeten twijfelen, want Clare wordt gewoon in de tekst genoemd, evenals Marie, en ook de zoon van Clare, Mark, die onmogelijk blij kan zijn met hoe zijn moeder hem in dit boek heeft neergezet. Het boek geeft wat mij een correcte omschrijving lijkt van het ongebruikelijke huishouden van Clare en Marie, dat te intiem is, te symbiotisch, om alleen maar zakelijk te zijn. Ze zijn weliswaar werkgeefster en werkneemster, maar ze zijn tegelijkertijd onafscheidelijk geworden, en afhankelijk van elkaar op een wijze die veeleer van vriendschap en liefde getuigt dan van een contract en een dienstverband. Ik zie Marie een trolley met de lunch de studeerkamer van Clare in duwen, waarbij de stilzwijgende communicatie tussen hen tot stand komt door blikken en andere lichaamstaal – een ternauwernood geheven vinger, een nauwelijks waarneembaar rukje met de kin, een verstrakken van de lippen. Het is toch een soort magie dat twee mensen elkaar zo moeiteloos kunnen begrijpen.

Of Clare ooit het slachtoffer is geweest van een beroving of inbraak zou ik niet weten – ze heeft het er met mij in elk geval nooit over gehad. Naast het verslag van recente traumatische gebeurtenissen en alle ontreddering die daarbij hoort, bevat het boek lange uiteenzettingen over haar voorouders, hun emigratie vanuit Engeland naar Zuid-Afrika in de jaren twintig van de negentiende eeuw en de hele economische geschiedenis van haar familie, alles in een afstandelijke derde persoon. De balans tussen die twee – het soms surreële verhaal van een trauma en de nogal droge geschiedenis van haar familie en haar eigen jeugd – lijkt me niet noodzakelijkerwijs fictie. In een begeleidend briefje zegt Clare dat ze waarschijnlijk nooit meer iets zo autobiografisch zal schrijven. Het boek wordt echter niet als autobiografie gebracht; maar ik zie niet hoe het als fictie overeind zou moeten blijven. Of misschien is de juiste vraag die ik zou moeten stellen wel: wat kan Clare zich eigenlijk permitteren door het fictie te noemen?

Het echt schokkende is natuurlijk wat Clare allemaal over Nora schrijft, haar zuster. Dat is waarschijnlijk waar ze de hele tijd al op doelde – de vraag waarvan ze verwacht had dat ik hem zou stellen bij onze laatste ontmoeting in Kaapstad, het spoor dat ze dacht dat ik gevonden had! Het is verleidelijk het boek als niet meer te zien dan een mooie gelegenheid voor een uitvoerige bekentenis van haar medeplichtigheid aan een halsmisdrijf, omdat ze immers achteloos informatie had doorgespeeld die tot de moordaanslag op haar zuster en zwager had geleid. De uitstapjes naar de geschiedenis zijn misschien te verklaren als een poging haar daden in een bredere context te plaatsen, of zelfs als een poging zich te verdedigen of te verontschuldigen voor wat ze gedaan heeft: kijk eens waar ik vandaan kom, misschien begrijp je dan wat ik gedaan heb, wat ik wel moest doen. Geschiedenis leidt ons om de tuin, lijkt ze te zeggen, en maakt ons zelfingenomen. Het boek als fictie brengen stelt haar natuurlijk in staat juridische vragen over haar verantwoordelijkheid voor die dubbele moordaanslag – zo die haar al ooit gesteld zouden worden – te ontwijken. 'Dit is een roman,' zou ze kunnen zeggen, 'een versie van mij die slechts een oppervlakkige gelijkenis vertoont met mijn historische ik. Verwar die persoon, de persoon die u nu voor u ziet, niet met het personage in dit boek. Er waren velen die mijn zwager dood wilden hebben. Daar was voor mij geen rol in weggelegd.' Op de copyrightpagina verklaart ze het volgende: 'Elke eventuele gelijkenis met bestaande personen, levend of dood, berust louter op toeval – dat geldt ook voor de personages die hun naam gemeen hebben met Mark Wald, mijn zoon, Marie De Wet, mijn assistente, en William Wald, mijn exman. Ik heb die namen gebruikt met toestemming van de historische figuren met wie ze verbonden zijn.'

Ik schrijf Clare een briefje waarin ik haar bedank voor het boek en complimenteer voor haar stijl, terwijl ik tegelijkertijd een beetje beduusd ben; de inbraak, die aan het begin van het boek een nogal grote rol speelt, wordt nooit opgelost. Maar er zit ook vermoeidheid in het boek, en een onderstroom van verbaasde woede om wat er van de wereld is geworden – en in het bijzonder om wat er van ons land is geworden na alle aanvankelijke hoop, de verwachting dat er een samenleving zou komen die zichzelf door een collectieve inzet van goede wil en belangeloze liefde zou transformeren tot een modelmaatschappij, een voorbeeld voor de wereld. In plaats daarvan, lijkt Clare te zeggen, heeft het land zich een wrede microkosmos betoond waar de wereld in weerspiegeld wordt zoals zij werkelijk is, een oorlog van allen tegen allen, met rode tanden en rode klauwen, een doorwaakte nachtmerrie van uitbuiting en corruptie en verschrikkelijke schoonheid die ertoe veroordeeld lijkt nooit tot een einde te komen – of tot het enig denkbare einde. Het zou heel vergeeflijk zijn het boek te lezen als een soort Afro-pessimistisch werk, hoewel ik het vermoeden heb dat ze het niet als zodanig bedoeld heeft.

Maar ik zeg niets van dat alles in mijn reactie en zeg dat ik ernaar uitkijk haar in mei in Stellenbosch te zien, en onze gesprekken voort te zetten. Eigenlijk hoef ik geen interviews meer met haar te houden. Eventuele vragen die zijn blijven liggen, en die enkele details die nog opheldering behoeven, kan ik ook van hieruit aan haar voorleggen, telefonisch of per e-mail. De waarheid is dat ik ernaar verlang haar te zien. Ik blader het boek nogmaals door, op zoek naar haar in al die bladzijden, en opeens valt mijn oog op de opdracht die ik bij eerste lezing gemist heb omdat de bladzijden aan elkaar vastzaten:

Voor mijn kinderen – degenen die ik bij me heb gehouden, en degenen die ik verloochend heb.

Ik voel mijn keel dichtsnoeren, maagzuur komt naar boven. Misschien, denk ik, misschien herinnert ze zich mij toch nog.

Absolutie

Terwijl Mark naar haar weerspiegeling in het raam staarde, besefte Clare dat als ze stopte voor het beeld helder was, het verhaal altijd als een brok onbestemde materie tussen hen in zou blijven hangen, en hun relatie zou verstoren. Ze scheurde een stukje brood af, merkte dat ze nog steeds geen trek had en legde het op haar bord.

'Jij was de perfecte baby. Je huilde bijna nooit, je maakte je nergens druk om. Je glimlachte, je lachte, en je had de grootste ogen die ik ooit bij een kind had gezien, alsof je niets liever wilde dan alles om je heen opnemen. Ik dacht dat je wel iets in de wetenschap zou gaan doen want je leek een aangeboren observatievermogen te hebben. Dat was voor we wisten dat je bijziend was.' Daarvoor, dacht ze, en voor ze wisten van de andere problemen die hij had, de hartruis die ze altijd geweigerd had een stoornis te noemen, de ernstige astma die in zijn adolescentie de kop had opgestoken – problemen die in zekere zin ook een zegen waren geweest.

Mark grinnikte op een manier die Clare aan William deed denken, sterk en charmant, en bracht zijn vingers naar zijn bril. 'Het recht is een goed tegengif, mijn eigen verrekijker.'

Clare vroeg zich af of hij wist hoe weinig je door een verrekijker kon zien – de details van één klein voorwerp op afstand, maar daaromheen en tussen jou en dat voorwerp niets: het ding, maar niet de context.

'Als baby zag je eruit alsof je door de goden gezonden was, of anders wel door een castingbureau in Hollywood. Als er ooit een geboren held is geweest, was jij het wel.'

'U zei dat Nora jaloers was.'

'Vanaf het eerste begin van haar huwelijk had ze geprobeerd zwanger te raken. Uiteindelijk deden ze allerlei onderzoeken en werd, dat liet ze mijn moeder in vertrouwen weten, bij haar niets gevonden wat een zwangerschap in de weg zou kunnen staan, wat betekende dat het probleem bij Stephan lag – wat, in die tijd, geen andere opties openliet dan kinderloosheid of adoptie. Maar Stephan was fel tegen adoptie. Hij zei dat je nooit kon weten wat er latent aanwezig was in de genen van een baby die niet van jou was. Hij was doodsbang voor een erfelijke terugslag van raciale aard, die zich pas later in het leven zou doen gelden – met alle kenmerken die erbij hoorden. En stel je voor: daar bracht het gehate zusje van je tante opeens een godenzoon ter wereld! Dat was de klap waar Nora zich al die tijd sinds die verjaardag van Dorothy schrap voor had gezet. Jouw geboorte was het startsignaal voor een totale oorlog tussen ons, hoewel er voor mijn gevoel niets veranderd was. Ik had altijd al geweten dat ze mij op zijn best als een tegenstander beschouwde, als dat al niet te zacht is uitgedrukt. Sommige mensen kunnen voorwerp van haat zijn en met liefde blijven reageren, of zo niet met liefde, dan toch op zijn minst met onverschilligheid. En dan heb je nog mensen zoals ik,' zei Clare, terwijl ze haar hoofd op een hand liet steunen. 'Ik wilde mijn zuster niet haten, echt niet. Ik wilde deugdzamer zijn dan zij, liefdevoller. Maar daar was ik niet goed genoeg voor. Haar haat wekte bij mij ook haat. Het ontbrak me aan de morele rijpheid om kwaad met liefde te beantwoorden, om op de best mogelijke manier onbaatzuchtig te zijn.'

'U zegt dat mijn geboorte het begin van een oorlog was, maar daar kan ik me niks bij voorstellen,' zei Mark, terwijl hij zich weer naar zijn moeder omdraaide en haar aankeek. 'Dat wat er op dat feestje van Dorothy gebeurd was, met die taart, dat dat invloed had op jullie verstandhouding als kinderen kan ik begrijpen. Maar als volwassenen – ze moet wel iets vreselijks gedaan hebben dat u zo over haar praat. Ik heb nooit beseft dat u haar haatte.'

'Ook hier kom jij weer om de hoek kijken, en niet alleen dat, jij bent de hoeksteen van het hele bouwwerk van wat ik niet anders kan zien – want ik moet toegeven dat het mijn subjectieve kijk op de zaak is – dan als haar vuige plannen met mij. Lach me niet uit. Je mag als kind dan bijzonder zijn geweest, je was niet oud genoeg om je ergens bewust van te zijn, en al helemaal niet om nog herinneringen aan die tijd te hebben. Je was nog geen maand oud of Nora begon geregeld naar de stad te komen en volkomen onverwacht, en op elk uur van de dag, vergezeld van de chauffeur die Stephan en zij in dienst hadden, bij ons aan Canigou Avenue binnen te vallen. Vaak had ze een camera bij zich en wilde ze met alle geweld foto's van jou nemen, haar "liefste" zoals ze je noemde – niet haar "liefste neefje" maar "háár liefste" – alsof je haar kind was, en niet het mijne. In het begin was ik beduusd, verrast, maar ik kreeg ook hoop – ik verbeeldde me dat ze de oude vete misschien wel zou loslaten en een positieve rol in ons leven zou gaan spelen. Ik hoopte ook dat haar plotselinge belangstelling voor jou misschien wel duidde op een afnemende betrokkenheid bij het gekonkel van Stephan en zijn partij. Als zij zo ver kon afdrijven vanwaar ze begonnen was, dacht ik, kon je niet weten wat er nog van mij zou worden. Als jonge mensen weten we niet dat een hergroepering op zijn tijd, na enig zwalken, niet altijd iets is om bang voor te zijn. Maar Nora had blindelings rondgezwalkt, was argeloos het zeegat uit gevaren om de eerste haven waar ze verzeild raakte als haar thuishaven te omarmen.'

'Maar die bezoekjes, en die foto's van mij – heb ik die foto's ooit gezien?'

'Ik heb ze zelf nooit gezien. Ik stel me zo voor dat ze iets boosaardigs moeten hebben gehad, en niet echt representatief waren voor hoe het bij ons toeging. Omdat ze altijd onaangekondigd kwam, op de gekste uren, trof ze vaak nogal een rommeltje aan – later ging ik begrijpen dat ze wist dat ze ons huis zo zou aantreffen, en ook niet anders verwáchtte. Ze hoopte vast dat ze jou sabbelend op een illegaal exemplaar van *Lady Chatterley's Lover* zou aantreffen. In die eerste jaren van ons huwelijk leefden je vader en ik als bohemiens. We hadden geen personeel om ons te helpen de boel een beetje op orde te houden, en ik sloofde me uit om te schrijven en voor jou te zorgen en het huishouden te doen terwijl je vader niet veel meer in huis deed dan jou paardje laten rijden en dweperig uitroepen dat je de mooiste en intelligentste baby aller tijden was. Ik weet dat hij het druk had, maar hij maakte het er niet makkelijker op.'

'Dus u hebt die foto's nooit gezien. U neemt alleen maar aan dat ze iets boosaardigs hadden.'

'Naar mijn idee heb ik ook goede redenen om dat aan te nemen. Niet lang nadat zij de deur bij ons plat begon te lopen belden mijn ouders, die toen al naar Vishoek verhuisd waren, om te vragen of alles goed was. Ze wilden weten of je vader en ik het wel aankonden. Ik zei, enigszins geschokt, dat we het wel degelijk aankonden. Ze vroegen of ze een keer langs konden komen. Ik zei dat ze altijd welkom waren, maar herinnerde ze eraan dat ik naast mijn huishoudelijke en verzorgende taken ook nog probeerde te werken. Ik dacht dat de kous daarmee wel af zou zijn.'

'Die foto's – ervan uitgaande dat die er waren – zijn niet bij opa en oma terechtgekomen?'

'Dat is het punt dat me écht van streek maakte – bang zelfs. Ik denk dat het de bedoeling was dat er om te beginnen een bepaalde stemming bij mijn ouders werd gekweekt. Een paar weken na hun telefoontje riep het hoofd van de faculteit waar je vader werkte hem bij zich en informeerde of thuis alles goed was. Hij begon over het creëren van de juiste omgeving waardoor het welzijn van een kind gewaarborgd zou zijn. En hij had het zowel over de morele als over de fysieke omgeving, alsof hij wilde suggereren dat in ons geval beide misschien wel twijfelachtig waren. Je vader verzekerde hem dat alles uitstekend was en een week later namen we onze eerste meid in dienst. Ik ben haar naam kwijt – Pamela of Pumla. Ik verstopte de riskante boeken beter dan tot

dusver, en je vader maakte een goed gecamoufleerde boeken-
kluis op de vliering boven onze slaapkamer. In zekere zin had
Nora ons een plezier gedaan. Toen de politie inderdaad aan de
deur kwam, konden ze niks vinden. We trokken een doorsnee
burgerlijke façade op waar, zo op het oog, niemand enig vraagteken bij kon zetten. Mede dankzij de pesterijen van Nora hadden
we onze zaakjes keurig voor elkaar.'

'Maar u hebt geen feitelijke bewijzen dat ze zich tegen derden
negatief over jullie heeft uitgelaten. U gaat alleen uit van –'

'Jij hebt je tante niet gekend, schat. Ik moet je vragen op mijn
versie van het verhaal te vertrouwen.'

'Dat lijkt me anders hoogst subjectief, voornamelijk gebaseerd
op gissingen. Het klinkt niet alsof u iets anders hebt dan indirecte bewijzen. Hebben uw ouders of het hoofd van die faculteit
ook iets over foto's gezegd?'

'Nee, maar...'

'Dus de kous was toch af.' Mark klonk alsof hij meer dan genoeg had gehoord. Clare vroeg zich af of hij voor de rechtbank
net zo strijdlustig was als hier bij haar. Geen wonder dat hij het
zo goed deed.

'Nee, de kous was niet af. Een maand nadat je vader dat onderhoud had met zijn faculteitshoofd, kwam er een soort maatschappelijk werkster bij me op bezoek. Ze kwam onaangekondigd, maar alles was keurig in orde, schoon, opgeruimd, alles op
zijn plek, een toonbeeld van burgerlijke perfectie, en daar hadden we ook heel wat voor overgehad, let wel. De vrouw veront-
schuldigde zich en ging weer weg nadat ze een halfuur met mij
had gebabbeld, met jou gespeeld, en geweigerd elke vraag van
mij te beantwoorden. Een week later stond de politie op de
stoep, met de mededeling dat ze een tip hadden gekregen dat wij
een kind verwaarloosden. Ze vonden niets, boden hun verontschuldigingen aan en lieten ons verder met rust.'

'En u gaat ervan uit dat dat Nora was.'

'Dat kan niet anders.'

'Zou het niet iemand geweest kunnen zijn die een appeltje te schillen had met pa, of met u, of zelfs met grootvader?'

'Ik neem aan dat dat niet onmogelijk is, maar Nora is de meest voor de hand liggende tipgeefster. Hoe dan ook, toen geen van die interventies het vereiste effect had begon ze weer pogingen te doen om langs te komen, en stond ze weer op de onmogelijkste tijdstippen op de stoep. Tegen die tijd had ik er geen moeite meer mee om haar de deur te wijzen, maar ik was inmiddels ook als de dood dat ze niet zou ophouden voor ze had wat ze eigenlijk wilde.'

'En dat was?'

'Snap je dat niet? Ze wilde mij uit de ouderlijke macht laten ontzetten, ze wilde jou van me afnemen en als haar eigen kind opvoeden. Als ze dan geen eigen kind kon krijgen, wilde ze een kind met althans een deel van haar genen. Ik begon te begrijpen dat als ik jou wilde houden, ik je koste wat het kost zou moeten verdedigen. Ik moest van haar af zien te komen. Ik moest haar laten verdwijnen.'

Het water kookte en Clare vond in de kast een pot instantkoffie. Ze moest de instructies op het etiket lezen en wist niet goed wat een theelepel was, of dat een strikt formele eenheid was zoals haar moeder haar ooit in de keuken geleerd had, of het informele gebruiksvoorwerp van wisselende afmetingen dat de meeste mensen gebruikten. Ze ging uit van het laatste en deed twee schepjes van de koffiekorrels in elk kopje – zo dronk Adam het, hoewel hij ook altijd drie klontjes suiker wilde. Het water kookte, ze schonk het op en liet in één kopje nog ruimte voor melk. Zelf dronk ze haar koffie liever zwart. Ze zocht in de provisiekast naar suiker maar kon niks vinden, bedacht dat het misschien in het kastje naast het fornuis lag, maar daar was het ook niet. Toen schoot haar te binnen dat er een aantal bussen op het aanrecht stonden. Met koeienletters stond er inderdaad 'Suiker' op één daarvan, pal naast de ketel nota bene. Ze moest Marie eens vragen in alle kasten gedetailleerde inventarislijsten op te hangen. Een bibliotheek heeft een catalogus, dat zou een keuken ook moeten hebben.

Ze vond twee schenkbladen in de hoekkast in de zitkamer en zette de kopjes op de koffietafel. Mark zat naar het nieuws te kijken en had niet eens opgekeken toen ze binnenkwam.

'Ik hoop dat het goed is zo,' zei ze, naar de koffie wijzend. 'Ik ben niet zo thuis in de keuken.'

'Dank u, het zal vast wel goed wezen.' Hij sprak zonder haar aan te kijken, zijn blik op het beeldscherm gericht. Zonder aan hem te vragen of hij er bezwaar tegen had deed Clare de televisie uit.

'Kun je niet met me praten alsof je mijn zoon bent, in plaats van een toevallige gesprekspartner?'

Mark zuchtte, nipte van zijn koffie en zette het kopje toen neer met een klap die Clare verraste. 'U verwacht wel heel veel verschillende rollen van mij, moeder. U lijkt niet alleen van me te verlangen dat ik voor biechtvader en rechter speel, ik moet ook nog eens uw kind zijn. Soms vraag ik me zelfs af of het niet stiekem ook de bedoeling is dat ik de laatste man in uw leven ben. Maar dat kan ik niet allemaal tegelijk zijn. Als het een biechtvader of rechter is waar u momenteel het meeste behoefte aan hebt, dan zou ik dat waarschijnlijk wel kunnen zijn. Maar als u een kind wilt, die rol kan ik echt niet meer spelen. U hebt ons niet opgevoed tot warmte of hartelijkheid. Hebt u nog meer te bekennen ten aanzien van tante Nora? Zijn er nog andere gruweldaden waarvan u het idee hebt dat u ze aan me kwijt moet?'

'Als je jezelf ertoe kunt zetten naar deze oude vrouw te luisteren: er is nog wel iets, als je het horen wilt,' zei Clare. Haar eigen stem klonk haar broos en bijna vals in de oren.

'Natuurlijk kan ik dat, moeder. Dat is helemaal niet wat ik bedoelde. Ik ben moe, het spijt me als het er een beetje stroef uitkwam. Zo was het niet bedoeld.'

'Wat nog resteert van de Nora-kronieken zijn de precieze om-

standigheden waaronder ik mijn verraad heb gepleegd, als je iemand die objectief gezien al je vijand is tenminste kunt verraden. Na haar campagne tegen mij –'

'Zoals u het althans hebt opgevat.'

'Goed, na wat voelde als haar campagne tegen mij, of wat voelde als haar poging mij als ongeschikte moeder uit de ouderlijke
macht te ontzetten – daarna gebeurde er iets wat mij goed uitkwam. Zoals je weet was Stephan meer dan een rijzende ster in
de partij, hij was eerder zoiets als de verhoopte Messias, en laat
hij nou benoemd worden op een diplomatieke post waarvoor
Nora en hij naar Washington moesten verhuizen. Ik kan je niet
uitleggen hoe opgelucht ik was dat ze naar het buitenland zouden gaan. Eindelijk, dacht ik, Nora verdwijnt uit mijn leven! Bijna een jaar ging in een weldadige rust voorbij en toen hoorde ik
op een dag van Nora zelf dat Stephan en zij weer terugkwamen,
en dat ze een paar nachten in Kaapstad zouden blijven alvorens
door te reizen naar Pretoria. Stephan kreeg een belangrijke post
binnen de regering en alles wees erop dat hij te zijner tijd misschien ook wel president zou kunnen worden, liet Nora mij
weten. Je begrijpt dat het vooruitzicht dat Nora weer terug zou
keren, en dat Stephan nog weer promotie zou maken, mij met afgrijzen vervulde. Ik zag al voor me dat ze alles in het werk zou
stellen om jou van mij af te pakken, en ik had nog maar net opgehangen of ik begon al plannen te maken voor onze emigratie, ervan uitgaande dat dat de enige manier zou zijn om jou uit haar
handen te houden.'

'En hebt u ze nog gezien toen ze weer in Kaapstad waren?'

'In zekere zin wel,' zei Clare. Het beeld van de gezichten van
Stephan en Nora zoals zij ze voor het laatst had gezien stond
haar opeens weer even helder voor ogen. 'De dag voor ze terugkwamen ging ik naar een bijeenkomst van een van de groepen
waar ik me bij had aangesloten. Dat was voornamelijk een soort
praatgroep voor gelijkgestemde radicalen. Het was tamelijk los-
vast allemaal, die groep had ook geen naam of zoiets. Ik wist niet

veel van de andere leden, ik wist weinig meer dan dat het allemaal jonge mannen en vrouwen waren die elkaar vonden in hun
afschuw van onderdrukking. Er gingen geruchten dat een van
hen, een man die zelden iets zei, misschien wel banden had met
MK, of zelfs kaderlid was – de organisatie was op dat moment
net opgericht. Ik kan me zijn naam niet meer herinneren, misschien heb ik zelfs wel nooit geweten hoe hij heette, dus ik kan
er verder ook weinig over zeggen. Iedereen wist dat ik een zuster
was van Nora en op een of andere manier kwam in de loop van
het gesprek Stephan ter sprake. Dit was een kans, leek mij, om
aan die mensen voor wie ik respect had te laten zien dat ik interessant was, en me in het geval van de man die zelden iets zei, en
die misschien wel maar misschien ook niet betrokken was bij de
gewapende tak van de bevrijdingsbeweging, wellicht zelfs nuttig
te maken. Ik zei dat mijn zuster en zwager weer terugkwamen,
dat Stephan een hoge functie in Pretoria kreeg en dat ze de volgende dag in Kaapstad zouden aankomen en een paar dagen
zouden blijven. De man die zelden iets zei keek opeens een stuk
geïnteresseerder en vroeg of ze dan bij mij zouden logeren. Ik zei
van niet en vertelde dat ze naar een hotel in Constantia zouden
gaan. Ik gaf hem ook de naam van het hotel, en terwijl ik dat
deed besefte ik dat het heel wel mogelijk was dat ik het leven van
mijn zuster in de waagschaal stelde. Nora had aan de telefoon laten doorschemeren dat er geen ruchtbaarheid aan hun terugkeer werd gegeven en dat het adres waar ze zouden verblijven
ook geheim werd gehouden omdat Stephan doodsbedreigingen
had ontvangen. Er hadden verhalen in de kranten gestaan over
Stephan en zijn activiteiten in Washington, verhalen over het
geld dat hij had weten los te krijgen van internationale investeer-
ders en het IMF – daar was allemaal ruimschoots aandacht aan
besteed, op kritische toon door hen die de moed hadden zich kri-
tisch uit te laten, en op juichende toon door de diverse spreekbuizen van het establishment. Ik wist dat ik, door niet alleen
hun plannen, maar ook hun adres in Kaapstad prijs te geven, zo-

wel mijn zwager als mijn zuster in gevaar kon brengen. Maar in plaats van dat ik wroeging had, maakte zich een enorme opwinding van me meester en zelfs een soort extatische angst, dat ik mezelf niet alleen de vrouw van een academicus en moeder had betoond, niet alleen een schrijfster die nog nooit iets gepubliceerd had, maar iemand die over kennis en informatie beschikte, die wist wanneer die kennis misschien nuttig zou zijn, en die niet bang was daarnaar te handelen. De man die zelden iets zei bedankte me voor de interessante informatie en we gingen door op andere zaken.'

'En in de dagen daarna...?'

'Twee dagen daarna waren ze dood. De politie stond midden in de nacht op de stoep en nam me mee om hun lichamen te identificeren. Hun gezichten waren verminkt. Hun vermeende moordenaar, John Dlamini, was een man die ik nooit ontmoet had op de bijeenkomsten die ik inmiddels had bijgewoond, en het was zeker niet de man die zelden iets zei en van wie het gerucht ging dat hij bij MK betrokken was. Dlamini werd, zoals je weet, niet veel later gearresteerd en in tegenstelling tot andere politieke moordenaars of would-be moordenaars in dit land – Tsafendas en Pratt, om er twee te noemen – werd hij niet ontoerekeningsvatbaar verklaard en prompt ter dood veroordeeld. Hij voerde niet aan onschuldig te zijn en beweerde ook niet door een buitenlands orgaan te zijn aangestuurd (menselijk dan wel dierlijk dan wel Zuid-Afrikaans), maar hield vol dat hij alleen had gehandeld en slechts het toonbeeld van de apartheidsstaat had willen vernietigen, of iets van die strekking. Hij stierf in zijn cel voor de executie kon worden voltrokken.'

'En daarmee eindigt uw verhaal?'

De kilte in zijn stem, de abrupte klap van zijn woorden in de kamer wekte Clare uit de roes van haar verhaal. Ze keek naar haar schoot en zag dat haar handen beefden. 'Ik dacht het wel. Ga je me nu aan een kruisverhoor onderwerpen? Ga je andere getuigen oproepen?'

'Er kan geen sprake zijn van een proces als er geen misdaad is gepleegd. Als u al iets bent, dan is het een roddelkous, en uw geroddel heeft de dood van twee mensen ten gevolge gehad, van wie ten minste één volmaakt onschuldig was.'

'Je bedoelt je tante Nora.'

Clare keek toe terwijl Mark zijn handen vouwde en zijn wenkbrauwen optrok. Ze wist wat hij van haar moest denken, dat ze een monster was, dat hij nooit meer van haar zou kunnen houden, ervan uitgaande dat hij dat ooit gedaan had. Hij slaakte nog een zucht en ze vroeg zich af of hij, in zijn gesprekken met cliënten, met regelrechte criminelen, ook zo openlijk blijk gaf van zijn teleurstelling en zijn ergernis. Ze hoopte voor de onschuldigen van niet.

Eindelijk, knipperend met zijn ogen in iets wat op woede leek, nam hij het woord. 'Nora heeft niks verkeerds gedaan, afgezien van haar pogingen zich met uw leven te bemoeien en problemen te veroorzaken. Bij mijn weten had ze geen politieke functie. Als we iedereen om zeep hielpen die ordinair onheil stichtte, zouden we binnen de kortste keren de halve planeet hebben uitgeroeid. Maar ik heb zo het idee dat u dat niet eens zo'n gek idee zou vinden.'

Clare

Het beeld van jou, naakt in een kooi in de brandende zon, vastgebonden en wachtend tot de zee je zou opslokken als voer voor de roofdieren, is niets meer dan een beeld. Als je gepakt bent, mag ik toch hopen dat je lot prozaïscher was. Dan zullen ze je toch naar de vrouwengevangenis in Johannesburg hebben gebracht, waar je eerst een tijd in een cel je proces zult hebben afgewacht, om vervolgens voor te komen en je straf uit te zitten, ervan uitgaande dat je niet ter dood werd veroordeeld, in een van de weinige relatief comfortabele, witgepleisterde kamertjes.

Ik ben daar niet zo lang geleden nog een keer geweest, in die gevangenis die nu een museum is. Ik heb geprobeerd me jou in die ruimte voor te stellen, je eigen magere, lenige lijf in gevangenschap op de proef stellend. Daar, in die gevangenis, zou je in elk geval bereikbaar zijn geweest. Als je was gearresteerd en opgesloten in die gevangenis, zou ik misschien een manier hebben gevonden om een bijdrage te leveren aan je verdediging, zou ik misschien weer met je hebben gecorrespondeerd, je weer hebben gezien, je beter hebben leren kennen, en alles hebben kunnen goedmaken wat ik had nagelaten, je weer van me hebben kunnen laten houden. Ik zou het weer hebben goedgemaakt, mijn spijt hebben betuigd, je vergiffenis hebben gevraagd voor alles wat ik je had misdaan.

Tijdens mijn bezoek aan het museum werd ik ternauwernood geraakt door de cellen die ooit voor blanke vrouwen gereserveerd waren, en al evenmin door hun verhalen. Vergeleken bij de zwarte vrouwen, die zaten opgesloten onder omstandigheden die nog niet eens voldeden voor honden, omstandigheden die zelfs ratten op de proef zouden hebben gesteld, genoten blanke vrouwen daar een betrekkelijk comfort.

Ik heb naar je naam gezocht in de geschiedenissen van dissidenten die in het museum verteld werden, maar kon niet de minste verwijzing vinden. Je bent niet gerehabiliteerd. Ze hebben geen heldin van je gemaakt. De heiligen van de strijd tegen de apartheid zijn degenen van wie we weten dat ze vermoord zijn, en degenen die het overleefd hebben en getuigen konden van hun eigen heiligheid.

Maar misschien is mijn nachtmerrieachtige beeld helemaal niet zo vergezocht. Er zijn geheimen die begraven blijven liggen in de geschiedenis van dit land, mensen die ontvoerd zijn en nooit gevonden, lijken in anonieme graven waarvan de locatie is vergeten dan wel verdrongen, levens waar nooit rekenschap over is afgelegd, verdwijningen die nooit zijn opgehelderd. Misschien ben je wel degelijk ontkomen, naar Lesotho of Zimbabwe of Mozambique, of over de grens met Swaziland of zelfs de Transkei geglipt, en ben je daar ontvoerd en weer teruggebracht, of ter plekke vermoord.

Ik zie je in een baai aan de noordkust van Natal, in een van die oude, geheime inrichtingen, je bleke huid verbrand en verwoest, je hoofd onder water, je lichaam kapot van de elektrische schokken, je armen uit de kom, polsen en enkels opengereten. Je folteraars zagen je niet meer als een medemens, niet eens als een dier, maar als iets buitenaards, een monster dat zichzelf een gestolen leven had ingeblazen. Ze doodden niet zomaar uit onverschilligheid, die mannen, en niet alleen uit haat – maar ook uit angst.

In tegenstelling tot je laatste aantekenboekje, met het relaas van je reis met Sam in die laatste dagen voor je verdwijning, is er in dit oudere boekje geen sprake van een doorlopend verhaal. Het is veeleer een verzameling fragmenten: aantekeningen over je werk, de verhalen die je aan het schrijven was voor de krant, en

beknopte dagboekaantekeningen over je leven. Of je een geliefde had weet ik niet, je zegt er in elk geval niets over.

Je werk bij *The Cape Record* legde steeds meer beslag op je tijd.
Je had geen speciaal terrein, zoals misdaad of onderwijs of arbeid, het soort onderwerpen waar zich het echte nieuws voor-
deed. Je zat min of meer vast in de pool van algemene verslaggevers, en moest voornamelijk verslag doen van wat de pers altijd
'humaninterestverhalen' heeft genoemd: de bijzondere rozen
die een huisvrouw heeft gekweekt ter nagedachtenis van haar
overleden man en die haar een prijs hebben opgeleverd, een actie om, met de winter in het vizier, dekens in te zamelen voor armen en daklozen, het persoonlijke verslag van een meisje dat als
enige een bootongeluk bij Noordhoek heeft overleefd.

De meeste dagen bleef je lang op de redactie zitten om verhalen af te maken, andere dagen was je er voor het goed en wel licht
was. Je begon in de weekenden en met feestdagen te werken
toen je chef je onder dreiging dwong meer te doen dan van je gevraagd mocht worden, vrijpostige opmerkingen maakte en zei
dat hij je als een dochter beschouwde. Je maakte overuren, niet
om hem, maar om het werk – je hoopte dat als je liet zien wat je
kon, je interessanter nieuws zou mogen verslaan.

Als je dan nog wat vrije tijd had, ging je met Peter en Ilse om.
Soms ging je bij hen eten, of anders nodigde je ze in je eigen appartement uit waar je, culinair al even onbeholpen als je moeder,
eieren bakte en op geroosterd brood serveerde, met veel te veel
chutney en gesmolten kaas. Je had geen andere vrienden, afgezien van iemand die je X noemt, en met wie je minstens een keer
per week telefonisch contact had. Ik neem aan dat dat een
vriendje van de universiteit is geweest, iemand die nog in Grahamstown zat, misschien zelfs een hoogleraar, zo'n man als je vader die niet van zijn studentes af kon blijven.

X stelde voor dat je ging joggen, voor de ontspanning en een
betere conditie. 's Avonds rende je minstens drie keer per week
door woonbuurten in Observatory en Rondebosch. Op een

avond duwde een of andere dronkenlap die wel van de bergen leek neergedaald je opeens in de schaduw tegen een muur aan, vlak om de hoek van waar je woonde. Hij was groot, maar zo beneveld dat je hem makkelijk af kon weren, je gaf hem een knietje en trok de vingers van één hand zo ver naar achteren dat ze braken, waarna je zijn hangende vingers tot moes kneep alsof je een sinaasappel uitkneep. Je rende naar huis terwijl hij om de politie schreeuwde, alsof die hem zou moeten beschermen in plaats van jou.

Hoewel je verbaasd opkeek van je eigen kracht, ging je na het incident met die dronkenlap alleen nog maar overdag hardlopen, 's morgens, voor je naar je werk ging. Je deed opdruk- en opzitoefeningen en hield bij hoeveel je daar dagelijks van deed. Je hield nauwkeurig bij wat je allemaal at, alsof je in training was voor de Olympische Spelen. Je kocht een weegschaal waar je iedere morgen op ging staan.

Op een avond hielp je Peter stapels pamfletten in de stad te verspreiden, hopend dat je niet gepakt zou worden. Als de geheime politie dit boekje had ontdekt, zouden de weinige details die je gaf van die ene avond misschien wel de enige aanwijzing zijn geweest dat je betrokken was bij illegale praktijken. Je woorden zijn zo omzichtig dat ik me af en toe afvraag of het wel jouw woorden zijn en niet de woorden van iemand anders die jouw handschrift nabootste en bij jou aan de touwtjes trok.

Al die dingen vertelde je nooit aan ons in de tijd dat ze speelden, je wist dat we je gesmeekt zouden hebben om voorzichtig te zijn, om goed op jezelf te passen en geen gekke dingen te doen. We slaagden er maar niet in te zeggen wat jij wilde horen. Ik herinner me een zondag in de herfst van dat jaar, toen je je verwaardigd had om bij ons te komen lunchen. Het was de eerste keer dat ik je zag sinds je weer in de stad woonde. Toen ik vroeg of ik een keer bij jou thuis kon komen verzon je allerlei smoesjes – het was een rotzooi, zei je, niet het soort huis waar ik me op mijn gemak zou voelen. Tegen die tijd woonde Mark al in Johannesburg, dus we zaten met zijn drieën in de eetkamer te eten. Je vader vroeg of je veel vrienden had gemaakt bij de krant.

'Ik heb een oud-studente van je ontmoet, Ilse. Ze is freelancer.'

William, dat weet ik nog, probeerde te kijken alsof het hem niks deed. 'O ja? Hoe is het met haar?' vroeg hij, terwijl hij naar zijn bord keek.

'Ze is getrouwd,' zei jij. Ik wist wat dat betekende en vroeg me af of jij het ook wist. Ik zorgde dat er snel een eind aan die lunch kwam.

Achteraf vraag ik me toch af of ik je haat om alles wat je voor me geheim hebt gehouden.

Terwijl sommige van je collega's werden aangehouden en opgebracht, vastgehouden zonder proces, beschuldigd van vergrijpen die zowel triviaal als absurd waren, bleef jij net zo onaangeroerd door de chaos als de meesten van ons, veilig opgeborgen als we waren in onze blanke straten. Jij kwam nooit verder dan de humaninterestverhalen, in zijn algemeenheid onbeduidend werk, terwijl anderen zich in wolken traangas wierpen en zich alle moeite getroostten om zoveel waarheid te publiceren als ze maar voor elkaar konden krijgen onder de steeds stringentere regels en restricties die het regime de pers oplegde. Sommigen kregen een boete, anderen zaten maanden of zelfs jaren vast, enkelen stierven. Anderen hadden nog het geluk weg te komen met vernieling van hun eigendommen of wat anonieme doodsbedreigingen aan hun adres. Redacteuren van jouw krant, die zelf al dan niet met hun naasten bedreigd werden, herschreven allerlei verhalen zodat ze meer vérhulden dan ónthulden. Degenen van ons die dergelijk nieuws lazen mochten zelf de puzzelstukjes in elkaar leggen en uit de spaarzame en verwarrende berichtgeving (surreële bekentenissen, bijvoorbeeld, dat details en doel van een bepaalde bijeenkomst niet konden worden onthuld maar dat die bijeenkomst niettemin had plaatsgevonden) opmaken dat er een vreedzame demonstratie was geweest in Adderley Street die op politiekogels was onthaald.

En toch ging jij, Laura, door met het schrijven van verhalen over hoogbegaafde kinderen en uitzonderlijke huisvrouwen. 'Misschien,' schreef je in je schrift, 'zullen ze me uiteindelijk wel iets belangwekkenders toevertrouwen.'

Maar promotie, en meer vrijheid, bleven uit. Je trok op met Peter en Ilse en hun vrienden en bekenden. In stilte vergaarde je aantekeningen over Rick Turner, en toen dat onderwerp was uitgeput, en je geen antwoorden had gevonden en niet wist waar je je anders zou moeten wenden in je zoeken naar waarheid, verbreedde je je horizon. Ik lees het met afgrijzen: 'Onopgeloste moorden. Robert Smith. Rick Turner. Stephan Pretorius. Nora Boyce Pretorius.' Van een individu stapte je over op een thema, raakte je geobsedeerd door de doden, aan welke kant ze ook mochten staan.

Maar in tegenstelling tot Smith en Turner, wier dood objectief gezien onopgelost en onopgehelderd bleef, kreeg de moord op je oom en tante ruimschoots juridische aandacht. Een man bekende en werd schuldig bevonden. Toch was er iets aan de uitspraak wat voor jou onbevredigend was, alsof je intuïtief aanvoelde dat het verhaal van hun dood een dekmantel was die het echte verhaal, het verhaal daaronder en daarachter, aan het oog onttrok.

Met X besprak je telefonisch je frustraties.

'Ik wil belangrijker werk doen. Ik krijg geen enkele armslag. Als ik iets bedenk, moeten zij daar eerst hun goedkeuring aan hechten. Meestal spelen ze mijn ideeën door aan andere verslaggevers en laten ze het nieuws dat er niet toe doet aan mij over. Ik zei dat ik onderzoek wilde doen naar de moord op Turner, maar daar moesten ze alleen maar om lachen. Dat was oude koek, oud nieuws dat geen mens wilde horen. Ik heb hun vertrouwen niet weten te winnen.'

'Als het niks wordt, moet je er misschien mee kappen,' zei X. 'Zoek een directere uitlaatklep voor je betrokkenheid. Ga voor een van de alternatieve kranten werken. Laat je door Ilse aanbevelen, bij *Grassroots* of *The New Nation* of *South*. Misschien is *The Record* wel te tam. We hadden het kunnen weten dat ze iemand als jij niet de ruimte zouden geven.'

De week daarop nam je ontslag bij *The Record*, alsof je had zitten wachten op de toestemming van die man, die voormalige minnaar – toestemming om vanaf de veiligheid en fatsoenlijkheid van de achterste rijen naar voren te komen, je plaats op te eisen in de orkestbak en zelf de trom te roeren.

Omdat je niet wist waar je anders heen zou moeten, ging je naar Peter en Ilse en zei: 'Ik ben er klaar voor. Ik wil meer doen.' Ilse nam je in haar armen en hoewel je nog steeds niet zeker van haar was, nog altijd een lichte irritatie voelde om de vrijheid waarmee ze haar leven leidde, in de verwachting dat andere mensen haar rotzooi wel zouden opruimen, was je er toch van overtuigd dat zij samen de weg wezen die jij was voorbestemd te volgen.

Beste Sam,

Dank voor je genereuze bericht over *Absolutie*. Ik ben blij dat je het – met enige wellevendheid, vrees ik – een niet geheel oninteressant uitstapje vindt naar dat al zo goed in kaart gebrachte land van louter levensbeschrijving dat ik beweerde te minachten en te wantrouwen. Je ziet hoe onbetrouwbaar ik ben.

Wat betreft de spreekbeurten in mei. Ofwel ik heb op dat gebied niks meer in te brengen, ofwel ik ben gewoon te moe om ertegen te vechten zoals ik dat ooit wel kon. Volgens mijn agente is dat de enige manier waarop je tegenwoordig nog kunt functioneren – en daar bedoelt ze mee dat alleen degenen die als waarachtig uitzonderlijk worden beschouwd, de kluizenaars (voornamelijk mannen, valt mij op, de meeste dood of op sterven na dood), nog ongestraft nee kunnen zeggen.

Voor het Winelands Literatuurfestival zitten we twee nachten in een hotel in Stellenbosch, aangezien de organisatie me gestrikt heeft voor een lezing, een signeersessie, een paneldiscussie, en zelfs een pantomimevoorstelling als ik me niet vergis, alles uitgesmeerd over drie dagen. Mijn agente wilde me ook nog naar Amerika hebben, maar daar heb ik bezwaar tegen gemaakt. Daar ben ik te oud en te broos voor, zei ik, en dat leek ze te accepteren. Zulke excuses gaan er thuis niet in. De waarheid is dat ik de pest heb aan reizen en de hele papierwinkel (raar woord voor een rare bezigheid) die er tegenwoordig onontkoombaar mee gepaard gaat: reizen is steeds meer een kwestie van achter allerlei papieren aan hollen. In een moment van zwakte, met het idee dat ik te moeilijk deed, en mijn broze gezondheid overdreef, heb ik de visumaanvraag voor een bezoek aan jouw tweede vaderland bekeken en kwam ik erachter dat ze ook de naam van mijn stam wilden weten. Ik had de neiging er een te verzinnen en het formulier voor de lol in te sturen, maar bedacht me, uit vrees dat ik misschien wel zou worden gearresteerd en opgesloten of overgebracht naar een geheime basis.

Hoe druk het vast ook zal zijn op dat festival, ik zal niettemin ruimschoots de tijd voor je hebben, wees maar niet bang (ik heb zo'n vermoeden dat je een groot deel van je leven in angst leeft; is dat onbillijk?). Wat ik bedoel is: bijna het enige aan dat reisje waar ik me op verheug is het vooruitzicht jou weer te zien.

Hartelijks,
Clare

1999

Omdat het al donker was toen ze landden en ze gewaarschuwd waren dat de weg naar de stad 's avonds en 's nachts niet veilig was, logeerden ze die nacht in het hotel op de luchthaven. De kamer was klein maar prima en de piccolo zette hun koffers neer met een zwierig gebaar dat in die strikt functionele setting een beetje misplaatst leek. Sarah gaf hem een fooi van honderd rand waarop hij zowel dankbaar en verbaasd als argwanend keek, alsof dat geld een soort valstrik was. Sam knikte vertrouwelijk naar hem om aan te geven dat het in orde was, dat hij het gewoon kon aannemen. Het maakte niet uit dat vijf of tien rand ruimschoots voldoende zou zijn geweest.

Ze keken naar het nieuws en Sarah was verbaasd dat ze kon verstaan wat er gezegd werd. 'Ik dacht dat het allemaal vreemd zou zijn.'

'Wacht maar op het Xhosa nieuws,' zei Sam, en hij gaf haar een por tussen de ribben. 'Daar begrijp jij geen woord van.'

Ze probeerde de Afrikaanse bordjes her en der in de kamer uit te spreken en hij schoot telkens in de lach om haar foute uitspraak, zo vertederend fout met die harde medeklinkers en afgeronde, melodieuze klinkers. 'Vlakker,' zei hij, 'de klinkers moeten vlakker, en de "g" is een "ch" als in Bach.'

'Bahk,' zei ze. 'Bahk.'

Het verbaasde hem dat ze het verschil niet eens hoorde.

De volgende morgen bij het ontbijtbuffet nam hij haar weer nauwlettend op. Er was sap in plastic containers, er waren droge croissants, eenpersoonsdoosjes met allerlei Amerikaanse graanproducten, eieren die eruitzagen alsof ze een dag eerder waren gekookt en weer opgewarmd, toen vergeten en nog een keer in vet opgewarmd. De koffie smaakte alsof hij om acht uur al zeker twee uur stond te pruttelen. Een verse fruitsalade was het enige echt plaatselijke dat er te krijgen was, maar die was tenminste goed. Sam geneerde zich maar Sarah at zonder te klagen en wekte niet de indruk dat ze iets miste.

'Dit is niet representatief,' zei hij. 'Het eten is meestal goed in Zuid-Afrika. Dit is vreselijk.'

'Het is prima, Sam. Ik voel me hier thuis.'

Hij dacht aan de ontbijten die zijn moeder en tante ooit bereid hadden, de gebruikelijke opeenvolging van gangen: eerst sap en cornflakes (in de winter havermout), dan fruit, gevolgd door een ei en een worstje en soms wat schijfjes gebakken aubergine, en tot slot geroosterd brood met zelfgemaakte jam en een pot sterke thee. Het ontbijtbuffet in dit hotel was een povere kennismaking; hij wilde graag dat Sarah van zijn land hield, al was het doel van hun reis nou niet bepaald vermaak en kwam ze hier niet om de toerist uit te hangen die hoopte voor weer een nieuwe bestemming te vallen. Er was niks vermakelijks aan wat er gebeurd was en terwijl hij daarover nadacht voelde hij zich gespannen worden. Hij legde zijn reacties onder een vergrootglas – hij verwachtte eerder dreiging dan dat hij hoopte dat alles goed zou komen. Een slachtoffer was zelfgenoegzaam, een overlevende waakzaam. Hij was opgegroeid in een soort oorlog, en het was lastig om steeds te bedenken dat dat voorbij was. Overal loerde gevaar. Als student in Port Elizabeth had hij geleerd kleefmijnen te herkennen en die kennis en de bijbehorende reflex hadden hem nooit verlaten. Elke keer dat hij een voertuig naderde of een gebouw binnenging, voerde een deel van zijn hersens automatisch een scan uit en zocht op de tast naar een bekende vorm. Voor je zelfbehoud moest je alle frequenties afzoeken, met speciale aandacht voor de noodfrequenties, je moest alle binnenkomende berichten ontvangen en niets negeren dat op de aanwezigheid van gevaar zou kunnen wijzen. Als je openstond voor morseberichten, rooksignalen, het geluid van stemmen in de verte, roffelende voetstappen, had je een grotere kans om de strijd te overleven.

Er was veel verkeer de stad uit en in de Huguenot Tunnel stond een file. In de Hex River Valley werd de weg geblokkeerd door een vrachtwagen die plotseling was uitgeweken voor een kudde geiten en geschaard. De vrachtwagen had de dieren inderdaad ontweken maar de herder aangereden. Die lag dood op de andere rijbaan. Met alle oponthoud deden ze bijna een dag over de vierhonderdvijftig kilometer naar Beaufort West, de plaats waar Sam zich nooit thuis had gevoeld maar waar hij nu de rechtmatige eigenaar van een huis was. Vlak voor de afslag naar Karoo National Park nam hij het stuur weer van Sarah over en reed hij langzaam de stad in.

'Eén kilometer te hard en ze houden je aan,' zei hij. 'En als we dan toch worden aangehouden, heb ik liever dat ik achter het stuur zit.'

Het huis zag er nog net zo uit als een jaar eerder. Bosjes witte ooievaarsbek stonden in bloei en het gazon was onlangs nog gemaaid. Alleen het stof op het pad, nog meer stof en dode bougainvilleblaadjes op de veranda en een laagje stof op de ramen en luiken verried dat er al bijna een week niet naar was omgekeken. Sam streek met een vinger over de deurpost met een geelbruin poederlaagje op zijn vingertop als resultaat. De natuur zou het hier met een adembenemende snelheid overnemen. Je moest op allerlei manieren en in allerlei opzichten alert blijven.

Toen ze de voordeur opendeden, drong de stank langzaam in zijn neusgaten door, en toen die zich daar eenmaal genesteld had nam hij zijn hele lichaam in de greep en drukte hem fijn in een afschuwelijke omarming. 'Wacht jij hier,' zei hij, naar adem happend, en hij liet Sarah in de hal staan. Het was de stank van oververhit bloed, van feces, urine en stof, van kruit en leeg gekieperde laden. In het begin had hij slechts een fragmentarisch beeld van de puinhoop in Ellens slaapkamer, met een rorschach-vlek van twee jankende geiten in het midden die aangaf dat er een explosie had plaatsgevonden. Of de politie hier sporenonderzoek had verricht was niet te zien. Het was één grote chaos, alles lag door elkaar in een mate van wanorde die onomkeerbaar leek. Hij bedacht hoe zijn eigen huis eruit had gezien nadat de politie erdoorheen was geweest.

Onwillekeurig bekeek hij de situatie in het licht van een van de laatste boeken van Clare, waarin een boer, na een weekend van huis in verband met een landbouwtentoonstelling in een andere plaats, weer thuiskomt en het in stukken gesneden lichaam van zijn vrouw op bed aantreft, haar ledematen neergelegd in de vorm van een vraagteken.

De rorschachvlek begon te bewegen en werd opeens een drie-koppige hond in een steegje tussen twee huizen. Er was een raam opengelaten, de wind blies stof en beweeglijkheid naar binnen. Hij liep voorzichtig naar het raam, pakte de tralies, die bedekt waren met een laagje gruis, en keek naar de tuin. Het raam ging dicht met een geluid als van een stapel boeken die op de grond valt, het stof in de vensterbank werd even door elkaar geschud en bleef toen weer liggen. Hij keek nog eens naar de vlek, haalde vluchtig adem en voelde een opwelling van misselijkheid. Het zou tot de volgende dag moeten wachten. Hij trok de deur achter zich dicht. 'Er is hier niemand,' riep hij naar Sarah, en besefte meteen hoe onnozel dat klonk.

Het nummer van Sam en Sarah had op een briefje gestaan dat aan de koelkast was geplakt, het eerste van een lijst nummers die in geval van nood gebeld moesten worden. Daarna kwam het nummer van haar huisarts, van wat collega's op school, een paar vriendinnen en enkele vrouwen die ze van de kerk kende. Het was geen lange lijst. Sam was haar enige familie, en toen hij de andere namen bekeek, die hem voor het merendeel weinig zeiden, besefte hij dat hij nu helemaal alleen op de wereld was. Er was niemand meer die hij midden in de nacht kon bellen, niemand bij wie hij thuishoorde, niemand die op grond van verwantschap, zo niet met het wetboek in de hand, kon worden gedwongen tenminste enige verantwoordelijkheid voor hem te nemen. Thuis was een huis geworden dat van hem was, maar waar geen mensen woonden. Het bloed klopte in zijn oren; weer thuisloos zijn vervulde Sam met een nieuw soort doodsangst.

'Waarom zitten er sloten op de koelkast en op alle kastjes?' Sarah stond in de keuken, met een hongerige en angstige blik in de ogen. Sam diepte een etui met een stuk of vijf, zes sleutels uit zijn rugzak op.

'Ik weet niet welke sleutel waar op past,' zei hij. 'Je zult ze allemaal moeten proberen. Ik dacht dat de goudkleurige van de koelkast was. Op elk kastje past een andere sleutel.'

'Ze zijn open, Sam. Ik begrijp alleen niet waarom er sloten op zitten.'

'Om te voorkomen dat je hulp je koelkast leegrooft als jij even niet kijkt. Het is niet ongebruikelijk, hoor. Ik denk dat de sloten op de kastjes misschien niet heel gebruikelijk zijn, maar je zou nog raar opkijken als je in dit land een koelkast wilde kopen zonder ingebouwd slot. Zo is dat hier nou eenmaal.'

'Was je tante racistisch?'

Ellen Catharina Leroux, die de koelkast en de vrieskist en de keukenkastjes alleen afsloot als ze op vakantie ging, die in de kamer een kussen had liggen waar een rij dansende Sambo-figuurtjes op geborduurd waren, die nooit een meid had gehad omdat ze dat vernederend vond voor alle betrokkenen, die in de weekenden bijles gaf aan kinderen uit de townships, zou geschokt zijn geweest als ze iemand had horen vragen of ze racistisch was.

Op het aanrecht stonden drie rode blikken met kerstkransjes. In de vriezer lag een kalkoen en de provisiekast pronkte met potten zelfgemaakte *konfyt*, zachtgroene juwelen van meloenschil zwevend in siroop. De slaapkamer van Sam was al klaargemaakt en in de kast vond hij ingepakte cadeautjes voor zichzelf en twee pakjes voor Sarah, die de belagers van zijn tante ongemoeid hadden gelaten. Het juwelenkistje van zijn grootmoeder lag nog in zijn schuilplek, de paar juwelen die erin zaten waren onaangeroerd.

Sarah nam een douche om wat af te koelen en Sam ging op zijn bed zitten en verdrong de snikken die in hem opwelden. Toen hij Sarah uit de douche hoorde komen, ging hij naar de keuken, plensde koud water in zijn gezicht en droogde zich af met een theedoek.

'Zelfs op de deur van de douche zitten sloten aan de binnenkant,' zei Sarah, huiverend nu de zon was ondergegaan.

'Dat is me nooit opgevallen.'

'Waarom zou je je in je eigen douche willen opsluiten?'

'Voor het geval er wordt ingebroken. Voor het geval ze je badkamer binnendringen terwijl jij onder de douche staat en je niks anders weet te verzinnen dan jezelf in een nog kleinere ruimte opsluiten in de hoop dat de indringer het zal opgeven en weer weggaan. Ik weet het niet. Ik heb niet overal een antwoord op, Sarah.'

'Voel je je wel goed?'

'Ik heb alleen even mijn gezicht gewassen. Ik ga wat te eten klaarmaken. Ga jij maar zitten. Of zou je eerst wat te drinken willen pakken? Er is wijn in de provisiekast, en whisky, tenzij ze dat hebben meegenomen. Glazen staan in de kast naast het aanrecht.'

Ellen had wel een alarmknopje in de keuken, maar niet in haar slaapkamer. Alle sloten van de wereld zouden nog niet genoeg zijn geweest om haar leven te redden. Degene die dit gedaan had, had de achterdeur geforceerd, haar in bed overhoop geschoten, haar televisie, stereo-installatie, magnetron en een horloge van weinig waarde gepakt en was 'm gesmeerd voor de politie of de mensen van het beveiligingsbedrijf hier konden zijn. Op aanwijzingen van Sam had het bedrijf de deur vervangen voor Sarah en hij kwamen.

De politie had Sam verzekerd dat ze van alles natrokken en uitzochten, maar hij had weinig hoop; Beaufort West was een stadje met een reputatie van corruptie en administratieve laksheid, er viel nauwelijks te verwachten dat de dader of daders ooit gepakt zouden worden.

'Ze is niet verkracht,' zei hij de volgende dag tegen Sarah, nadat hij haar lichaam geïdentificeerd had. 'Dat is tenminste nog iets. Haar gezicht is vreselijk. Ze heeft waarschijnlijk voor haar leven gesmeekt maar hij was het gewoon op een gegeven moment zat en heeft haar overhoop geschoten.'

Terwijl hij weg was, had Sarah het bed van Ellen afgehaald. De lakens had ze in een plastic zak gepropt die bijna uit elkaar barstte. 'Wat doen we met de matras?' vroeg ze. 'Ik denk niet dat die vlek er nog uit gaat.'

'De vrouwen van de kerk weten wel wat ze daarmee aan moeten.'

'Als je mij het nummer geeft, wil ik ze wel bellen.'

Sarah was heel goed, beter dan hij zich had kunnen voorstellen. Ze zette thee en bereidde maaltijden die hem troostten met hun eenvoud: macaroni met kaas, spaghetti met gehaktballetjes, stoofpot met koedoevlees, een omelet op brood. Ze pleegde telefoontjes en nam geld op toen de rekeningen niet meteen op naam van Sam konden worden gezet. Ze bestelde bloemen voor de begrafenis, hielp hem de muziek uitkiezen en wond de vrouwen van de kerk waar Ellen nog altijd lid van was geweest, ook al woonde ze de laatste jaren zelden een dienst bij, om haar vinger. Ze proefde eten dat nieuw voor haar was en probeerde Sam op te beuren zonder ooit de ernst van de situatie te bagatelliseren. Geholpen door de vrouwenbond organiseerde ze een brunch voor na de uitvaartdienst, en ze hielp Sam een fonds op te zetten voor een beurs op de school waar Ellen les had gegeven en die haar naam zou dragen. Ze belde de advocaten van haar vader wiens kantoor een filiaal had in Kaapstad en binnen enkele dagen was alle bureaucratische mist opgetrokken: de rekeningen stonden op naam van Sam en hij kon met het huis doen wat hij wilde. Alles wat ze deed was precies goed – efficiënt en zakelijk zonder gevoelloos te worden. Het was een manier van doen die Sam, niet voor de eerste keer, aan Laura deed denken.

Hoewel hij dankbaar was voor alles wat Sarah gedaan had, begon hij ondanks zichzelf ook aanstoot te nemen aan de rol die ze zo moeiteloos speelde – de Amerikaanse verlosseres die alles wat ze aanraakte in goud veranderde. Zonder erbij na te denken begon hij dingen te doen die haar genegenheid misschien wat zouden kunnen doen bekoelen en een of ander verborgen egoïstisch trekje aan het licht zouden kunnen brengen. Maar toen hij een nacht alleen wilde slapen in de kamer die van hem was geweest vanaf de dag dat hij bij Ellen was komen wonen, had Sarah een bed opgemaakt op de bank in de kamer en daar zonder mopperen de nacht doorgebracht.

De politie verzekerde Sam dat ze alle aanwijzingen zouden natrekken.

Sam

De rest van de zomer, de snikhete dagen van februari en de koelere dagen van de eerste herfstmaanden – maart, april – probeer ik te vergeten wat Timothy me heeft verteld, wat hij me heeft verteld en wat Lionel niet heeft ontkend. Misschien, begin ik nu te denken, had mijn tante Ellen wel gelijk: het is beter te vergeten en het verleden en de mensen die daarbij hoorden achter ons te laten; we vergissen ons als we denken dat we hen kennen.

Gedurende de dagen die ik in mijn kamertje op de universiteit doorbreng, zit ik ofwel aan het boek te werken, ofwel mijn colleges voor te bereiden, hoewel die twee symbiotisch zijn en elkaar voeden. Ik geef maar twee colleges dit trimester, één over contemporaine Zuid-Afrikaanse literatuur en één dat in zijn geheel aan het werk van Clare is gewijd. De studenten werken hard, ze zijn betrokken, plagen me met mijn geamerikaniseerde klinkers en vragen me, naarmate het trimester verstrijkt, of ik wel genoeg slaap krijg. Ze geven blijk van een bezorgdheid die me zowel roert als alarmeert. Ik ga vroeger naar bed en sta 's morgens later op. Ik staak mijn pogingen de huishoudster ervan te weerhouden dingen te doen als mijn kleren wassen en strijken. Daar betalen we haar immers voor. Het heeft geen zin als wij dat allemaal zelf gaan doen.

In de weekenden gaan Sarah en ik naar een winkelpromenade, we gaan uit eten in Ilovo en maken een uitstapje naar Pretoria om het Voortrekker Monument en de Uniegebouwen te bezichtigen. Eén keer, op een zaterdag, als we net het opzichtige winkelcentrum van Sandton willen verlaten, horen we een kind tegen haar ouders jengelen: 'Moeten we echt weer naar Zuid-Afrika?', alsof het winkelcentrum niet alleen in sociaal opzicht een andere wereld is, maar ook een aparte politieke entiteit – de postapartheidsversie van een onafhankelijk thuisland voor de elite, ongeacht hun huidskleur.

Sarah en ik verkennen voorzichtig het centrum met een van haar medecorrespondenten, een radioverslaggever, en hoewel er niets gebeurt, slagen we er toch in om met de staart tussen de benen naar de noordelijke voorsteden terug te keren. Als ik aan mijn collega's vertel dat zelfs het alom geprezen Newtown met al zijn cultuur voor mij te spannend was, moeten de meesten lachen. 'Je bent te lang in Amerika geweest,' zegt een van hen met een klap op mijn schouder. Hij probeert geloof ik opgewekt over te komen, maar hij klinkt ook een beetje beledigd.

Ondanks die dissonanten pak ik langzaam het leven in mijn land weer op. Johannesburg begint me te bevallen op een wijze die ik niet had verwacht. De beveiligingsmanie gaat over in het gevoel meer één te worden met mijn instincten en reflexen. Je hele leven achter een gesloten deur doorbrengen, of achter zo veel mogelijk gesloten deuren, dat is gewoon zoals het leven hier is, of in elk geval zoals Sarah en ik verkiezen te leven zolang we hier zijn. Ik weet dat mijn collega's en mijn studenten – misschien zelfs Greg – zouden volhouden dat er ook nog wel andere manieren zijn, riskanter misschien, maar met meer betrokkenheid en meer léven. Maar dat is geen levenswijze waar ik me toe kan zetten.

Begin april, als het herfst begint te worden, heb ik de laatste interviews met Clare uitgetypt. Ik besluit wat voor vorm het boek moet krijgen, en wat voor stem – het wordt een ritme waarin een historisch verslag van haar leven wordt afgewisseld met een kritische analyse van haar werk, uiteengezet door een stem die haar stem, met die koele toon en dat soms boze formele, dat droge, plagerige en besliste, zoveel benadert als ik al schrijvend maar voor elkaar kan krijgen. Ik schrijf een eerste versie van de eerste twee hoofdstukken, het eerste over de achtergrond van haar familie, de Engelse kolonisten waar ze zowel aan vaders- als aan moederskant van afstamt, het tweede over haar debuutroman, *Landing*. Ik heb *Landing* altijd simpelweg beschouwd als een boek over een vrouw die haar afstompende boerenleven in Lower Albany de rug toekeert om in Tsitsikamma alleen in een spelonk aan de kust te gaan leven – een feministische afwijzing van seksenormen en -verwachtingen en van de man die zich aan haar opdringt, en een omhelzing van de natuur. Nu ik het herlees, zie ik dat het daar alleen oppervlakkig over gaat. In diepere zin is er sprake van een weigering medeschuldig te zijn aan de apartheid die de blanken allerlei privileges geeft en die helemaal op hun belangen is toegesneden. Larena, de heldin, kiest voor een ander leven, een leven boven de wet en buiten bereik van de wet, onzichtbaar voor de staat, slechts geregeerd door haar eigen, eigenaardige besef van ethiek en moraal. Ik lees het nog een keer en stel me voor hoe Laura dit boek als jonge vrouw heeft bestudeerd, er een voorafschaduwing van zichzelf in heeft gezien, en er een weg in heeft ontdekt die ook zij zou kunnen volgen.

Mei. Sarah heeft haar redactie ervan weten te overtuigen dat het festival in Stellenbosch een verhaal waard is en gaat met me mee (ze heeft me nu al jaren aan één stuk door over Clare horen praten en wil haar dolgraag eens ontmoeten). Het festival is van vrijdag tot en met zondag en ik heb voor de zaterdag een ontmoeting met Clare geregeld. Donderdagmiddag vliegen we naar Kaapstad. Het vliegtuig zit vol met een sportteam van een of andere meisjesschool in Johannesburg. Alle meisjes dragen hetzelfde T-shirt en de meeste doen alsof ze nooit eerder in een vliegtuig hebben gezeten: ze hollen door het gangpad, praten op luide toon en beginnen iets te zingen wat wel hun clublied zal zijn. De volwassen begeleidsters en de stewardessen doen geen enkele poging ze in toom te houden. Ik klaag bij een van hun begeleidsters, maar die zegt dat ik gewoon rustig moet blijven en moet gaan slapen. Als we de daling naar Kaapstad inzetten gaan de meisjes allemaal aan één kant van het toestel staan omdat ze daar de berg en de stad kunnen zien. Het voelt alsof het vliegtuig dat misschien niet eens kan hebben, alsof die verdeling van het gewicht wel eens te veel zou kunnen zijn en we elk moment op mijn oude buurt kunnen neerstorten.

Op het vliegveld huren we een auto waarmee we meteen naar Stellenbosch rijden; na het uitgestrekte Johannesburg met zijn moderne architectuur is Stellenbosch net een historische fantasiestad, een Disney-versie van de achttiende-eeuwse Kaap, met zijn witgepleisterde restaurants en cafés en bodega's. 's Avonds onder het eten probeer ik te ontspannen, maar de spanning in mijn binnenste laat zich met geen mogelijkheid verdrijven. Ik weet: dit is mijn kans om open kaart te spelen met Clare, om ons gemeenschappelijke verleden op tafel te leggen en erachter te komen wat het te betekenen heeft.

Vrijdag. Clare is een van de drie auteurs die 's avonds op het programma staan. Hun optredens zijn gepland in een aula in het modernistische gebouw van de letterenfaculteit. Van de andere twee auteurs is één een Australiër die momenteel in San Francisco woont, en de ander een Zimbabwaan die in Kaapstad woont. Clare is de laatste van de drie en ze leest een lange passage voor uit het begin van *Absolutie*.

Het is gek om naar te kijken, Clare die in de derde persoon over zichzelf vertelt, of althans over een fictief zelf, maar ik begin weer de vrouw te zien die ik in Amsterdam heb ontmoet, en door het proces van het voorlezen wordt ze iemand anders dan de vrouw die ik in Kaapstad heb leren kennen. Beide versies van haar, en ook het personage dat in het boek wordt beschreven, als dat een op zichzelf staande figuur is, lijken allemaal tegelijkertijd te bestaan. Soms meen ik in een flits een van de drie in haar gezicht te zien, zichzelf even naar de voorgrond te zien dringen, om dan weer deemoedig plaats te maken voor een van de andere twee. Er zit een zwarte humor in haar lezing die ik niet in het boek heb aangetroffen toen ik het zelf las. Terwijl ik zit te luisteren, vraag ik me onwillekeurig af of ze de waarheid weet over Laura. Er zijn momenten, tegen het eind van *Absolutie*, dat ze bijna lijkt te suggereren, te laten doorschemeren, dat Laura niet was wat ze leek.

Het publiek luistert aandachtig maar lijkt ook lichtelijk verbijsterd, alsof ze niet goed weten wat ze met Clare en haar lezing aan moeten. Sommigen hebben al een exemplaar van het boek weten te bemachtigen en een man iets verderop in onze rij zit mee te lezen waarbij hij af en toe het hoofd schudt, alsof wat Clare daar voorleest niet klopt met wat er in zijn boek staat.

Ze leest bijna veertig minuten voor, langer dan de andere twee. Er wordt na afloop minder enthousiast geklapt dan voor de Australiër, die zich nog verwaardigd had op enkele vragen van de Zimbabwaan in te gaan terwijl Clare aan de kant op haar beurt zat te wachten. Ook aan het eind staat ze alleen. De avond wordt besloten met de mededeling dat alle drie auteurs in de hal aanwezig zullen zijn om boeken te signeren en dat daar tevens een receptie is met wijn, geschonken door een plaatselijke wijnboer.

Tegen de tijd dat Sarah en ik de zaal uit zijn en in de hal aankomen, staan daar al rijen van zeker twintig minuten, helemaal tot buiten aan toe – de langste rij is voor de Australiër, met Clare op de tweede plaats. De Zimbabwaan heeft slechts een handjevol toegewijde bewonderaars, alternatieve studenten met leninpetjes en Peruaanse poncho's. Sarah heeft een eerste druk meegenomen van *Changed to Trees*, een boek dat ze nog in haar studietijd gekocht heeft.

Als we aan de beurt zijn krijgt Clare mij in het oog en gaat ze staan. Marie, die schuin achter haar zit, knikt naar me zonder te glimlachen, maar op een manier die bijna vertrouwelijk aandoet, alsof we een geheim delen. Ik stel Sarah aan Clare voor, die minzamer doet dan ik verwacht had.

'Zou u mijn boek ook willen signeren?' vraagt Sarah. Ze klinkt nogal onder de indruk. 'Als het niet te veel gevraagd is?'

'Nee hoor, helemaal niet. Daarvoor ben ik tenslotte hier, met mijn pen.' Clare fronst even haar wenkbrauwen en buigt zich dan over het boek. Als ze haar handtekening heeft gezet en weer opkijkt, is de frons gladgestreken. 'En jou, Sam, zie ik morgen, klokslag één uur,' zegt ze, zonder iets prijs te geven. 'We hebben nog zoveel te bepraten.'

Zaterdag. Na een hele ochtend met nog meer lezingen en signeersessies van andere schrijvers, heeft Sarah een paar interviews met de organisatoren. Voor we uit elkaar gaan pakt ze mijn hand.

'Probeer haar als het even kan naar het verleden te vragen,' zegt Sarah. Ik weet dat ze er begrip voor heeft hoe moeilijk dat is. 'Probeer ermee in het reine te komen, dat zou zo goed voor je zijn. Als ze zich jou niet herinnert, dan is dat zo, maar die onzekerheid maakt je nog eens gek.'

Als ik bij het hotel aankom waar Clare verblijft, bestelt ze koffie voor ons en stuurt ze Marie de stad in om een boek te kopen dat de Australiër haar de vorige avond heeft aanbevolen. 'Een van zijn eigen boeken,' legt Clare uit, terwijl ze met haar ogen rolt. 'Ik zei tegen hem dat ik moeite had met het oriëntalisme dat ik in zijn laatste boek bespeurd had. Waarop hij repliceerde dat alle zwarten in *Absolutie* ofwel meid of tuinman waren, en dat ik zijn voorlaatste boek maar eens moest lezen, want dan zou ik het boek waar ik me aan had gestoord beter begrijpen, hoewel het geen vervolg was "in de voor de hand liggende zin", zoals hij het formuleerde. Dat noem ik nog eens onbeschaamd.'

Een jonge vrouw brengt koffie en Clare vraagt of ik wil inschenken. Het tafeltje is zo laag dat ik moet knielen.

'Dat is lang geleden dat er een man voor me op de knieën ging.'

Soms is het net of ze een geheime tweelingzuster heeft, en dat die twee elkaar aflossen, eerst neemt de ene de rol van Clare Wald op zich, tot ze het niet meer uithoudt, en dan draagt ze de rol over aan de andere – en de ene speelt Clare als een afstandelijke, autoritaire vrouw, terwijl de andere een gretige, flirtende roddeltante van haar maakt.

'In ons laatste gesprek,' begin ik, terwijl ik mijn opschrijfboekje en mijn recordertje tevoorschijn haal, 'hebben we het over uw werk voor de censuur gehad.'

'Ja, over wat ik vermoed dat jij beschouwt als mijn medeplichtigheid aan een beestachtig onrechtvaardig en cultuurvijandig regime. Dat was toch het idee achter die kleine coup de théâtre: dat censuurrapport dat je opeens uit je hoge hoed toverde?'

'Ik moet toegeven: toen ik het rapport over *Cape Town Nights* voor het eerst onder ogen kreeg, meende ik iets bijzonders ontdekt te hebben, want het leek in te druisen tegen elke overtuiging die u ooit publiekelijk hebt beleden. Maar het idee dat u een van uw eigen boeken gecensureerd hebt – ik weet nog steeds niet wat ik daarvan moet denken,' zeg ik, in gedachten voortdurend bij waar ik het eigenlijk over zou moeten hebben. Sarah heeft gelijk. Ik maak mezelf gek met mijn geaarzel, mijn onvermogen om direct te zijn en te zeggen wat ik eigenlijk denk. Maar de angst haar te beledigen is zo groot dat elk ander oogmerk erdoor teniet wordt gedaan.

'Maakt het mij minder interessant voor je?'

'Helemaal niet. Als u eraan had bijgedragen om een andere schrijver het zwijgen op te leggen, iemand die u al dan niet kende, dan zou dat kunnen worden goedgepraat als noodzakelijk zij het betreurenswaardig pragmatisme – dat u zich als het ware gedwongen had gevoeld iets te doen wat u eigenlijk niet wilde. Of zelfs als een tijdelijke dwaling, een soort gekte. Maar de gedachte aan alle inspanningen die het gevergd moet hebben om een tekst te produceren waarvan u wist dat hij naar alle waarschijnlijkheid verboden zou worden, en dan feitelijk uw eigen werk te moeten verbieden, dat is –'

'Ook een vorm van gekte,' zegt ze, terwijl ze een kussen in de hoek van de bank legt en ertegenaan gaat zitten. 'Om eerlijk te zijn had ik geen garantie dat het boek dat ik als Charles Holz schreef ter beoordeling naar mij zou worden toegestuurd. Het was puur toeval, maar goed, veel van de opmerkelijkste historische rariteiten zijn toch aan het toeval te wijten. Arme Charles, ik had hem alleen bedacht als offerlam. Hij was net zozeer een personage als alle andere die ik verzonnen heb, maar het fictieve van zijn bestaan was alleen mij bekend; in veel opzichten was hij dan ook mijn meest succesvolle creatie, tot jij opdook. Op papier heeft hij zijn eigen leven. De bekendmaking van het verbod op zijn boek is te vinden in de *Government Gazette*. Zijn naam staat zelfs vermeld in een aantal literair-historische werken. Eén geleerde is zover gegaan een verdwaald exemplaar van het boek op te duikelen – hoe hem dat gelukt is zou ik niet weten – en heeft er vervolgens melding van gemaakt in een grootschalige studie van boeken die onder het apartheidsregime door de censuur verboden zijn. Het is vermakelijke lectuur, zij het uiteraard alleen voor mij. Ik denk dat het boek voor iemand anders niet zo interessant zal zijn. Zoals het beschreven wordt – een verhaal van interraciale liefde en agressie, blasfemie jegens de drie monotheïstische godsdiensten, een lofzang op het communisme en een sensatiebelust verslag van het functioneren van ANC en MK – klinkt het vandaag de dag niet bepaald als lezenswaardig. Toen ik aan dit project van jou begon, was het nooit bij me opgekomen dat Charles en zijn *Cape Town Nights* zelfs maar ter sprake zouden komen. Ik dacht dat dat allemaal verleden tijd was, afgedaan. Nu speel ik met de gedachte het opnieuw uit te brengen. Ik heb het manuscript, uiteraard, en een exemplaar van de eerste (de énige) druk. Wie, vraag ik me af, heeft jou dat rapport eigenlijk gestuurd? Voor zover ik wist, was ik de enige die daar nog een kopie van had.'

'Daar ben ik niet achter gekomen.'

'Dat zal nu waarschijnlijk ook wel niet meer gebeuren,' zegt Clare, met een afwezige blik. 'Ik neem aan dat ik ook nog had kunnen aanvoeren dat ik niet wist wie Charles was of waar hij te vinden was, maar het leek mij zinloos tegen je te gaan liegen. Ik denk dat je de waarheid wel boven tafel zou hebben gekregen, wat ik er ook over gezegd zou hebben.'

'Maar zou u willen erkennen dat het in zekere zin ook in uw eigen belang was, om toe te geven dat u het was?'

'O, zeker. Door te onthullen dat ik de schrijver was wiens werk op mijn aanbeveling verboden werd, maak ik mezelf immuun voor kritiek. Dat begrijp ik heel goed. Maar het is de waarheid, en al maakt het mij immuun, het hele idee heeft toch ook iets bedenkelijks, waar of niet? Alsof het van begin af aan een opzetje van me was – een manier om mezelf in te dekken voor het geval ik ooit rekenschap zou moeten afleggen van mijn werk voor de censuur. "Zie je wel," zou ik dan kunnen zeggen, "ik heb misschien wel een boek laten verbieden, maar het was maar een boek dat ik zelf geschreven had." Ik vrees echter dat ik op die leeftijd nog niet zo berekenend was. Als het al iets was, dan was het een experiment. En het experiment is in zekere zin mislukt toen het ter beoordeling aan mijzelf werd voorgelegd. Een ander zou het misschien hebben gelezen en besloten dat het er wel mee door kon, hoewel ik me dat eigenlijk niet kan voorstellen. Of iemand had het gelezen en gezegd: "Dit is ontegenzeggelijk van de hand van Clare Wald." Hoewel dat nog onwaarschijnlijker is, omdat het in niets lijkt op enig ander boek dat ik destijds geschreven had, en niet het minst omdat *Clare Wald* in die tijd geen onmiskenbare stijl of handelsmerk had. Mijn eerste boeken waren allemaal heel verschillend van elkaar. In die tijd was Clare Wald te jong om herkend te worden, of zelfs maar enigszins herkenbaar te zijn. Daar heb je het al, je hebt me zover gekregen dat ik in de derde persoon over mezelf praat,' zegt ze, terwijl ze mij haar kopje voorhoudt om opnieuw te worden ingeschonken. Ze glimlacht op een manier die bijna meelevend lijkt, maar ik heb het wel afgeleerd vertrouwen te stellen in mijn interpretatie van haar gelaatsuitdrukkingen. Haar gezicht zegt dit, maar zij kan er intussen heel anders over denken.

De middag verstrijkt en terwijl ik me probeer te concentreren op het interview, en onderwerpen aansnijd waar we het eerder over gehad hebben teneinde opheldering te krijgen over enkele kwesties die nog te veel in het vage zijn gebleven, denk ik de hele tijd aan Laura, aan wat ik over haar te weten ben gekomen, en aan die keer dat ik zelf bij Clare voor de deur stond. Ik kijk naar Clare en zie haar jongere gezicht, achter een hor, en ik zie ook het gezicht van haar dochter, zoals ik het voor het laatst heb gezien in de heuvels bij Beaufort West. Op ogenblikken dat het gesprek even stilvalt probeer ik te begrijpen wat het feit dat Laura zich over mij ontfermd had betekent in het licht van wat Timothy onthuld heeft, maar ik slaag er niet in om tot een conclusie te komen. Het enige wat ik met zekerheid weet is wat ik heb meegemaakt en wat ik heb waargenomen. Bij gebrek aan bewijs is al het andere niet meer dan speculeren.

Van lieverlede neemt het gezicht van Clare die uitdrukking van teleurstelling aan die ik zo goed heb leren kennen. Het valt haar van me tegen, maar als ze wil dat ik vraag naar mijn eigen plaats in haar leven, de plaats die bijna werkelijkheid was geworden, dan kan ik mezelf daar nog altijd niet toe zetten. De angst voor haar antwoord is genoeg om mij op dat punt het zwijgen op te leggen. Gaf ze me maar een teken, een concrete aanwijzing, dat ze zich die dag bij haar oude huis herinnerde.

'Het andere waar ik naar moet vragen is natuurlijk Nora.'

'Ja, ik dacht wel dat je daar misschien over zou beginnen.'

'*Absolutie* is een roman –'

'Zo had ik het niet willen noemen. De uitgever stond erop. Een roman is makkelijker te verkopen dan een rare kruising tussen roman en essay en familiekroniek en nationale geschiedenis, maar dat is het eigenlijk wel: het is zowel fictie als iets wat niet helemaal fictie is maar ook niet helemaal echte geschiedenis, en ook geen memoires. Dat is ook de reden dat ik zei dat het de positie van jouw boek niet zou ondergraven.'

'En waar valt de bekentenis over uw aandeel in de moordaanslag op Nora dan onder? Fictie of non-fictie?'

'Die keuze laat ik aan jou, Samuel. Je weet dat ik er een hekel aan heb om mijn eigen werk te verklaren. Het enige wat ik erover kwijt wil is dat er voor geen van beide enig bewijs is – het is geen van beide te bewijzen, of de historische Clare Wald zich nu wel of niet schuldig heeft gemaakt, of althans medeplichtig was, aan de moordaanslag op de historische Nora en Stephan Pretorius, drie personen die vooral niet verward moeten worden met hun tegenhangers in het boek, van wie ik er toch op zou willen aandringen dat ze als fictieve personages begrepen worden.'

'En de pruik? Was de inbraak wel echt?'

'Die was echt. Die pruik is inderdaad gestolen, en min of meer weer opgedoken zoals in het boek gesuggereerd wordt. Maar de diefstal blijft, zoals zoveel misdaden in dit land, onopgelost.'

'Maar –'

'Nee, Samuel. Echt. Ik heb alles gezegd wat ik hierover durf te zeggen.'

Eén kant van haar mond krult zich in een glimlach en ze kijkt alsof ze misschien best meer zou willen zeggen, maar het is duidelijk dat ik haar niet verder kan pushen. Net op dat moment komt Marie weer binnen, die er veel langer over heeft gedaan dan nodig om dat boek van die Australiër te kopen. Clare zegt tegen haar dat we bijna klaar zijn en legt aan mij uit dat ze een afspraak heeft met de mensen van de festivalleiding om met hen te dineren.

'Ik heb nogal wat verplichtingen deze paar dagen. Steeds meer mensen azen op een flintertje van mijn tijd. De universiteit wilde graag dat ik een maand bleef en deed alles waar dergelijke instituten toe in staat zijn, ze noemden werkelijk duizelingwekkende bedragen in hun poging mij over te halen een tijd als writer in residence op de campus te verblijven en een hele reeks lezingen en voordrachten te verzorgen. "Echt, voor het geld hoef ik het niet te doen," zei ik tegen de zeer vriendelijke dame die mij benaderde. "Maar denk aan uw kinderen, en wat u aan hen nalaat," zei ze. "Een van mijn kinderen is al heel lang vermist en waar-

schijnlijk niet meer in leven," zei ik, "en de andere heeft geld zat."
"Schenkt u het dan aan een goed doel en geniet van de voldoening die dat geeft," zei ze. "Ik heb een beter idee," zei ik, "als u het
nou eens rechtstreeks aan een goed doel van mijn keuze geeft,
dan kunnen we het daarbij laten." "Ik ben bang dat het niet zo
werkt," zei de vrouw, waarop ze op haar vriendelijkste manier
begon uit te leggen dat het een betaling was voor verleende diensten, alsof ik een soort werkster was en de universiteit het rijkste
van alle werkhuizen. Dat is niet aardig van me. Eigenlijk denk ik
er helemaal niet zo over, maar het strookt nou eenmaal niet met
mijn opvatting van hoe een schrijversleven eruit zou moeten
zien, al die pedanterie, die zelfpromotie, dat geposeer als intellectueel en die – de meest voor de hand liggende kwalificatie zal
ik niet noemen, we weten allebei waar ik het over heb. Uiteindelijk heb ik nee gezegd en haar gevraagd het geld te geven aan één
van een lijst goede doelen die mij die steun waard leken. Ze zei
dat ze doen zou wat ze kon, maar vermoedde dat het niks zou
worden. Of ik dan op zijn minst een lezing wilde geven, vroeg ze
nog. En daar heb ik in toegestemd. Dus ik moet hier volgende
week weer zijn. Alleen het idee al put me uit. Je zult het me moeten vergeven, Samuel, als ik nu afscheid moet nemen. Andere
mensen eisen ook het nodige van me en het ontbreekt me aan de
kracht ze allemaal van het lijf te houden.'

Hoewel ze welwillend oogt, vraag ik me onwillekeurig af of
het geen vertoon van welwillendheid is, of ze niet gewoon heel
goed kan acteren en ze de rol speelt die de situatie van haar
vraagt. Ik pak mijn recordertje en mijn opschrijfboekje en stop
ze in mijn tas. Voor ik haar kamer verlaat, houdt ze me tegen,
met een hand op mijn arm.

'Dit mag je meenemen,' zegt ze, en ze stopt me een dikke envelop toe die ze uit een la van een tafeltje heeft gehaald. 'Dit is voor
jou. Ik bedoel: je mag het houden. Het is iets waarvan ik wil dat
jij het leest. Wacht tot je in je hotel bent of waar je maar zit. Ga
het niet nu lezen. Ga het niet lezen waar ik bij ben. En ga het als-

jeblieft ook niet beneden in de lobby lezen om dan meteen weer naar boven te hollen. Lees het en denk na. Ik wacht je reactie af.'

Ik ben geïntrigeerd maar beloof te wachten met lezen. Ik loop weer de stad in en sla dan af richting rivier, waar ik mijn nieuwsgierigheid niet langer kan bedwingen en in een café aan Ryneveld ga zitten. In de envelop zit een brief en een dun typoscript.

Beste Samuel,
Er zijn vragen waarmee je naar Kaapstad bent gekomen maar die je me niet gesteld hebt. Er zijn ook vragen die ik jou zou willen stellen. Maar daar het ons allebei aan de moed ontbreekt om de vragen te stellen waar we het liefst antwoord op zouden krijgen – de antwoorden zonder welke het hele proces mij zinloos lijkt –, bied ik jou de ingesloten tekst aan. Ik dacht dat ik wel wist hoe ik de vragen moest formuleren, maar dat was niet zo. Ik dacht ook dat ik wel de moed zou kunnen opbrengen ze aan je te stellen, maar dat was en is nog steeds niet het geval. De tekst die ik je aanbied is voor jou, niet voor het boek. Hij is voor jou en voor mijn dochter en voor mij, niet voor het publiek. De enige manier waarop ik het kan opbrengen jou de vragen te stellen is door eromheen te schrijven, door mijn fantasie los te laten op de gebeurtenissen zoals mensen die er noodzakelijkerwijs hun eigen versie van het verhaal op nahouden ze aan mij verteld hebben. Wat ik van jou wil, als je je ertoe in staat voelt, is een indicatie waar ik met mijn verbeelding de mist in ben gegaan. Ik vraag je op de enige manier die ik ken mij te vertellen wat je weet.
Liefs,
Clare

Aanvankelijk ben ik alleen maar confuus, en is mij niet helemaal duidelijk wat ik eigenlijk lees.

Je komt tevoorschijn op het plateau, rent zo'n beetje half gebukt en vindt het gat dat je bij aankomst in het hek hebt geknipt, je holt naar beneden, naar de weg, trekt een zwart jack uit, een zwarte broek, waar je een T-shirt en een korte broek onder draagt, en opeens ben je een backpacker, een studente, een liftende jonge vrouw, een toerist, misschien wel met een nepaccent. Nog even en het wordt licht. Maar nee, ik ben bang dat dit niet klopt. Misschien was het niet daar, niet die stad – niet die op het plateau, maar die verder langs de kust, aan de voet van de bergen...

Dit moet een vergissing zijn. Het kan nooit haar bedoeling zijn geweest dat ik dit onder ogen krijg. Dit is veel te persoonlijk. Dan sla ik een bladzijde om en tref ik mezelf in de tekst aan, en begint het me te duizelen. Maar de versies van mij en Bernard die ik in haar woorden aantref zijn geen mensen die ik herken en de gebeurtenissen die ze verhaalt zijn niet de gebeurtenissen zoals ze zich hebben voorgedaan. Ze weet en ze weet niet. Als het bijna etenstijd is, het tijdstip dat ik met Sarah in ons hotel heb afgesproken, kom ik aan het slot:

Je wilde dat hij zijn armen om je heen zou slaan, dat hij zou schreeuwen om niet in de steek te worden gelaten, je zou dwingen te doen wat je niet kon doen.
Maar hij had niks te zeggen.
Uiteraard wist ik meteen wie het was. Niet alleen hier. Ook in Amsterdam wist ik het meteen. En toen hij zo plotseling voor me stond, was het net alsof ik oog in oog stond met mijn eigen moordenaar. Ik vroeg me af of hij gekomen was om zijn pond vlees op te eisen. Maar hij is altijd alleen maar charmant geweest. Wat wil hij, vraag ik me af. Hij is speciaal gekomen om iets te zeggen. Waarom zegt hij dat niet?

Op de laatste bladzijde, in de lange lijnen die ze met beverige hand op papier zet, staat een kort naschrift:

Kom morgenmiddag terug en zeg wat je in Kaapstad hebt nagelaten te zeggen. Laten we uitkomen voor wat we allebei weten dat er tussen ons bestaat. C.

Absolutie

Hoewel ze nog nabeeft van de abrupte afwijzing van Mark, deed Clare de volgende morgen een poging weer gewoon de draad op te pakken. Ze was vroeg wakker en ging zwemmen terwijl Mark nog lag te slapen. Adam kwam aanzetten toen ze zich stond af te drogen, ze liet hem zelf binnen. Na een lange periode van onderhandelen en opnieuw onderhandelen waren Adam en Clare een modus vivendi overeengekomen waar zij zich wel in kon vinden en waarvan ze hoopte dat Adam zich er ook in kon vinden. Hij had het lapje grond met exotische planten van Clare geaccepteerd, de groenten en kruiden en bloemen, en zij had zich erin geschikt dat Adam als de autoriteit werd gezien waar het ging om de behandeling van de grond en de inheemse planten, en dat de indeling van de tuin, afgezien van haar moestuin, tenminste voorlopig zou blijven zoals die was.

Met goedkeuring van Adam had Clare tweehonderd tulpenbollen besteld, Queens of the Night, waarvan ze had besloten dat ze in een strook voor het huis langs moesten komen, in een donkere en sierlijke band die in het voorjaar mooi met de rest zou contrasteren. 'We zullen ze elk jaar in de herfst moeten planten,' hield ze hem voor. 'De Queen of the Night is een moeilijke, onvoorspelbare tulp, en niet heel sterk. Als jij ze van jaar tot jaar tot bloei weet te brengen, zou ik diep onder de indruk zijn. Zou je broer ze ook hebben goedgekeurd, denk je?'

'Hij hield niet van tulpen,' zei Adam, 'hij vond tulpen typisch Nederlandse bloemen. Maar die zwarte tulpen, ik denk niet dat hij die ooit gezien heeft. Ik denk dat het een mooi aandenken wordt.'

'Een gedenkteken. Ja, het lijkt me mooi om ze zo te zien,' zei Clare. 'Heel gepast voor een tuinman, die altijd moet blijven vernieuwen.'

Toen Clare weer naar binnen ging, trof ze Mark in de keuken aan, koffie met veel melk drinkend en de *Mail and Guardian* lezend.

'Heb je al tijd gehad om na te denken?' vroeg Clare.

'Geen beleefdheden vanmorgen, moeder?'

'Je hebt mij gisteravond met mijn bekentenis laten zitten en geweigerd een vonnis uit te spreken. Ik heb geen oog dichtgedaan. Ik kon niet slapen omdat ik alleen maar kon denken aan wat jij misschien te zeggen zou hebben. Ik heb gezwommen om te proberen tenminste iets te doen met mijn nerveuze energie en mijn gespannen afwachting. Laat me niet langer wachten. Zeg me wat je denkt, of wat ik gedaan heb amnestie verdient, en werkelijk vanuit politieke motieven gedaan is, of dat ik het uit pure haat heb gedaan, en niet meer dan een persoonlijk motief had. Dat is alles wat ik van je vraag, jouw mening.'

Mark sloeg de krant dicht, vouwde hem op en legde hem met de kop naar boven op tafel. Het voorpagina-artikel ging over een onderzoek naar corruptie bij de overheid, handjeklap in achterkamertjes en nepotisme en fraude binnen de regeringspartij, steekpenningen voor de politie, wapendeals, zwarte handel en de onderdrukking van afwijkende meningen. Rook en vuur, dacht Clare, er is veel te veel rook. Ze ging tegenover Mark aan tafel zitten en probeerde zijn blik te trekken terwijl hij stug naar de krant keek, naar zijn kopje en zijn handen, en haar blik bleef mijden. Hij slurpte van zijn koffie, haalde diep adem en blies zo hard uit dat je het niet anders dan een zucht kon noemen. Hij had zich verwaardigd haar spelletje mee te spelen; het trof haar als weinig billijk dat hij nu met zoveel tegenzin de rol speelde die het proces naar zijn noodzakelijke slot zou voeren.

'U wilt mijn mening horen. Dit is slechts het vonnis van deze eenpersoonsrechtbank, zoals u zich mij, als u het mij vraagt, maar al te graag voorstelt. Ik zeg niet dat ik het beslissende gezag ben, of dat ik in dit geval op enig moréél gezag kan bogen. Ik heb het idee dat ik me misschien zou moeten verschonen vanwege mijn betrokkenheid bij u, de verdachte, en bij de slachtoffers, hoewel ik geen herinnering aan hen heb en ook niet kan zeggen dat ik nou zoveel warme gevoelens voor hen koester. Maar het is niet onmogelijk dat iets in mij zelfs nu nog zou wensen dat ik de kans had gekregen ze te leren kennen, en dat zij de kans hadden gekregen om te veranderen, om zich meer dan wel minder te betonen dan wat u en anderen in hen zagen. Zoals u zelf zou toegeven, moeder, is veranderen niet onmogelijk. Het misdrijf dat u gepleegd hebt, verraden waar twee mensen zich bevonden wier leven toentertijd in dit land een symbolische waarde vertegenwoordigde, blijft voor mij onduidelijk. Dat wil zeggen, het is mij niet duidelijk of er sprake is van enig direct, om niet te zeggen oorzakelijk, verband tussen wat u gezegd hebt en wat er gebeurd is. Daartoe zouden we moeten bewijzen dat iemand – wellicht de man van wie u vermoedde dat hij een kaderlid van MK was – de informatie had doorgegeven aan iemand anders, wellicht aan die Dlamini, de man die schuldig is bevonden aan, en ter dood gebracht wegens het plegen van de dubbele moord. Zolang ik dat verband niet kan vaststellen, kan ik ook geen vonnis wijzen. Maar laten we er, omwille van dit zogenaamde proces, van uitgaan dat u, direct dan wel indirect, verantwoordelijk was, dan blijft nog de vraag of uw motieven politiek dan wel persoonlijk geïnspireerd waren – waarbij de politieke motieven vergeeflijk zouden zijn geweest, en in dit land een korte periode op amnestie zouden hebben kunnen rekenen, terwijl persoonlijke motieven wat u gedaan had zonder meer strafbaar zouden hebben gemaakt. Wat ik moet beslissen is of u afdoende hebt bewezen dat uw motieven politiek van aard waren. Mijn eerste gevoel is van niet. U was geen lid van het ANC of van de Communistische Partij, en al helemaal niet van MK,' snoof hij minachtend. 'U kon uzelf er niet eens toe zetten lid te worden van de Black Sash. Er was niemand die u iets in die richting had kunnen opdragen, dus ik zie niet hoe wat u gedaan hebt politiek gemotiveerd zou kunnen zijn.'

'Ik was wel lid van de Progressieve Partij. Dat moet je me in elk geval nageven.'

'Goed. U was aangesloten bij een politieke partij die een kleine stem had in de oppositie, maar uw eerste zorg, daar hebt u zelf geen misverstand over laten bestaan, was van persoonlijke aard. U was bang dat ik van u zou worden afgenomen. Uw secundaire motief was nog persoonlijker dan dat: het egoïstische verlangen nuttig over te komen bij mensen die u respecteerde en voor wie u bang was. Misschien hebt u daar achteraf een politiek oogmerk van gemaakt, maar de waarheid gebiedt te zeggen dat het dat natuurlijk niet was. U zat achter uw bureau en hield zich verre van elk conflict en roddelde wat met vrienden en andere meelopers. U hebt begin jaren zestig misschien wel bijeenkomsten bijgewoond, maar in de tweede helft van de jaren zestig trok u zich steeds verder terug in uw werk en uw lessen. Ga het niet ontkennen.'

'Dat zou ook moeilijk worden, als je het zo formuleert.'

'Als de misdaad die u begaan hebt dan geen politieke misdaad was, behoort amnestie niet tot de mogelijkheden. Ervan uitgaande dat u schuldig bent aan wat u meent gedaan te hebben, bent u voor de wet slechts een misdadiger, en zou u als zodanig behandeld moeten worden.'

'En wat wil dat zeggen?'

'Dat wil helemaal niets zeggen. Want u bént nergens schuldig aan. Loslippigheid kan weliswaar schepen tot zinken brengen, en u bent loslippig geweest terwijl u beter had moeten weten, maar u was niet degene die de trekker heeft overgehaald. En u hebt de aanslag ook niet gepland of voorbereid. U bent niet eens medeplichtig. U hebt uw rol in de geschiedenis schromelijk overschat, moeder, ik stel voor dat u dat hoofdstuk als afgesloten beschouwt en het verleden verder laat rusten. Ik zou u eigenlijk moeten aanklagen wegens minachting van de rechtbank, en u in de boeien moeten laten slaan en achter slot en grendel laten zetten. Enige straf zou dat akelige stemmetje in uw hoofd misschien wel het zwijgen opleggen.'

'Jij maakt een huisvrouwtje van me dat in afzondering van alles en nog wat uit haar duim zit te zuigen. Een papieren tijger in een papieren kooi.'

'U hebt uzelf tot eenzame opsluiting veroordeeld, moeder.' Mark deed de krant in zijn koffertje, klikte het dicht, draaide even aan beide combinatieslotjes en trok zijn das recht. 'U hebt mij geen moment echt nodig gehad.'

De rest van de morgen deed Clare pogingen om te lezen, maar het ging haar makkelijker af nieuwe aanplantingen te bespreken met Adam dan zich op woorden te concentreren. Het ene woord lokte het andere uit, en bij een onschuldige zin als 'de vis sprong op uit het meertje, draaide zich om en weerkaatste kortstondig het licht terwijl de gemsbok in het water sprong' konden haar gedachten al afdwalen naar haar kindertijd, naar haar vroege jeugd, en naar haar oudere zus, en dan kwam de taart ook weer tevoorschijn, bekroond met een hondendrol, en dan kwam die beschuldigende vinger weer, en ontvouwde zich voor de zoveelste keer de hele geschiedenis van hun leven als zusjes. Tulpen en wieden, de stilte waarin ze zij aan zij kon werken met een man die ze een beetje was gaan begrijpen en iets meer was gaan vertrouwen, dat was een betere manier om de dag door te komen in afwachting van de onvermijdelijke terugkeer van haar zoon.

Althans, ze ging ervan uit dat zijn terugkeer onvermijdelijk was. Ze had in de logeerkamer gekeken en gezien dat zijn koffer er nog stond, en dat zijn kleren nog in de kast hingen. Hij was na het ontbijt weggegaan en ze verwachtte hem wel weer terug voor het avondeten, hoewel hij niets over zijn plannen gezegd had. Als die koffer er niet geweest was, zou ze net zo goed hebben kunnen denken dat hij al weer terug was gegaan naar Johannesburg, naar de vrouw die een hekel aan haar had, en de kinderen die ze nooit zag.

Toen het avond werd, en ze nog steeds niks van Mark had gehoord, zette ze haar ontdooide maaltijd in de oven en keek ze naar het nieuws terwijl de quiche werd opgewarmd. Taxichauffeurs, woedend dat hun monopolie werd aangevochten, hadden met automatische wapens het vuur geopend op een stadsbus vol forenzen uit de townships; drie doden, tientallen gewonden. Dat was niet wat je zou mogen verwachten, niet hoe het had moeten lopen na die tientallen jaren van duisternis, maar Clare kon zich er niet meer toe zetten om te doen alsof het haar verbaasde. Verbazing en woede waren uitputtende emoties. Het was makkelijker en minder belastend om je bij de toestand in het land neer te leggen in de hoop dat je er zo min mogelijk door gestoord werd en uiteindelijk een vredige dood zou sterven.

Na het nieuws kwamen de soaps. Toen Clare eenmaal wist dat Zinzi en Frikkie ondanks de tegenwerpingen van hun familie toch gingen trouwen, voelde ze dat ze begon in te dommelen. Ze maakte een kop koffie en liet de luiken voor het keukenraam zakken zodat Donald Thacker, bij wie de ramen van de keuken openstonden en de lichten brandden, haar niet kon zien. Hij had de gewoonte aangenomen om, als hij Clare achter een raam zag, van achter zijn eigen raam naar haar te zwaaien. Dat was toch al te opdringerig, om zo te worden toegezwaaid terwijl je gewoon in je eigen huis zat en met je eigen dingen bezig was.

Opgekikkerd door de cafeïne besloot ze naar een in Kaapstad opgenomen spionagefilm te kijken over een huurling die bij zo ongeveer elk '*low-intensity*'-conflict van de tweede helft van de twintigste eeuw betrokken was geweest – Congo, Angola, Nicaragua, enzovoort – en die gespecialiseerd was in het infiltreren van bevrijdingsbewegingen waarvan vermoed werd dat ze door communisten werden gesteund. In de film ontmoet de man eindelijk zijn gelijke in het hoofd van een speciale eenheid van MK die de aanslagen in Church Street van 1983 aan het voorbereiden is. In de loop van de film infiltreert de huurling in de eenheid, maar hij merkt dat hij begint te sympathiseren met de ANC-agenten die hij probeert te ondermijnen en wier bommen hij zodanig geacht wordt te saboteren dat ze zichzelf opblazen in plaats van het hoofdkwartier van de Zuid-Afrikaanse luchtmacht.

Clare viel in slaap voor ze erachter kon komen hoe het met die huurling verderging – of hij overliep en het ANC hielp, of de sabotage doorzette. Ze kon zich de details van die zaak die ooit gespeeld had niet herinneren, maar had het idee dat het niet allemaal strikt volgens plan was gegaan. Ze veronderstelde echter dat de film fictie was, dat er geen huurling bij betrokken was geweest die als mol voor het apartheidsregime had gewerkt, althans niet in dat ene geval.

Ze sloeg haar ogen op en zag het testbeeld op het zoemende beeldscherm. Erbovenuit, koppiger, zoemde de bel van de intercom. Het was tien over twaalf.

'Wie is daar? Mark?' riep ze. Ze tuurde naar de monitor en knipte de buitenverlichting aan om te zien wie er voor het hek stond.

'Ik ben de afstandsbediening kwijt, moeder,' zei hij vanuit het raampje van zijn huurauto. 'U hoeft niet zo te schreeuwen. Het is geen transatlantische verbinding.'

'Ben je alleen?'

'Ja, ik ben alleen. Het is volkomen veilig, allejezus. Schiet nou gewoon op voor er inderdaad iemand aan komt.'

Clare drukte op de knop om het hek open te maken en zag op de monitor hoe de auto van Mark de oprijlaan op schoot. Ze wachtte tot het hek weer dicht was en ze zeker wist dat er niemand achter hem aan was geglipt, en opende vervolgens de voordeur. Misschien was het idee van Marie van die twee hekken toch niet zo bespottelijk. Je kon je voorstellen dat je bij het naar binnen gaan werd gevolgd en overmeesterd. Clare werd er hoorndol van dat haar eigen land haar op zulke verfoeilijke gedachten kon brengen, haar alle vertrouwen, alle geloof in de goedheid van haar landgenoten kon doen verliezen.

'Wat nou, was u nog op?' vroeg hij met een gebaar naar de gekreukte kleren die ze nog aan had, met zelfs enkele wijn- en jusvlekken op haar blouse.

'Wat had je anders verwacht dat ik zou doen? Je hebt niet gebeld, je hebt me niet laten weten wanneer ik je kon verwachten.'

'Ik dacht dat ik gezegd had...' zei hij stotterend, zijn das lostrekkend, zijn koffertje nog in één hand, '... ik dacht dat ik had uitgelegd dat ik een bijeenkomst had met cliënten die de hele dag zou duren, en dat ik vanavond met collega's zou gaan eten.'

'Je bent de deur uit gehold zonder een woord tegen me te zeggen. Misschien heb je dat gisteren gezegd.'

'Ik was een beetje in de war vanmorgen en niet in opperbeste stemming. Ik bied u mijn oprechte excuses aan. Om eerlijk te zijn heb ik de hele dag al een kwaad geweten, na wat ik vanmorgen tegen u gezegd heb.' Hij beende heen en weer door de hal, nog altijd met één hand aan zijn das trekkend tot hij eindelijk los was en hij hem met een slingerende beweging over een stoel kon hangen. Dat was niks voor hem, om dat zo te doen, hij was anders altijd heel pietluttig.

Ze pakte de draad van hun eerdere gesprek op alsof de tussenliggende dag er niet geweest was. 'Misschien heb ik mijn eigen rol inderdaad overschat, maar ik had gehoopt dat je misschien zou begrijpen hoe dat kwam. Er is geen enkel bewijs dat de dood van Nora en Stephan níét het gevolg was van mijn loslippigheid, Mark, net zomin als er, dat kan ik niet ontkennen, enig concreet bewijs is van wél. Maar ik kan er niks aan doen dat ik het zo voel. Aan hardvochtigheid, en de suggestie van een draconische straf, heb je in een geval als het mijne helemaal niks. Ik reageer niet goed op dreigingen met straf. Toen ik de kwestie met jou aansneed, hoopte ik op openheid en betrokkenheid. Ik heb de zaak te berde gebracht omdat ik respect heb voor je verstand, en je rechtvaardigheidsgevoel, niet omdat ik je ermee wilde belasten. Ik wil dat je begrijpt wat mij dwarszit, waardoor ik 's nachts steeds vaker, letterlijk, geen oog meer dichtdoe. Als ik het niet aan jou kan vertellen, aan wie dan wel?'

Hij schudde zijn hoofd en sloeg zijn blik ten hemel. 'Als het u kan helpen mijn botheid vanmorgen te vergeven, probeer dan te begrijpen dat mijn reactie ten dele werd ingegeven door wrevel over de rol die u mij had toebedacht. Die wilde ik helemaal niet spelen. Ik wilde dat gesprek zo niet. Ik wilde mijn eigen repliek schrijven, maar had het gevoel dat dat niet kon: ik zei wat ik dacht dat u zou willen dat ik zei, in de bewoordingen die u zou willen horen. Als u van me houdt, geef me dan de kans mijn eigen mening naar voren te brengen, en niet de uwe. Ga dan niet voor buikspre –'

'Zeg het dan! Zeg dan wat je te zeggen hebt.'

'Onderbreek me dan niet!' riep hij, rood aanlopend. Ze stonden even zwijgend tegenover elkaar en op dat moment ging de telefoon. Het liefst had Clare het gerinkel genegeerd, maar ze was bang dat het Marie wel eens kon zijn.

'Mevrouw Wald?'

'Ja? Met wie spreek ik?'

'Met de buurman, Donald Thacker.'

'Wat wilt u?'

'Ik zag dat al uw lichten brandden, en dat er een auto was binnengekomen. Ik wilde alleen even weten of alles in orde is.'

'Alles is uitstekend. Dank voor uw bezorgdheid. Ik moet nu ophangen, ik heb bezoek,' zei ze, en ze legde de telefoon neer. 'De buurman,' zei ze tegen Mark. 'Een bemoeizuchtige Engelse weduwnaar.'

Mark plofte in een stoel neer en smeet zijn koffertje op het tapijt. Hij haalde een inhalator uit zijn zak en diende zichzelf een paar pufjes toe.

'Ga alsjeblieft verder. Ik zal geen woord zeggen,' zei Clare. 'Ik zal voor de verandering eens degene zijn die luistert.'

Mark leek uitgeput en wierp een blik op Clare die haar het idee gaf dat ze veel te veel van hem verwachtte. Ze wilde hem niet nog meer pijn of verdriet doen, of hem dwingen een last mee te torsen die zij alleen hoorde te dragen.

'U hebt uw bekentenis afgelegd,' zei hij. 'Ik vraag me af of u nu de mijne zou willen aanhoren. Net als de uwe betreft het geen bekentenis van een misdrijf *an sich*. Ik denk dat we het er wel over eens kunnen zijn dat u geen misdrijf hebt gepleegd. Evenmin is er bij mij sprake van een opbiechten van een zonde, want ik geloof niet in zonden en ik heb het idee dat u er net zo over denkt, al realiseer ik me dat we dat gesprek nooit gevoerd hebben. Het is dus een seculiere belijdenis van – ik weet niet hoe ik het noemen moet. Laten we het een seculiere belijdenis van tekortschieten noemen, zoals uw bekentenis in zekere zin een belijdenis van onachtzaamheid was. Dit zijn bekentenissen die we alleen aan elkaar kunnen doen. Misschien, ik weet het niet, misschien zou ik dit aan vader kunnen vertellen, hoewel hij en ik niet over zulke dingen praten. Het is voor mij, als iemand die beroepshalve altijd naar het relaas van andere mensen luistert, altijd op zoek is naar andermans fouten en gebreken, niet makkelijk om mijn eigen tekortkomingen te benoemen, of zelfs maar toe te geven dat ik ze überhaupt heb.'

Hij zweeg, en net toen hij verder wilde spreken ging de telefoon weer.

'Die ouwe zeur weer,' zei Clare, en ze pakte de telefoon. 'Ja, wat is er?'

'Mevrouw Wald? Donald Thacker weer. Sorry dat ik u lastigval maar het viel me op dat uw lichten nog steeds branden en ik vroeg me af of er misschien toch iets niet in orde was maar dat u dat niet kon zeggen omdat er werd meegeluisterd. Als er inderdáád iets aan de hand is, zegt u dan: "Ik zou graag meedoen met dat bridgetoernooi," dan weet ik dat ik de politie moet bellen.'

'Meneer Thacker, ik moet echt ophangen. Ik ben druk met mijn gast,' zei ze, waarna ze de telefoon weer neerlegde. 'Die man weet van geen ophouden. Ga door.'

'Het jaar dat Laura verdween, kwam ze bij me langs in Johannesburg. Ik was nog alleen, ik werkte aan één stuk door en zette geld opzij. Ik had het idee dat als de toestand zou verergeren, dat ik dan misschien wel zou kunnen emigreren. Dat heb ik u nooit verteld, hè? Ik stond op het punt mijn bullen te pakken en naar het buitenland te gaan – ik was ook bang dat mijn medische vrijstelling van militaire dienst zou worden ingetrokken, dat de situatie zo hopeloos aan het worden was dat ze zelfs mensen als ik zouden dwingen de wapens op te nemen, of dat het leger op z'n minst wel een of ander kantoorbaantje voor me zou hebben. En mijn verblijf in Oxford had me ervan overtuigd dat ik, als het moest, best in Engeland zou kunnen wonen. En zo niet daar, dan wel in Australië of Nieuw-Zeeland, of zelfs in Nederland. Dus ik was aan het sparen met het oog op een eventuele emigratie. Ik wist dat ik er alles voor nodig zou hebben wat ik bij elkaar kon schrapen om enigszins comfortabel te kunnen emigreren, en dat was de enige manier waarop ik het eventueel zou willen. Ik wilde er niet onder lijden. Laura kwam bij me langs in het voorjaar voor ze verdween. Het was een vreemde ontmoeting. Ze bazelde bijna. Ik vroeg me af of ze misschien drugs gebruikte. Ik wist waar ze zich mee in had gelaten en alleen al haar bij mij over de vloer hebben maakte me doodsbang. Het laatste wat ik wilde was dat ik met haar bezigheden geassocieerd zou worden, want dan zouden mijn kansen op emigratie wel eens verkeken kunnen zijn. Maar wat ik mij vooral herinner van die laatste ontmoeting is hoe bang ze op me overkwam.'

'Zei ze ook waarvoor ze bang was?'

'Het was duidelijk dat ze geloofde in wat ze deed, maar dat ze bedenkingen had gekregen en zich zorgen maakte over haar veiligheid. Ze zei dat ze heel egoïstisch was maar dat ze weg moest. Daartoe kwam ze mij om hulp vragen. Wat ze wilde was een lening, om ergens anders opnieuw te kunnen beginnen. Ze vroeg aan mij of ik haar geld wilde lenen. In twee uur tijd heeft ze me dat die avond op zo ongeveer honderd verschillende manieren gevraagd, en ze beloofde me dat er niks vervelends zou gebeuren als ik haar hielp, dat ik er op geen enkele manier voor zou hoeven boeten. Uiteindelijk geloofde ik haar verhaal niet. Ik dacht dat ze loog. Ik dacht dat ze geld wilde voor iets anders.'

'Voor haar kameraden.'

'Ja. Ik dacht dat het een truc was. En ik wilde er helemaal niks mee te maken hebben, ik wilde daar helemaal buiten blijven. Ik hield mijn handen schoon. Ik was bang dat als ik haar iets gaf, en als er iets gebeurde en het kwam uit dat ze dat geld van mij hadden, dat mijn carrière dan voorbij zou zijn en ik een emigratie wel zou kunnen vergeten. Dus ik weigerde haar de helpende hand te bieden. En wat vooral zo afschuwelijk was: ze deed alsof ze van mij ook geen andere reactie verwacht had. Ze probeerde me op andere gedachten te brengen maar ik denk dat ze tegelijkertijd wist dat dat niet zou lukken. Ik was heel vastbesloten. Toen ze verdween, realiseerde ik me dat ik de verkeerde beslissing had genomen. Ze had me nooit enige reden gegeven haar niet te geloven. Ze was de meest oprechte persoon die ik ooit heb gekend. Wie was ik om te denken dat ze mij zou bedriegen?'

Hij bedekte zijn ogen met zijn ene hand en zijn mond met de andere. Clare wist niet meer wat ze moest doen of hoe ze zich moest gedragen, of het verkeerd zou zijn op haar zoon af te lopen en haar armen om hem heen te slaan, of dat dat nou net was wat hij wilde. Ze bleven tien minuten zitten zonder dat een van beiden iets zei. Toen haalde hij zijn handen weer van zijn gezicht en keek haar aan. Net op het moment dat hij iets wilde zeggen, werd er bij het hek aan de straat aangebeld.

'Als dat mijn buurman is bel ik de politie om hem te laten opbrengen wegens stalking. Ja?' blafte Clare, terwijl ze de knop van de intercom ingedrukt hield en op de monitor de oprijlaan flikkerend in beeld zag verschijnen. 'O god, wat is dit?'

'Mevrouw Wald? Donald Thacker nog een keer.'

'Dat zie ik, ja.'

'Ik weet dat er iets niet in orde is. Ik weet dat u gegijzeld wordt. Als uw belagers mij kunnen horen, moeten ze weten dat ik gewapend ben en dat ik de politie heb gebeld. De politie is onderweg en het komt allemaal goed.'

'Meneer Thacker, u maakt zich onsterfelijk belachelijk. Behalve mijn zoon is hier niemand.'

Het kleine zwart-witbeeld van Donald Thacker keek verbluft en toen hoorde Clare politiesirenes en op andere toonhoogte het gejank van de sirenes van haar eigen beveiligingsbedrijf. Voor alles weer was gladgestreken waren ze een halfuur verder. Clare stond de politie en de beveiligingsmensen toe haar huis te doorzoeken, zodat ze er zeker van konden zijn dat zich nergens inbrekers schuilhielden tot de kust weer veilig was. De politie vond het allemaal niet leuk en waarschuwde Thacker dat hij hier problemen mee kon krijgen.

'Ik dacht toch echt dat er iets aan de hand was hier,' zei hij, met zijn bleke handen fladderend in het donker. 'Ik dacht een goede buur en een correcte burger te zijn.'

Thacker was duidelijk geschrokken en stond er zo deerniswekkend bij dat Clare de politie vroeg hem met rust te laten en uiteindelijk was iedereen weer weg behalve Thacker zelf.

'Het spijt me,' zei hij, 'maar uw lichten branden bijna nooit 's avonds, en ik dacht dat u alleen was.'

'Dank voor uw bezorgdheid,' zei Clare, en ze schudde hem zo hartelijk mogelijk de hand. 'We moeten nu naar bed. Mijn zoon moet morgen vroeg op.'

Clare deed het hek open voor haar buurman en ging weer naar binnen, waar ze Mark bijna in dezelfde houding aantrof als voor de onderbreking.

'Wilt u mij vergeven?' vroeg hij.

'Voor Laura? O, Mark, nee. Dat kan ik niet doen. Het is niet aan mij om te vergeven of te oordelen. Jij hebt gedaan wat je vond dat je doen moest. Als je vergeving wilt, moet je Laura om vergeving vragen. Ik ben Laura niet,' zei ze, beseffend dat ze bozer op haar zoon was dan ze ooit geweest was. Niet alleen was zij niet degene aan wie hij vergeving zou moeten vragen, het lag sowieso niet binnen haar vermogen Mark te vergeven voor wat hij gedaan had.

'Maar Laura is dood.'

'Maar dan nog,' riep ze, uit alle macht proberend de sidderingen die door haar gezicht gingen te onderdrukken. 'Dat hoeft ons er nog niet van te weerhouden haar vergeving te vragen voor alles waarin we jegens haar in gebreke zijn gebleven.'

'En als ze u om geld had gevraagd?'

'Dat heeft ze niet. Maar als ze het mij gevraagd had, ja, dan zou ik het haar gegeven hebben. Ik zou niet geaarzeld hebben, net zomin als wanneer jij mij om geld vroeg. Maar mijn relatie met ieder van jullie is – was – anders dan jullie relatie met elkaar. Ik kan niet zeggen dat je er geen goed aan hebt gedaan. Jij meende dat je deed wat je op dat moment moest doen. Daar heb je nu spijt van. Je wilt graag dat ik je vergeef, maar vanuit mijn gezichtspunt valt er niks te vergeven. Ik houd jou niet verantwoordelijk voor de daden van Laura, voor wat ze gedaan heeft en wat er met haar gebeurd is, wat dat ook moge zijn. De enige die daarvoor verantwoordelijk is, is zijzelf. Ik had een andere moeder voor haar kunnen zijn, en dan zou het allemaal misschien anders zijn gelopen. We kunnen niet zeggen dat één moment of reeks van momenten bepalend was voor wat Laura geworden is. Zij was een volwassen vrouw. Ze heeft haar eigen beslissingen genomen. Ik denk dat we haar geen eer aandoen als we veronderstellen dat we haar zo makkelijk op andere gedachten hadden kunnen brengen.'

Het was nog donker de volgende morgen maar er was alweer nieuws over een andere forenzenbus die door gemaskerde schutters onder vuur was genomen. Zes passagiers zouden zijn gedood en tientallen gewond. Verplegend personeel staakte in verband met een salarisconflict en barricadeerde ziekenhuizen zodat patiënten en ambulances en zelfs artsen niet naar binnen konden. In operatiekamers voerde ziekenhuispersoneel krijgszuchtige dansen uit rond patiënten die al onder narcose waren. Buiten op de stoep lagen gewonden op sterven. Een vrouw bracht een kind ter wereld op een parkeerplaats. Psychiatrische patiënten die door het personeel aan hun lot waren overgelaten maakten amok omdat ze niks te eten kregen. De hulp van het leger was ingeroepen om de orde te herstellen en in ernstige gevallen medische bijstand te verlenen, maar ook daar werd gedreigd met een staking. Intussen was de minister van Volksgezondheid ervan beschuldigd miljoenen naar een buitenlandse bankrekening te hebben doorgesluisd. Clare deed de televisie uit, ging douchen en zich aankleden, en had de koffie klaar tegen de tijd dat Mark uit de logeerkamer kwam.

'Ik moet weer naar Johannesburg, moeder, ze hebben me gebeld. Ik ben bang dat ik vanmorgen al weg moet.'

'Ik zou anders wel zeggen dat het fijn was je weer te zien maar ik vrees dat het voor jou niet zo fijn is geweest. Voor mij was het ook niet alleen maar fijn, maar dat is niet wat ik bedoel. Ik ben blij dat je gekomen bent en ik hoop dat je gauw weer eens een keer komt logeren. Ik beloof je dan niet weer met bekentenissen op te zadelen. Het is duidelijk dat het enige antwoord op mijn probleem er een is dat ik zelf moet zien te vinden. En zolang de doden mij geen vergiffenis schenken, heb ik weinig hoop dat er ooit absolutie voor mij zal zijn weggelegd, en dat ik ooit bevrijd zal zijn van mijn herinneringen.'

'Er is één ding dat ik volgens mij niet goed begrijp,' zei Mark, terwijl hij zijn das over zijn schouder wierp en hij zich over zijn koffie boog. 'De pruik. Gelooft u werkelijk dat de familie van oom Stephan achter die inbraak zat?'

'Zo niet zijn familie dan wel zijn vrienden of bondgenoten, of zelfs mensen die zijn familie of vrienden of bondgenoten in de arm hadden genomen.'

'Maar wat wil dat dan zeggen, als het inderdaad zo gegaan is?'

'Ik heb het opgevat als een waarschuwing, dat ze weten welke rol ik gespeeld heb, en weten dat er geen recht is gedaan, althans niet wat mijn betrokkenheid betreft. Misschien was het niet wat ze oorspronkelijk gepland hadden. Per slot van rekening werden ze door Marie en haar vuurwapen in de wielen gereden. Misschien hadden ze wel een andere buit in gedachten dan alleen een symbolische.'

'Of het waren gewoon ordinaire inbrekers die werden betrapt en met het eerste het beste wat ze konden vinden op de vlucht zijn geslagen.'

'Maar waarom zouden ze die pruik dan bij dat grafmonument hebben achtergelaten? Als je dat meeweegt kunnen het toch geen ordinaire inbrekers zijn geweest? Dan zouden het wel heel goed geïnformeerde inbrekers moeten zijn geweest, inbrekers die een zekere wroeging kregen over wat ze hadden gestolen, en die de buit daarom achterlieten op een plek waar ik hem weer zou kunnen vinden, zonder nog een keer naar het huis zelf te hoeven gaan.'

'Maar u woonde daar niet meer. En het kan zijn dat ze inderdaad wisten wie u was maar u alleen als doelwit hadden gekozen omdat ze dachten dat er bij u wel iets te halen zou zijn. Niet alle inbrekers zijn idioten. Ik heb heel wat goed geïnformeerde inbrekers gekend... en berouwvolle ook.'

Clare schudde het hoofd en liep door de keuken, deed brood in het rooster en schonk haar zoon nog een kop koffie in.

'Het is niet helemaal onmogelijk, wat jij zegt, maar ik geef de voorkeur aan mijn eigen versie. Het was een symbolische daad – misschien niet de daad die de inbrekers bedoeld hadden. Mogelijk waren ze helemaal niks symbolisch van plan, maar iets bruuts: een afrekening in den vleze. We zullen het nooit weten. Ik geloof dat ik niet meer bang voor ze ben. Van de levenden valt niets meer te vrezen dan pijn, en pijn is, uiteindelijk, van voorbijgaande aard. Pijn zou ik kunnen overleven, of zo niet overleven, dan overstijgen.'

Ze ontbeten samen in stilte. Toen ze klaar waren zocht Mark zijn spullen bij elkaar en zette hij zijn koffer bij de deur. Beiden liepen door het huis zonder te spreken. Er was verder niemand die tussen hen zou kunnen bemiddelen, geen personeel dat hun aanleiding zou kunnen geven over iets anders te praten dan zichzelf. Uiteindelijk dwong Clare zichzelf ermee op te houden te zoeken naar nieuwe redenen om net even ergens anders of met iets anders bezig te zijn, en ging ze bij de deur staan wachten, terwijl Mark nog heen en weer liep tussen de logeerkamer en de badkamer en de keuken en de veranda. Het was alsof hij zijn vertrek voor zich uitschoof maar zich er niet toe kon zetten tegen haar te zeggen dat hij wel langer zou willen blijven.

Toen het bijna negen uur was en hij nog maar een halfuur had om bij het vliegveld te komen, legde hij zijn handen op de schouders van Clare en boog hij zich naar haar toe om haar op elke wang een kus te geven. Ze snoof zijn geur op en rook de geur waarvan hij zich nooit zou realiseren dat het zowel de geur van zijn moeder als die van zijn vader was, een hybride van de twee: een vruchtbare kruidigheid aan de ene, een formele, lichte mufheid aan de andere kant. Clare sloeg haar armen om hem heen en trok hem tegen zich aan en zei, hoewel ze hoopte dat het overbodig was: 'Je weet alles wat er over mij te weten valt. Ik heb geen geheimen meer. Alles zal worden gearchiveerd. Het zal niet van jou zijn, maar wel voor jou om te lezen. Ik vertrouw erop dat je mijn wensen of laatste handelingen niet zult aanvechten.'

'U zegt het alsof u elk moment dood kunt gaan.'

'De meeste nachten heb ik tegenwoordig al het gevoel dat ik bij de doden ben.'

Hij keek haar aan en legde zijn voorhoofd tegen het hare. Dat was iets wat hij niet meer gedaan had sinds hij klein was, haar van zo dichtbij in de ogen kijken tot zij haar ogen neersloeg. Ze keken elkaar een ogenblik aan en toen keek hij van haar weg.

'Voor ik ga heb ik nog een verzoek,' zei hij, terwijl hij haar handen in de zijne nam.

'Als het iets is wat ik kan doen, dan doe ik het, dat weet je.'

'Ik smeek u, alstublieft, om niets van dit alles in uw boeken te verwerken. Wat wij tegen elkaar gezegd hebben is alleen voor u en mij bestemd. Niet voor in een boek, niet voor andere mensen. Ik wil niet dat iemand er iets over leest, hoe u het ook zou willen verhullen. Ga geen personage verzinnen dat iets vergelijkbaars gedaan heeft als wat ik met Laura heb gedaan, niet eens iets wat er ook maar in de verste verte op lijkt. Leg mijn bekentenis aan u niet vast in uw dagboek of memoires zodat de mensen het toch nog lezen als u er niet meer bent. Blijf van mijn verhaal en van mijn woorden af. Het zijn mijn woorden.'

'Ik heb het helemaal begrepen,' zei Clare, terwijl ze de deur opendeed.

Het werd tijd dat hij ging.

Clare

Ik word wakker in het hotel in een nacht die nooit helemaal nacht wil worden, de oude groene straatlantaarns flakkeren voor mijn raam, beneden op straat lopen studenten te schreeuwen, uitroepen van extase en opluchting en verlangen, en zelfs hier kom je bij me, Laura, aan het voeteind van mijn bed, en maak je die oude vrouw wakker die net zo goed dood zou kunnen zijn, met haar dat zo sterk als ijzer maar ook vlassig is geworden, en ogen die in de zinkputten van mijn schedel verdwijnen. Je streelt mijn voeten en kietelt mijn tenen, het koude vuur van je geest geeft striemen op mijn voetzolen. Wat moet ik doen om jou zover te krijgen dat je me met rust laat?

Ik ga in gedachten terug naar die dag, naar de veranda en die mannen en de jongen die voor me staan. Wat voor teken had je gegeven waar ik uit zou moeten opmaken dat Sam belangrijk was? Ik herinner me vooral mijn doodsangst voor die mannen. Het was mij duidelijk, als ik erop terugkijk, dat het geen vreemden geweest konden zijn die je onderweg had ontmoet. Het kon niet anders of het waren kameraden van je. Ik weet dat je je aantekenboekjes nooit zou hebben toevertrouwd aan mensen van wie je niet zeker wist dat je ze vertrouwen kon. En ik kende het type: de starre blik, de vastberaden waakzaamheid, alert en omzichtig als een jakhals, fel als een leeuw. Ik wist dat ze met nieuws over jou kwamen, en zo niet met nieuws, dan toch op zoek naar jou – dat was mijn angst, wat ze misschien zouden doen om jou te vinden, om informatie aan mij te ontlokken, alleen in huis als ik was, niet op mijn hoede, totaal overrompeld. Ze zouden nemen wat ze hebben wilden, met mij erbij, om jou te

vinden. Nu weet ik dat die angst ongegrond was, of zo niet onge-
fundeerd, dan toch wellicht overdreven, veel groter dan redelij-
kerwijs nodig was.

En dat niet alleen, ik was ook bang dat die mannen misschien
niet waren wat ze zeiden dat ze waren, dat het allemaal een list
was om binnen te komen, om te nemen wat niet van hen was,
dat het geen vrienden van jou waren. Ik was bang voor boeven,
rovers, inbrekers. Ik was bang voor geweld. Ik was bang voor de
aangetrouwde familie van mijn zuster, bang dat die mannen waren gekomen om zich op mij te wreken voor wat ik in mijn jonge
jaren had misdaan. Ik moet wel geloven dat die laatste angst in
elk geval niet misplaatst was – alleen voorbarig. Ze zouden later
komen, geniepiger, en bedreigender in hun stilte.

Ik wou dat je beseft kon hebben hoezeer wij op elkaar leken.

Besef wel dat jij van ons tweeën de moedigste was. Dat heb ik
altijd geweten.

Je collega's, van wie ik niets te vrezen had, gaven me jou in
tekst en beeld, in de vorm van aantekenboekjes en je laatste
brief, en de foto's die ze gemaakt hadden, als om hun innige
band met jou te bewijzen, en de innige band tussen jou en de jongen. Ik stelde me voor dat je met die mannen naar bed was geweest, misschien wel met allebei tegelijk, dicht op elkaar op een
veel te smalle matras, breeduit op de grond, rollend rond een
kampvuur in de rimboe. Een moeder stelt zich dat onwillekeurig
voor: het gecompliceerde leven van haar kinderen, de lichamelijke banden die ze aangaan, de gevaren die ze lopen, het hartzeer
waar ze mee moeten leren leven. Ik was bang dat je geen partner
was geweest uit vrije wil, dat je niet anders had gekund dan je
aan hen overgeven, een schuilplaats voor hen zijn in de nacht,
waar ze in kropen nadat ze je deur hadden open gebeukt, waarbij je half intact was gebleven: het kozijn was versplinterd, de
hengsels kapot, maar ondanks dat was je nog herkenbaar. Ik was
bang voor wat ze mij zouden kunnen aandoen, die kameraden
van jou die de nacht aan flarden zouden kunnen scheuren. Aan-

vankelijk dacht ik dat ik je geur kon opsnuiven in die aantekenboekjes, dat ik door de omslagen heen je zweet kon voelen, dat ik je adem kon ruiken in de geur van die mannen. Toen ze weg waren, hield ik je brief tegen mijn neus en zocht ik je daar.

Nadat ze mij je teksten hadden overhandigd, het enige wat nu nog van je over is, duwden ze de jongen naar voren, in de veronderstelling dat hij van mij was, en met het geschuifel van die twee kleine voetjes werd het allemaal nog ingewikkelder. De logica zei mij dat ik geen verantwoordelijkheid had. Niemand kon hem tot de mijne maken behalve jij, en jij was er alleen op papier, ongrijpbaar en indirect. Jij zei niet tegen mij dat ik voor hem moest zorgen, en als jij niks zei, kon ik niet weten wat jij wilde. Ik had jou nodig om te zeggen: 'Neem dit kind, moeder, en zorg voor hem.' Ik had instructies nodig. Ik wachtte op een bevel.

Ik weet dat wachten een vorm van lafheid is.

Begrijp dat ik het niet wist, mezelf niet toestond het te weten. Ik was te bang en te egoïstisch om te weten wat ik moest doen, en om mezelf te doen inzien wat duidelijk zou moeten zijn geweest, om zelf het plaatje compleet te maken dat jij mij had voorgelegd, in de geur van verwantschap die in die bladzijden bleef hangen.

Ik kan je alleen vragen mij te vergeven. Ik heb het je talloze malen gevraagd en ik vraag het je weer. Zeg me wat ik doen moet, de boete die ik moet doen. Toon me hoe ik je zover kan krijgen dat je me met rust laat.

In de weken en maanden nadat je bij *The Record* was opgestapt, kleine eenheden van tijd die werden opgerekt en uitgetrokken tot er jaren verstreken, werden onze ontmoetingen nog zeldzamer dan ze al waren. En als je je dan verwaardigde om in ons oude huis aan Canigou Avenue bij ons langs te komen, praatte je bijna nooit met mij. Dan zag ik je met je vader in de tuin zitten, en als ik eraan kwam, met een dienblad met drinken, hield je je mond. Na zulke bezoekjes vroeg ik altijd aan William wat je gezegd had, en dan zei hij: 'Vrijwel niks. Ik heb het meeste gezegd, ik heb haar van alles gevraagd en haar gesmeekt toch vooral voorzichtig te zijn. Ze vroeg ook niet om geld, maar ik heb haar toch wat gegeven. Dat vind je toch niet erg?'

'Doe niet zo belachelijk. Je weet heel goed dat ik dat niet erg vind,' zei ik dan, en dan wenste ik dat je de moed en de beleefdheid had gehad het aan mij te vragen, of aan ons samen. Ik zou het je toen gegeven hebben, wat je ook maar vroeg. Als we niet met zekerheid wisten waar je mee bezig was, vermoedden we het wel. Het is niet zo dat oppassende burgers van toeten noch blazen weten. We stelden ons de gevaren voor waar jij je aan blootstelde en die fantasieën maakten ons gek, tot we, gekweld door onze zorgen om jou, 's nachts samen wakker lagen, niet tot slapen in staat omdat we elke keer dat we wegdommelden nachtmerries kregen waarin jou de vreselijkste dingen overkwamen. Wat heb ik nagelaten dat ik jou er niet van heb kunnen doordringen dat ik meer van jou hield dan van wie ook, dat ik alles voor je gedaan zou hebben? Waarom heb je mij tot je vijand gebombardeerd, terwijl ik nooit anders heb gewild dan voor je vechten?

Nu ik naar je andere boekjes uit die periode kijk, zie ik dat je aantekeningen steeds cryptischer worden. Die zeldzame keren dat je opschrijft wat mensen in een gesprek zeggen, noem je geen namen meer. In plaats van namen staan er, eerst, enkele initialen. Later ontbreken ook die initialen en schrijf je alleen nog maar met verschillende kleuren inkt: rood, zwart, blauw, groen – een code die alleen ontcijferd kon worden door jou, waar alleen jij de sleutel van had, die nu verloren is gegaan. Wie was zwart? Wie was groen? Was jij zelf rood, de kleur die het meest prominent aanwezig is, een laaiend vuur dat zich als een bosbrand over de witte bladzijden verspreidt?

Uiteindelijk ruimen zelfs flarden van gesprekken het veld. In plaats daarvan staan er alleen nog maar data en tijden vermeld, nu eens in deze, dan weer in die kleur. In plaats van voor mensen lijken de kleuren voor locaties te staan. Pas in het laatste boekje keer je weer terug tot soepel proza, en vertel je het verhaal van je laatste dagen, in de wetenschap, daar ben ik nu van overtuigd, dat je geen schimmig, vaag omlijnd lot tegemoet ging. Je wist dat je de grens overging – niet de vrijheid, maar je dood tegemoet.

1999

De feestdagen kwamen eraan en Sam wist dat Sarah naar haar ouders toe zou willen. 'Je hoeft niet te blijven,' zei hij. 'Je moet nu maar naar huis gaan. Ik kom ook zodra het kan.'

Hij beloofde dat hij haar weer zou zien in januari, en dan zou alles weer zijn als voorheen. Hij vroeg Sarah of hij een paar dozen met spullen van Ellen naar haar appartement kon sturen – foto's en andere herinneringen, de boeken van Clare Wald die voor hem als jongen zijn eigen wezen in kaart hadden gebracht, dingen die hij wilde houden. Het huis van Ellen was al te koop, het meubilair zou worden verkocht of weggeschonken, het leven dat hij gekend had opnieuw uiteenvallen.

'Dat hoef je niet te vragen,' zei Sarah, 'stuur maar wat je wilt houden.'

Hij wist wat dat betekende, dat alles wat hij op de wereld bezat bij Sarah zou zijn, in een land dat niet het zijne was.

De politie bleef Sam verzekeren dat ze de zaak nog in onderzoek hadden en dat ze hem zouden inlichten zodra er schot in kwam. Ze zeiden dat ze deden wat ze konden. Ze suggereerden dat er voor hem geen reden was om zijn terugkeer naar New York nog langer uit te stellen, hij was er immers niet bij geweest toen zijn tante werd vermoord en hij kon dus ook geen getuigenis afleggen of enig bewijs leveren waar ze op verder konden rechercheren.

Op de ochtend van Eerste Kerstdag werd hij alleen wakker in het huis van zijn tante. Er was geen televisie om naar te kijken, geen radio om naar te luisteren. Hij had het eten in de vriezer aan de kerk geschonken, die hem beloofd had dat het naar een behoeftig gezin zou gaan. Een lid van de Vrouwenbond had hem een plastic tas vol pasteitjes gebracht, waarvan hij de helft als ontbijt gebruikte, luisterend naar de stilte en de klokken die beierden boven het stadje en de adelaars die met hun gekrijs de lucht aan flarden scheurden.

Tussen de middag maakte hij een salade, de rest van de dag was hij bezig kasten en dozen en mappen te doorzoeken. Wat hij wilde wegdoen legde hij in de slaapkamer van Ellen, wat hij wilde houden ging naar zijn eigen slaapkamer. Er was nog niemand geweest om het huis te bezichtigen, maar hij had het idee dat hij een begin moest maken met orde op zaken stellen.

Aan het eind van de middag werd er op de voordeur geklopt en toen hij de zware deur met enige moeite opentrok en door de gietijzeren traliedeur keek die geacht werd het huis tegen inbraak te beveiligen, stond er pal voor zijn neus een vreemde.

'Wat wilt u?' blafte Sam. De man deed een stap naar achteren, met een blik in de ogen alsof hij een klap op zijn borstbeen had gekregen, en Sam had meteen spijt van de toon die hij had aangeslagen. Die man wilde natuurlijk alleen maar eten of geld, en zou wel een lang verhaal hebben over zijn gezin en zijn honger en dat het zo'n dure tijd van het jaar was.

'Bent u meneer Leroux?' vroeg de man. Hij had een dun snorretje en beefde terwijl hij het vroeg. Sam besefte dat het slechts een puber in een mannenlijf was.

'Als u voor mevrouw Leroux komt: ik vrees dat ze dood is.'

'Bent u niet de zoon van mevrouw Leroux?'

'Ik ben haar neef. Waar komt u voor?' Zeg wat je te zeggen hebt, dacht Sam, zeg gewoon wat je wenst, zodat ik nee kan zeggen en je weg kan sturen, uit mijn ogen en uit mijn leven.

'Het spijt me heel erg dat ik u kom storen, meneer,' zei de jongeman en hij haalde een envelop uit zijn achterzak waarvan de hoekjes waren omgebogen. Hij gaf hem door de tralies heen aan

Sam, die hem aanpakte alsof het een levend wezen was. 'Ik heb vroeger les gehad van mevrouw Leroux. Ik had nog college toen de begrafenis was, maar ik wilde toch laten weten dat ik het heel erg vond om te horen dat ze was overleden. Ik wilde mijn condoleances overbrengen aan haar familie.'

'Ik ben haar enige familie.'

'Dan bied ik u mijn condoleances aan, meneer. Ze was een heel goede lerares en een heel goed mens. Ze heeft nog een aanbeveling voor me geschreven. Ik vond het zo erg...'

De jongeman schudde zijn hoofd en draaide Sam de rug toe. Aan de overkant stond een buurvrouw voor het raam te kijken, een telefoon in de hand.

'Bedankt voor uw kaart,' zei Sam. Hij kon zich er niet toe zetten de man te vertrouwen, al zei een volstrekt redelijk stemmetje dat dat best kon. Het was mogelijk dat de man loog, dat hij zelf de dader was, de moordenaar met het vuurwapen dat zulke afgrijselijke rode vlekken maakte, gekomen om te kijken of er nog andere vrouwen waren om te beroven, of rijke familieleden om kaal te plukken. Of hij was gestuurd door de daders, een verkenner om te zien of de zaak snel zou overwaaien of dat de overlevenden niet zouden rusten voor hij was opgelost.

Maar nee, dacht Sam, deze man is onschuldig. Als hij hem recht wilde doen, deze man wiens kaart – Sam had de envelop opengescheurd – oprecht en met zorg was verwoord, moest hij hem binnen vragen en een kop thee aanbieden, en misschien zelfs een herinnering aan zijn lerares. Dat zou Ellen zo gewild hebben. Sterker nog, Sam wist zeker dat Ellen dat zelf zo zou hebben gedaan, en met veel minder aarzeling. 'Dat is heel vriendelijk van u. Nogmaals bedankt voor uw kaart.'

'Het spijt me heel erg,' zei de jongeman. 'Bedankt voor uw geduld, meneer. Anders zou ik u wel een prettige kerst wensen maar ik kan me voorstellen dat het voor u geen prettige dagen zijn, dus in plaats daarvan wens ik u vrede,' zei hij, en hij drukte zijn handen tegen elkaar.

Sam vroeg zich af waarom hij zich er niet toe kon zetten dit gesprek, dat een volstrekt natuurlijk verloop had moeten hebben, op de gepaste wijze te voeren. Als de man blank was geweest, zou hij hem zonder aarzeling gewoon hebben binnengelaten. Hij kon zichzelf niet als racist zien, hij wist zeker dat hij dat niet was, maar je moest voorzichtig zijn. Iedereen moest begrijpen dat je niet anders dan voorzichtig kon zijn.

Het huis was van hem hoewel hij wist dat hij het nooit meer thuis zou kunnen noemen. Hij kon niet in deze stad en in dit huis wonen. Iemand anders moest het maar kopen. Hij wist niet waar hij thuishoorde. Hij wist niet eens of hij weer in dit land zou kunnen wonen.

Het huis werd sneller verkocht dan hij verwacht had, aan een jong stel dat binnenkort een baby kreeg. Evenals zijn tante was de vrouw lerares. De man had net een betrekking gekregen bij de gevangenis. Sam keek naar de kale hellingen in het noorden en luisterde naar het grommen van de vrachtwagens op de weg van Johannesburg naar Kaapstad, die dwars door de stad ging, en kon zich niet voorstellen dat hij hier wat dan ook zou willen beginnen, laat staan dat hij hier een gezin zou willen stichten. Je kon onmogelijk van het ene eind van Beaufort West naar het andere rijden zonder langs de vale muren van de gevangenis te komen die midden op de rotonde in de grote, doorgaande weg was gebouwd. Sam wist wel wat voor plaats een gevangenis in zijn hart optrok. Hij had de buren en de kerk laten weten dat het huis verkocht was en dat hij niet meer terug zou komen. Hij had er sowieso al niet voor gekozen hiernaartoe te komen – waar ter wereld hij misschien ook thuishoorde, in elk geval niet op deze vlakten, waarvan de bek altijd wagenwijd openstond om nieuwe levens te verslinden.

Hij overwoog op zoek te gaan naar de plek in de heuvels waar Laura hem mee naartoe had genomen. Hij herinnerde zich dat de graven gedolven werden, dat de lichamen de grond in gingen.

Het land was gevangen in een geheugenkramp. Misschien zouden anderen de graven vinden, en tussen de lijken zouden ze het overreden lichaam van Bernard vinden. Maar de vrachtwagen? Wat was er met de vrachtwagen van Bernard gebeurd? Afgezien van de vrachtwagen kon hij niks bedenken wat hem met het misdrijf in verband zou kunnen brengen.

Hij wist dat de zaak van zijn ouders wel behandeld was maar indertijd had hij het besluit genomen zich niet te laten horen. Dat was zijn keus geweest, niemand kon hem dwingen te getuigen als hij dat niet wilde. Stilte was zijn terrein.

Kaarten onthulden niets. Kaarten waren een maaswerk van leugens. De plek waar volgens hem de boerderij had moeten staan lag midden in het Karoo National Park, dat bijna tien jaar voor de gebeurtenissen die hij zich herinnerde was opgericht. Onmogelijkheid op onmogelijkheid. Op een middag reed hij hoog het Nuweveld in, maar hij kon niets vinden dat leek op wat hij zich herinnerde. Er waren geen gebouwen, alleen acacia's en een troep bavianen die van de steile rotsen af regende, een stortbui van sintels. Hier en daar zag de onverharde weg eruit zoals hij er volgens zijn herinneringen uit zou moeten zien, maar dan kwam er weer een bocht en even later was het uitzicht op geen enkele manier meer in zijn herinneringen in te passen. Misschien werd het graf ooit gevonden, maar dan niet door hem.

Hij had een ruimte in zijn hoofd gereserveerd voor dat soort informatie. Daar woonde Bernard, en nu ook zijn tante. Delen van Sam woonden er ook.

Thuis was een plek waar hij wilde zijn en waarvan hij wist dat hij er niet langer kon blijven. De zon was te dichtbij, de aarde te droog, het land zelf al te bekend, een terrein dat verhalen vertelde die hij zich niet wilde herinneren, verhalen over hemzelf, en over zijn verleden, en over het leven dat hij had kunnen hebben.

Hij zou Sarah alles vertellen over zijn verleden en zijn ouders. Hij zou niets verzwijgen zodat er ook niets was wat hij verzwijgen kon. Hij zou haar vertellen over Bernard, alles, wat hij gedaan had en hoe het had gevoeld.

Het zou wel onmogelijk zijn haar iets te vertellen.

Ooit zou hij haar alles vertellen.

Sam

Zondag. Als ik bij haar hotel aankom, staat Clare buiten op de gele veranda te wachten. Ze leunt tegen een van de witte pilaren aan. De zon wordt schitterend weerkaatst door het lichtgroen geschilderde metalen dak. Ze ziet er jonger uit, bijna als twintig jaar geleden op de veranda van haar oude huis.

'Het is zulk mooi weer, ik had gehoopt dat we misschien wel een wandeling konden maken,' zei ze. Ze stapte op het grind van de parkeerplaats voor het hotel en nam mijn hand alsof ik een aanbidder was met wie ze een afspraakje had. 'Wat wij te bespreken hebben is niet iets om aantekeningen van te maken of om op te nemen. Mee eens?'

'Ja. Vandaag is niet voor het boek.'

We lopen terug de stad in, langs de universiteit. Clare is verrassend vlug, soms moet ik mijn best doen om haar bij te benen. Op Ryneveld slaan we af, net als ik de dag daarvoor heb gedaan, en in een café haalt Clare een beker koffie en een stukje taart. 'Ik ben aan het leren om mezelf af en toe te trakteren,' zegt ze. 'Een beetje verwennerij kan volgens mij geen kwaad op mijn leeftijd. Volgens mijn zoon ben ik te mager en moet ik meer eten. Hij heeft er niet bij gezegd wat ik dan zou moeten eten.'

Vlak voor de kruising met Dorp Street, als we even stilstaan voor een oud, witgeschilderd huis met een sierlijke gevelspits, bedank ik haar voor de tekst die ze me gisteren gegeven heeft. Ik weet niet hoe ik hem anders zou moeten noemen, dus zeg ik maar brief: haar brief aan Laura.

'Brief, ja,' zegt Clare. 'Het is ook een soort brief. Maar het is eigenlijk meer de helft van een dagboek dat ik heb bijgehouden

426

sinds jij in augustus voor het eerst bij me kwam. Jouw komst was de aanleiding.'

'Laura moet natuurlijk wel dood zijn. In het boek zegt u het per slot van rekening met zoveel woorden.'

'Het spreekt ook bijna voor zich. Geen contact, taal noch teken – althans, geen verklaarbaar teken. Er is een ander deel van mij, dat bezocht wordt door nachtmerries, dat er niet van overtuigd is – het deel van mij dat argwaan koestert jegens zekerheden, dat zich nog hoopvol vastklampt aan elk mysterie tussen hemel en aarde. Wonderen, wederopstandingen, spookbeelden. Maar we draaien om het voornaamste aspect van de brief heen. Was je niet verrast dat ik me jou al die tijd herinnerd heb?'

'In al onze gesprekken hebt u er nooit op wat voor manier dan ook blijk van gegeven dat u wist wie ik was. U hebt heel lang gedaan alsof u niet eens inzag dat ik Zuid-Afrikaan was. Dus ja, ik was zeer verrast.'

'Het was gemeen van me, ik weet het. Maar jij hebt in zekere zin ook een spelletje gespeeld, en je kaarten tegen de borst gehouden, of in elk geval gedacht dat je ze voor me verborgen hield. Maar goed, jij kon ook niet weten dat ik de kaarten gedeeld had.'

'Ik kan me niet aan de indruk onttrekken dat het allemaal makkelijker zou zijn geweest als een van ons om te beginnen tenminste iets gezegd had.'

'Of het zou allemaal mis zijn gelopen. Ik zou kunnen zijn afgeknapt, jij zou de benen kunnen hebben genomen. Luister, ik weet dat ik niet gemakkelijk ben. Om je de waarheid te zeggen heb ik mijn moeilijke kant zelfs gecultiveerd. Maar goed, gemakkelijk is niet noodzakelijkerwijs goed, zoals elke filosoof je kan vertellen. Iets in me zei dat je de herkenning moest verdienen. En wat ook een belangrijke rol speelde: ik was bang voor wat je misschien zou doen als ik zei dat ik me je wel degelijk herinnerde. Ik was bang dat je kwaad zou zijn.'

Ze drinkt haar koffie op en gooit de lege beker keurig in een afvalbak, met zorg, alsof ze evenveel belang hecht aan de beker en het weggooien van de beker als aan ons gesprek. Ze veegt wat kruimels van haar vingers en pakt mijn hand alsof ze een jong vogeltje oppakt. 'Dacht je dat je deze opdracht louter had gekregen op grond van je intellect, heel veel geluk, de kwaliteit van je werk en de aanbevelingen van een paar twistzieke geleerden die denken dat ze god zijn?'

'Daar ging ik wel van uit. Ik dacht dat het toeval was waardoor ik weer bij u uitkwam. En mijn talent.'

'Een flatteuze redenering, maar nee. Ik heb jou gekozen. Ik heb het afgedwongen. Ik zei tegen mijn redacteur: "Als je dit project per se wilt doorzetten, ten bate van de verkoop van mijn boeken na mijn dood, wil ik zelf kiezen wie mijn biografie gaat schrijven." En ik koos jou, wat mij heel wat meer genoegen deed dan mijn redacteur, die een half dozijn veel bekendere schrijvers achter de hand had die het maar wat graag zouden doen. Dat ik jou in Amsterdam zag was afschuwelijk maar ook iets van een geschenk uit de hemel. Jij was het antwoord op mijn probleem. Ik wist meteen wie je was: de jongen aan de deur.'

'Ik heb in Amsterdam geen spoor, geen begin van herkenning gezien.'

Ze steekt bescheiden een hand op. 'We hebben het hier over twee dingen. Het eerste is het lopende project, de biografie. Als die helpt nieuwe belangstelling voor mijn werk te wekken, en voorkomt dat het meteen na mijn dood uit de handel wordt genomen, zal dat mijn zoon gelukkig maken, hoezeer hij ook tegenwerpingen maakt, en zal dat mijn uitgevers heel gelukkig maken. Het tweede is: waarom jij? Ik heb jou niet gekozen omdat ik meer respect heb voor jouw werk dan voor dat van anderen. Ik heb inzichtelijker werken gelezen, van meer eruditie getuigend, theoretisch beter onderlegd, beter geschreven ook. Jij bent hier om wie je bent, om de plek die je inneemt in mijn familie, of de plek die ik je heb ontzegd. Je bent hier ook omdat ik hoopte dat je misschien meer zou weten over mijn dochter in de dagen voor haar verdwijning. Laten we daar in elk geval eerlijk over zijn.'

Ik wankel op mijn benen als ze haar kinderlijke glimlach toont, en haar lippen tuit. Nu ik hier zo met haar sta, besef ik dat ik haar nooit zal kunnen vertellen wat ik van Timothy en Lionel heb vernomen. Wat ze ook moge vermoeden over Laura, haar vertellen wat nu, naar mijn overtuiging, de waarheid is zou haar, vrees ik, kapotmaken. Eventuele rancune die nog is blijven hangen ten spijt, is haar pijn doen het laatste wat ik wil.

'Ik ben jou nooit vergeten, Sam. Hoe zou ik dat nou ooit kunnen? Ik zag je al, die dag, voor jullie hadden aangeklopt. Lionel, Timothy en jij, jullie stapten met z'n drieën uit een felgekleurde kleine auto, staarden naar mijn huis, keken op een stukje papier, met het adres erop, vermoed ik, staken de straat over en klopten aan. Mijn man was naar een congres in Johannesburg en ik was alleen in huis. Opeens stonden er twee mij onbekende mannen en een jongen voor de deur, dus dat was geen goed begin: ik was al op mijn hoede. Lionel en Timothy stelden zich voor en Timothy gaf me een envelop van mijn dochter, haar aantekenboekjes en de foto's van Lionel. Een van hen vroeg of ik iets van Laura gehoord had. Ik zei nee en wees naar jou en vroeg wie jij was. Timothy gaf antwoord. Hij zei: "Deze jongen was bij uw dochter. Het schijnt dat ze hem bij een tante in Beaufort West had gebracht. Maar toen wij een paar dagen geleden in Beaufort West waren vonden we Sam op straat, als een zwerfkind. Hij zegt dat zijn tante hem niet kon hebben. Eerst wel, om uw dochter een plezier te doen, maar zodra Laura was vertrokken heeft zijn tante hem eruit geschopt, in een stad waar hij niemand kent. We vonden hem gewoon op straat." Ik vroeg waar Laura nu was, waarop ze zeiden dat ze dat niet konden zeggen omdat ze het zelf niet wisten. Is dat ook hoe jij je het herinnert?'

'Min of meer,' zeg ik. 'Maar u kent het hele verhaal niet. Ze zogen het uit hun duim. Op dat moment was ik nog niet eens bij mijn tante geweest.'

'Daar komen we nog op. Wat voor dit moment belangrijk is, is wat ík me van die dag herinner. Ik vroeg ze waarom ze jou bij mij hadden gebracht, uitgerekend bij mij. Timothy was weer degene die antwoord gaf. Hij legde uit dat mijn dochter jou bij zich had gehad, en dat ze daarom dachten dat je misschien wel familie zou zijn. "In het begin," zei Timothy, "dachten we zelfs dat Sam het zoontje van Laura was, maar dat ontkende ze. Dan misschien een neef, dachten we toen. En aangezien ze ons gevraagd heeft deze papieren indien mogelijk aan u af te geven, dachten we dat u misschien ook wel zou weten wat we met Sam aan moeten." Ik keek naar jou, grimmig, denk ik nu, en wist dat je geen familie van me was. Je was niet het zoontje van mijn zoon, en ook geen kind van een neef of een nicht of van een van hun kinderen. En jij staarde me maar aan, Sam, een beetje wezenloos, met van die onbezielde ogen die ik zelfs nu af en toe nog zie als je met je gedachten ergens anders bent, en denkt dat niemand kijkt. Je had blauwe plekken op je slungelige armen. Je haar was lang, er zaten klitten in, en hoewel duidelijk te zien was dat je net gewassen was, zag je eruit als iemand die daarvoor heel lang heel vies is geweest, als een zwerver, een dakloze. Stoffig en grauw.'

'Weet u nog wat u toen zei?'

'Ja. En ik heb er altijd spijt van gehad. En dat is dan nog maar één van een hele waslijst dingen waar ik spijt van heb. Ik zei: "Het spijt me, ik ken deze jongen niet. Hij is geen familie van me. Ken je mij?" Jij schudde je hoofd, en hield Lionels hand stevig, heel stevig vast. Timothy leek niet te kunnen geloven dat ik zo gevoelloos was. "Hij is geen familie van u?" vroeg hij. "U bent hem niets verplicht?"'

'En toen zei u: "Ik ben bang van niet, nee. Ik heb niets met hem te maken en hij niet met mij. Ik ken hem niet. Ik zou niet weten hoe hij bij mijn dochter is gekomen. Kun jij ons vertellen hoe je bij mijn dochter bent gekomen?" Dat zei u.'

'Ik herinner het me niet woordelijk zoals jij het zegt,' verklaart Clare, en ze raakt mijn arm aan, 'maar dat maakt niet uit. Onze versies vertonen genoeg overeenkomst. En jij, toen ik jou die moeilijke vraag stelde, schudde je alleen maar je hoofd. Je had niets te zeggen. Zeg het me nu, als je kunt. Vertel me wat je weet.'

Ik kan de uitdaging niet laten liggen. Ik had wel degelijk iets te zeggen, en dat heb ik nog. Ik vertel Clare de waarheid over wat er gebeurd is, over mijn idealistische ouders, hun vriendschap met Laura, hun dood, de herdenkingsdienst, dat ik Clare en haar man daar had gezien, de belofte die hij had gedaan, de belofte die Laura zelf had gedaan, dat als ik ooit iets nodig had, ik het alleen maar hoefde te vragen. Als ik Clare dit alles vertel, betrekt ze, haar mondhoeken gaan hangen en de ontsteltenis trekt natte, rode lijnen in haar gezicht.

'Jij bent toch niet de zoon van Peter en Ilse? Dat kan niet. O god,' roept ze uit. Ze negeert mijn hand en wendt zich van me af. Ze ziet een bankje en stort zich daarop neer. 'Dat had ik me niet gerealiseerd. Ik dacht dat je gewoon een kind was waar Laura zich even over ontfermd had. Daar voelde ik me al beroerd genoeg over. En nu dit. O god!' roept ze weer. Aan de overkant draait een man zich om, om te zien wat er aan de hand is, maar het dringt niet tot Clare door. 'Ik wist niet dat je belangrijk was. Hoe kon ik dat ook weten? Er waren twee jongens in mijn geheugen – dat smerige jong dat opeens met die twee mannen bij me voor de deur stond, en de frisgewassen jongen op de herdenkingsdienst, het zoontje van Peter en Ilse. Ik heb me altijd afgevraagd wat er van dat jongetje op die herdenkingsdienst geworden is, maar ik had zo weinig oog voor het leven dat mijn man leidde. Een dode student was tragisch, maar... ik heb er nooit bij stilgestaan. Ik werd zo opgeslokt door mijn eigen leven en werk. Ik had me je gezicht moeten herinneren maar misschien – is het mogelijk dat ik je bij die herdenking niet goed gezien heb?'

'Dat zou kunnen. Ik heb u wel gezien, maar ik kan me niet herinneren of u mij gezien hebt.'

'Je moet begrijpen dat het leven van mijn man zijn leven was. Ik speelde de faculteitsvrouw wanneer het protocol dat voorschreef, maar ik besteedde geen aandacht aan details. Ik had mijn eigen carrière, mijn eigen studenten. Daar komt bij: er waren veel dingen in het leven van mijn man... wat ik bedoel is, ons huwelijk was niet vrij van complicaties. Er was heel veel waarvoor ik mijn uiterste best deed om het te negeren, om er géén weet van te hebben. Maar...' Haar vingers tasten haar gezicht af en even later draait ze zich naar mij toe en kijkt ze naar me zoals ze nog nooit eerder naar me gekeken heeft. 'Ik had het veel eerder moeten zien. Natuurlijk ben jij het kind van Ilse,' zegt ze, en ze buigt zich naar me toe en geeft me een kus op mijn wang. 'Ik heb mijn man zelfs nooit vertéld over jou en die twee mannen. Dat moet je geloven – je moet van me aannemen dat hij nooit heeft geweten dat jij bij ons voor de deur hebt gestaan. Het was niet zijn fout. Weet je, ik wist wat Laura gedaan moest hebben en ik was woedend op haar. Het enige wat ik wilde was iets van haar horen, maar dan rechtstrééks van haar. En dat ik die boekjes kreeg, en die brief van haar, maakte me panisch, en heel boos. Ik moest geloven dat ze misschien echt nog in leven was, en dat ik zo oog in oog met jou kwam te staan, met die verantwoordelijkheid die zij op zich had genomen, maakte mijn boosheid op een of andere manier alleen maar groter. Maar wat afschuwelijk is dit. Jij kende haar, of niet? Je moet haar al jaren gekend hebben.'

Ik denk aan alles wat ik nu zou kunnen zeggen, hoe ik voor Clare in zekere zin het slot van het verhaal van Laura zou kunnen schrijven. Maar het is niet aan mij om dat te doen. Ik weet dat het slot dat ik zou kunnen leveren slechts het begin zou zijn van een volgend deel, dat Clare, als ze het onder ogen kreeg, misschien niet eens zou overleven. In plaats daarvan vertel ik haar dat Laura als een verlosseres opdook toen de behoefte daaraan het grootst was.

'Hoe bedoel je? Een verlosseres, wat, op de manier die ik me voorstelde?'

'Niet helemaal.'

Ik draai de scène van die dag voor mijn geestesoog af, de afgelegen plek waar Bernard en ik waren gestopt, het afnemende licht, de razernij die in me losbrak toen ik hem daar zag liggen, vol van zijn eigen woede, in slaap op de grond met een tijdschrift over zijn gezicht. Ik zie mijn hand het sleuteltje omdraaien, voel de motor starten. Mijn vader had me een paar keer bij zich achter het stuur genomen, dus ik wist wat ik met de pook moest, en ik wist dat ik met mijn voet eerst de koppeling moest indrukken, en daarna het gaspedaal. Het idee was om Bernard aan het schrikken te maken, of misschien gewoon weg te rijden. Ik zou kunnen zeggen dat het gaspedaal bleef steken. Ik zou kunnen zeggen dat de vrachtwagen harder optrok dan ik verwacht had en dat ik de controle over het stuur verloor. Ik zou kunnen zeggen dat mijn voet de rem niet op tijd wist te vinden. Maar nu, nu ik de scène weer voor me zie, begint zich een andere versie te vormen.

Bernard ligt op de grond te slapen en hij heeft mij alleen in de cabine van de vrachtwagen gelaten. Zoals in alle versies weet ik nog dat ik bijna hallucineer, zozeer ben ik uitgedroogd. Maar in deze versie leeft Bernard nog als Laura komt. Ze komt de bosjes uit sluipen, ziet Bernard liggen en holt gebukt naar de vrachtwagen. In deze versie begrijpt ze alles. Ze heeft naar me gezocht, ze heeft me opgespoord, ze wil me bevrijden van die man op de grond. Ze klimt over me heen naar de kant van het stuur en zegt dat ik stil moet zijn en mijn ogen dicht moet doen. Ik leg mijn hand op de pook, maar zij haalt hem weg en legt hem naast me op de zitting. Ik hoor haar het sleuteltje omdraaien in het contact; ze drukt de koppeling in, schakelt naar de eerste versnelling en geeft gas. De hobbel is hetzelfde, en het knerpende geluid ook. We rijden achteruit en blijven staan, en rijden weer vooruit. De hobbel is elke keer een stukje lager. Ik snuif de geur van Laura weer op, ze ruikt net als ik. Op dat moment met Clare besef ik dat ik eindelijk de waarheid omtrent die nacht heb achterhaald. We hebben het samen gedaan, Laura en ik.

Aan de overkant loopt een stoet schoolkinderen in winteruniform, met leraren voor en achter om ze in het gareel te houden. Een jongen stapt uit de rij om een poster te bekijken die aan een muur hangt en met één enkel woord roept een van de leraren hem weer terug in de rij. Dat het zo eenvoudig kon zijn, weten waar je moet lopen, hoe je moet lopen, en het te horen krijgen als je uit de rij loopt, erop gewezen worden als je een misstap begaat en te horen krijgen hoe je die fout weer ongedaan kunt maken. Ik kan wel zien dat het de jongen enige moeite heeft gekost om te gehoorzamen. Hij zou weer terug willen rennen naar die poster, hij zou willen oversteken naar een winkel, hij wil niet daarheen waar zijn klasgenoten met z'n allen naartoe gaan. Clare kijkt ook naar hem.

'Een bok te midden van de schapen,' zegt ze met een knikje naar de jongen. 'Hij is degene die van zich zal doen spreken, in goede dan wel kwade zin.'

Woorden beginnen zich op te stapelen in mijn mond. Ik herschrijf en herschik ze. 'Omdat u mij zoveel hebt toevertrouwd, is er ook iets waarvan ik denk dat ik het graag aan u zou toevertrouwen,' zeg ik, in de wetenschap dat het verhaal dat ik zo ga vertellen niet meer strookt met de waarheid.

'Een geheim?'

'Ervan uitgaande dat Laura dood is, is het een geheim waar niemand anders weet van heeft, zelfs mijn vrouw niet. Ik heb nog altijd niet de moed gehad het haar te vertellen. Het is een geheim dat u een andere kijk op uw dochter zou moeten geven. Het lijkt mij gepast dat u, en alleen u, er weet van krijgt. Door het u te vertellen, leg ik alles in uw handen – mijn vrijheid en mijn leven.' Het verhaal is niet voor mij, het is voor Clare, en voor de nagedachtenis aan Laura.

Clare knikt terwijl de stoet kinderen om de hoek verdwijnt. Ik monteer de versie die ik wil dat zij kent, het gevoel dat ik het ben die het doet, dat het mijn voet is op het gaspedaal, mijn hand aan het stuur en de versnellingspook. Hij draait als een film door mijn hoofd en in die film speel ik de hoofdrol.

'Laura was mysterieus, een vechter, één brok natuurgeweld – maar ze was geen moordenares, ze doodde niet in koelen bloede, niet zoals u zich haar voorstelt in uw dagboek. Ze heeft mijn oom niet vermoord.'

Het gezicht van Clare klaart op en ze draait haar hele lijf naar me toe zodat ze me beter kan bekijken, en dan weet ik dat dit voor haar de juiste versie is.

'Wou je mij vertellen wat ik denk dat je bent?'

'Ja. Maar u had gelijk over de vrachtwagen.' De woorden komen er op hese toon uit, en mijn stem stokt.

'Dat is wat ze in haar aantekenboekje heeft opgeschreven, dat ze hem overreed met zijn eigen vrachtwagen. Maar op een of andere manier wilde het er bij mij uiteindelijk niet in dat ze zo indirect zou zijn. Een vrachtwagen klinkt aannemelijker als de chauffeur een kind is.'

'En tot wat maakt mij dat?'

'Dat maakt jou tot niet veel anders dan mij, maar als kind – althans als blank kind in die tijd – zou het je vrijwel zeker niet zijn aangerekend. Wat ik heb gedaan waardoor het leven van mijn zuster en zwager gevaar liep, was in zekere zin erger, omdat het onvoorzichtig en egoïstisch was. Het was een misdrijf dat me levensecht achtervolgd heeft. Dit laatste boek was mijn poging tot zelfexorcisme, het uitbannen van mijn eigen geesten en mijn besef medeplichtig te zijn geweest aan hun dood, maar ook van mijn besef jammerlijk gefaald te hebben door geen betere moeder te zijn voor mijn dochter – en niet alleen voor mijn dochter, maar ook voor mijn zoon.'

'Er is nog meer,' zeg ik, en ik span me in om haar de rest te vertellen, over de lijken in de vrachtauto, over het graf en het begraven van Bernard, zoals ik het mij herinner. Ik vertel haar over die ene keer dat ik geprobeerd heb de plek in de heuvels bij Beaufort West weer te vinden en dat ik nu niet meer weet of ik geloof kan hechten aan mijn eigen herinneringen. Clare luistert en kijkt naar me ook al kan ik het niet verdragen haar aan te kijken.

'De geschiedenis zou zeggen dat je je vergist,' begint Clare op koele, analytische toon. 'Voor zover ik weet zijn er geen massagraven ontdekt. Daar zijn twee dingen over te zeggen. Ten eerste dat de geschiedenis het niet altijd bij het rechte eind heeft, omdat zij niet alle verhalen kan vertellen die zich hebben afgespeeld, en niet alles kan verklaren wat er gebeurd is. Als de geschiedenis dat wel kon, zouden historici zonder werk zitten, want dan zou er met het verleden niets anders meer te doen zijn dan interpreteren wat al bekend is. Ten tweede dat herinneringen, zelfs gebrekkige herinneringen, hun eigen waarheid hebben. Misschien is het niet letterlijk zo gegaan als jij je herinnert, maar de waarheid van het geheugen is in zichzelf niet minder nauwkeurig. Ons hele land was een massagraf, of de lichamen nu op één plek liggen of verspreid over meerdere, of ze nu op één dag zijn vermoord of in de loop van tientallen jaren. Er is nog iets anders wat je in overweging moet nemen. Het is, door een vorm van al dan niet bewuste ijdelheid, heel wel mogelijk dat je bepaalde misdrijven helemaal aan jezelf toeschrijft waar je slechts ten dele de hand in hebt gehad. Kan ik met zekerheid zeggen dat de mensen met wie ik gesproken heb er verantwoordelijk voor waren dat wat ik over mijn zuster en zwager zei werd doorgegeven aan de persoon of personen die uiteindelijk verantwoordelijk waren voor hun dood? Nee. Er is slechts een temporeel verband. Ik ben loslippig geweest en het gevolg daarvan, leek mij, was hun dood. Maar ik heb geen onweerlegbaar bewijs van mijn betrokkenheid afgezien van mijn gevóél dat ik erbij betrokken was. Dat is de reden, zoals Dostojevski zegt in zijn citaat van Heine, "dat een ware autobiografie bijna een onmogelijkheid is", omdat het nu eenmaal in de aard van de mens besloten ligt dat hij over zichzelf liegt. Je kijkt beduusd, Samuel. Ik suggereer niet dat wat jij aan mij verteld hebt een leugen is. Maar jezelf in waarachtige zin herinneren als instrument van je eigen bevrijding is een vorm van ijdelheid. Laten we eens veronderstellen dat jij Bernard inderdaad gedood hebt, en dat je ook medeplichtig was aan het vervoer van lichamen van mensen die waren omgekomen door wreedheden van het apartheidsregime. Zonder het doden van je oom te willen verschonen, is het toch mogelijk het uit te leggen als het gevolg van zowel de historische omstandigheden als jouw eigen hoogstpersoonlijke trauma. In dezelfde passage zegt Dostojevski dat iedereen zich dingen herinnert die hij alleen aan zijn vrienden zou toevertrouwen, en dingen die hij alleen aan zichzelf zou toevertrouwen, onder de mantel der geheimhouding. "Maar er zijn ook dingen die een mens niet eens aan zichzelf durft te vertellen." De vraag die jij denk ik niet gesteld hebt, is waarom je Bernard zo haatte dat je razernij geen andere keus had dan zich zo te uiten – of, anders gezegd, dat je geen andere keus had dan jezelf te verdedigen. Er zitten lacunes in je verhaal. Misschien heb je me niet het hele verhaal verteld. Je moet jezelf de vraag stellen wat Bernard zélf kennelijk gedaan heeft dat hij jou ertoe dreef te doen wat je gedaan hebt.'

'Sommige mensen zouden dat moreel relativisme noemen.'

'Inderdaad. Had je Bernard moeten doden?' vraagt ze heel nuchter, alsof ze de verschillende opties tegen elkaar afweegt. 'Nee. Objectief gezien had je dat niet moeten doen, want iemand zo doden is slecht. Maar als je wilde overleven, had je dan de keus iets anders te doen dan wat je gedaan hebt? Opnieuw vermoed ik dat het antwoord nee is. Je hebt gedood uit zelfbescherming. En als we de strenge moralisten ook tevreden willen stellen, zouden we kunnen zeggen dat je, jong als je was, de consequenties van je daden niet kon overzien.'

Ik doe mijn mond open om haar tegen te spreken maar ze maant me tot zwijgen.

'Feitelijk doet het er niet toe. Wat er, als je het mij vraagt, toe doet is dat er nog steeds dingen zijn die jij verborgen houdt, en die zich voor jou verborgen houden. Dat gevoel heb ik al vanaf het moment dat je vorig jaar augustus voor het eerst bij me kwam. Daar, dacht ik, heb je nou een jongeman die zichzelf nog niet kent. En nu kijk ik je aan en weet ik dat er nog stééds dingen zijn die je me niet vertelt, die je me misschien wel nooit zult vertellen.'

Maandag. Terwijl ik met Clare heb afgesproken maakt Sarah haar verhaal over het festival af. Zondagmiddag heeft de Australische schrijver zich met een stel studenten zitten bezatten en heeft hij een voormalige fan die hem van verraad aan de goede zaak beschuldigde een dreun verkocht.

Clare laat het recente verleden rusten en vertelt iets meer over haar tijd in Europa als jonge vrouw, haar terugkeer naar Zuid-Afrika, haar huwelijk, de geboorte van Mark en Laura, en hoe ze bij de censuur betrokken was geraakt. We hebben het opnieuw over haar dochter en ze laat me de aantekenboekjes en laatste brief van Laura zien, waarin ze de verantwoordelijkheid neemt voor de dood van Bernard. Mijn valse bekentenis, besef ik, heeft niks uitgehaald.

'Ik kan hier verder niks mee,' zegt Clare. 'En trouwens, ik heb overal kopieën van. Jij mag de originelen hebben. Marie is onze getuige en kan bevestigen dat ik compos mentis ben, voor het geval mijn zoon deze schenking ooit zou aanvechten. Misschien krijg je op een goeie dag ook nog eens iets anders, iets wat je werkelijk toekomt.' Ze haalt adem alsof ze nog meer wil zeggen, maar dan schudt ze het hoofd. 'Ikzelf kan de manier waarop jij verloochend bent – verloochend door mij, en misschien ook door anderen – nooit helemaal vergoeden. Wat een ander leven zouden we misschien geleid hebben als ik de moed en de ruimhartigheid had gehad om jou aan te nemen, als tweede zoon. Ga je het je vrouw vertellen, nu je het aan mij verteld hebt? Ga je haar alles vertellen?'

'Dat weet ik niet. Ik weet niet of ik het wel verdragen kan dat zij het weet.'

Clare houdt mijn hand vast, zoals mijn moeder dat vroeger ook deed, zo hard dat het pijn doet. 'Ik begrijp die aarzeling. Misschien heb je gelijk. Sommige dingen kunnen beter verborgen blijven. Maar als je wilt weten wat ik ervan vind, ik vind dat je haar moet vertrouwen. Geef haar die kans.' Ze recht haar rug, trekt haar schouders naar achteren en pakt mijn andere hand.

438

'We moeten afscheid nemen, maar het is geen afscheid voor altijd, want ik zal je ongetwijfeld weer zien, misschien zelfs in Johannesburg. Ik vertrouw erop dat je zo eerlijk zult zijn als je weet op te brengen, en dat je over me zult schrijven zoals je je mij herinnert. Laat anderen maar oordelen. Maar misschien is het mij toegestaan een nawoord te schrijven.'

Clare

In de tuin wordt het winter, de tomatenplantjes zijn uitgetrokken en de Kaapse kruisbessen en citroenen beginnen rijp te worden. Overal is de geur van houtrook, die opstijgt van de Kaapse vlakte en blijft hangen in een brede band die de bergen boven Stellenbosch half aan het oog onttrekt. Als het heel erg is, is de zon niet meer dan een platte, rode schijf waar je gewoon met het blote oog in kan kijken.

In huis ligt nergens stof en is nergens een vingerafdruk te zien, op kastdeuren noch keukenapparatuur. Elk kussen, elk kleedje in de kamer ligt recht.

Nosipho is te plichtsgetrouw om nalatig te zijn, zelfs als deze oude kat op jacht gaat. Het zilver is gepoetst en het kristal heeft een of andere magische behandeling ondergaan waardoor het pas geslepen lijkt. Ik maak de trommel met de pruik van mijn vader open en zie dat die ook wel opgeknapt lijkt, als opnieuw geweven met paardenhaar.

'Je hebt jezelf overtroffen,' zeg ik. Ze glimlacht en ik zie dat ze een tand mist die ze anders altijd wel had.

'Wat is er met die tand gebeurd?'

'Die moest eruit.'

'Daar moet iets aan gedaan worden. Zeg tegen Marie dat ik heb gezegd dat daar iets aan gedaan moet worden. Zij zal wel een afspraak voor je maken bij de tandarts.'

Noem het een soort boetedoening. Het is te weinig, ik weet het – te weinig op de juiste plek en tegelijkertijd op de verkeerde plek. Ik heb het besluit genomen de familie van Stephan op te sporen, wie daar nog maar van in leven mag zijn, en mijn beken-

tenis aan hen af te leggen. De doden kunnen geen absolutie verlenen.

De tijd dat ik van huis was lijkt me goed te hebben gedaan.
Mijn slapeloosheid is weg, hoewel jij er nog wel bent, Laura. Ik
weet nu dat je nooit helemaal weg zult gaan, dat ik je komen en
gaan zal moeten aanvaarden en erop zal moeten vertrouwen dat
beide weliswaar onvoorspelbaar blijven, maar dat ik er nochtans
altijd op zal kunnen rekenen.

Bij een optreden in de Book Lounge vroeg een man laatst hoe je
aan je eind was gekomen, aangezien *Absolutie* over je dood
spreekt in de context van je activiteiten, waar ik alleen in vage
termen op zinspeel. Ik zei dat ik niet wist hoe je aan je eind was
gekomen, omdat je stoffelijk overschot nooit is gevonden, maar
dat we moesten aannemen dat je niet meer leefde. Ik zei hem dat
ik geen overlijdensakte had en dat geen van je kameraden, afgezien van de twee mannen die zelf naar jou zochten, ooit contact
met me hadden opgenomen, zelfs niet om me te condoleren of
me te bedanken voor het offer dat je had gebracht. Tijdens de ver-
plichte signeersessie kwam de man naar me toe en werd, zoals
een verbazingwekkend aantal jongemannen vandaag de dag wel
vaker overkomt, zo emotioneel dat hij zijn armen om me heen
sloeg zonder daar toestemming voor te vragen. Aanvankelijk
was ik geschokt, maar toen voelde ik me getroost zoals ik nooit
zou hebben verwacht. 'U bent zo moedig,' zei de man, 'zo ongelooflijk moedig.'

'Ach, uiteindelijk is het maar fictie,' zei ik, en ik draaide het
boek om en wees naar het etiket op de achterkant, vlak boven de
streepjescode. Taal brengt de wereld om ons heen, en alles wat
we tegenkomen voort. Als ik het fictie noem, dan is het fictie.

De man keek me vorsend aan en zei: 'Maar dat is toch geen fictie? Die verhalen over uw dochter, dat is toch niet allemaal fictie?
Alles over uw familie, dat moet echt zijn,' zei hij, er rotsvast van
overtuigd dat ik niet anders kon dan instemmen. Hij had natuurlijk gelijk.

'Nee, dat is geen fictie. Althans voor het merendeel niet,' zei ik, 'alleen zo hier en daar. Volgens het boek zelf is het niets dan fictie, zelfs de familiegeschiedenis, en zelfs mijn dode dochter.' De man schudde zijn hoofd en met een blik alsof hij elk moment kon gaan huilen liep hij weg. Ik had hem niet gegeven wat hij wilde. Ik had niets te geven dan wat ik gegeven had. Het kan niet het een of het ander zijn, zwart of wit. Het is allebei en geen van beide en nog iets anders, iets ertussenin.

Het boek, wat voor leven het ook zal gaan leiden, is een belangrijke persoonlijke prestatie voor me geweest, niet minder dan dit dagboek. Boek en dagboek zijn mijn exorcisme geweest, ik heb er mijn eigen demonen mee uitgedreven, eindelijk heb ik het gevoel dat ik kan stoppen met treuren om mijn jarenlange onvermogen op de juiste wijze om mijn onbegraven doden te treuren. Ik treur nu om jou, Laura, omdat ik jou verloren heb. En niet alleen om jou, maar ook om mijn ouders, en om Nora, om alles van jullie vieren wat in omloop blijft, en zich aan de levenden vastklampt.

Ik ga naar Johannesburg ter voorbereiding op de reeks lezingen over literatuur en het recht, georganiseerd in samenwerking met het constitutionele hof – met niet weinig assistentie van Mark, die zich genereuzer heeft betoond dan de meesten zouden denken door mij toe te staan gebruik te maken van zijn identiteit en zijn geschiedenis. Alvorens Sam weer te zien bel ik je vader om te vragen of hij zich de ouders van Sam nog herinnert, Peter en Ilse. O ja, die herinnert hij zich nog, alle drie, hij wil meteen weten hoe hij met Sam in contact kan komen. Ik vraag hem te wachten, nog geen contact met Sam op te nemen, het even tijd te gunnen, tot de biografie naar de drukker is.

Ik ben bang dat Mark nog minder blij zal zijn met het boek van Sam dan met mijn boek, maar hij kan er weinig tegen uitrichten. Hij zal mij geen voet dwars zetten, hij weet wel beter. Waar de eerste versie die Sam mij heeft laten lezen geen laster bevat, ver-

meldt hij wel dingen waarvan ik liever zou zien dat ze in het verborgene bleven, hoewel ik mij met het verstrijken van de tijd
meer en meer realiseer dat onthullingen beter kunnen komen
als je nog in leven bent, en in staat ongegronde beweringen te
weerleggen. Niet dat Sam ongegronde beweringen doet, maar
als anderen lezen wat hij onthult zullen ze conclusies trekken
waar ik liever nog mijn zegje over kan doen, of die ik zelfs zal willen ontkennen. Hij heeft me in elk geval de kans gegeven een en
ander vanuit mijn perspectief te laten zien. Anderen zullen toch
wel zeggen wat ze willen.

In de loop van die week in Johannesburg heb ik Sam verscheidene keren gezien, en in die dagen hield ik ermee op hem door jouw
woorden te zien, Laura, zoals hij figureerde in je laatste aantekenboekje, ik hield zelfs op hem door de vertekenende bril van mijn
eigen geheugen te zien: als een kind bij mij op de stoep, een kind
nog jonger dan hij in werkelijkheid was, een zwerfkind zonder
stem en energie, zonder familie en zonder achtergrond, niets te
geven en alles te nemen, een lege huls, meer niet. Ik wist dat ik
moest ophouden hem te zien als een vat dat jij en ik vastbesloten
waren te vullen met onze eigen woorden en ideeën, ons eigen relaas van wie hij was. Eindelijk, zonder al die afleiding, na jouw
aantekenboekjes aan hem te hebben afgestaan, zoals mij niet
meer dan juist leek, had ik het gevoel dat ik hem kon gaan zien zoals hij werkelijk is, of althans zoals hij in de omgang met mij werkelijk is, de gemeenplaats indachtig dat we aan iedereen weer andere aspecten van onze persoonlijkheid laten zien. Ik zie hem
niet zoals hij is wanneer hij alleen met zijn vrouw is, of met zijn
studenten. Misschien gedraagt hij zich in mijn bijzijn als in het
bijzijn van zijn oudere collega's. Of misschien is hij in mijn bijzijn
anders dan in het bijzijn van wie dan ook ter wereld. Het zou mij
veel genoegen doen als onze verstandhouding voor ons allebei
uniek was. In die paar dagen heb ik geprobeerd hem te behandelen zoals ik jou idealiter behandeld zou hebben, Laura, of je broer,
iets wat me nooit gelukt is.

We bleven elkaar op de universiteit ontmoeten, huiverend in de winterse zon, heen en weer lopend voor het hoofdgebouw, ons vergapend aan en lachend om de muurschilderingen in de Cullen Library, ijs etend ondanks de kou. Ik ging bij hem thuis eten, genoot van het gezelschap van zijn charmante vrouw. Ik deed alles wat ik gezworen had nooit te zullen doen. Hij bood aan me aan zijn nieuwe collega's voor te stellen maar dat sloeg ik af. Zaken en boeken interesseerden mij niet meer. Het voelde allemaal aan als de stralend verlopende hereniging van een adoptiekind met zijn biologische moeder, weer bijeen na elkaar jaren gezocht te hebben. We zagen allebei in dat onze relatie zowel minder diep ging als complexer was dan die metafoor suggereert. Als er al een biologische band is, zit die in de aarde van ons land: in het stof onder onze voeten, dat krioelt van het leven, in het vuil van het verval dat ons allen aankleeft.

Wat me meer dan wat ook verbaasde was dat ik jou in Sam begon te zien, in zijn hardheid en vastberadenheid en oplettendheid: het roofdier dat weet wat het is om gewond te zijn, en dat jaagt in de wetenschap dat het uiteindelijk zelf de prooi zou kunnen zijn. Zijn ogen zijn jouw ogen, zijn geur is van dezelfde melange die uit jouw poriën kolkte en die nog altijd uit de poriën van je broer stroomt.

Ik zei tegen hem dat ik het gevoel had dat hij me al die jaren achtervolgd had en dat hij me, toen mijn kracht begon weg te ebben en zijn kracht over zijn hoogtepunt heen was, eindelijk had overmand. Hij moest lachen en zei dat hij hetzelfde gevoel had gehad. Volgens mij was dat niet gelogen.

Hij heeft niks verraderlijks. En dat, weet ik, kenmerkt de grootste leugenaars. Ik ben erop bedacht dat de biografie, als hij eindelijk verschijnt, geen enkele gelijkenis zal vertonen met wat hij mij heeft laten zien. Ik hoop dat het niet zo zal zijn, maar hoezeer ik – bijna ondanks mezelf – ook van hem ben gaan houden en alles ben gaan geloven wat hij me vertelt, hoezeer ik hem ook dicht bij me wil houden en hem de plek wil geven die ooit de jouwe was, ik vertrouw hem niet, en ik zal hem ook nooit vertrouwen.

Dankbetuiging

De redenering van Clare Wald over censuur is geïnspireerd op *Giving Offence: Essays on Censorship* van J.M. Coetzee en 'Censorship/Self-Censorship' van Danilo Kiš, opgenomen in *Homo Poeticus: Essays and Interviews*; citaten zijn uit *Aeropagitica* van John Milton. Aan Peter D. McDonald en zijn boek *The Literature Police: Apartheid Censorship and Its Cultural Consequences* ben ik dank verschuldigd voor opheldering van bepaalde details van de censuur onder het Zuid-Afrikaanse apartheidsregime. Ook de volgende boeken waren nuttig om te raadplegen: Gerald Shaw, *The Cape Times: An Informal History*; Keyan Tomaselli, Ruth Tomaselli en Johan Muller (red.), *The Press in South Africa*; Les Switzer en Mohamed Adhikari (red.), *South Africa's Resistance Press: Alternative Voices in the Last Generation Under Apartheid*; Gerald B. Sperling en James E. McKenzie (red.), *Getting the Real Story: Censorship and Propaganda in South Africa*; Gordon S. Jackson, *Breaking Story: The South African Press*.

Voor verscheidene vormen van steun en bemoediging veel dank aan mijn ouders Gail L. Flanery en James A. Flanery, en ook aan Ben Arnoldy, Rita Barnard, Glenn Breuer, Rebecca Carter, Dirk Klopper, Michele Gemelos, Michael Holtmann, de familie MacLeod (Martin, Alisdair, Kirsty, Catriona en Annabel), Stephanie Nolen, Kimberly Ochs, Ann Pasternak Slater, Goran Stanivukovic, Cynthia Stone, Michael Titlestad en Marlene van Niekerk. Bijzondere dank ben ik verschuldigd aan familie en vrienden in Zuid-Afrika, vooral aan Nan en Eddie van der Vlies, Sandra Willows en Camel du Plessis, Natasha Distiller en Lisa Retief en hun zoon Jesse, Undine Weber, Deborah Seddon, Angela Rae en Justin Cornish, Lucy Graham en Wendy Jacobson.

Veel dank ook aan mijn agent Victoria Hobbs en haar collega's Jennifer Custer en Kate Rizzo Munson, en aan mijn agent in Amerika, George Lucas. Ook mijn redacteuren Margaret Stead, Ravi Mirchandani, Sarah McGrath en Michael Schellenberg ben ik veel dank verschuldigd.

Dit boek zou niet mogelijk zijn geweest, of om te beginnen al nooit ontstaan zijn, zonder Andrew van der Vlies.